a síndrome
da rainha vermelha

Marcos
Rolim

a síndrome da rainha vermelha

POLICIAMENTO E SEGURANÇA PÚBLICA NO SÉCULO XXI

Centre for Brazilian Studies
UNIVERSITY OF OXFORD

JORGE **ZAHAR** EDITOR
Rio de Janeiro

Jorge Zahar Editor Ltda.
rua México 31 sobreloja
20031-144 Rio de Janeiro, RJ
tel.: (21) 2240-0226 / fax: (21) 2262-5123
e-mail: jze@zahar.com.br
site: www.zahar.com.br

Centre for Brazilian Studies
University of Oxford
92 Woodstock Road
Oxford OX2 7ND, UK
tel: +44 (0) 1865 284460/ fax: +44 (0) 1865 284461
e-mail: enquiries@brazil.ox.ac.uk
site: www.brazil.ox.ac.uk

Preparação de originais: Rodrigo Alva
Revisão tipográfica: Eduardo Faria e Antonio dos Prazeres
Capa: Dupla Design
Ilustração da capa: ©Mika/zefa/Corbis; ©Simon Marcus/Corbis

CIP-Brasil. Catalogação-na-fonte
Sindicato Nacional dos Editores de Livros, RJ.

Rolim, Marcos,1960-
R654s A síndrome da Rainha Vermelha: policiamento e segurança pública no Século XXI / Marcos Rolim. — Rio de Janeiro: Jorge Zahar Ed.; Oxford, Inglaterra: University of Oxford, Centre for Brazilian Studies, 2006

Inclui bibliografia
ISBN 85-7110-917-6

1. Segurança pública - Aspectos políticos. I. University of Oxford. Centre for Brazilian Studies. II. Título.

CDD 364.2
06-1150. CDU 351.74

SUMÁRIO

Dedico este trabalho à memória de
Adelmo Genro Filho, Sérgio Metz,
Carlos Renan Benetti Machado e
José Eduardo Utzig, amigos com quem eu
gostaria de ter discutido estes textos
e que teriam emprestado a eles
mais profundidade, beleza e alegria.

AGRADECIMENTOS

Este livro foi possível graças ao convite que me foi feito para um período de estudos na Inglaterra pelo diretor do Centro de Estudos Brasileiros da Universidade de Oxford, professor Leslie Bethell. Historiador respeitadíssimo no Reino Unido e autor de uma vasta obra sobre a história do Brasil e da América Latina, o professor Leslie me ofereceu todo o apoio e foi sempre muito paciente e gentil. Com a mesma importância e consideração, devo agradecimentos especiais à Fundação Ford, que selecionou meu projeto de pesquisa e me concedeu o suporte financeiro imprescindível. Foi também muito honroso contar com o apoio da Ford, uma instituição independente que realiza um trabalho em favor dos direitos humanos diante do qual todos os elogios são insuficientes.

Entre os meus colegas em Oxford, devo especial agradecimento a Fiona Macaulay, uma referência na Inglaterra sempre que se trata de direitos humanos no Brasil, país pelo qual se apaixonou. Fiona me ensinou o "caminho das pedras" e foi, mais do que uma colega de trabalho, uma amiga em todos os momentos. É uma pessoa intensa que nos brindou com um olhar escocês sobre a história e as tradições britânicas e me ensinou as expressões mais interessantes em inglês. Devo a outra colega, a economista Marukh Doctor, um agradecimento pela acolhida e pelas histórias de seu país, a Índia. A Pedro, seu companheiro, agradeço tanto o apoio oferecido à versão do meu *paper* quanto os momentos gastronômicos tão apreciados pela família. Miguel Carter, o norte-americano especialista no Movimento dos Trabalhadores Rurais Sem Terra (MST), o professor e economista Ronaldo Fiani, a professora Vanessa de Castro e o diplomata e filósofo Alexandre Parola foram sempre parceiros e me auxiliaram de muitas maneiras. Margaret Hancox e Julie Smith foram muito atenciosas e "quebraram galhos" grandes e pequenos. Ailsa Thom, Sarah Rankin, Alessandra Nolasco e Michelli Jaques, da mesma forma, me ofereceram todo o apoio que se pode esperar em um ambiente de estudo.

Aos companheiros Tim Cahill e Damian Platt, da Anistia Internacional, e aos nossos amigos da London School of Economics (LSE), Sandra Jovchelovitch e Martin, meus agradecimentos pela acolhida e pelos bons momentos em Londres.

Devo agradecer, também, a Mick Hoare, Bill Scott e Mike Homden, policiais dirigentes da Academia Nacional de Bramshill (Centrex) e, também, aos policiais da Central de Thames Valley pela paciência em responder todas as minhas perguntas e por terem me dito, sem qualquer informação a meu respeito e sem saberem qual a direção de minha pesquisa, que "as polícias britânicas serão mais eficientes quanto mais estiverem comprometidas com a luta pelos direitos humanos".

Por todo o apoio que minha família pôde receber, pela gentileza e incentivos constantes, agradeço a Maíta, Harvey e Frances, pessoas especiais que ganharam nossos corações.

Entre os meus amigos no Brasil que me ajudaram na revisão dos originais e me ofereceram sugestões oportunas e precisas, devo destacar a colaboração de Luiz Eduardo Soares, a quem devo boa parte do meu ânimo com o tema das políticas públicas de segurança. Tanto quanto ele, Miriam Guindani também ofereceu comentários valiosos. Meu amigo, o filósofo e médico Marco Azevedo, me enviou observações preciosas, o que é o mínimo que posso dizer das contribuições que me foram endereçadas pelos amigos Salo de Carvalho, professor e penalista; Rodrigo Ghiringhelli de Azevedo, professor, advogado e sociólogo; pelo professor e médico geneticista Renato Zamora Flores; e por minha amiga e ex-assessora na Comissão de Direitos Humanos da Assembléia Legislativa do Rio Grande do Sul, Sinara Fajardo. Graças a eles, este livro está menos incompleto e menos incorreto. Nenhum deles deve ser responsabilizado, entretanto, pelo que no texto persistir das minhas limitações.

Quero agradecer, também, o apoio de meu amigo professor Oscar Vilhena – da Conectas, de São Paulo – por ter atendido ao convite para comentar meu *paper* na universidade e por todos os exemplos de dignidade e seriedade que ele tem me oferecido ao longo desses anos todos.

Last but not least, este livro seria impossível sem a ajuda e o estímulo de três mulheres especiais. Jussara, minha companheira, que segue dividindo a paisagem quando surge e que, há muitos anos, me disse que adoraria morar em Oxford. Ela me construiu na direção do seu desejo, como sempre, e lhe sou grato também por isso. Maíra, minha filha mais velha, meu pequeno e doce furacão, que viveu pela primeira vez comigo por um longo período e que me cobriu de felicidade por ter me dado a chance de amá-la mais de perto. E Sofia, minha pequena amada, por ter me mostrado a "árvore do esquilo", por ter me oferecido seu largo sorriso todas as manhãs e por ter corrigido sempre minha pronúncia. Juntos, enfrentamos todas as dificuldades e vivemos o que de melhor essa aventura nos reservou. O livro é, por isso, também obra delas.

PREFÁCIO

Através do espelho, pelas mãos de Alice, Marcos Rolim nos leva à Rainha Vermelha, personagem da galeria fantástica de Lewis Caroll. "Vamos, Alice, corra, corra mais." Exausta com o esforço, ela se frustra quando percebe que não saiu do lugar. No mundo da Rainha Vermelha é assim mesmo. Corre-se mais e mais, para não sair do lugar. Aliás, é preciso correr muito para ficar no mesmo lugar. O paradoxo serve de metáfora para pensarmos o drama da segurança pública brasileira: quanto menos funcionam as práticas e os métodos adotados, mais são privilegiados pelo investimento público e mais são aplicados pelas autoridades da área, que os repetem acriticamente. Isso porque, salvo honrosas exceções, não há qualquer compromisso com a racionalidade, a pesquisa consistente, o acompanhamento crítico dos experimentos nacionais e internacionais, o conhecimento acumulado na esfera acadêmica, nem mesmo com os princípios mais elementares da gestão moderna, entre os quais se destacam: o diagnóstico – apoiado no rigor do conhecimento e da pesquisa –, o planejamento, a avaliação e o monitoramento corretivo.

Ao final do longo percurso, no último capítulo, é Humpty-Dumpty quem nos lembra que as palavras e seus significados estão sujeitos às manobras mais extravagantes, tanto no pólo da enunciação quanto no da recepção. A lição é poderosa: o processo da comunicação é complexo e ardiloso. A tese recomenda cautela no tratamento de dados sobre criminalidade e violência, e também se aplica à mídia.

Quebrando espelhos, rasgando preconceitos e lugares-comuns, exorcizando simplificações e reducionismos, driblando dogmas e desinformação, rompendo o imobilismo reflexivo que provém desse curioso solipsismo narcisista, em que nos meteu nossa cultura política, Rolim nos conduz pelo caminho sinuoso da segurança pública, examinando a literatura, casos e experiências internacionais.

Uso solipsismo narcisista no seguinte sentido: herdamos de nossa tradição política, à direita e à esquerda, a crença de que as explicações sobre crime e violência já foram dadas e as soluções são conhecidas. Não seria, por conseqüência, necessário debruçar-se sobre o que acontece fora do domínio das teorias, que se reafirmam pela tautologia de suas próprias convicções, independentemente da reflexão crítica sobre pesquisas empíricas. A esquerda lavou as mãos, à espera da redenção socioeconômica, quando supostamente celebraremos o fim das iniqüidades e a sociedade será igual, fraterna e justa. E viverá para sempre em harmonia. A direita sujou as mãos com sangue e lama, em nome da lei e da ordem, que se manifestam sob a forma de discriminação e violência com os de baixo, e tolerância indulgente com os de cima.

Ambas as visões – e os protagonistas políticos que as representam – negligenciam a magnitude das tragédias que se abatem sobre a sociedade brasileira, tornando-a uma das mais violentas do mundo, e renunciam à discussão sobre a especificidade da política de segurança pública, em toda a sua extraordinária complexidade. Essa omissão tem como efeito a reiterada recusa em assumir responsabilidades efetivas em relação às mudanças indispensáveis e urgentes na área.

O texto é claro e envolvente, os relatos referidos são muito atraentes, os argumentos são persuasivos e as informações, extremamente interessantes. Impossível largar o livro, depois que as primeiras páginas fisgam nossa atenção. Marcos Rolim nos proporciona uma viagem intelectual, que é também ética, política e até mesmo estética, se atribuirmos a essa categoria seu sentido mais amplo, capaz de subsumir a experiência da imaginação criativa, indissociável das emoções mais profundas. O autor alerta, desde o início: não esperem frieza e distância, neutralidade e isenção. Frase a frase, empenha-se em um corpo a corpo com os desafios, assumindo clara e apaixonadamente sua posição em defesa do respeito aos direitos humanos e ao pluralismo democrático.

O que é, então, este livro? A apresentação minuciosa e qualificada do debate contemporâneo sobre aspectos centrais da segurança pública e, até mesmo, em alguns momentos, da justiça criminal – particularmente no belo Capítulo 7, que defende as virtudes da justiça restaurativa. A trilha escolhida é a seguinte: depois de um primeiro capítulo introdutório, no qual se discutem as razões pelas quais ainda é tão pequeno o grupo dos estudiosos da segurança pública – contrapartida do predomínio de visões tão equivocadas e preconceituosas a respeito de violência, crime, polícia, instituições penais etc. –, o autor reflete sobre o que tem sido e o que poderia ser a instituição policial nas sociedades ocidentais modernas contemporâneas. Descreve algumas das experiências mais ricas e promissoras, na esfera dos métodos de policiamento, e se pergunta sobre os seus reflexos na própria natureza e na forma de organização das polícias.

O autor expõe os principais significados do que se convencionou designar policiamento comunitário e policiamento orientado para a solução de problemas, inscrevendo o conjunto dos novos procedimentos na crise de paradigmas que caracterizava a cultura policial, sobretudo – mas não apenas – nos Estados Unidos, no momento da emergência dessas modalidades mais eficientes e democráticas. Demonstra que a referência mais relevante é a transição do modelo reativo para a perspectiva preventiva. Sublinha os sentidos sociológicos e antropológicos investidos nessa alteração histórica, em cujo âmbito valores e identidades sofrem câmbios profundos.

Nos Capítulos 3 e 4, Rolim faz um mapeamento muito interessante de teses, hipóteses, dados, tendências e paradigmas, no campo da criminologia, indagando-se sobre as possíveis causas da criminalidade – inclusive sobre a pertinência de pensar em termos causais – e sobre fatores de risco individuais, na família, na escola e na espontânea disposição das oportunidades situacionais. Tematiza a questão nevrálgica dos jovens diante do crime, como vítimas e perpetradores, e interroga os métodos punitivos e as instituições penais. Toda obra tem seu foco. Neste livro, o espectro de abrangência circunscreve a produção estrangeira. Não é justo cobrar-lhe o que escapa às suas pretensões. Por isso, não seria razoável criticar a ausência dos autores e da literatura brasileiros. Afinal, o trabalho de Marcos Rolim vem estender o conhecimento nacional sobre os debates europeus e norte-americanos, o que o torna complementar à nossa bibliografia, enriquecendo-a. Nesse sentido, Rolim não a negligencia, antes contribui para valorizá-la, sobretudo se pensarmos a construção intelectual do ponto de vista coletivo e histórico.

No Capítulo 5, dedicado à mídia em sua relação com a violência, o autor nos incita a ir mais fundo do que é habitual nos debates sobre o tema. E mais uma vez, como ocorre nos capítulos anteriores, Rolim não se furta a intervir de forma diretamente propositiva, ultrapassando os limites da descrição e da análise, do relato e da prospecção.

E a prisão, o que fazer com ela? Como e por que punir? Para que penalizar? Os objetivos conscientes e inconscientes são alcançados? O que nós queremos, afinal, enquanto sociedade? Se a finalidade fosse gerar condições menos favoráveis à reprodução da violência, os caminhos seriam outros: seriam outras as políticas criminais, as políticas de segurança, as respectivas instituições e suas práticas. É o que aprendemos com a leitura do Capítulo 6, "É possível reabilitar presos com comportamento violento?".

Seguem-se os capítulos já referidos sobre os potenciais inspiradores da justiça restaurativa e a precariedade estrutural dos dados criminais, problema central para a construção do conhecimento, sem o qual não há políticas racionais nem gestão eficiente.

Para quem dedica a vida a pensar e agir no campo da segurança pública e da justiça criminal, celebrando os direitos humanos – paz, vida, cidadania, democracia pluralista e liberdade –, a publicação de *A Síndrome da Rainha Vermelha* é motivo de comovida alegria. Temos, agora, à nossa disposição, um instrumento didático precioso, acessível a todos os públicos, de leitura fácil e atraente, ainda que rigoroso e consistente. Torna-se, portanto, um pouco mais difícil o triunfo do obscurantismo, matriz da corrupção e da brutalidade, cúmplice da insegurança e do medo, sentimentos que terminam por cultivar a perniciosa demanda por ordem autoritária. Cintila um rastro de vida inteligente, na pista de Alice.

Marcos Rolim é um dos militantes de direitos humanos mais destacados e honrados, dedicados e competentes. Foi vereador em Santa Maria; duas vezes deputado estadual e uma vez deputado federal, pelo PT do Rio Grande do Sul; presidente da Comissão de Direitos Humanos, na Assembléia gaúcha, e da Câmara Federal; criador do Relatório Azul e das Caravanas da Cidadania. Dedica-se, atualmente, à vida acadêmica. Ao publicar a presente obra, demonstra as vantagens que provêm da combinação de ambas as experiências: a pesquisa acadêmica e a luta política pela democracia e a dignidade da vida. Talvez não seja exagerado otimismo afirmar que *A síndrome da Rainha Vermelha* ajuda a encerrar, no Brasil, o ciclo político-cultural em que segurança pública e direitos humanos eram vistos como valores opostos e constituíam problemas inexoravelmente contraditórios. O itinerário de Marcos Rolim tem sido parte significativa nessa travessia difícil e tortuosa.

Luiz Eduardo Soares
antropólogo e cientista político,
professor da Universidade Cândido Mendes e da Uerj

INTRODUÇÃO

Este livro é a expressão de um encontro entre uma trajetória militante em direitos humanos e um estudo específico em segurança pública na Universidade de Oxford, no Reino Unido. Um encontro que se deu, então, longe do envolvimento cotidiano com a violação dos direitos humanos e com os indicadores de violência e criminalidade no Brasil, fenômenos com os quais ocupei boa parte da minha militância ao longo dos últimos 20 anos. Durante esse período de distanciamento, me obriguei a tomar a realidade brasileira como um "pano de fundo" cuja presença me parecia mais óbvia apenas no momento em que eu selecionava algum tema ou aprofundava a pesquisa em uma ou outra direção. Na revisão, entretanto, me dei conta de que minhas inquietações militantes estiveram mais presentes do que, a princípio, havia admitido. Embora a estrutura do livro obedeça aos preceitos acadêmicos mais elementares e eu tenha optado por um estilo, no mais, "contido", os leitores saberão identificar com clareza que os textos se inserem em uma disputa político-ideológica mais ampla.

Afirmo isso, logo de início, alertando para aquilo que esse estudo carrega como limitação, mas, talvez, também como virtude. Sendo uma obra francamente influenciada por uma posição – a de um militante brasileiro em direitos humanos –, parece natural que o contencioso político e ético em torno dessa luta atravesse o texto. Não estou seguro, entretanto, que isso tenha sempre contribuído para um melhor resultado. Por outro lado, penso que essa mesma limitação pode conferir ao livro um valor específico em uma realidade como a nossa. O leitor perceberá logo que está diante de um ponto de vista (que é sempre "a vista desde um ponto") cujas razões estão expostas, imagino, com suficiente clareza – o que facilitará, então, o processo de debate público e de contestação dos meus próprios argumentos. Perceberá, em síntese, que as posições aqui sistematizadas possuem a clara intenção de dialogar com as opiniões mais comuns (e, portanto, mais fortes) reproduzidas no Brasil sobre temas como policiamento, segurança pública ou justiça criminal.

Escolhi travar esse diálogo a partir dos resultados mais relevantes nas pesquisas a que tive acesso, notadamente no Reino Unido e nos EUA, as quais abarcam a maior parte da literatura especializada. Pude estudar, também, um pouco das experiências de países como Austrália, Nova Zelândia, Holanda, Canadá e África do Sul, mas essas referências são periféricas em toda a bibliografia consultada. Foram especialmente úteis vários contatos que mantive com policiais ingleses, especialmente na Academia Nacional de Bramshill e na Central de Polícia de Thames Valley. A experiência das polícias britânicas exerceu claramente uma influência no meu modo de perceber as possibilidades de reforma das polícias e me permitiu valorizar um padrão que é bastante impressionante. A esse respeito, ocorreu comigo o que ocorre com todos os pesquisadores que tomam contato com essa experiência. Para eles, não há como se pensar as polícias modernas sem considerar o que os ingleses produziram na área. Também foram importantes os encontros e as *lectures* em Oxford na área do direito e da criminologia. Graças a um deles descobri a "justiça restaurativa", o que me motivou a estudar o tema e me ofereceu motivos para satisfação e esperança.

Os capítulos procuram oferecer uma visão tão abrangente quanto possível das experiências inovadoras da área da segurança pública, a partir das quais procurei "conectar" alguns dos desafios que me parecem não equacionados no Brasil e, em regra, na América Latina. A idéia, no todo, foi a de oferecer informações imprescindíveis sobre alguns dos temas mais candentes da segurança pública no início do século XXI, pelo menos da forma como eles têm aparecido na vigorosa tradição anglo-saxã de pesquisas científicas. Isso não significa, contudo, que o livro ofereça uma revisão exaustiva. Na verdade, escolhi um tipo de exposição que me permitisse abordar vários problemas em vez de um só. O preço a ser pago foi o de resumir as referências apenas ao essencial para a conformação dos argumentos, evitando a abrangência e o detalhamento necessários ao aprofundamento. Imagino que esse caminho não tenha comprometido a qualidade das exposições e espero, pelo contrário, que ele permita uma leitura mais fácil dos textos.

Uma possível crítica a esse trabalho pode advir da idéia de que as realidades do estudo guardam pouca ou nenhuma relação com a realidade brasileira ou latino-americana. É verdade que considerações do tipo são legítimas e que devemos tomar a experiência internacional com cautela, até para que se evite o transplante mecânico de projetos. Quando se toma essa preocupação como um argumento contra estudos que considerem a experiência internacional, entretanto, estamos diante de pouco mais que uma falácia. Não raras vezes, exercícios desse tipo estão a serviço da legitimação daquilo que temos de pior, sob o argumento de que é isso que a "nossa" realidade pode comportar. O que ocorre aqui é, mais ou menos, o mesmo que vemos diante da aprovação de leis democráticas e avançadas que costumam ser apresentadas como "leis válidas para o primeiro mundo". O defeito dessas legislações seria então, incrivelmente, o de serem "boas demais para nosso país". Rechaçar construções ideológicas desse tipo e denunciar o desserviço que prestam ao Brasil, me parece, é uma obrigação cidadã.

A idéia de que precisamos de políticas de segurança e de polícias de quarto mundo é inaceitável e ofensiva à inteligência. Ocorre, no entanto, que a área de segurança pública permite que realidades distintas sejam comparadas com mais pertinência porque o crime e a violência, por um lado, e as polícias e os sistemas de justiça criminal, por outro, se parecem muito em todos os lugares. Os estudos comparativos sobre as polícias testemunham o fato de que, em que pesem as diferenças nas estruturas e nos sistemas de policiamento, as subculturas policiais se assemelham muito mais do que se poderia esperar, e os problemas enfrentados para a reforma das polícias são, invariavelmente, os mesmos. Os aparatos modernos de justiça criminal – desde os tribunais, as leis penais e os presídios – são todos derivados de um mesmo arcabouço teórico, são tensionados pelo mesmo tipo de pressão e têm recebido as mesmas críticas. Pelas mesmas razões, pode-se legitimamente esperar que mudanças positivas na área da segurança pública construídas em uma determinada realidade possam inspirar reformas ou direcionar esforços em outras. Essa é, afinal, a pretensão desse livro: a de estimular caminhos inovadores em segurança pública no Brasil e na América Latina. O que, como parece evidente, não exclui, antes pressupõe, capacidade inventiva e discernimento próprios.

Alguns temas muito importantes no debate contemporâneo sobre segurança pública não puderam ser tratados neste livro. Entre eles, pelo menos dois grandes assuntos estiveram presentes em minha pesquisa, mas não estão retratados aqui: o tema da violência doméstica contra as mulheres e o tema do controle da venda e da posse de armas.* Ambos dizem respeito a desafios imensos e a verdade é que não me senti seguro de enfrentá-los. Seria preciso, no mínimo, mais tempo para sanar algumas dúvidas importantes e para checar várias revisões sobre programas em andamento. Preferi, então, não abordá-los. Em uma ou outra passagem eles foram apenas sinalizados para os leitores e, talvez, para mim mesmo.

Ao longo de minha pesquisa bibliográfica, tive pouco acesso a textos em português e em espanhol, o que, por certo, produziu lacunas importantes. Exceção feita às obras que trouxe comigo, a livros que me foram enviados por amigos ou a textos que pude acessar na Internet, não pude consultar algumas obras de autores latino-americanos que gostaria. Não temos, é verdade, uma larga produção acadêmica na área de segurança pública, mas vários autores têm se destacado com pesquisas interessantes e com estudos fundamentais. Apenas alguns deles foram lembrados neste livro, o que expressa uma contingência limitadora a qual tive de me conformar e não, como se poderia deduzir, qualquer seleção ou preferência.

---

* Mais de um ano após ter terminado este livro, tratei do controle das armas de fogo em outra publicação, chamada *Desarmamento, evidências científicas ou tudo aquilo que o lobby das armas não gostaria que você soubesse* (Palmarinca e DaCasa, 2005).

Este é um livro que pode ser lido por qualquer pessoa interessada em segurança pública e que esteja disposta a saber mais do que aquilo que normalmente lhe é oferecido como "opinião". É um livro que, imagino, deverá ser útil aos gestores em segurança pública, legisladores, formadores de opinião, operadores do direito, profissionais e estudantes na área de ciências humanas, desde os alunos de direito e jornalismo até os acadêmicos de cursos de psicologia ou serviço social. Mas eu gostaria, sobretudo, que este fosse um livro considerado importante pelos policiais brasileiros.

O que se discute aqui, no final das contas, é uma parte essencial do trabalho que as sociedades modernas atribuíram aos policiais. Dificilmente esses profissionais terão acesso aos conhecimentos produzidos nas últimas décadas. Quase a totalidade dessa produção permanece sem tradução para o português e nada indica que essa tendência se altere tão cedo. Mesmo os esforços elogiáveis de lançamento no Brasil de textos clássicos em segurança e policiamento – como, destacadamente, a bela e oportuna coleção *Polícia e sociedade*, da Fundação Ford e do Núcleo de Estudos da Violência da USP – cobrem apenas uma pequena parte dos títulos mais significativos de língua inglesa e, é claro, não podem dar conta do conhecimento mais recente. Mesmo assim, seria extraordinário se os policiais brasileiros pudessem ter acesso a essas obras já traduzidas, o que, sabemos, raramente é o caso. Mesmo aqueles que manifestam um verdadeiro interesse no estudo e na reflexão lidam com enormes dificuldades para a aquisição das obras e seria muito improvável que pudessem dedicar o pouco tempo que possuem à leitura de dezenas de livros importantes.

Por conta dessas limitações, muito mais que por conta dos méritos deste livro, imagino que ele possa cumprir um papel importante na formação dos policiais brasileiros oferecendo uma visão crítica mais ampla e estimulante do que aquelas "verdades" que lhes são oferecidas em sua formação regular. Talvez este livro ofereça um roteiro produtivo de questionamentos para a aproximação entre os policiais e o saber sobre segurança pública que deverá se desenvolver cada vez mais nas melhores universidades brasileiras.

Se há um conceito que possa oferecer uma unidade aos diversos temas tratados, esse conceito é "prevenção". Mais do que nunca, estou convencido de que podemos alcançar resultados extraordinários em segurança pública caso tomemos a decisão de construir políticas orientadas pelo objetivo de reduzir as ocorrências criminais e a violência. Sublinhar essa convicção tem ido interpretado como o equivalente a uma opção preferencial em favor de políticas sociais que reduzam as desigualdades e as injustiças sociais. O argumento central deste livro, no entanto, é outro. Compartilho com todo o mundo a certeza de que políticas sociais corajosas e conduzidas de forma competente exercem um impacto considerável sobre a segurança pública, contribuindo para a diminuição dos fenômenos referidos. Ao contrário da maioria daqueles que aceitam esse argumento, todavia, entendo que não se deve reduzir o desafio da prevenção na área da segurança a essa promessa generosa. Mais do que isso, considero que essa expectativa tem sido, em muitas oportunidades, uma maneira simples, embora enviesada, de se dizer que nada de significativo poderá ser feito em segurança pública enquanto as injustiças sociais não forem superadas. Nesse sentido, o pensamento mais progressista e de esquerda incorre em um equívoco de graves proporções.

De fato, sempre que as exigências legítimas e urgentes em torno da justiça social são oferecidas como uma "resposta" para os desafios da segurança pública, estamos diante de uma desculpa e não, efetivamente, de uma resposta. O mais grave é que essa desculpa, renovada de maneira sincera ao longo das últimas décadas, é precisamente o quc tem aplainado terreno para que as posições mais conservadoras – destacadamente aquelas situadas à extrema direita e que articulam o discurso do tipo "lei e ordem" – se legitimem junto à opinião pública. Não seria de esperar outro resultado. Na ausência de uma política específica disposta a enfrentar os agenciamentos imediatos que preparam o crime e as práticas violentas e que possa identificar, desde muito cedo, os fatores de risco que os tornam mais prováveis, o que temos é um vazio a ser preenchido pela retórica. Só por isso a direita foi capaz de assumir uma postura ofensiva sobre segurança pública e, em alguns momentos, conseguiu mesmo monopolizar o discurso na área.

Se os principais argumentos deste livro estiverem corretos, as visões mais tradicionais no Brasil sobre crime e violência, tanto à direita como à esquerda, terão sido golpeadas. Até que ponto esse resultado poderá debilitá-las, entretanto, é algo que depende mais dos leitores do que do próprio livro.

Oxford, Reino Unido, fevereiro de 2004

CAPÍTULO 1

A SÍNDROME DA RAINHA VERMELHA

Para uma crítica ao modelo reativo de policiamento

A polícia e as atividades de policiamento constituem fenômenos aparentemente nítidos nas sociedades modernas. Por isso, quando falamos em "polícia" evocamos, independentemente da variedade de estruturas policiais existentes no mundo, uma estrutura pública e profissional voltada para as funções de manutenção da ordem e da segurança pública. O "policiamento", por outro lado, remete à atividade específica de patrulhamento preventivo, levada a efeito pela presença visível de policiais uniformizados ou fardados que costumam cobrir áreas geográficas definidas, atendendo a uma estratégia centralizada. Um olhar mais cuidadoso sobre esses conceitos, porém, haverá de suscitar dúvidas e apontar imprecisões.

A primeira questão relevante é a de saber quais são, de fato, as funções e responsabilidades da polícia. No mundo moderno, as idéias de manutenção da ordem e de garantia da segurança pública expressam, apenas, noções genéricas que agregam concordância na exata medida de sua indefinição. "Manter a ordem" pode ser uma missão eticamente sustentável se a ordem real está alicerçada em uma injustiça flagrante? Uma questão desse tipo talvez seja considerada um preciosismo acadêmico, mas acredito que os policiais da África do Sul, durante o regime de *apartheid*, ou os policiais obrigados a trabalhar em regimes totalitários atribuam ao tema uma importância bastante prática. Garantir a segurança é, por certo, uma missão fundamental para as forças policiais. Mas só para elas? Será possível imaginar a garantia da segurança pública sem o concurso de várias agências governamentais, sem uma política de segurança que envolva áreas tão díspares como a educação, a saúde, a geração de emprego e renda e as oportunidades de lazer? E mais, será possível imaginar a garantia da segurança pública exclusivamente através dos papéis a serem cumpridos pelo Estado, sem considerar a ação das pessoas e o papel da sociedade civil?

Considerando apenas o que se espera das polícias, porém, é preciso definir se queremos que elas enfatizem a prisão dos culpados – isto é, que operem como um braço do sistema de justiça criminal – ou que priorizem estratégias de redução da criminalidade. Prevenir o crime é um objetivo que pode ser alcançado mediante a presença ostensiva dos policiais nas ruas, de tal forma que se crie uma "sensação" de onipresença policial para que os eventuais delinqüentes mudem de idéia quanto à realização de atos criminosos? Ou, pelo contrário, as tarefas de prevenção devem ser pensadas muito além da presença ostensiva dos policiais nas ruas porque, diante dela, os delinqüentes não mudam de idéia, mas sim de lugar?

A maior parte das pessoas imagina que as polícias devam garantir a aplicação de todas as leis, mas não estaria disposta a admitir passivamente a imposição daquelas especialmente injustas ou que tipificam comportamentos já assimilados como aceitáveis. Todos, é claro, esperam que as polícias prendam os criminosos. Mas há determinados crimes que não são encarados como graves e outros que, mesmo sérios, não demandam a atenção da opinião pública e ocorrem em meio a uma cumplicidade geral, como, por exemplo, a sonegação fiscal. Essa situação em que algumas condutas tipificadas são toleradas ou mesmo consideradas normais permite uma discussão em torno do que seja, de fato, "crime". Quando se circunscreve a definição do ato criminoso àquilo que está disposto na Lei Penal, assinalamos uma conquista de civilização, sem dúvida. Ocorre que, a partir desse limite – que garante que ninguém seja acusado por uma ação não tipificada – começa a operar uma série de mecanismos "seletivos" que se estende desde o trabalho da polícia até as sensibilidades construídas culturalmente. Voltaremos a esse ponto no Capítulo 4 "Os jovens e o crime: anotações a partir do caso James Bulger".

Uma ação dura e rápida dos policiais parece ser bem recebida, em regra, quando se trata de prender infratores* que atemorizam ou perturbam as comunidades, porém nem sempre se espera que os policiais ajam dessa forma. Pelo contrário, na grande maioria das vezes em que a polícia é chamada para intervir em situações conflituosas, percebe-se que uma prática fundada no bom senso e no diálogo pode evitar o agravamento desses problemas.

Examinando a noção do que seja o crime e a percepção geral que as pessoas têm a respeito das vinculações da polícia ao tema, Goldstein (2003: p.48-9) observou que:

---

* Ao longo de todo o livro, preferi empregar a expressão "infrator" quando me refiro a alguém que pratica um ato infracional – se adolescente –, ou um ato criminoso – se adulto. Tanto quanto possível, evitei outras expressões como "delinqüente", que já aparecem carregadas de significações depreciativas, que insinuam a existência de uma "carreira criminosa" normalmente inexistente e que acabam legitimando a exclusão e a própria violência sobre os acusados pobres. Em alguns momentos, falarei também em jovens ou pessoas "em conflito com a Lei" para reforçar a idéia de que o ato ilegal diz respeito a uma situação determinada que não esgota nem define o seu sujeito. Além de uma postura de respeito à dignidade das pessoas, penso que este cuidado se justifica, também, pelo risco que corremos ao "rotular" alguém como "criminoso". Conforme se verá mais adiante, é comum que pessoas rotuladas comecem a se comportar de acordo com as expectativas autorizadas pelo rótulo.

> A polícia tem sido tradicionalmente ligada ao crime assim como os médicos têm sido relacionados à doença. Mas, no campo médico, a relação é muito mais específica: as doenças têm sido classificadas, os fatores que as causam têm sido isolados, programas preventivos têm sido desenvolvidos e testados, e a real capacidade do pessoal médico em prevenir e controlar males específicos tem sido demonstrada. Em contraste, no que toca à polícia e à comunidade, muito do que se fala em relação à criminalidade permanece em um nível muito geral, apesar de, como expressão, "crime" não ser mais significativo do que "doença". O problema é agravado porque a palavra é utilizada livremente – seja por políticos, pelos policiais e pela população em geral – como se tivesse um significado uniforme.

O texto de Goldstein sustenta que, ao contrário das ciências médicas, não temos, na área de segurança pública, clareza sequer com relação ao objeto de estudo, o que, em decorrência, impede o desenvolvimento de uma ciência da área. A situação se complica quando percebemos que, longe de lidarem apenas com questões relacionadas à criminalidade, os policiais tratam cotidianamente de dezenas de outros problemas. Eles emitem autorizações para eventos e credenciam pessoas; emitem certificados e fazem vistorias; liberam portes de armas; acompanham manifestações públicas; protegem testemunhas e custodiam pessoas nos tribunais; atendem solicitações dos mais variados serviços; buscam crianças desaparecidas; localizam objetos perdidos; transportam pessoas doentes aos hospitais e, muitas vezes, fazem partos de emergência; guardam prédios; protegem reservas ambientais e policiam as rodovias; intervêm em brigas de casais; socorrem pessoas feridas; salvam animais; ressuscitam afogados; controlam multidões em estádios de futebol; auxiliam portadores de deficiência; amparam pessoas alcoolizadas ou sob o efeito de outras drogas etc.

Um dos mais importantes pesquisadores sobre a polícia, Bittner[1] listou várias dessas atribuições concluindo que tal diversidade poderia ser sintetizada caso alguém dissesse que compete aos policiais atuar sempre que "exista algo que não deva acontecer e sobre o que seria bom que alguém fizesse alguma coisa imediatamente". Pois bem, diante desse fenômeno de múltiplas funções e responsabilidades, seria correto continuar a definir a função policial reduzindo-a à "luta contra o crime", por mais importante que seja essa tarefa?

Os policiais devem atuar segundo regras claras definidas pela legislação e pelos seus próprios estatutos, mas eles devem aplicar esses comandos ao pé da letra em todas as situações? Ainda que a resposta seja afirmativa, é possível compreender a atividade policial sem considerar a enorme margem de escolha dentro da qual cada profissional da segurança pública e suas agências operam? Policiar não pressupõe, afinal de contas, estabelecer prioridades e decidir, em última instância, quando usar da autoridade legal e quando isso simplesmente não vale a pena? Mas se cabe aos policiais apenas "aplicar a Lei", isso não estaria a sugerir que não existem decisões importantes a serem tomadas e que, conseqüentemente, as comunidades e os cidadãos nada têm a fazer quanto à definição das atividades policiais?

Questões desse tipo são apenas algumas entre as muitas que vêm sendo feitas por estudiosos e também por vários policiais em todo o mundo. Elas dizem respeito à complexidade do trabalho policial e não podem ser respondidas facilmente. Para que possamos começar a enfrentá-las, será preciso examinar um pouco da história das polícias modernas e identificar o modelo de policiamento que foi sendo construído ao longo do século XX.

Primeiramente, seria importante assinalar que "estruturas" de policiamento informais existiram em quase todas as sociedades conhecidas, cumprindo as mais diversas funções. O trabalho de pesquisa histórica de Schwartz e Miller[2] sobre estruturas policiais nas sociedades antigas encontrou alguma forma de policiamento público em 20 das 51 sociedades pesquisadas, incluindo os maori, lapp, riffian, thonga, sírios, ashanti, cheyenne, creek, cuna, crow e hopi. Etimologicamente, o termo "polícia" deriva da expressão grega *politeia*, pela qual se designava a arte de governar a cidade, ou a arte de tratar da "coisa pública". A expressão latinizada virou *politia*, de onde as línguas modernas formaram *police*, *polizia*, *politzei* ou polícia, entre outras.

O surgimento das forças policiais modernas no Ocidente foi um fenômeno do século XIX. Até então, normalmente, as funções policiais eram exercidas de maneira assistemática por grupos de cidadãos convocados, por voluntários ou por pessoas comissionadas pelos governos, as quais exerciam funções de natureza fiscalizatória ou mesmo vinculadas à arrecadação de tributos. Até o século XIX, em síntese, a história da "polícia" não poderá ser contada em termos institucionais porque a organização típica de policiamento ainda não existia, como regra, de forma autônoma. Monkkonen (2003: p.579) assinala que: "A polícia é praticamente uma recém-chegada ao sistema anglo-americano de justiça criminal. A constituição não faz menção a ela. As constituições das primeiras cidades também não a mencionam, pela simples razão que, da forma como a conhecemos, a polícia ainda não tinha sido inventada."

A ausência de uma instituição policial profissional e dedicada exclusivamente às funções de segurança pública explica-se, no mais, pelo fato de que o próprio conceito de "segurança pública" não faria qualquer sentido para além da idéia de "manutenção da paz" em sociedades onde as funções de persecução e a própria aplicação da justiça criminal eram, normalmente, consideradas questões "privadas". Nesse tipo de organização social, imaginava-se que era um direito e um dever das próprias vítimas obterem as devidas reparações e, não raramente, aplicar as punições. Nesses casos, a simples intervenção do Estado apareceria como uma intromissão indevida.

Mas as polícias modernas não surgiram como resultado de uma preocupação especial com a ocorrência de crimes. Tampouco foram a conseqüência de uma aspiração disseminada socialmente. Entre os historiadores,[3] a opinião mais comum é a de que o fator imediato responsável pela formação das modernas forças de "polícia" foi a emergência de um sem-número de revoltas populares e desordens de rua na maior parte dos países europeus e a incapacidade dos governos para continuarem lidando com elas através da convocação de tropas do Exército. O recurso havia já se mostrado inadequado, não apenas pela sucessão de cenas violentas e de mortes que provocava, mas, sobretudo – na sensibilidade dos governantes da época – porque não se conseguia "resolver" o problema daquela forma. Soldados profissionais requisitados para responder a uma manifestação turbulenta retiravam-se tão logo houvessem disparado seus fuzis. O problema, entretanto, seria reposto logo adiante com novas manifestações e desordens. Era preciso, então, uma estrutura "permanente" e profissional que estivesse sempre nas ruas. Foi assim que nasceram as polícias modernas.

Possivelmente, o exemplo mais importante de formação de uma polícia autônoma e profissional seja oferecido pela experiência da Polícia Metropolitana de Londres, a *Met* do ministro do Interior (Home Secretary) sir Robert Peel, fundada em 1829. Até então, a tradição francesa de policiamento era a mais influente na Europa, com um modelo bipartido – Guarda Civil no campo e Tenência de Polícia em Paris.

Observam-se aqui algumas diferenças básicas e até hoje marcantes. Os ingleses resistiram muito à idéia de uma polícia profissional e o Parlamento chegou mesmo a recusar o projeto que pretendia criá-la. Willian Pitt foi derrotado em 1785 com a proposta de criação de uma instituição policial. O mesmo projeto, entretanto, foi adotado pela Irlanda com o Dublin Police Act, em 1786. O que os ingleses temiam era, precisamente, o exemplo francês de uma polícia a serviço de objetivos políticos e capaz de ameaçar as liberdades individuais. Data dessa mesma época o editorial do *Daily Universal Register*, ancestral do jornal *Times*, de Londres, em que se escreveu: "Nossa Constituição não pode admitir nada que se pareça com a polícia francesa; e muitos estrangeiros nos declararam que preferiam deixar seu dinheiro nas mãos de um ladrão inglês a suas liberdades nas de um tenente de polícia."[4]

É possível que posições do tipo remontem à Idade Média. Conta-se, por exemplo, que Elizabeth I, recusando-se a promover a espionagem política, teria dito que "não mandaria abrir janelas nas almas dos homens".[5] Seja como for, o que se percebe é que a existência de antigas tradições políticas e culturais de respeito à autonomia individual terminaram por condicionar fortemente o surgimento de uma força policial na Inglaterra. O projeto de um policiamento feito mediante o uso de um uniforme (sobrecasaca e cartola) que simbolizasse a idéia de um serviço público como tantos outros, a partir de servidores com fortes vínculos com a comunidade e realizado – por incrível que isso possa parecer – sem o uso de armas, dotou as polícias britânicas* de uma marca inconfundível e abriu espaços para uma nova visão de policiamento. Munidos de um par de algemas e de um cassetete, os policiais ingleses (*constables*) eram preparados com a seguinte orientação de Peel:

> O *constable* deve ser civil e cortês com as pessoas de qualquer classe ou condição. Ele deve ser particularmente atento para não intervir desastradamente ou sem necessidade, de modo a não arruinar sua autoridade. ... Ele deve lembrar que não existe nenhuma qualidade tão indispensável ao policial como uma aptidão perfeita para conservar seu sangue-frio.[6]

Independentemente desses antecedentes, o policiamento tem encontrado um caminho para sua definição teórica a partir da autorização conferida aos seus integrantes para o emprego da força. Bayley (2001) insiste nesse ponto chamando atenção para o fato de que se a possibilidade do uso legítimo da força, no âmbito interno de uma nação (para separar esse emprego daquele reservado aos Exércitos), permite distinguir a especificidade da função policial, então, deve-se considerar como "policial" todo e qualquer trabalho firmado neste mesmo pressuposto. Isso estenderia a definição de "polícia" também para as instituições de guarda e vigilância privadas, além de inúmeras outras funções desempenhadas por servidores públicos que trabalham nas alfândegas, universidades, ferrovias etc., exercendo as mesmas atribuições. Outros autores reforçam essa definição, mas alguns, como Monet (2001: p.26), salientam que, além da autorização para o uso legítimo da força – que pode ser eventualmente encontrada em outras atividades profissionais como, por exemplo, na enfermagem psiquiátrica ou na tutela de presos –, a polícia seria caracterizada pelo fato de poder empregar seus recursos coercitivos contra qualquer pessoa em situações que, a rigor, nunca podem ser completamente definidas *a priori*.

Penso que definições do tipo, tributárias do trabalho de Bittner (1980), merecem, não obstante, uma discussão. Se não por outro motivo, pelo argumento oferecido por autores como Fielding (2002), para quem a especificidade do uso da força só define o trabalho policial *in extremis*. Na verdade, o uso da "autoridade policial" no trabalho cotidiano não estará "coberto" pela definição proposta visto que, na maior parte das intervenções realizadas, os policiais não empregam qualquer tipo de força, o que pode ser demonstrado empiricamente.

Pesquisas sobre a função policial até há alguns anos sustentaram a idéia de que a maior parte do trabalho realmente exercido pelos policiais não guardava

---

* Emprego o termo no plural em referência ao fato de existirem 43 forças policiais autônomas na Inglaterra e no País de Gales, 8 forças policiais na Escócia e uma força policial na Irlanda do Norte.

qualquer relação com o combate ao crime, com base no fato de que apenas uma pequena parte das atividades policiais estariam, de fato, envolvidas com ocorrências criminosas. Mais recentemente, esses trabalhos passaram a ser questionados por outras pesquisas, que têm chamado atenção para o fato de que os levantamentos anteriores avaliavam apenas os serviços de patrulhamento e que uma parte das ocorrências "não criminais" poderia evoluir para um ato criminoso se não fosse a intervenção dos policiais. Nenhuma das pesquisas, entretanto, oferece algum ponto de apoio empírico para a idéia de que a função policial seria exercida, normalmente, pela força.

Assim, se o emprego legítimo da força e de outros métodos coercitivos – mesmo quando tratado como uma possibilidade ou uma "autorização genérica" – diz respeito à essência do mandato policial, não parece ser possível compreender a atividade policial com base nessa definição e, muito menos, projetar a partir dela uma idéia reformadora e democrática para o papel da polícia. O mais provável, inclusive, é que as definições mais comuns estejam já presas a uma visão determinada sobre o trabalho da polícia pela qual, involuntariamente, se hipertrofia sua missão repressiva. Essa não é, contudo, a posição de Bittner. A reflexão que ele faz é mais complexa e acabou impondo-se também por conta da sua sutileza. Em síntese, o que Bittner sustenta é que aquilo que pode distinguir a função policial das demais é a possibilidade do uso da força, o que estaria sempre presente, mesmo quando – como ocorre na maioria das vezes – os policiais não fazem uso dela. Segundo suas próprias palavras:

> Devemos enfatizar, entretanto, que a concepção da centralidade da capacidade do uso da força no papel da polícia não pode levar à conclusão de que as rotinas ordinárias da ocupação policial são constituídas pelo exercício real dessa capacidade. É muito provável, embora nos faltem informações a respeito, que o uso da coerção física e da repressão sejam raras para os policiais como um todo. O que importa é que o procedimento policial é definido pela característica de não se poder opor-se a ele durante seu curso normal e, se acontecer tal oposição, a força poderá ser usada. Isso é o que a existência da polícia disponibiliza para a sociedade. Desse modo, a questão: "O que os policiais devem fazer?" é quase completamente idêntica à questão: "Que tipos de situações exigem corretivos que são coercitivos e não negociáveis?" (Bittner, 2003: p.132-3)

Monjardet (2003: p.21-23) procura resgatar a definição de Bittner empregando a imagem do "martelo". Este instrumento, argumenta a autora, também poderia ser utilizado para vários fins, como escalar uma montanha, quebrar o vidro de um ônibus acidentado e libertar pessoas ou quebrar a cabeça de alguém. Em todos esses momentos, entretanto, o martelo exerceria sempre uma força sobre alguém ou sobre um objeto. Assim seria a atividade policial. A imagem é boa, mas permite que, em vez de se resolver o problema, se mude de assunto. O que seria preciso demonstrar é por que as atividades "salvar a vida de alguém" e "quebrar a cabeça de alguém" podem ser mais bem compreendidas como resultados que se unificam em uma "essência" – no caso, o uso da força – do que o seriam se reconhecêssemos que a atividade policial possui, por exemplo, "essências" distintas.

Penso que o paradigma de que o trabalho policial pode ser definido como aquele correspondente ao monopólio do uso da força pelo Estado – seja no plano fático, seja enquanto possibilidade coercitiva – poderia ser substituído, com vantagem, pela idéia de que cabe à polícia "proteger as pessoas" ou "assegurar a todos o exercício dos seus direitos elementares". Entre esses direitos estariam o direito à vida, à integridade física, à liberdade de opinião e à propriedade. Missões para as quais, como se sabe, é preciso, eventualmente, empregar a força ou deixar claro que se poderá empregá-la. Em vez de uma definição a partir do poder concedido à autoridade policial, teríamos, então, uma definição a partir daquilo que se espera que a polícia faça. Uma definição desse tipo tornaria possível que o papel da polícia fosse percebido como mais importante ainda e, ao mesmo tempo, projetaria uma moldura na qual a noção de direito é destacada.

Não se trata, então, de menosprezar o papel repressivo a ser desempenhado pela polícia. O respeito à lei e à própria idéia de civilização democrática seria uma noção inconsistente se imaginássemos que os infratores não devessem ser reprimidos ou que, em algumas circunstâncias, as pessoas não pudessem ser demovidas de suas intenções ou removidas de onde estão por meio da força legítima empregada por policiais. O problema que estou sublinhando é outro. Penso que para uma perspectiva humanista seja muito importante definir o trabalho policial como aquele vocacionado por uma missão civilizadora, algo que sua identificação com a idéia de "força" termina atrapalhando. Ainda mais quando essa definição encontra-se arraigada na visão que os próprios policiais têm a respeito do seu trabalho. De fato, para a maioria dos policiais em todo o mundo existiria um "verdadeiro trabalho da polícia": prender "criminosos". Todas as demais atividades desempenhadas no dia-a-dia do policiamento – como as tarefas de pacificação ou de assistência – são normalmente vistas como "perda de tempo" e são, quando muito, toleradas pelos policiais. No fundo, eles gostariam que outras instituições as realizassem porque não se sentem "policiais" quando estão envolvidos com elas.

Seja como for, quando da formação das primeiras estruturas profissionais de policiamento, não se imaginava que a polícia deveria ter como missão exclusiva ou mesmo fundamental o combate ao crime. Prevenir a ocorrência de delitos e perseguir infratores eram atividades que diziam respeito ao trabalho da polícia tanto quanto atuar na preservação da ordem, fiscalizar serviços públicos e privados, estabelecer regras de convivência ou zelar pela "moral e os bons costumes". Lane (2003: p.20), em seu trabalho sobre as origens das polícias norte-americanas, assinala que as primeiras organizações policiais nos Estados Unidos conviveram durante décadas com as iniciativas das vítimas na persecução criminal e foram responsáveis, também, por inúmeras outras funções administrativas, de controle e fiscalização. Assim, por exemplo, em Boston, a polícia cuidou da saúde pública até 1853 e, em Nova York, da limpeza pública até 1881. A polícia também tratava de publicar relatórios sobre as condições do tempo, emitia alvarás e licenças as mais variadas, abrigava pessoas sem teto nas delegacias e, em muitas oportunidades, organizava "sopões" para os famintos.

Ao lado dessas características, as primeiras forças policiais modernas estruturaram seu trabalho a partir de vínculos bastante próximos com os cidadãos. O centro desses vínculos foi estabelecido com as "rondas policiais", feitas a pé por patrulheiros conhecidos pela comunidade e que com elas interagiam. Por certo, essas interações eram o resultado necessário da própria natureza do trabalho policial da época, notadamente do papel fiscalizador por ela exercido. A patrulha a pé implicava, de qualquer forma, um sistema de policiamento com determinadas estruturas funcionais como, por exemplo, os "postos policiais", que, por sua vez, implicavam uma determinada autonomia de trabalho. Os postos reforçavam as rondas oferecendo-lhes apoio logístico e eram também centros de referência para as comunidades e para os próprios policiais.

Essa foi uma época em que a presença dos policiais nos bairros era parte de um cotidiano que já não será reconhecido facilmente nos centros urbanos modernos. De fato, até mesmo falar em "comunidade" passa a ser uma noção problemática quando lidamos com aglomerações urbanas recentes, marcadas pela presença de várias etnias e pelo multiculturalismo. Independentemente disso, parece correto afirmar que nas origens do policiamento moderno havia uma significativa identidade entre os policiais e as pessoas que seriam beneficiadas pelo seu trabalho.

Essa identidade foi desconstituída a partir do momento em que as polícias puderam contar com três importantes recursos tecnológicos que haveriam de mudar radicalmente o perfil do policiamento moderno. Esses recursos foram o carro de patrulha, o telefone e o rádio de intercomunicação.* Reiss (2003: p.66) sustenta que as primeiras vítimas do emprego desse novo aparato tecnológico

* O telégrafo foi utilizado primeiramente pela polícia e pelos bombeiros em Albany, Nova York, em 1877; o teletipo, pela polícia estadual da Pensilvânia, em 1923; o rádio de comunicação unilateral, pela polícia de Detroit, em 1928; o rádio de intercomunicação pela polícia de Boston, em 1934; o uso difundido dos automóveis a partir de 1930 e o despacho de chamadas por computador, pela polícia de St. Louis, já nos anos 60.

foram as patrulhas a pé e os postos policiais. De fato, as patrulhas motorizadas ofereciam a chance de cobrir áreas muito maiores do que aquelas policiadas pelas rondas, o que, imaginava-se, haveria de ampliar as possibilidades e a eficácia do trabalho. Neste mesmo movimento, a popularização do telefone permitiria que a polícia passasse a receber chamadas de toda a cidade; logo, os cidadãos não teriam razões para se deslocar até um posto policial quando precisassem de ajuda. Os rádios de intercomunicação, por sua vez, possibilitariam que cada policial recebesse comandos operacionais centralizados e atendesse aos chamados da população, em qualquer lugar, muito rapidamente.

O que ninguém percebeu durante as décadas em que essas transformações foram se consolidando é que os novos recursos tecnológicos, que passavam a ser empregados maciçamente pelas forças policiais em todo o mundo, estavam criando, também, um modelo de policiamento cuja principal característica seria a de responder às ocorrências criminais *após* a comunicação do fato pelas vítimas ou por testemunhas. Um modelo substancialmente distinto do anterior, que não teria mais a chance de agir proativamente e que estaria marcado pelo afastamento entre os policiais e as comunidades.

O tipo de estrutura policial que surge com esse modelo não possui quase nada em comum com o padrão antigo. Primeiro, os policiais já não são recrutados com base em seus vínculos comunitários. Pelo contrário, os casos freqüentes de corrupção a partir do envolvimento com os interesses econômicos que operavam nas comunidades, ao lado da tendência de subordinação e uso político das forças policiais pelos governantes locais, terminaram por criar a exigência de outro tipo de estrutura organizacional para as polícias.

As idéias-chave para essa nova organização estavam associadas à profissionalização e à formação de uma burocracia estável que assegurasse independência ao trabalho policial. A estrutura hierárquica e disciplinar das Forças Armadas foi, em geral, vista como um modelo a ser imitado, o que assegurou uma formação "militar" ou "paramilitar" para muitas polícias no mundo, inclusive para aquelas que nunca foram identificadas como "polícias militares". Os pesquisadores observaram que a formatação tradicional das polícias norte-americanas, a partir das rondas e dos postos policiais, passou a ser encarada pelos gestores como um caminho que tornava a instituição mais vulnerável à corrupção. O combate a esse tipo de problema, então, deveria exigir a centralização de todo o trabalho e, sobretudo, o isolamento dos policiais. A receita foi imposta em Chicago na década de 1950 por O.W. Wilson e, depois, adotada nos EUA com um todo.[7]

Assim, dois movimentos de natureza distinta, operando segundo suas próprias determinações, passaram a convergir para uma reforma global das estruturas policiais. De um lado, os esforços para a modernização e a racionalização com o emprego dos novos recursos tecnológicos; de outro, a necessidade de se formatar as organizações de maneira a torná-las mais propícias à supervisão e ao controle necessários para exorcizar a corrupção endêmica.

O resultado, que se reproduziu em todas as nações contemporâneas, foi a afirmação de um "modelo reativo" de policiamento que haveria de introduzir novas e, possivelmente, mais graves distorções. Sherman, citado por Bayley (2001: p.36), afirma que:

> A ação policial é proativa quando é iniciada e direcionada pela própria polícia ou pelos próprios policiais, independentemente da demanda dos cidadãos e até mesmo em conflito com a demanda dos cidadãos. A ação policial é reativa quando é iniciada e direcionada por uma solicitação dos cidadãos. Todas as polícias atuam de forma proativa e reativa. O que varia de uma polícia para a outra é a forma de combinar ações e estratégias proativas e reativas: enquanto algumas polícias privilegiam estratégias proativas, outras privilegiam estratégias reativas.

Essa definição parece subestimar, entretanto, a existência de um modelo de sistema de policiamento reativo que se tornou amplamente majoritário em todo o mundo ao longo do século XX. O problema, então, não seria de "ênfase" ou "prioridade" entre duas naturezas de condutas igualmente necessárias, mas de optar entre duas racionalidades completamente distintas para o trabalho policial.

A polícia estranha

Quando o antigo modelo de policiamento foi superado, imaginava-se que a corrupção interna seria, pelo menos, mais bem controlada e que os níveis de eficácia da atividade policial haveriam de ser muito superiores. A experiência acumulada ao longo de toda a segunda metade do século XX até hoje, no entanto, não foi capaz de confirmar essas hipóteses. A corrupção, como todos sabem, continua a ser um problema bastante sério sempre que se examina o trabalho policial. Ela é, por certo, muito grave em alguns países, enquanto sua baixa incidência em outros poderia até mesmo fazê-la parecer um problema menor. O que não se pode afirmar é que a corrupção tenha deixado de ser, para qualquer polícia no mundo, uma séria preocupação, possivelmente mais séria hoje do que já foi no passado.

A formatação de uma estrutura rigidamente disciplinada e hierarquizada de polícia costuma oferecer, efetivamente, uma série de vantagens quando se trata de combater a corrupção. O que não se pode desconsiderar, entretanto, é que mesmo diante da presença de fortes mecanismos de controle há uma determinada dimensão da atividade policial que, por sua própria natureza, encontra-se quase à margem de qualquer possibilidade de supervisão. Assim, por exemplo, quando são formados os primeiros "departamentos de investigação" como unidades especializadas, os detetives passam a trabalhar sistematicamente com a ajuda dos chamados "informantes", que estão conectados ao mundo do crime ou costumam ser, eles próprios, seus integrantes. Em troca das informações coletadas, os detetives passam a oferecer-lhes determinadas vantagens ou mesmo "proteção". Nas palavras de Lane (2003: p.21):

> Numa época anterior a qualquer tipo de ajuda tecnológica, em que os informantes eram, não apenas a mais importante, mas a única fonte de informações possível, a única qualificação para o sucesso (nas investigações policiais) era uma familiaridade íntima com o submundo dos ladrões profissionais ou, até, um passado dentro dele. A necessidade de proteger informantes e, quando grandes somas de dinheiro estavam envolvidas, a tentação para acordos ilegais, às vezes à custa das vítimas, eram motivos mais atraentes do que o dever de proceder conforme a lei ordenava. Assim, tanto o trabalho de detetive como o de controle da prostituição provocavam o envolvimento dos responsáveis pela lei com aqueles que a quebravam, numa trama complicada de relacionamentos que era, ao mesmo tempo, de apoio e hostilidade.

Por certo, não apenas o trabalho dos detetives abre possibilidades desse tipo. Elas estarão muito mais presentes, obviamente, no papel desempenhado pelos agentes policiais "infiltrados" em associações criminosas – expediente, aliás, que sempre permitiu dúvidas fundadas e que vem sendo objeto de um importante contencioso moral desde quando passou a ser empregado com base legal em muitos países. Na verdade, grande parte do trabalho policial, mesmo aquele mais simples e cotidiano, presta-se a distorções semelhantes por conta da "invisibilidade" de que se costuma revestir a própria investigação. Se um policial deseja alcançar determinados resultados – como, por exemplo, a prisão de um suspeito –, ele terá que trabalhar com discrição, assim como diligenciar e manter inúmeros contatos protegidos da "luz pública". O segredo, aqui, é a "alma do negócio"; mas poderá ser, também, uma fonte permanente para "negócios sem alma". Esse é o tipo de problema cujo enfrentamento demanda mais do que uma nova estrutura organizacional – algo que parece ter sido subestimado pelos primeiros reformadores.

O tema da corrupção policial deve ser tratado especificamente, o que extrapola os limites deste trabalho. Devo assinalar, não obstante, que ele não deve se prestar a um tipo de intervenção "midiática" que permita uma associação simbólica do próprio fenômeno com os policiais. Não apenas porque isso seria injusto – uma vez que, por pior que seja a situação, haverá sempre policiais honestos –, mas porque isso é contraproducente. Primeiro porque quando se degrada a imagem pública da polícia, torna-se mais difícil conquistar a confiança dos cidadãos para qualquer projeto de segurança que envolva esta mesma polícia. Segundo porque quando se sugere que a polícia é corrupta, os policiais tendem a cerrar fileiras em defesa de sua instituição e de sua própria honra. E se os policiais corruptos são influentes – o que normalmente é o caso –, eles terminarão neutralizando a possibilidade de colaboração dos demais policiais com as autoridades interessadas em diminuir e controlar a corrupção. Políticas sérias de combate à corrupção devem, por isso, ser traçadas e executadas com discrição. A idéia de "guerra contra a corrupção" termina sendo tão ineficaz quanto a idéia de "guerra contra o crime". O alarde em torno desses temas é, muito freqüentemente, um meio de se encobrir a ausência de políticas de segurança.[8]

Autores como Folgelson e Johnson[9] demonstraram que a polícia nunca foi, de fato, "controlada" desde o exterior por quem quer que fosse. Como instituições complexas capazes de acumular experiências, as estruturas policiais foram desenvolvendo uma cultura autônoma sob a pressão das circunstâncias especiais e bastante difíceis. Valores típicos passaram a ser compartilhados, oferecendo, cada vez mais, resistências consideráveis às intenções reformadoras – conforme já o revelaram inúmeros trabalhos.[10] Pode-se, assim, subscrever a seguinte afirmação: "Por muitos anos, e em muitos lugares, as mudanças vislumbradas pela polícia tiveram de ser adaptadas à organização policial e à subcultura, mais do que a organização policial e a subcultura tiveram de se adaptar às mudanças."[11]

Outros autores, como Monet (2001), chamam a atenção para o fato de existir uma cultura policial surpreendentemente comum, em que pese a extraordinária diferença entre as estruturas policiais dos diversos países A natureza idêntica das funções, o fato de serem titulares dos mesmos poderes de pressão, o peso da hierarquia e o isolamento social dos policiais concorrem para que muitas semelhanças sejam observadas e o corporativismo seja uma realidade constante (proteção recíproca, defesa da instituição contra ataques externos etc.). O autor observa, também, que os policiais são quase sempre muito conservadores do ponto de vista político e moral:

> A cultura policial se marca, finalmente, por um conservadorismo intelectual que, sob a capa do pragmatismo, privilegia o olhar rasteiro, a tomada em consideração apenas dos elementos concretos e o antiintelectualismo. Tudo o que se apresenta sob a forma de inovação, de experimentação ou de pesquisa suscita reações de rejeição imediata. Pelo fato de ser redutora de incerteza, a reprodução do "eterno passado" congela o universo policial em práticas rotineiras e bloqueia sua capacidade de se adaptar à mudança social.[12]

Se essas características culturais mais conservadoras acompanham a experiência das polícias há muito tempo, é preciso sublinhar que o surgimento das formas modernas de associação criminosa* e, especialmente, a construção de um fabuloso mercado mundial para o tráfico de drogas colocaram a polícia diante de fenômenos até então desconhecidos, entre eles a realidade de "infiltrações" dentro da estrutura policial.

Mas se o problema da corrupção permanece como um desafio considerável, pode-se afirmar que o modelo reativo de policiamento agregou novas dificuldades. Com a desativação dos postos policiais, os cidadãos perderam uma referência próxima e passaram a se relacionar com a polícia como uma entidade cada vez mais desconhecida. Os policiais – que pelo novo modelo só interagem com as comunidades nos momentos em que são chamados – agora são completamente estranhos. Eles não conhecem as pessoas a quem devem oferecer proteção e não possuem qualquer informação relevante sobre as particularidades locais, suas tradições ou conflitos básicos.

Por isso, os policiais não conseguem, mesmo que queiram, compreender os incidentes para os quais são chamados como uma clara indicação de problemas subjacentes que têm um passado e um futuro (Goldstein, 1979). As vítimas, por sua vez, não podem contar com o apoio dos policiais que, depois de atendida a ocorrência, podem nunca mais ser vistos. Sherman (1986) demonstrou que os policiais em carros de patrulha não vão sair dos seus veículos para conversar com as pessoas e, quando chamados para atender a ocorrências onde não há providências legais a serem tomadas, vão embora rapidamente. De dentro de seu carro, percorrendo diferentes regiões em uma mesma cidade ou atendendo a ocorrências em lugares onde jamais estiveram antes, os patrulheiros são inacessíveis e a visão que passam a desenvolver do mundo que os cerca será, também, marcada por esse distanciamento. Ele é, por exemplo, a ante-sala do fenômeno que faz com que os policiais passem a identificar um atributo de "suspeição" em cada pessoa que avistam.

Envolvido por esse pressuposto nem sempre consciente, o mundo externo à polícia passa a ser o espaço onde vivem os "inimigos potenciais". Isso é reforçado por uma experiência de vitimização bastante real e por uma característica específica de risco derivada do fato de a atividade policial ser, entre as demais profissões perigosas, aquela em que mais claramente o risco é oferecido pelo contato com o outro. Os profissionais de saúde também enfrentam riscos deri-

* Evito empregar a expressão "crime organizado" por concordar com a crítica de Zaffaroni (1996) à validade do próprio conceito. Para esse autor, as tentativas de definição realizadas pela criminologia moderna não produziram qualquer consenso em torno do tipo penal que se pretende abranger. Estaríamos, então, diante de uma "categoria frustrada" cujo emprego tem se prestado a legitimar medidas arbitrárias e inconstitucionais em muitos países. Para Zaffaroni, acontece com a categoria de "crime organizado" o mesmo que já havia ocorrido no direito penal anglo-saxão com o tipo penal *conspiracy* (conspiração), que terminou, graças a seu caráter difuso, sendo usado para qualquer tipo de atividade suspeita.

vados do contato com os pacientes, podendo até mesmo adoecer por conta disso. Mas é pelo menos improvável que eles sejam vitimados pela ação de um paciente. Os riscos, portanto, são diferentes.

O modelo mais comum de policiamento que estamos examinando faz com que a maioria dos policiais habite um mundo definido pelas "ocorrências" com as quais estão sempre em contato. Dessa forma, há uma tendência de que os policiais se obriguem a lidar com fenômenos extremos que são caracteristicamente dramáticos e dolorosos, uma vez que a vida normal das comunidades e o dia-a-dia das pessoas – que não estão envolvidas com o crime e que não foram por ele vitimadas – não guardam qualquer relação com o seu trabalho. Comentando esse distanciamento, Goldstein (2003: p.177) assinalou que:

> Nos departamentos maiores (os policiais) foram proibidos de trabalhar nos bairros onde morassem, com medo de que fossem impropriamente influenciados por aqueles com quem estavam mais familiarizados. Agências de polícias estaduais foram tomadas como modelos devido à extensão da objetividade alcançada por suas políticas de indicar pessoal para áreas longe de suas casas. E em todas as agências o pessoal era freqüentemente transferido para minimizar a probabilidade de a familiaridade com os cidadãos de uma área dar origem a relações corruptas. Como as operações policiais, para alcançar maior eficiência, eram centralizadas, a quebra de uma rede de relações entre a polícia localmente organizada e a comunidade que ela servia era vista como um valor positivo. Eventos subseqüentes deixaram claro que a forma altamente impessoal de policiamento que essas mudanças produziram estava entre os principais fatores que contribuíram para a hostilidade demonstrada contra a polícia nos últimos anos.

Com a repetição de eventos dramáticos e com a sensação de que nenhuma das providências postas em prática surte um efeito realmente "saneador", não será surpreendente que a visão geral de mundo destes profissionais – assim como do próprio papel que desempenham nele – passe por um processo de "desencantamento". Muniz (1999) assinalou isso com muita propriedade ao lembrar que "o contraponto de um imaginário contaminado pela suspeita é a elaboração de uma economia afetiva da decepção".

Não por acaso, divisões simbólicas e maniqueístas do tipo "nós" e "eles" são convocadas com freqüência para legitimar iniciativas ou autorizar queixas. É também a distância dos policiais em relação aos cidadãos que oferecerá uma base natural para a reprodução de estereótipos e preconceitos dos mais variados – notadamente aqueles erguidos contra as minorias. Não por acaso, um trabalho clássico de Reiss (1971), a partir de dados coletados para a President's Commission on Law Enforcement and the Administration of Justice em 1967, assinalou que nada menos do que 72% dos policiais norte-americanos possuíam "preconceitos extremados". Uma série impressionante de pesquisas realizadas na Inglaterra e nos EUA tem levantado dados sobre as implicações desses preconceitos para as relações da polícia com as minorias étnicas ou com os pobres, por exemplo. Ou seja, um jovem do sexo masculino, negro ou desempregado, terá muito mais chance de ser parado e revistado pela polícia e de ser preso e acusado. As evidências já colhidas sobre as relações entre os policiais e as mulheres não são ainda tão significativas, mas Reiner (2003: p.508) lembra que alguns estudos sugerem que os policiais operam com uma imagem sexista agudamente dúbia das mulheres divididas entre "santas" e "prostitutas".

Recentemente, a opinião pública britânica foi abalada por uma matéria especial, produzida para a BBC pelo repórter Mark Daly e levada ao ar em 21 de outubro de 2003, dando conta da persistência do racismo entre policiais em Manchester. Daly inscreveu-se no curso regular pelo qual se recrutam os novos policiais na Inglaterra, passou em todas as provas e testes de aptidão e cumpriu todos os requisitos para sua formatura como policial. Durante algum tempo, chegou mesmo a exercer as funções de policiamento. O que ninguém sabia é que durante todo o tempo ele tinha uma minúscula câmera em seu colete à prova de balas e que havia gravado horas e horas de suas conversas com colegas e superiores. O que as cenas editadas para a televisão demonstraram foi chocante: policiais britânicos, brancos, planejando espancar um colega de origem asiática; declarações em favor de "limpar o país da influência paquistanesa e indiana"; e comentários como o de um policial que afirmou que os assassinos do jovem negro Stephen Lawrence* deveriam obter "imunidade diplomática".

A síntese dos resultados alcançados por características como essas começa a ser conhecida quando a presença da polícia, como se poderia prever, passa a ser vista com crescente desconfiança, quando não com aberta hostilidade, por setores da população. Na verdade, a polícia e o público resultaram tão apartados um do outro que, para muitas comunidades – especialmente aquelas mais periféricas e marginalizadas –, a polícia passou a ser identificada como "aqueles que vêm nos prender".

A síndrome – por que a polícia é ineficaz?

Uma passagem bastante conhecida de *Através do espelho*, de Lewis Carroll, relata o episódio do encontro de Alice com a Rainha Vermelha em um cenário

* O jovem negro Stephen Lawrence foi morto a facadas em uma parada de ônibus em Londres, em 1993, por um grupo de jovens brancos. O crime, claramente motivado pelo racismo, não foi, a princípio, tratado desta forma pela polícia, que desprezou as informações prestadas por um amigo da vítima, também negro, testemunha do crime. O relatório que acusou a polícia de "racismo institucional" foi publicado em fevereiro de 1999 e pode ser acessado na íntegra em www.archive.official-documents.co.uk/document/cm42/4262/sli-00.htm.

bucólico que evoca a imagem de um imenso tabuleiro de xadrez a céu aberto. Essa passagem deu origem, segundo Richard Dawkins (em *O relojoeiro cego*), à expressão "efeito Rainha Vermelha", cunhada pelo biólogo americano Leigh van Valen para designar o princípio de "mudança zero" na taxa de êxito alcançado independentemente do progresso evolutivo, por exemplo, quando predador e presa evoluem na mesma proporção e ritmo de tal forma que os melhoramentos alcançados por um e por outro se "anulam". Aproveitei essa sugestão para cunhar a expressão "síndrome da Rainha Vermelha" e empregá-la em outro contexto.

De um momento para o outro, sem que Alice saiba exatamente o motivo, as duas passam a correr de mãos dadas em uma velocidade crescente. A Rainha gritava o tempo todo: "Mais rápido, mais rápido!" E a menina mal conseguia acompanhá-la. Correram tão depressa que se sentiram como se estivessem flutuando, até que, exaustas, pararam para descansar. Nesse momento, Carroll (2002) construiu o seguinte diálogo:

> Alice olhou ao seu redor muito surpresa:
> — Ora, eu diria que ficamos sob esta árvore o tempo todo! Tudo está exatamente como era!
> — Claro que está, esperava outra coisa?, perguntou a Rainha.
> — Bem, na nossa terra, responde Alice, ainda arfando um pouco, geralmente você chegaria a algum outro lugar... se corresse muito rápido por um longo tempo, como fizemos.
> — Que terra mais pachorrenta!, comentou a Rainha. Pois aqui, como vê, você tem que correr o mais que pode para continuar no mesmo lugar.

A passagem poderia descrever perfeitamente a situação produzida pelo modelo reativo de policiamento. Os esforços policiais, mesmo quando desenvolvidos em sua intensidade máxima, costumam redundar em "lugar nenhum", e o cotidiano de uma intervenção que se faz presente apenas e tão-somente quando o crime já ocorreu parece oferecer aos policiais uma sensação sempre renovada de imobilidade e impotência. "Corre-se", assim, para se permanecer onde está, diante das mesmas perplexidades e temores. Para a visão que possuem a respeito de si mesmos e de seu trabalho, o ciclo permanente de chamadas a serem atendidas e a baixa produtividade das providências adotadas no que se refere à identificação e responsabilização dos infratores faz com que uma determinada sensação de inutilidade passe a definir o "espírito objetivo" do policiamento contemporâneo. Assim, por exemplo, quando o impactante documentário *Notícias de uma guerra particular*, de João Moreira Salles e Kátia Lund, mostra o depoimento de um oficial da Polícia Militar do Rio de Janeiro no qual ele define seus sentimentos a respeito do próprio trabalho com a expressão "cansaço", penso que estamos diante de uma síntese muito representativa e não de um desabafo.

As condições geralmente inadequadas de trabalho, seus riscos inerentes, os baixos salários e as crescentes cobranças públicas por maior resolutividade agregam-se a essa experiência cada vez mais percebida nos limites do "sem sentido". Obviamente, isso tudo produz efeitos devastadores na auto-estima dos policiais e pavimenta o terreno para o desenvolvimento de condutas "desviantes" como a corrupção e/ou a violência, tanto quanto para a manifestação de uma subética corporativa na qual o predomínio de uma visão cínica constitui uma moldura "racionalizadora". Uma pesquisa realizada nos EUA em 1987[13] registrou a declaração de um policial que parece expressar com muita nitidez uma defesa desse tipo. A frase que os pesquisadores anotaram foi: "Veja, se nós vamos fazer o trabalho duro, enterrando as merdas da sociedade e mantendo os mocinhos a salvo dos bandidos, temos que ter alguma vantagem."

De fato, quando o trabalho em si mesmo já não pode justificar-se, nem constitui fonte de satisfação ou orgulho, ele só pode ser suportado mediante a promessa de "recompensas". Ou seja, a partir de um sentido que lhe seja oferecido desde o exterior. O fato de que essas recompensas possam ser o resultado de comportamentos ilegais e que introduzam uma prática corsária dilui-se completamente em uma escala de valores para a qual "a teoria, na prática, é outra" e o compromisso estrito com a lei e os regulamentos é apenas "o discurso dos advogados" (Moore, 2003: p.135). Mesmo o compromisso com a verdade parece perder o sentido, como demonstra outra pesquisa norte-americana, na qual metade dos policiais entrevistados manifestou a opinião de que "era aceitável mentir para conseguir tirar um 'mau sujeito' das ruas".[14] Esse entendimento não pode deixar de exercer uma influência sobre as comunidades e se desdobra em valores antidemocráticos que reforçam noções perversas na consciência média dos cidadãos.

Em nosso país, a propósito, nunca se conferiu muita atenção ao papel da polícia na formação do "caráter nacional", mas talvez devêssemos estar atentos a isso. Um estudo sobre o tema nos EUA demonstrou que a idéia de "governo" está personificada para as crianças em torno de dois personagens: o presidente e o policial.[15] Muito antes disso, outros autores[16] já haviam sustentado que as características – tão comuns entre a população britânica – de cortesia, respeito pelo outro e apego à lei deveriam ser compreendidas a partir da influência exercida pelos policiais formados no espírito de Robert Peel. Morrison[17] seguiu a mesma hipótese quando estudou os comportamentos diferentes das populações vizinhas de Skagway e Dawson, pequenas cidades na fronteira do Alasca com o Canadá. Ele atribuiu a maior consideração às leis e à ordem presentes em Dawson ao exemplo disciplinado da respeitada Polícia Montada Canadense.

Seja como for, mesmo na ausência de qualquer consenso a respeito da dimensão da influência cultural que as polícias possam exercer, parece evidente que um serviço de natureza pública, distribuído uniformemente em todos os municípios e regiões, pode, com bastante amplitude, reproduzir opiniões e firmar valores. Particularmente, estou convencido que uma parte significativa dos preconceitos presentes entre setores da população com relação à luta pelos direitos humanos no Brasil foi construída ativamente por policiais interessados, por um lado, em promover uma desculpa pública para sua própria incompetência e, por outro, em descredenciar os ativistas da sociedade civil mais atentos às práticas de violência e corrupção. Esse trabalho deletério prossegue impunemente. Sendo assim, quando discutimos a reforma das polícias, é possível que não estejamos lidando apenas com temas como maior ou menor eficácia policial, mas, também, surpreendentemente, com o tipo de influência (positiva ou negativa) que tais estruturas irão exercer sobre a cidadania, as expectativas das pessoas diante do poder público e os valores com os quais elas constroem suas relações sociais.

Parece claro que uma estrutura policial reconhecidamente competente em seu trabalho e que receba, por conta disso, o respeito e a admiração popular terá maiores possibilidades de exercer sobre esta mesma população uma influência positiva e, nesta relação, de ver aumentar as suas próprias possibilidades de êxito. Pelo contrário, uma estrutura de polícia que se descubra desmotivada, que não possua qualquer projeto quanto ao seu próprio futuro e que esteja fragilizada por práticas internas de corrupção e violência só poderá reforçar entre a população os piores valores ali já presentes. Enquanto isso, ela aumentará o fosso que a separa das possibilidades virtuosas derivadas de uma relação democrática e respeitosa com o público a que deve servir.

Ora, o modelo reativo de policiamento pressupõe que a polícia deva esperar para ser chamada. Isso significa que ela deve esperar até que um crime seja cometido e comunicado. O que, em geral, não é percebido é que essa estratégia torna muito mais difícil para a polícia lidar com crimes que não produzam vítimas ou testemunhas. Esse é o caso, por exemplo, do jogo ilegal e do tráfico de drogas. Além do mais, para muitos outros delitos, as vítimas também permanecem desconhecidas porque não registram ocorrência nem chamam a polícia, ainda que diante de crimes bastante graves.

O que já era intuído há muito tempo passou a ser medido de forma mais precisa em todo o mundo com as pesquisas de vitimização. Elas começaram a ser feitas na década de 1960 nos EUA e, em 1966, a Pesquisa Nacional de Vitimização (National Crime Victimization Survey – NCVS) realizou seu primeiro levantamento com 10 mil entrevistas domiciliares. Desde a década seguinte, as pesquisas nacionais passaram a ocorrer anualmente. O Bureau de

Estatísticas Judiciais do Departamento de Justiça norte-americano faz pesquisas de vitimização desde 1973, tendo 50 mil domicílios como base.

No Reino Unido, o Ministério do Interior começou a realizar os seus levantamentos em 1982, através da Pesquisa Britânica sobre o Crime (British Crime Survey – BCS). A BCS realiza entrevistas domiciliares, como se tornou padrão em pesquisas de vitimização. Isso significa que ela só pode medir crimes contra residentes. Estão fora deste levantamento os crimes cometidos contra pessoas jurídicas, os crimes de colarinho-branco, os crimes contra moradores de rua, turistas etc. A pesquisa, também, só entrevista maiores de 16 anos, o que exclui das projeções estatísticas a violência contra crianças. A amostra atual para Inglaterra e País de Gales é de 40 mil residências. Os moradores são perguntados se sofreram, nos últimos 12 meses, algum crime de uma lista de delitos. Para as respostas positivas, então, muitas outras respostas são recolhidas. As pesquisas medem também o grau de confiança na polícia e o "medo do crime". Mais recentemente, o questionário é apresentado ao entrevistado em um *laptop* para que ele próprio responda as perguntas diretamente na tela do computador sem que o entrevistador veja as respostas. A garantia de sigilo é total e a nova técnica de entrevista com computador procura assegurar condições mais propícias para a coleta de respostas sobre temas constrangedores como consumo de drogas ou violência doméstica. As casas são sorteadas a partir dos dados do registro eleitoral. Atualmente, essas pesquisas também são anuais.

Todos esses e muitos outros levantamentos tornam evidente que a chamada "cifra obscura" (*dark rate*), que mede a quantidade de crimes não relatados à polícia, é impressionantemente alta. Apenas para que se tenha uma idéia, uma pesquisa de vitimização na Inglaterra e no País de Gales demonstrou que no ano fiscal de 2002/2003 ocorreram, aproximadamente, 12,3 milhões de crimes contra residentes adultos, sendo que, desse total, cerca de 2,8 milhões foram crimes violentos. No mesmo período, as polícias britânicas registraram um total de 5 milhões de ocorrências criminais. Isso implica reconhecer que mais da metade dos crimes realmente praticados jamais chegaram ao conhecimento da polícia (na verdade, a disparidade é necessariamente maior porque há uma série de delitos que não são levantados nas pesquisas de vitimização). Estima-se que, na Espanha, a taxa de comunicações à polícia por conta de assaltos seja de 47%. No mesmo país, os incidentes de natureza sexual, por sua vez, seriam relatados apenas em 4% das vezes. Uma pesquisa de vitimização realizada em 1999 no estado de São Paulo levantou para um único trimestre a estimativa de 1,33 milhão de crimes, o que representou três vezes o número de crimes registrados pela polícia paulista no mesmo período.

Infelizmente, a prática de realização de pesquisas de vitimização ainda não se firmou no Brasil, e a maior parte dos estados brasileiros jamais teve uma delas sequer. Em 1988, o IBGE realizou uma Pesquisa Nacional por Amostragem de Domicílios que incluiu algumas questões relacionadas à vitimização. Esta foi, até hoje, a única experiência nacional de coleta de dados na área. Na prática, isso significa prosseguir trabalhando com os dados compilados a partir dos registros de ocorrência, o que assinala, inequivocamente, uma maneira ultrapassada de se lidar com indicadores de criminalidade e violência. O resultado é que os gestores de segurança pública não podem, ainda que o desejem, elaborar uma política de segurança com base em um diagnóstico sério porque os dados disponíveis mais confundem do que ajudam.

As razões para os números levantados pelas pesquisas serem muito maiores que os registrados pela polícia – fenômeno que se repete em todo o mundo – são as mais variadas. Em primeiro lugar, muitas vítimas têm medo de sofrer represálias. Em segundo, muitas imaginam que a polícia não irá produzir qualquer resultado; por alguma razão elas não confiam na instituição e imaginam que irão apenas perder seu tempo. Em terceiro, muitas vítimas não desejam o envolvimento da polícia em determinados casos. Elas podem se sentir mais seguras em tratar pessoalmente do problema, podem manter vínculos com os infratores ou ainda sentir vergonha de expor a situação que as vitimou. Por fim, o que ocorre é que muitas pessoas não sabem como proceder para registrar uma ocorrência, não têm recursos para se deslocar até uma delegacia ou, mesmo, não têm noção de que foram lesadas em algum direito.

Uma pesquisa de vitimização realizada em Belo Horizonte, no ano de 2002, pelo Centro de Estudos da Criminalidade e da Segurança Pública (Crisp), sob a coordenação de Cláudio Beato, verificou que, dentre as pessoas que foram vítimas de agressão sexual no ano anterior, apenas 14,5% acionaram a polícia. As principais razões para vítimas de agressão sexual não acionarem a polícia foram: a) não adiantaria chamar, pois a polícia não poderia ajudar (37,6%); b) as pessoas não queriam a polícia envolvida (24,7%); c) para não haver vingança (9,3%). Das perguntas sobre vitimização incluídas na pesquisa nacional do IBGE de 1998, sabemos que, entre os entrevistados que foram vítimas de furto, 67,5% não registraram as ocorrências; das vítimas de agressão física, 60,8% não procuraram a polícia. As taxas de notificação em ofensas de natureza sexual, no mesmo levantamento, foram de apenas 9,8%.

Ao mesmo tempo, crimes contra o erário, casos de corrupção ou tráfico de influência, fraudes ou desfalques praticados por pessoas influentes e crimes contra o meio ambiente, entre muitos outros, costumam não ser conhecidos pela polícia porque, nesses casos, ninguém liga ou aparece para registrar uma "ocorrência". Por outro lado, os efeitos desagregadores dessas atividades criminosas só se fazem sentir a longo prazo. Para piorar esse quadro, sabe-se, também, que algumas pessoas utilizam-se da polícia como meio para travar disputas ou para alcançar uma forma indireta de "vingança" contra desafetos, o que agrega outra artificialidade – dessa vez por excesso.

Percebe-se, então, que o modelo reativo pressupõe uma "seletividade natural" construída de forma sistêmica e, dessa forma, sem levar em conta a intervenção ou a vontade do agente. Os policiais, em regra, não sabem o que é um "infrator rico ou influente politicamente" pela simples razão de que o sistema de trabalho ao qual estão vinculados não seleciona a atuação de personagens desse tipo como um problema a ser enfrentado. Aqui, então, Kafka poderia repetir que "diante da lei há sempre um porteiro"; alguém que "filtra" o que deverá chegar ao conhecimento do próprio Poder Judiciário, que produz o *input*. Mas os policiais também estão pouco preparados para enfrentar temas como a violência doméstica e o abuso sexual. Eles desconhecem as novas modalidades de crimes praticados por meios eletrônicos e, em geral, não sabem como atuar em casos que envolvam discriminação – especialmente se ela for de gênero ou orientação sexual.

Monet (2001: p.163) chama a atenção para o impacto do modelo reativo sobre a iniciativa policial citando vários estudos convergentes. Assim, por exemplo, uma pesquisa realizada em Boston, na década de 1960, mostrou que em 5 mil intervenções da polícia, 86% delas tinham se realizado a partir de iniciativas dos cidadãos. Outro estudo em Chicago, na mesma época, com 127 mil intervenções policiais, verificou que o total de casos atribuídos à iniciativa dos policiais era de apenas 6,9% das ocorrências. Na Alemanha, um estudo sobre 4.600 casos demonstrou que a iniciativa policial não era superior a 10% do total de intervenções. Na região de Lyon, na França, verificou-se que, em crimes como roubos e assaltos, a polícia só observava, ela mesma, os fatos em 2,2% dos casos.

Por outro lado, os critérios para se medir a eficiência do trabalho desenvolvido pelas polícias dentro do modelo reativo – ainda quando vinculados às pretensões declaradas pelas próprias autoridades policiais de inibir o crime e prender criminosos – indicam, na maior parte das vezes, uma dimensão surpreendente de insucesso. Bayley e Skolnick (2001) sustentam que os tipos criminais que mais assustam os americanos (roubo, furto no domicílio, assalto à mão armada, estupro e homicídio) raramente são enfrentados por policiais em patrulhamento. A "boa prisão" é um evento raro na patrulha, que presta um serviço passivo de atendimento às emergências.

Para que se dimensione melhor essas possibilidades, consideremos, por exemplo, que um patrulheiro a pé na Inglaterra costuma cobrir uma área de cerca de 700 metros, povoada por cerca de 4 mil pessoas e com 6 a 7km de vias públicas. A chance de esse patrulheiro passar a menos de 30 metros de um assalto é de uma vez para cada 8 anos de trabalho ininterrupto. O que não significaria a certeza de que ele perceberia o assalto e, muito menos, de que prenderia o assaltante.[18] Os mesmos autores afirmam que os crimes, em geral, também não são solucionados a partir das investigações feitas pelos departamentos de polícia. Quando os criminosos são presos, isso ocorre ou em flagrante ou quando havia uma informação relevante sobre a autoria prestada pela população. Quando isso não ocorre, as chances de identificar o responsável pelo crime caem para 1 em 10. Afirmações como a de Brodeur – para quem "uma polícia a quem não se indicam explicitamente seus culpados fica entregue à interminável errância da investigação, à qual só o acaso põe fim"[19] – tornaram-se comuns.

A situação, entretanto, parece ainda mais grave em países como o Brasil, onde sequer a entrega à polícia dos culpados é garantia de um bom encaminhamento. Acho interessante destacar que, no momento de conclusão deste trabalho, a imprensa gaúcha registrava que o responsável pelo assassinato de pelo menos 8 crianças no norte do estado, finalmente preso, já havia sido conduzido à Polícia Civil do Rio Grande do Sul 4 vezes, sendo sempre liberado porque os policiais "nada encontravam contra ele".

Essa conclusão é corroborada pelo trabalho de Greenwood, Chaiken e Petersilia[20] que demonstrou, ao contrário do que poderiam presumir os fãs de filmes policiais, que detetives trabalhando apenas com as evidências da cena do crime muito raramente chegam a algum resultado positivo. Na maior parte das vezes deve-se supor, inclusive, que investigações apresentadas como exemplo de êxito percorreram, na verdade, o caminho que vai do suspeito ao crime, e não o contrário (Monet, 2001: p.122). Um levantamento de 1974, por exemplo, divulgado pelo governo norte-americano, mostrou que apenas 51% dos estupros, 27% dos roubos e 18% dos arrombamentos que chegaram ao conhecimento da polícia foram por ela esclarecidos e, desse total, apenas uma margem insignificante se deveu ao papel desempenhado pelas investigações.[21]

Na Inglaterra, as taxas de esclarecimento de crimes pela polícia caíram durante os anos 80 e 90. Hoje, segundo dados do Ministério do Interior (Home Office, 2001),[22] elas são de 90% para casos de homicídio, 62% para casos de violência pessoal e 12% para casos de arrombamentos. No ano fiscal de 2001/2002, por exemplo, ocorreram 858 homicídios na Inglaterra e no País de Gales; praticamente o mesmo número do ano anterior. Armas de fogo foram usadas em 12% desses crimes. Em 664 casos (80% do total) um suspeito foi identificado. Na Inglaterra e no País de Gales a chance média de alguém ser vítima de um homicídio é de 16 em 1 milhão.

Ao mesmo tempo, as evidências a respeito da ausência de qualquer relação entre número de prisões e taxas de criminalidade se acumulam em inúmeros estudos e levantamentos estatísticos. A Inglaterra e o País de Gales, por exemplo, experimentaram um crescimento de 18% de sua população carcerária entre os anos de 1987 e 1996. Esses países tiveram, também, no mesmo período, um aumento de 29% nos crimes registrados pelas polícias. Na Escócia, com um aumento nas taxas de encarceramento de 8%, os crimes registrados cresceram também 8%. No mesmo período, a Itália aumentou sua população carcerária em 42%, contra 7% de aumento ocorrido na França. A primeira, não obstante, registrou 30% mais crimes, enquanto a segunda registrou um aumento de 12%. A Suécia, nessa época, produziu um aumento no número de prisões da ordem de 21%, tendo 11% a mais de crimes registrados. A mesma variação foi observada na Irlanda do Norte, que havia reduzido sua população carcerária em 12%.[23]

Pesquisas específicas sobre o tema[24] já não permitem, em síntese, que a idéia da "prisão de criminosos" seja apresentada seriamente como uma resposta adequada em segurança pública, seja para produzir a intimidação generalizada, seja para assegurar a ressocialização dos condenados. Mesmo que se aceite a tese de que a incapacitação de alguns condenados pode, a depender do perfil envolvido, implicar redução daquele tipo de crime,[25] sabe-se que esse mesmo efeito não se estende para todas as prisões efetuadas. Ele é, pelo contrário, um fenômeno bastante específico. Na verdade, cresce entre os especialistas na área a convicção de que Gary Marx[26] tinha razão quando afirmou que "a justiça penal é um anacronismo cujos agentes só fazem atirar na ferida depois que a batalha está terminada".

O que, definitivamente, não funciona

Muitas vezes, diante dos indicadores pouco recomendáveis de eficiência no trabalho policial, imagina-se que, em lugar de uma nova receita, o que se precisa é aumentar os ingredientes da mesma fórmula. O que se observa, invariavelmente, é uma forte pressão para que se faça mais do mesmo, uma espécie de "isomorfismo reformista". Os gestores, então, em vez de alterarem o discurso, falam as mesmas coisas só que em um tom cada vez mais estridente. Assim, as "políticas de segurança" reconhecidamente fracassadas costumam ser retomadas com mais ânimo e alarde a cada nova gestão, quando novos investimentos são anunciados, medidas "de impacto" ocupam os noticiários, trocam-se chefias, promessas de ordem e rigor são seladas e tudo, rigorosamente tudo o que importa, permanece como está.

O desafio, por isso, não é o de "ajustar" o modelo atual de policiamento, nem o de investir mais recursos nele, mas sim o de construir um novo modelo, dotado de uma nova racionalidade. Independentemente das posições que possamos construir no debate em torno desse novo modelo, o que todas as pesquisas e estudos de avaliação sobre o policiamento contemporâneo demonstram à exaustão é que o "modelo reativo" não funciona e que todas as tentativas de renová-lo ou de emprestar-lhe os meios necessários para alcançar seus pretendidos objetivos irão fracassar.

No caso do Brasil, especialmente, qualquer exame mais cuidadoso sobre os resultados do trabalho policial haverá de levantar muitas debilidades a serem enfrentadas. Ao contrário do que se costuma imaginar, as polícias brasileiras não precisam apenas de mais recursos e novos investimentos. Mantido o atual modelo e as formas tradicionais de atuação policial no Brasil, a tendência maior aponta para o desperdício dos recursos públicos que sejam nele eventualmente empregados.

Seja como for, sempre que se reduz o problema enfrentado pelo trabalho policial à falta de investimentos terminamos por encobrir os problemas referentes à ausência de gestão e à inaptidão para a avaliação de programas e iniciativas tomadas.

José Vicente Silva Filho,[27] comentando os impasses vividos pela Polícia Civil no Brasil, assinala que:

> Sua estrutura pesadíssima, (da Polícia Civil) no caso de São Paulo, corresponde a 29% do efetivo total da segurança pública, quando nas polícias do mundo o pessoal de investigação corresponde a 15%, em média, do total. Praticamente todas as suas viaturas são preparadas com chamativas pinturas e equipamentos típicos de polícia ostensiva, inviabilizando o uso de veículos para a investigação, sua principal atividade. Com um contingente além da média mundial, seria de se esperar houvesse condições privilegiadas para a atividade de esclarecer crimes de autoria desconhecida. Entretanto, em 1997, os distritos policiais da cidade de São Paulo apresentaram a média de 2,5% de esclarecimentos, com alguns distritos como da Vila Maria e da Brasilândia apresentando índice zero de esclarecimentos.

Por outro lado, se há uma certeza que deveríamos compartilhar sobre o que não funciona em termos de policiamento, essa diz respeito à violência policial, compreendida como o uso desnecessário e abusivo de meios coercitivos ou como o emprego de métodos abertamente criminosos – como a tortura e/ou a execução de suspeitos. A violência degrada a polícia e seus efeitos são tão ou mais destrutivos que as práticas de corrupção. Ela destrói, também, os laços de confiança com as parcelas da população diretamente afetadas pelo medo da brutalidade policial, que são notadamente as mais pobres e as minorias, destacadamente negros e homossexuais.

Em regra, a violência policial existe onde são escassos os meios de investigação; onde, portanto, identifica-se uma lacuna básica quanto aos recursos de inteligência. Ela é, também, um dos mais seguros indicadores a respeito da ausência de uma postura profissional e, portanto, da má-formação. As melhores polícias do mundo são aquelas que aprenderam a controlar as possibilidades de emprego da força e que criaram uma cultura interna de respeito à diferença e de cordialidade no trato com os cidadãos. O problema da violência policial, entretanto, é experimentado – em dimensões diversas, é verdade – em quase todos os países. Nos EUA, por exemplo, uma pesquisa do Instituto Gallup realizada em 1991 demonstrou que 5% dos cidadãos norte-americanos brancos e 9% dos cidadãos norte-americanos negros já foram maltratados ou agredidos fisicamente pela polícia. Quando perguntados se conheciam alguém que já tivesse sido maltratado ou agredido fisicamente pela polícia, 20% dos entrevistados responderam que sim.[28] No mesmo país, estudos têm demonstrado que 1/3 das vezes em que os policiais fazem uso da força física, ela é empregada em excesso e de maneira abusiva.

Na realidade brasileira, o problema da violência policial não deve ser subestimado, nem tratado – como costumam fazer as autoridades políticas e os gestores do sistema – como "fatos isolados". Nossa tradição policial está profundamente marcada pela violência e apesar dos esforços de todos aqueles que, dentro ou fora das corporações, têm lutado para que as atividades de policiamento sejam respeitadoras da lei, estamos longe de conquistar uma realidade minimamente aceitável. A sucessão de chacinas praticadas por policiais, a formação de grupos de extermínio, o hábito de entregar cadáveres em hospitais de pronto-socorro de forma a desconstituir a cena do crime, a prática tão corriqueira de relatar mortes em "autos de resistência" e as excursões punitivas e tantas vezes assassinas em morros e vilas populares – cujos resultados são muito freqüentemente objeto de comemorações públicas por parte de "policiais justiceiros" –, ao lado das práticas, infelizmente ainda tão comuns, de espancamentos e torturas de suspeitos e de abusos sexuais e estupros, acompanham a instituição policial como uma maldição. Temos uma longa tradição de subordinação das polícias à razão de Estado e, ao longo de nossa história – como no Estado Novo, por exemplo –, as forças policiais foram usadas muitas vezes para fazer o "trabalho sujo" de repressão política. No período mais recente, duas décadas de ditadura militar e de comprometimento das estruturas policiais com a repressão ilegal e clandestina contribuíram muito para marcar as polícias brasileiras com exemplos de crueldade e covardia.

O Brasil operou, desde o período mencionado, uma transição democrática e foi, passo a passo, construindo uma estrutura jurídica e uma tradição de convívio com o dissenso. Inúmeras conquistas foram alcançadas e a nação passou a viver uma experiência de participação política e de construção da cidadania. As instituições policiais, não obstante, carregam ainda, como diria Marx, "a tradição dos mortos como um pesadelo a oprimir o cérebro dos vivos".

De outro lado, as exigências disseminadas em setores da opinião pública em favor de uma atuação mais rigorosa ou "dura" das forças policiais só têm conseguido estimular níveis ainda maiores de arbitrariedade e dificultar qualquer controle sobre a atuação dos policiais. O trabalho pioneiro de Barcellos (1992) já havia demonstrado a extensão do problema dos homicídios cometidos pela polícia de São Paulo a partir de uma extensa pesquisa sobre as vítimas. De lá para cá, poucas coisas mudaram. Apenas no ano de 2002, a polícia matou 900 pessoas no Rio de Janeiro, enquanto 170 policiais fluminenses foram assassinados. Nada disso contribuiu para que a insegurança da população fosse menor.

Dados recentes – primeiro semestre de 2003 – demonstram que a violência policial está crescendo em São Paulo, no Rio de Janeiro e no Rio Grande do Sul. Conforme dados da Secretaria de Segurança Pública estadual, a polícia paulista matou 487 suspeitos nos seis primeiros meses de 2003, 78% a mais do que os 273 casos registrados no mesmo período de 2002. No Rio, a elevação também chama a atenção. Foram 815 civis mortos entre janeiro e agosto daquele ano, em comparação com os 581 no mesmo período do ano anterior – um crescimento de 40%. Os dados são da Secretaria de Segurança do estado. No Rio Grande do Sul, segundo levantamento do jornal *Zero Hora* sobre os boletins de ocorrência policial, nos seis primeiros meses de 2003 o número de suspeitos assassinados subiu 70% em relação ao primeiro semestre de 2002, passando de 13 para 22 casos. Pesquisa de Ignácio Cano (1997) já havia demonstrado que, durante o ano de 1995, a polícia do estado do Rio de Janeiro foi responsável pelo óbito de quase o mesmo número de civis mortos por todas as polícias norte-americanas no mesmo ano.

Mas a irresponsabilidade governamental, o oportunismo e a falta de escrúpulos de determinados políticos contribuem para dar seqüência a esse processo. Assim, quando um governo estadual institui uma "promoção por bravura" e "gratificações por mérito" – como ocorreu no Rio de Janeiro de 1995 a 1997, sob o comando do secretário de Segurança Pública, general Nilton Cerqueira – pretendendo premiar os policiais que "matassem bandidos", o que temos é a repetição da tragédia, dessa vez como farsa. Muitos perceberam isso logo de início. Assim, por exemplo, o coronel da PM Ivan Bastos, presidente da Associação de Oficiais da Polícia Militar do Rio de Janeiro, manifestou-se à época afirmando: "(tais incentivos) ... tornaram-se dois grandes instrumentos de degradação da corporação militar. Significam ... a indisciplina e o estímulo à violência e à corrupção".[29]

A chamada "gratificação faroeste", que permitia a incorporação ao salário de aumentos de até 150%, "legalizou" e estimulou a violência policial no Rio de Janeiro. Segundo a Comissão de Segurança Pública da Assembléia Legislativa do estado, os benefícios concedidos aos policiais fluminenses por "bravura" fizeram com que a média de pessoas mortas em alegados tiroteios com a polícia saltasse de 10 para 25 por mês. No mesmo período, ainda segundo o levantamento da comissão, 220 policiais foram mortos em ação, o que significou um aumento na vitimização de policiais da ordem de 34%.

A violência policial, bem como toda atividade estruturada pelo modelo reativo de policiamento, é seletiva. Ela se faz presente quando as vítimas são pobres e humildes; quando os próprios policiais intuem que elas situam-se tão à margem da sociedade que seus eventuais e improváveis protestos não serão ouvidos. Caso alguma denúncia seja feita, se dirá, tão-somente, que o responsável por ela é um delinqüente comum, um traficante, um "bandido". Logicamente, pessoas com esse perfil "não têm do que se queixar"; devem é "pagar pelos seus crimes". Desafortunadamente, setores influentes da opinião pública brasileira compartilham esses mesmos pressupostos e são, por isso, cúmplices de uma barbárie construída com o cinismo habitual.

Quando examinamos o problema da violência policial, penso que devemos ter em conta as principais concepções ideológicas que concorrem para a existência do fenômeno. Assim, por exemplo, parece evidente que as práticas violentas ainda encontradas na maioria das forças policiais em todo o mundo são tributárias de um discurso que expressa a opção de definir o papel das polícias como "forças de combate ao crime", em vez de "forças para a garantia da lei". Não há em português um termo equivalente à expressão inglesa *law enforcement,* mas acredito que ela defina muito mais apropriadamente a missão reservada às polícias do que a idéia de "guerra contra o crime". Segundo Monkonen (2003: p.588), a expressão "guerra contra o crime" teria sido popularizada em 1920 pelo empresário Mark Prentiss, que escrevia para a revista *Current Opinion.*

Na verdade, quando se constrói um imaginário social em que os próprios policiais se definem como "combatentes" e no qual se promove um enfoque absoluto na necessidade de "derrotar o crime", os próprios policiais são estimulados a perceber os valores legais muito mais como restrições à sua eficiência do que como objetivos aos quais devam se vincular.

Uma pesquisa realizada pelo Instituto de Estudos Econômicos, Sociais e Políticos de São Paulo (Idesp), apoiada pela Fundação Ford, fez mais de 1.200 entrevistas com delegados de polícia em 9 estados brasileiros e verificou que 59% deles consideram a atuação do Ministério Público nos conflitos envolvendo a Polícia Civil um "obstáculo relevante" à eficácia policial. Cerca de 77,7% consideram que o chefe de polícia deveria ser eleito pelos integrantes da carreira. O mesmo número apóia a tese da inamovibilidade dos delegados. Cerca de 78,6% rejeitam o controle externo do Ministério Público. Mais da metade dos entrevistados (64,5%) concorda com a proposta de permitir a realização de buscas sem mandado judicial, e 52,3% deles apóiam a redução da idade penal para 16 anos. Apenas 20,3% deles concordam totalmente com o fim da prisão especial para os titulares de diploma universitário, e só 10% concordam com a autonomia dos institutos de perícia. Apenas 7,6% defendem a transferência do julgamento de crimes contra os direitos humanos para a Justiça Federal, enquanto 41,8% acreditam que a política de direitos humanos "tem beneficiado os criminosos" (Sadek, 2003).

Respostas assim não deixam dúvidas a respeito da natureza dos serviços que podem ser prestados por essas autoridades policiais no Brasil. O que se descobre na pesquisa é uma mentalidade corporativa e autocentrada: uma polícia avessa a qualquer controle e que gostaria de gozar de uma autonomia absoluta; no geral, hostil para com as reformas de conteúdo democrático e indiscutivelmente saudosa do período de arbítrio. Uma concepção que, de fato, é proponente da violência. Contra essas concepções uma nova geração de policiais tem tentado abrir outros caminhos e, felizmente, nem todos os delegados ou policiais concordam com os mesmos pressupostos. Na realidade, assiste-se hoje nas polícias brasileiras a uma certa tensão entre um passado perverso que não foi ainda rejeitado e uma possibilidade mais generosa de futuro sobre a qual ainda não se pode ter qualquer certeza.

Além desse tema mais amplo da violência policial, sempre marcado por intermináveis e estridentes contenciosos, pode-se afirmar que muitas das opiniões comumente compartilhadas no Brasil sobre o que seriam os desafios e necessidades prementes na área de segurança não se sustentam ante os conhecimentos mais modernos. Aliás, é importante assinalar aqui o inusitado fato de que os temas afetos à segurança pública parecem se prestar – em países como o nosso mais do que nas democracias consolidadas – para todo tipo de "opinião". Assim, ao contrário de outras áreas nas quais se espera que os principais interlocutores do debate público sejam minimamente qualificados, qualquer pessoa sente-se à vontade para alçar seus próprios preconceitos à condição de argumentos incontrastáveis.

Não entendo que o debate sobre as questões relativas à segurança pública deva ser monopolizado pela comunidade científica e pelos profissionais da área. Toda e qualquer discussão sobre esse tema não poderia sequer existir em termos estritamente "técnicos". Segurança pública é, essencialmente, uma questão política e, como tal, pode e deve ser debatida por todos os cidadãos, independentemente de sua formação ou conhecimento. Quando examinamos, por exemplo, o uso de armas de fogo por parte dos policiais, estamos diante de uma questão que deveria ser informada por técnicas específicas. Mas, quando discutimos o momento em que um policial deve tomar a decisão de disparar sua arma, estamos – a despeito das orientações legais existentes – diante de uma opção que é, sobretudo, ética e não "técnica". O mesmo pode ser dito para os principais pontos em debate na área.

O que me parece inaceitável, entretanto, é que esse debate seja feito sem consideração pelo saber científico, sem qualquer diálogo, em síntese, com os consensos construídos pelos pesquisadores do tema. Não é de surpreender, então, que um ex-subchefe da Polícia Civil do Rio Grande do Sul, delegado Pedro Carlos Rodrigues, tenha dito que "toda vez que sopra o vento norte no estado os índices de violência aumentam". Comentando essa declaração espantosa, o então coordenador da rede de climatologia urbana, Eugênio Hackbart, afirmou: "O delegado não está tão errado assim, pelo contrário, tem até certa razão." O meteorologista explicou que o vento norte "está associado a alterações bruscas da pressão atmosférica que perturbam o equilíbrio das pessoas".[30] Dois meses depois, no Rio de Janeiro, o então governador Antony Garotinho sustentava para uma platéia de fervorosos fiéis que o crime deveria ser compreendido como um fenômeno resultante do fato de que "as pessoas não trazem Jesus no coração".[31]

Durante todo o medievo acreditou-se que a lua cheia exercia influências terríveis sobre o comportamento dos seres humanos, podendo, inclusive, conduzi-los ao enlouquecimento. Aquela foi uma época, também, em que era usual dividir as pessoas entre as que tinham Jesus no coração e as que não tinham e, com base nisso, se formaram as cruzadas contra os "infiéis" e se acenderam fogueiras para os "hereges". Lembrança que talvez nos deva alertar para a existência de uma "idade das trevas" no debate sobre segurança pública que temos presenciado em muitos países, especialmente no Brasil. Não está claro, de qualquer maneira, qual a política pública que os ditos "especialistas" poderiam desenvolver a partir das causalidades identificadas, mas chama atenção o fato de que ambas as opiniões possam referenciar debates e mesmo mobilizar simpatias.

Para além do espaço reservado ao folclore, entretanto, várias outras opiniões mantêm a mesma distância do que é hoje consenso na comunidade científica. Assim, por exemplo, uma das visões mais arraigadas no senso comum e reproduzidas pela imprensa em todo o mundo é a de que "é preciso que os policiais estejam nas ruas". Com isso, o que se reclama é uma maior presença policial nas funções de patrulhamento. Parte-se do princípio de que se as cidades estivessem "melhor policiadas" – entenda-se "com mais policiais envolvidos em patrulhamento" – os crimes diminuiriam. Porém, sobre essa expectativa, já se acumulou um grande número de estudos empíricos e comparativos. Esses trabalhos permitem afirmar, primeiramente, que a ausência completa de patrulhamento oferece um estímulo considerável à ação dos criminosos. Ou seja, quando não há qualquer tipo de patrulhamento, e isso é um fato público, o que parece ocorrer é a produção de uma "mensagem" bastante estimulante à prática dos mais variados delitos.

Os pesquisadores tiveram a chance de provar essa possibilidade graças ao fenômeno moderno das greves policiais. Sherman (2003: p.213-4), por exemplo, faz referência a quatro episódios. No primeiro, em 1919, as greves em Boston e em Liverpool trouxeram, como decorrência imediata, saques, roubos, estupros, destruição e revolta. Uma outra greve, esta de apenas 17 horas, realizada pela polícia de Montreal, Canadá, em 7 de outubro de 1969, fez a taxa de roubos subir ao impressionante índice de 13,4% por hora e o número de assaltos a banco tornar-se 50 vezes maior. Observou-se o mesmo quando houve a paralisação de 17 dias realizada pela polícia finlandesa, em 1976: os roubos em lojas aumentaram 50% e os atendimentos nos hospitais cresceram 42%. Também no Brasil, Cláudio Beato[32] observou o mesmo efeito quando aconteceu a greve da Polícia Militar em Minas Gerais, em 1997. Em menos de 15 dias, os crimes violentos aumentaram 120% e o número de assaltos a transeuntes, padarias e supermercados cresceu 3,5 vezes! Vários autores costumam fazer referência, também, ao episódio histórico da Segunda Guerra Mundial quando os nazistas prenderam toda a força policial de Copenhague, Dinamarca, criando a oportunidade, assim, para que os roubos e furtos aumentassem 10 vezes.[33]

Essa conclusão, entretanto, é muito diversa daquela que sustenta que o aumento no número de policiais em patrulhamento, pelo menos quando acima de um certo limite, faça alguma diferença significativa. Monet (2001: p.169) cita os estudos feitos na Grã-Bretanha na década de 1960 e nos EUA na de 1970, especialmente em Newark (Nova Jersey), em Saint Louis (Missouri) ou em Nashville (Tenessee), que chegaram a uma conclusão convergente: multiplicar o número de policiais nas ruas não surte efeito algum sobre o volume da criminalidade. Em alguns casos, inclusive, as estatísticas criminais aumentaram artificialmente porque a presença maior de policiais facilitava o registro de ocorrências que, de outra forma, não seriam levadas às delegacias. Bayley e Skolnick (2001: p.18) defendem a mesma opinião, afirmando que aumentar o número de policiais não produz, necessariamente, resultado positivo; eles estendem essa conclusão ao aumento dos recursos orçamentários para além de um certo teto.[34] Na mesma linha, os estudos de Kelling et al. (1974) e Greenberg et al. (1983) também demonstram, com base em experiências concretas de "saturação" policial, que a providência não faz baixar os indicadores criminais. Sabe-se, também, que resultados positivos verificados em algumas experiências implicaram um fenômeno do deslocamento do crime para regiões vizinhas.

O estudo clássico sobre a experiência de Kansas City, Missouri – um dos mais conhecidos a esse respeito –, deve ser analisado com precaução por conta das pequenas amostras envolvidas, mas seus resultados não deixam de ser impressionantes. Durante todo o ano de 1972, o departamento de polícia da cidade, com o apoio da Police Foundation, realizou a experiência de separar três áreas, fazendo com que, na primeira, se retirasse todo o policiamento preventivo; na segunda, o patrulhamento fosse reforçado sempre entre duas e três vezes; e, na terceira, se mantivesse o número tradicional de policiais na patrulha. Além dos envolvidos diretamente na pesquisa, ninguém foi informado do que estava acontecendo. As condições, então, foram cuidadosamente controladas e os resultados comparados com todo o rigor. Ao final de um ano, descobriu-se que as taxas de criminalidade permaneceram inalteradas nas três regiões da pesquisa. Até o medo entre os cidadãos – medido com pesquisas anteriores e posteriores ao experimento – também permaneceu igual.

Seja como for, há indícios suficientes para que, em vez de exigirmos "mais polícia", estivéssemos exigindo que elas fossem profundamente repensadas. Em um texto chamado "O herói serial e a sensibilidade pragmática", Soares (1996: p.291) oferece um rápido esboço da complexidade envolvida em uma função aparentemente tão simples como a alocação de recursos de policiamento e seus efeitos sobre as taxas criminais ordenando as seguintes possibilidades:

> A suspensão do policiamento pode estar associada ao aumento da criminalidade na área 1, no tempo 1; mas pode estar associada à diminuição proporcional da criminalidade em alguma área anexa 2. Bem como pode estar associada à diminuição da prática de crimes na área 1 e ao aumento na área 3, na qual outra variável tenha sido introduzida (famílias ricas mudaram-se para lá, por exemplo), ou o policiamento também foi suspenso naquela área – os infratores perceberam vantagens adicionais ou riscos menores e passaram a atuar lá. Mas a suspensão do policiamento na área 1 pode estar associada à diminuição da criminalidade na área 1, no tempo 2, se, por exemplo, o aumento das ocorrências criminosas no tempo 1 tiver propiciado um acúmulo de recursos para o crime – como competência técnica, armamento, novas parcerias, dinheiro para suborno, informações, etc. – de tal forma que uma rede possa se formar para investir em ações mais ousadas. Nesse caso, o número de ocorrências pode diminuir, mas o prejuízo material agregado pode aumentar, assim como a gravidade dos crimes. Mas pode, também, ocorrer o contrário. O volume de perdas pode crescer no sentido inversamente proporcional à gravidade dos crimes – isto é: os criminosos mais organizados, informados e treinados, passam a visar grandes fortunas, minimizando seus riscos. Assim, eles passam a invadir bancos à noite, por exemplo, porque o número de vidas expostas ao risco se reduz drasticamente. Mas a suspensão do policiamento na área 1 poderia exercer um impacto negativo na imagem da polícia na região, reduzindo a confiança da população e, conseqüentemente, diminuindo o volume de denúncias encaminhadas à polícia. Nesse caso, os números diminuem, mas nenhuma alteração real ocorre quanto ao crime. Mas poderia suceder o contrário. O sucesso e a imagem positiva da polícia tendem a estimular as pessoas a registrar ocorrências, o que antes não era feito porque se imaginava que as investigações iam dar em nada. Um efeito do tipo faria os números aumentarem, sem que isso significasse mais crimes, etc.*

* O texto foi ligeiramente alterado por mim para que fosse possível uma citação resumida. As mudanças que introduzi não alteraram, contudo, o conteúdo das hipóteses construídas pelo autor. Voltarei especificamente ao tema dos números e das estatísticas, mais adiante, no Capítulo 8.

Ainda que se pudesse demonstrar que o aumento dos efetivos policiais significasse redução das taxas criminais e que se imaginasse uma "cobertura total" capaz de prevenir o crime nas grandes cidades, esse caminho seria, de todo o modo, impraticável. Aliás, o crescimento das forças policiais em todo o mundo demonstra claramente isso. Ao que tudo indica, chegamos a um ponto tal – na grande maioria dos países desenvolvidos – em que já não há mais como se conceber o aumento dos efetivos policiais. Los Angeles, a segunda maior cidade americana em 1988, com uma população de cerca de 3,5 milhões de habitantes, dispunha, segundo dados do FBI, de cerca de 7.533 policiais juramentados e 2.470 funcionários civis trabalhando nas polícias. Cem anos antes, com cerca de 100 mil habitantes, sua força policial era menor do que 100 policiais. Naquela época, a cidade tinha um policial para cada 1.300 habitantes; mas, em 1988, havia um policial para cada 460 habitantes. Chicago, da mesma forma, possuía no início do século XX um policial para cada 630 habitantes; em 1988 essa relação já era de um policial para cada 275 habitantes; mais ou menos a mesma média da cidade de Nova York no mesmo ano (Reiss, 2003: p.71).

Segundo levantamento de Monet (2001: p.131), a densidade de policiais para cada grupo de 100 mil habitantes na Europa entre os anos de 1986 e 1990 se estabelece entre 315 e 238. Situam-se acima da média inferior a Bélgica (com 362 policiais para cada 100 mil habitantes, o que significa um policial para cada 276 habitantes); a Espanha (361 – um para cada 276 hab.); a França (369 – um para cada 270 hab.); a Grécia (390 – um para cada 256 hab.); a Itália (349 – um para cada 286 hab.); e Portugal (350 – um para cada 285 hab.). Todos os países mencionados possuem sistemas pluralistas onde encontramos Polícia Civil e Polícia Militar (com a exceção da Grécia). A Irlanda (308 – um policial para cada 324 hab.) aproxima-se da taxa européia média. Reino Unido (245 – um policial para cada 407 hab.); Luxemburgo (267 – um policial para 373 hab.); Holanda (270 – um policial por 369 hab.); e, sobretudo, Dinamarca (196 – um policial por 510 hab.) estão bem abaixo da média.

O Brasil já possui uma média de cerca de 278 policiais para cada grupo de 100 mil habitantes (a menor média é a do Maranhão, com 19,8 policiais, e a maior, a do Distrito Federal, com 714,9). É possível imaginar, então, ajustes ou pequenas oscilações nesses números, mas, ao que tudo indica, nos aproximamos de um limite quanto ao número de efetivos policiais na grande maioria dos países no Ocidente, entendendo-se como tal o efetivo razoável acima do qual mais policiais seriam desnecessários. Em alguns desses países, como os EUA, é bem provável que esse limite já tenha sido ultrapassado há muitos anos.[35]

As patrulhas motorizadas e o tempo gasto para o atendimento das emergências são outros dois temas relacionados que aparecem com bastante freqüência no discurso tradicional dos gestores de segurança pública no Brasil e nas cobranças feitas, particularmente, por alguns formadores de opinião. Não por acaso, um dos principais investimentos realizados tradicionalmente no Brasil nessa área é a compra de novas viaturas. Providência que, invariavelmente, se faz acompanhar de desfiles com faróis ligados e sirenes abertas pelos centros urbanos e "cerimônias de entrega". Assim, não se sabe exatamente para que servem as viaturas, mas se sabe o suficiente a respeito dos benefícios eleitorais derivados da compra. O que vários estudos têm demonstrado, entretanto, é que as patrulhas motorizadas não são eficientes. Mais de 6 mil horas de observações noturnas, em cruzamentos com altas taxas de criminalidade, em Minneapolis, EUA, por exemplo, mostraram que a freqüência dos carros de patrulha passando pelos locais era de um veículo a cada 23 horas.[36] Sabe-se, em síntese, que a circulação aleatória de carros de polícia pelas ruas das nossas cidades não produz qualquer resultado palpável quanto à incidência criminal e não contribui para reduzir o medo da população.

A questão do tempo transcorrido até que um carro de patrulha possa chegar ao local de uma ocorrência após o chamado, por sua vez, já mereceu muita preocupação por parte da polícia. Essa é ainda uma questão considerada relevante no Brasil, mas, em todos os lugares onde os resultados da produção científica na área são considerados, já não se atribui a ela a mesma importância. Ocorre que, desde 1978, a partir de um estudo no departamento de polícia da cidade de Kansas City, EUA, vários outros estudos (Spelman e Brown, 1984) têm demonstrado com bastante rigor que a maior parte das chamadas de emergência refere-se a crimes já "frios". Vale dizer: crimes que ocorreram há várias horas e para os quais não faria qualquer diferença a polícia ter chegado mais rápido. Outros crimes em que pessoas foram vitimadas por agressões ou assaltos, por exemplo, costumam ser comunicados à polícia vários minutos depois de terem ocorrido.

Nos EUA, o tempo médio transcorrido entre o crime e a realização da chamada é de 41 minutos. Quando se depararam com esses dados, colhidos inicialmente em Kansas City, os chefes de polícia do Fórum Executivo de Pesquisa Policial afirmaram que os cidadãos de suas comunidades não levariam tanto tempo assim para efetuar uma chamada. A pesquisa foi então repetida em outras 4 cidades com mais de 4 mil casos avaliados, e o tempo médio encontrado foi o mesmo. As possibilidades de prisão naqueles crimes sérios foram de 29 para cada mil casos, dos quais 75% só foram descobertos pelas vítimas muito tempo depois de terem sido cometidos. Apenas em 25% das vezes, quando há envolvimento direto da vítima, o tempo médio para a chamada à polícia é menor, e em metade desses casos a vítima consegue completar uma ligação em pouco mais do que 5 minutos. Ora, nos EUA, por exemplo, a maioria das cidades possui uma estrutura de policiamento de tal ordem que toda e qualquer emergência será atendida no tempo máximo de 5 minutos. Em outras palavras, o tempo de comunicação do fato delituoso à polícia tenderá a ser, também nesses casos, superior ao tempo que a polícia levará para atender ao chamado. O que as pesquisas demonstraram é que, passados 9 minutos desde o cometimento do crime, não existe qualquer relação entre o tempo transcorrido para o atendimento de uma chamada e a possibilidade de prisão. A partir desse limite de tempo, as chances de prisão em flagrante podem ser desconsideradas para efeito estatístico e a maior ou menor rapidez da chegada dos policiais só poderia ter algum sentido em termos de facilidade para o contato com eventuais testemunhas e para um recolhimento mais seguro de evidências.

Por conta disso, Bayley e Skolnick (2001) entendem que não faz qualquer sentido se exigir que a polícia chegue ao local mais rapidamente porque, após tantos minutos transcorridos desde a prática do crime, já não há mais chances significativas de prisão no local da ocorrência. O estudo por eles citado em apoio a essa posição é o levantamento de Kansas City, pelo qual se demonstrou que um minuto após a ocorrência do crime as chances de prisão imediata já são inferiores a 10% (Bieck e Kessler, 1981).

O que se aceita mais amplamente é que o tempo de resposta às chamadas de emergência só faz sentido para crimes em andamento. Nesses casos, evidentemente, uma resposta pronta da polícia pode surtir efeitos consideráveis. O problema todo é que esse tipo de ocorrência não é comum. O que parece ainda mais surpreendente é que as pesquisas já realizadas sobre esse tema parecem convergir para um mesmo tipo de expectativa das vítimas que, a princípio, nunca contam com uma resposta imediata da polícia. O que elas têm dito é que esperam que a polícia lhes ofereça uma ajuda significativa, o que aponta para a qualidade da resposta e não para o tempo em que ela será dada (McEwen, Connors e Cohen, 1984).

Sabemos, também, que efetuar o serviço de patrulhamento com dois policiais em cada viatura – nos moldes como costuma ainda hoje ocorrer no Brasil – não aumenta a eficiência do serviço quando comparado com o patrulhamento motorizado feito por um único policial, pelo menos no que tange a possibilidade de prender infratores nas ruas. Um dos estudos mais interessantes sobre esse tema (Blake e Coupe, 2001) tomou como base os dados disponíveis sobre as chamadas feitas, ao longo de 6 meses, com denúncias de arrombamentos domiciliares em curso. Essa é uma situação incomum em que, conforme assinalamos, o tempo de resposta da polícia pode fazer alguma diferença. O estudo cobriu uma grande região de policiamento na Inglaterra, dividida em 20 distritos, com 2,6 milhões de pessoas e policiada por cerca de 7 mil policiais. Foi tomada uma amostra de 441 casos de arrombamentos notificados enquanto estavam acontecendo. O que ficou demonstrado é que vários fatores influenciam o sucesso policial nesses casos, entre eles a velocidade com que a primeira patrulha chega ao local do crime, o tipo de arrombamento e outras circunstâncias anteriores à resposta policial.

Entretanto, não há qualquer evidência de que dois patrulheiros tenham melhores chances de prender os criminosos do que um. Na verdade, os estudos sugerem que o uso de patrulhas com um policial aumenta a eficiência (Wilson e Brewer, 1992), pois elas respondem com mais rapidez às chamadas de emergência (Boydstun et al., 1977; Kessler, 1985). Outros estudos (Chelst, 1981; Green e Kolesar, 1984) confirmam que patrulhas com um policial deslocam-se mais rapidamente até o local do incidente. Em linha geral, os estudos conhecidos têm insistido que o patrulhamento realizado por um só policial é mais barato e não menos efetivo do que aquele feito por duplas. Demonstram, na mesma linha, que patrulhamentos com um policial não são menos seguros.

Prender os infratores, nos casos em que o crime está ocorrendo, depende, basicamente, da rapidez da resposta oferecida pelo primeiro carro a chegar ao local e, é claro, do estágio em que o arrombamento se encontrava quando foi reportado à polícia. Cerca de 2,7 carros e 4,6 policiais, em média, atendem a ocorrências desse tipo na Inglaterra. O tempo médio de resposta da primeira patrulha é 4,9 minutos. Em média, todas as patrulhas que atenderem ao caso estarão na cena do crime em 6,9 minutos. Quando a polícia chega antes de 4 minutos após a chamada, ela prende os responsáveis em 15,3% das vezes. Quando chega após 6 minutos, sua taxa de sucesso cai para 8,2%. Apenas as três primeiras patrulhas que chegam à cena do crime efetuam prisões. Mais ou menos 81% dessas prisões são feitas pela primeira patrulha; 15% pela segunda; e 5% pela terceira. Os infratores são presos três vezes mais quando o aviso é feito por vizinhos do que quando feito pelas próprias vítimas (possivelmente porque, nesses casos, os ladrões percebem que foram flagrados e fogem rapidamente).

A variável mais importante, no caso, é a velocidade dos carros da polícia e a proximidade em que se encontram da cena do crime no momento da chamada. Carros em patrulha "livre" respondem melhor do que carros em delegacia ou carros cujos policiais estão envolvidos em outros incidentes. Carros com dois policiais possuem vantagem de velocidade quando estão distantes, mas quando estão perto da cena não há diferenças significativas em comparação a carros com um único policial. Patrulhas com dois policiais possuem mais chances de prisão quando o arrombamento envolve três infratores. Isso corresponde, entretanto, a 7% dos casos. Usar mais patrulhas duplas significa, inevitavelmente, dispor de menos carros em patrulhamento. Na amostra estudada, se todos os patrulhamentos individuais fossem redistribuídos em patrulhamentos duplos, teríamos uma redução de 19% de carros; a área e o número de incidentes por carro cresceria 22%; e a distância da patrulha mais próxima para a cena do crime cresceria, em média, 12%.

Por outro lado, se 61% das patrulhas duplas fossem transformadas em individuais, o número de carros no patrulhamento cresceria 62%; a área e o número de incidentes cobertos por carro se reduziriam em 39%; e a distância entre a patrulha mais próxima e a cena do crime, em 22%. Isso permitiria diminuir o tempo médio de resposta da primeira patrulha em um minuto – o que poderia aumentar de 44 a 60% o número de prisões nos crimes em andamento. Obviamente, isso implicaria um custo adicional de manutenção dos carros. Contudo, uma melhora tão sensível traria outras economias importantes – para as vítimas, em primeiro lugar, mas também para os custos de investigação.

Por fim, pode-se afirmar que uma estratégia de policiamento e uma política de segurança orientadas para aumentar o número de prisões, ou que centralizem suas ações nesse objetivo, estarão condenada ao fracasso. Tanto quanto as pressões por leis penais mais rigorosas. O pretendido efeito dissuasório oferecido por penas mais graves é uma aposta que jamais foi comprovada. Mesmo encarcerando entre 6 a 10 vezes mais do que a média dos países europeus e aplicando penas de prisão perpétua e de morte, por exemplo, os EUA continuam ostentando taxas de criminalidade e violência muito maiores. Leis especialmente duras e sentenças de prisão longas não impediram que apenas uma das grandes cidades americanas, Los Angeles, com 3,5 milhões de habitantes, tivesse, em 1995, mais homicídios do que todo o Reino Unido, onde viviam mais de 50 milhões de pessoas.[37] Estudos anuais desenvolvidos pelo National Council on Crime and Delinquency dos EUA têm concluído sistematicamente que não há qualquer relação entre taxa de criminalidade e aumento da população prisional. As conclusões de Tarling (1993) em estudos realizados sobre a experiência britânica também demonstraram que um acréscimo de 25% na taxa de encarceramento (ou 15% segundo outro estudo do Home Office) poderia ter produzido um efeito de redução de 1% na taxa da criminalidade, o que insinua uma relação custo-benefício muito desfavorável.

Outro estudo realizado por pesquisadores do Sentencing Project, nos EUA, comparou as taxas de encarceramento e os indicadores de criminalidade dos estados norte-americanos. A descoberta foi que o grupo de unidades da federação que mais investiram em encarceramento (aumento médio de 72% no número de presos) experimentaram uma redução das taxas de criminalidade da ordem de 13%, enquanto os estados que aumentaram em média 30% suas populações carcerárias tiveram uma redução de 17% nas taxas de criminalidade (Mauer e Gainsborough, 2000). Ao mesmo tempo, as relações entre investimentos em bem-estar social e taxas de encarceramento foram inversamente proporcionais (Beckett e Wester, 2001).

O que a grande maioria dos estudos parece sedimentar em todo o mundo é, de fato, a conclusão de que inexistem co-relações significativas entre legislação penal e taxas de criminalidade (Reiss e Roth, 1993). Leis penais mais duras produzem, comprovadamente, mais condenações e, portanto, levam mais gente às prisões e por mais tempo. Nada está a indicar, entretanto, que esse resultado produza um efeito dissuasório entre os infratores potenciais.

A explicação para isso talvez seja bastante simples: ocorre que a grande maioria das pessoas dispostas a praticar um ato ilegal só decide praticá-lo porque imagina que jamais será responsabilizada. Nesse cálculo racional, infelizmente, os que resolvem romper a legalidade possuem razões de sobra para contar com a impunidade, como demonstram as chamadas "taxas de atrito". No ano 2000, por exemplo, 350 mil pessoas foram sentenciadas na Inglaterra e no País de Gales e outras 151 mil também foram advertidas ou multadas. Isso parece nada se comparado aos 5 milhões de crimes registrados pelas polícias no mesmo ano. Esses números demonstram que 1 em cada 10 crimes registrados resulta em alguma sanção. Mas se o critério que formos utilizar envolver o número de crimes estimado pelas pesquisas de vitimização (no caso, pelo British Crime Survey), então teríamos que afirmar que apenas 3 em cada 100 crimes contra a pessoa ou a propriedade são punidos.[38] Para o ano de 1992, nos EUA, mesmo com as elevadíssimas taxas de encarceramento existentes, Barkan calculou que apenas 1% dos infratores foram presos. Essa porcentagem chegaria a 4,2% nos casos de crimes violentos.[39]

Para que se tenha uma idéia do problema no Brasil, bastaria citar que mais da metade das ocorrências de estupro registradas nos distritos policiais e nas delegacias especializadas de defesa da mulher no estado de São Paulo nem chega a resultar em inquérito policial. A "apuração" da maior parte dos casos não vai além do Boletim de Ocorrência, segundo levantamento da Fundação Seade (Sistema Estadual de Análise de Dados) referente ao período de 1997 a 2002. Se considerarmos que a grande maioria dos casos de estupro não é notificada à polícia, poderemos concluir que esse tipo de crime – um dos mais graves, por certo – permanece, como regra, impune. É interessante observar que o estupro é considerado pela legislação brasileira um crime hediondo, o que assegura aos condenados uma pena longa (até 10 anos de prisão) e uma execução penal bastante rigorosa. Aqui, como em outras ocasiões, o debate público costuma ser desviado para o tema da extensão das penas, quando faria mais sentido discutir a extensão da impunidade.

Nesse ponto, ao que tudo indica, a posição sustentada há três séculos pelo reformador C. Beccaria ganha atualidade. Em sua obra maior, *Dos delitos e das penas*, o penalista italiano sustentou que a certeza da punição – qualquer que fosse ela – teria muito mais efeito do que a gravidade das penas. A lembrança parece bastante útil para o caso do Brasil, onde nenhuma das reformas legislativas que agravaram as penas ou que tornaram a execução penal mais rigorosa teve como resultado qualquer redução na prática dos delitos implicados. Pelo contrário, as taxas para os crimes que tiveram suas penas agravadas continuam crescendo na mesma ou em maior proporção de antes, como se pôde observar, por exemplo, com a experiência posterior à aprovação da Lei dos Crimes Hediondos (lei 8.072/1990).

Por todas as razões já expostas, parece evidente que o pretendido "efeito neutralizador" resultante da retirada de circulação de um grande número de infratores não poderia operar, pelo menos não em dimensões significativas. Isso fica mais evidente em determinados tipos penais como, por exemplo, os relativos ao tráfico de drogas. Nessas e em outras circunstâncias, o que a experiência tem demonstrado é que os encarcerados são quase automaticamente "substituídos" por novos infratores, que integrariam uma espécie de "exército industrial de reserva" do mundo do crime. Para uma outra série de comportamentos infracionais, como aqueles relacionados à violência doméstica e aos chamados crimes passionais, a prisão dos infratores não impede a reprodução dos mesmos comportamentos por eles próprios ou por outros autores, visto que tais condutas estão alicerçadas em determinados padrões culturais que permanecem intocados. Os crimes motivados diretamente pela marginalização social também não serão contidos pelas prisões, uma vez que o ritmo de produção da miséria costuma ser muitas vezes superior ao ritmo de encarceramento dos miseráveis.

O que o argumento da "neutralização" tende a obscurecer, não obstante, são os efeitos criminogênicos do próprio encarceramento. De fato, sentenciar pessoas à prisão costuma constituir caminho certeiro para chances inéditas de associação criminosa. Mesmo quando esses resultados não são produzidos pela experiência de encarceramento, a estigmatização resultante é, quase sempre, inevitável, e possui o efeito de uma sentença perpétua que, não raras vezes, irá impedir a tão pretendida ressocialização desses indivíduos. Tais efeitos já foram medidos empiricamente em estudos específicos como aqueles realizados por Western et al. (2001) e Sampson e Laub (1997).

A alternativa da exclusão, então, não é apenas incapaz de oferecer uma resposta consistente ao crime e à violência; ela mesma costuma se integrar aos multifacetados mecanismos pelos quais o crime é reproduzido em escala ampliada. Não é, em síntese, uma solução, mas sim uma parte do problema.

Em países como o Brasil, o fato de alguém ter cumprido uma pena de prisão, independentemente da natureza do crime praticado, é motivo para que essa pessoa nunca mais possa alcançar uma posição no mercado formal de trabalho. Isso equivale a dizer que os "excluídos" serão impulsionados objetivamente na direção de soluções ilegais de sobrevivência. Muitas vezes, a simples notícia da prisão é motivo suficiente para que inclusive familiares do condenado sejam demitidos. Problemas dessa natureza são também observados em outras nações, mesmo naquelas onde há disposições legais e programas destinados a reabilitação e reinserção de condenados. Uma pesquisa realizada pelo

Home Office em 1989 demonstrou que, na Inglaterra e no País de Gales, 35,6% dos homens com menos de 35 anos possuem algum tipo de registro criminal. Esses números não incluem delitos de trânsito ou condutas que resultaram em advertência ou multa. Apesar do que dispôs o Rehabilitation of Offenders Act, de 1974, entre os desempregados há um número desproporcional de ex-condenados. Outra pesquisa, da National Association for the Care and Rehabilitation of the Offender (Nacro), de 1993, demonstrou que 89% dos ex-condenados enfrentavam o desemprego após serem soltos. O trabalho de Maxwell e Mallon (1997) sustenta que ex-condenados na Grã-Bretanha costumam ser sumariamente desclassificados quando inscritos em seleções para empregos. A pesquisa de Haines (1990), contudo, encontrou evidências muito fortes para a tese de que ex-condenados que conseguiram alcançar alguma posição no mercado de trabalho possuem menores possibilidades de praticarem qualquer delito do que empregados regulares que jamais foram condenados.

O que pode funcionar

O estágio atual das pesquisas e avaliações ainda não alcançou um consenso significativo a respeito de estratégias que, comprovadamente, possam oferecer um novo paradigma para a ação policial. As opiniões se dividem em vários campos e há muitas incertezas em torno de experiências promissoras como, por exemplo, os diferentes programas de policiamento comunitário e de "policiamento orientado para a solução de problemas". Na verdade, nos debates atuais a respeito de segurança pública e do papel das polícias, sabe-se mais sobre o que não funciona do que sobre o que pode funcionar. Isso não significa, entretanto, que não existam caminhos já trilhados dos quais se possam extrair recomendações mais amplamente válidas.

Sendo assim, portanto, não seria demais insistir no pressuposto de que uma política séria de segurança pública só pode ter origem em um diagnóstico competente daquilo que há de específico na evolução da criminalidade e da violência em uma determinada região, em um determinado momento. Esse diagnóstico, por sua vez, pressupõe o acesso a dados fundamentais sobre a incidência dos eventos criminais e sobre suas circunstâncias (perfil das vítimas, local, data e horário das ocorrências, *modus operandi* dos infratores etc.). Sem esses dados, não há sequer a chance de uma política de segurança, e o que teremos será uma seqüência de iniciativas desencontradas e de improvisações, meras decorrências dos diferentes tipos de pressão percebidas pelos gestores, por um lado, e dos resultados de seus interesses políticos e concepções ideológicas, por outro.

Uma polícia que atue sem os dados necessários para a otimização de seu desempenho trabalha às cegas, e sua produtividade será muito pequena. Aceito esse pressuposto, deve-se sublinhar que: a) esses dados só podem ser oferecidos, atualmente, por meio da realização sistemática de pesquisas de vitimização;* b) a polícia deve dispor de um sistema de "georreferenciamento" que lhe forneça as informações necessárias para a alocação racional de seus recursos a partir da localização digital no mapa das cidades de todas as ocorrências criminais. Esses dois pontos (pesquisa de vitimização e georreferenciamento) ainda são novidades no Brasil. Alguns estados, como Minas Gerais, Rio de Janeiro e São Paulo, desenvolveram bons programas de georreferenciamento que têm sido utilizados em suas capitais. Nesses três estados já foram realizadas também algumas pesquisas de vitimização – ainda que limitadas e nunca por iniciativa dos próprios governos.[40] O quadro geral, então, é o de um sistema de policiamento que atua sem direção.

O panorama que temos do trabalho policial no Brasil chama a atenção pela irracionalidade. Soares (2000) demonstrou que é possível enfrentar essa situação a partir de projetos específicos como as "delegacias legais" e a iniciativa pioneira de reformular completamente o conceito e o próprio espaço físico das delegacias policiais. A idéia parte da constatação de que as atuais delegacias funcionam como verdadeiros "baronatos". São jurisdições isoladas umas das outras, onde toda informação relevante a respeito do mundo do crime é propriedade particular de cada policial. Essas informações, entretanto, não integram uma rede de inteligência que possa otimizar seu uso e são, em geral, inúteis para o sistema de segurança. Da mesma forma, as rotinas policiais e a efetividade do trabalho não podem sequer ser avaliadas, já que são também inacessíveis a qualquer mecanismo público de gestão e controle. A integração efetiva dessas delegacias por um sistema informatizado, entre outras mudanças previstas pelo projeto, reunirá alguns dos requisitos básicos de um trabalho de segurança pública.

As melhores experiências de policiamento no Reino Unido e em vários países europeus parecem dever bastante, por outro lado, aos investimentos realizados na formação dos policiais. Centros nacionais de excelência que preparam as lideranças policiais estimulam a institucionalização de uma doutrina democrática de policiamento, e tendem a aproximar o saber acadêmico e os resultados das pesquisas na área de segurança com as exigências e os desafios enfrentados na prática. O Centrex,[41] centro internacional de formação de lideranças policiais de Bramshill, Inglaterra, que tive a oportunidade de conhecer, oferece um modelo a ser seguido. Em sua gestão na Secretaria Nacional de Segurança Pública, em 2003, Luiz Eduardo Soares iniciou um projeto semelhante com a Unicamp. A par desses esforços de formação de uma elite policial que se encarregará de reproduzir qualidade em toda a estrutura das corporações, devem-se acentuar os esforços para a melhora no recrutamento dos no-

* Esse recurso pode e deve ser complementado com estudos de auto-relato (*self-reported studies*) e com todo tipo de informação adicional sobre as cidades e suas características sociais, econômicas, demográficas, étnicas etc.

vos policiais, o que pressupõe a oferta de bons salários e de uma carreira profissional atraente. Isso permitiria, segundo Goldstein (2003: p.362), alterar o padrão de "educar os recrutados" para o de "recrutar os educados".[42]

Sherman (1997) concluiu que quando se avalia o papel da polícia na prevenção do crime, há pelo menos duas conclusões seguras: a primeira é que os efeitos do policiamento sobre o crime são muito complexos e, não raras vezes, surpreendentes; a segunda é que quanto mais a polícia atuar com um foco preciso em suas iniciativas, mais chances terá de prevenir o crime. O autor exemplifica a primeira conclusão lembrando que: em muitos casos, as prisões podem estimular a prática do crime; que o combate ao tráfico de drogas pode reduzir o número de assaltos à mão armada; que o tempo ótimo de presença da patrulha policial em um ponto de elevadas taxas de criminalidade (*hot spots*) para produzir efeitos inibitórios é de 15 minutos; e que esses efeitos declinam ao longo do tempo a menos que a polícia renove suas práticas.

O estudo de Sherman et al. (1997), responsável pela revisão de mais de 500 trabalhos acadêmicos de avaliação de projetos em segurança pública nos EUA, sustenta que há iniciativas policiais que funcionam – como aumentar o número de patrulhas direcionadas para os *hot spots*, promover detenções dirigidas de infratores perigosos e reincidentes e prender motoristas alcoolizados. Outras iniciativas, entretanto, não teriam os efeitos pretendidos – tais como os sistemas de vigilância comunitária (*neighborhood watch*), a prisão de adolescentes por conta de delitos de menor gravidade, a prisão de pequenos traficantes ou o policiamento comunitário sem um claro foco em fatores de risco para o crime.

Alguns estudos têm sugerido que determinadas pessoas, tanto adolescentes quanto adultos, desempenham a função de articuladores do crime, recrutando pessoas em sua área de influência para atividades criminosas. Se a polícia conseguir identificar esse tipo de "recrutador", parece claro que ele passa a ser um alvo privilegiado de medidas proativas. Com essa expressão, procuro designar o tipo de medida que assinale a antecipação da polícia a uma nova ocorrência criminosa.

Desde a contribuição da chamada Escola de Chicago* – que designa a tradição de mapear e fazer o cruzamento, nas cidades, de todos os dados sociais e cri-

---

* Nos anos 20, um grupo de sociólogos havia percebido a existência de cinco zonas concêntricas na cidade: a zona central, uma zona de transição, uma área de trabalhadores estabelecidos, uma área de classe média e o subúrbio. Eles colocaram os dados sociais disponíveis no mapa e descobriram que a zona de transição concentrava a maior população de pobres da cidade, e a maior concentração de analfabetismo, doenças mentais, ilegitimidade e prostituição. Passaram a sustentar, então, que a disposição de infringir a lei era transmitida de geração para geração através dos contatos entre a população e aqueles já envolvidos em práticas ilegais. Essa escola, uma das pioneiras da criminologia norte-americana, abriu espaço para muitos outros desenvolvimentos. A despeito de seus limites, a Escola de Chicago já insistia na idéia da prevenção. Uma abordagem interessante sobre essa tradição pode ser encontrada em uma publicação do IBCCrim, "Espaço urbano e criminalidade: as lições da Escola de Chicago", de Wagner Cinelli de Paula Freitas, 2002.

minais disponíveis – e daquilo que se poderia identificar como "criminologia dos espaços urbanos", sabemos que os atos delituosos se distribuem de maneira desigual nas cidades. Assim, determinadas regiões são muito seguras, ao passo que outras apresentam grande incidência de crimes. Locais diferentes em uma mesma cidade apresentam perfis diversos no que se refere, também, aos tipos criminais. Assim, é preciso que o patrulhamento seja estruturado com base na incidência e na natureza dos crimes, dirigindo-se para as áreas de maior concentração de ocorrências. Independentemente de se saber se determinados espaços ou locais produzem ou atraem as práticas criminosas, uma postura de prevenção direcionada parece ser simplesmente uma exigência racional.

Após estudarem os efeitos do policiamento nos *hot spots*, a revisão de Eck e Weisburd (1995) identificou outros conceitos que podem auxiliar o entendimento do papel desempenhado pelos lugares no crime. Assim, as instalações físicas cumprem um papel importante. A maneira como são concebidos espaços como bares, igrejas ou prédios pode afetar as taxas de criminalidade por conta de características facilitadoras do crime. Isso dependerá, também, do tipo de pessoas que serão atraídas para esses lugares, do modo como eles são administrados e da existência de controladores do crime – como a presença dos proprietários, guardas ou câmeras. Outras características, como a facilidade de acesso, a presença de valores que possam despertar a cobiça e a ausência de vigilância natural também são definidoras de oportunidades. Estudos demonstram que os infratores tendem a selecionar seus alvos a partir de um balanço mais ou menos intuitivo entre a percepção de riscos aceitáveis e ganhos recompensadores. Normalmente, esses alvos são escolhidos durante os deslocamentos rotineiros feitos por eles.

O policiamento de *hot spots* tornou-se bastante comum nos EUA e em outros países – o que foi muito influenciado pelas novas tecnologias de mapeamento do crime com o uso de recursos de georreferenciamento. Uma pesquisa da Police Foundation nos EUA demonstrou que 7 em cada 10 departamentos de polícia usam atualmente esses recursos (Weisburd et al., 2001). Inúmeras pesquisas têm demonstrado que medidas proativas de policiamento com foco bem determinado, prioridades estabelecidas e abordagens orientadas para a resolução de problemas podem ser, de fato, inibidoras da criminalidade.

Enfim, podemos concluir que a polícia terá mais chances de reduzir as taxas de criminalidade se concentrar suas atenções em áreas de risco, em determinados horários, no perfil de certos infratores potenciais e também no das vítimas. Mais da metade dos homicídios nos EUA, por exemplo, ocorre em apenas 66 cidades, e 1/4 de todos eles se dá em apenas 8 cidades.[43]

No Brasil, o tema dos homicídios nas regiões metropolitanas é central também por conta da extraordinária concentração geográfica da violência. Essas regiões concentraram, entre 1997 e 2001, cerca de 70% dos homicídios.

As 27 cidades mais violentas do Brasil, onde moram 25% dos brasileiros, produzem a metade dos homicídios registrados anualmente; ou seja, o mesmo que as 5.489 cidades restantes onde vivem 75% dos brasileiros.[44] Menos de 3% dos endereços e menos de 3% da população de uma cidade produzem mais da metade dos crimes e representam mais da metade das prisões efetuadas. Podemos falar, então, analogicamente, em um "método epidemiológico" pelo qual alvos podem ser identificados para o trabalho policial. Sabe-se, há muito, que os locais onde o crime ocorre podem ser previsíveis. Em 1986, em Minneapolis, a análise de Sherman sobre os chamados à polícia revelou que só 3% dos lugares produziram 50% dos chamados. Essa concentração foi ainda maior quando se trata de assalto, crime sexual e roubo de carro. Só 5% dos 115 mil endereços e cruzamentos da cidade produziram 100% das chamadas para crimes de origem desconhecida. Essa análise foi repetida para a cidade de Kansas City, com resultados semelhantes.[45] Em um período de 3 anos, quando o índice de roubos na cidade norte-americana de Oakland foi um dos mais altos do país, 2/3 das suas áreas residenciais não registraram qualquer ocorrência do tipo. Feeney e Weir (1974) chamaram a atenção, quanto a Oakland, para o fato de que mais de 1/3 dos roubos e furtos de rua atingiram senhoras de mais de 65 anos e que mais da metade do total das vítimas tinha mais de 55 anos. Uma pesquisa demonstrou que em apenas 1% das ruas de São Paulo – que possui aproximadamente 9.600 ruas – ocorriam 43,8% de todos os crimes (Pereira, 2004).

Por lugar de ocorrência, a violência doméstica é ainda mais concentrada do que os roubos. Cerca de 8,6% dos endereços em Minneapolis produziram um ou mais chamados por esse motivo, e a identificação de 161 endereços com 15 ou mais chamados em um ano, por violência doméstica, pode dizer alguma coisa de importante a uma polícia preocupada em prevenir esse tipo de ocorrência (Sherman, 2003: p.196). Uma análise em Milwaukee, entre 1986 e 1989, levantando apenas ocorrências em bares e suas áreas vizinhas, demonstrou que esses endereços (0,5% de todos os endereços da cidade) tinham oferecido o cenário para 4% dos homicídios, 5% dos assaltos com agravantes, 3% dos roubos e 3% de todas as demais ocorrências com combinações de crimes violentos. Kansas City mostrou um padrão semelhante – com 3% de todos os homicídios, 6% dos roubos e 4% do total de violências sérias ocorrendo nos mesmos espaços (neste caso, 0,3% dos endereços da cidade). Há uma relação positiva desses endereços para os mesmos crimes cometidos no quarteirão. Muitos bares não apresentam esse tipo de risco. Somente 12% dos bares (132) de Milwaukee produziram mais da metade de todos os 2.019 crimes violentos entre os anos de 1986 e 1989. Cerca de 40% dos bares da cidade não tiveram nenhum incidente violento durante esse período. Da mesma forma, em Kansas City, 10% dos bares da cidade produziram metade dos 2.757 crimes violentos no período. Quase metade (44%) dos roubos em Kansas City, no ano de 1989, aconteceu em 503 endereços (0,31% de todos os endereços) – com dois ou mais roubos cada um.

Sabe-se, também, que o crime é mais provável em determinados horários. Em Washington, DC, por exemplo, 65% de uma amostra de 1.200 crimes violentos verificados em 4 anos ocorreram em um raio de 3 mil metros em torno do cruzamento da rua Wiscosin com a rua M. Desses crimes, entretanto, metade ocorreu entre a meia-noite e as 3 horas da manhã (Sherman 2003: p.199). Na Inglaterra, sabe-se que mais da metade da violência nos *pubs* ocorre na última hora de funcionamento, nas noites de sexta e sábado[46] – uma informação que, evidentemente, é decisiva para qualquer programa de prevenção. Em outras circunstâncias, não se verifica esse tipo de concentração temporal. Seja como for, não deveria ser mais admissível que a polícia definisse, por exemplo, os turnos de trabalho sem considerar números dessa natureza, em cada região e em cada cidade.

Um novo modelo, proativo, de policiamento deve estar tão próximo e vinculado às comunidades quanto possível, inclusive com a retomada dos patrulhamentos a pé. A idéia central nesse caso é substancialmente diferente daquela direcionada para o número de prisões efetuadas ou a taxa de resolução de crimes. Ela parte do princípio de que um percentual muito significativo dos crimes, especialmente os chamados "crimes de oportunidade", podem ser evitados. E compartilha também o pressuposto de que uma intervenção racional das forças policiais, em parceria com entidades da sociedade civil, pode alterar várias das condições que são preditivas do crime e da violência. Por conta disso, o ponto central desse novo modelo deve ser a *prevenção.*

O trabalho da polícia passaria a ser avaliado pelo mal que ela foi capaz de evitar, ou seja, pelas ocorrências criminosas e violentas que ela soube impedir, e não pelos resultados alcançados diante do mal já praticado. Afirmá-lo assim pode parecer estranho em um contexto no qual nos acostumamos a pensar em "prevenção" no âmbito de políticas sociais e nunca no âmbito das tarefas específicas de policiamento. Parece evidente que políticas econômicas de caráter distributivo, diminuição das taxas de desemprego e melhorias em outros indicadores sociais são decisivas para um enfrentamento a longo prazo da criminalidade. O que não está suficientemente demonstrado, entretanto, é que a prevenção pode também ser realizada com sucesso e de maneira imediata através de estratégias corretas de policiamento.

Uma metáfora apresentada por Sherman talvez sintetize bem o significado da mudança necessária. Para ele, a polícia estaria desenvolvendo um trabalho seguindo um atendimento de emergência ("modelo hospitalar"). Ocorre que este modelo é inapropriado para o controle do crime. Os hospitais são organizações reativas que esperam pelos doentes. Eles existem para curar doentes, não para controlar a doença. Já as agências públicas de saúde não recebem pacientes, mas buscam controlar e acabar com as doenças. Sendo assim, a gestão do trabalho policial deveria estar preocupada com a análise do crime, sua cadeia de causalidades e as tendências epidemiológicas emergentes.

No que diz respeito ao crime, é bem provável que nenhuma sociedade seja capaz, um dia, de erradicá-lo completamente. Aliás, lembrando Durkheim[47] – para quem o crime era algo normal e possuía uma função –, seria necessário perguntar se um objetivo desse tipo seria mesmo desejável. Se levarmos em conta que muitas das ações tidas como "criminosas" no passado deixaram de sê-lo por conta da mudança de costumes e da conquista de uma visão mais tolerante e democrática com relação às diferenças que marcam a agência humana, então será preciso reconhecer que determinadas transgressões podem tensionar as sociedades no sentido de promover reformas e mudanças legislativas de conteúdo descriminalizador. O que se pretende, então, com relação à criminalidade é reduzi-la tanto quanto possível, de forma que se assegure a todos os cidadãos um padrão de segurança em que os riscos de vitimização sejam pequenos e, portanto, aceitáveis. Sobretudo, o que devemos buscar é a redução imediata da criminalidade violenta.

No próximo capítulo, veremos por que as propostas de policiamento comunitário e "policiamento orientado para a solução de problemas" parecem mais adequadas para se avançar em direção a esse objetivo.

CAPÍTULO 2

PROCURANDO ANTES DA CORRENTEZA

As tendências do policiamento no século XXI

Vamos imaginar que você esteja passeando ao longo de um rio e que, subitamente, perceba que uma criança está sendo arrastada pela correnteza. Se você for uma pessoa minimamente solidária, por certo se jogará na água para tentar resgatar a criança. Suponhamos que você tenha sorte e que seu gesto seja bem-sucedido. Assim, como bom nadador, você consegue trazer a criança sã e salva em seus braços e tem razões de sobra para comemorar seu feito. Vamos imaginar agora que toda vez que você passe por aquele lugar haja uma criança sendo levada pela correnteza, fazendo com que você seja, sempre, obrigado a repetir a mesma façanha. Certamente, as chances de salvar todas as crianças seriam menores e, ao mesmo tempo, o risco de você ser tragado pelas águas aumentaria. Mas, se isso ocorresse, pareceria evidente que algo estava acontecendo com essas crianças em um ponto anterior da correnteza. Portanto, tão logo a repetição das ocorrências fosse comprovada, pareceria-lhe não apenas óbvio, mas urgente, descobrir o que estava acontecendo com as crianças antes de elas caírem na água. Então, você provavelmente iria percorrer as margens do rio em direção a sua nascente para tentar descobrir a causa de tão chocante e misteriosa sucessão de tragédias.[1]

Quando pensamos no papel desempenhado pelas polícias no mundo moderno, o maior desafio é o de superar um modelo pelo qual os policiais se obrigam a "nadar" todo o tempo, normalmente com resultados muito limitados porque, quando são avisados, isso é sinal de que "as crianças já estão afogadas". As propostas em favor do policiamento comunitário (PC) e do policiamento orientado para a solução de problemas (Posp) partem do pressuposto de que é preciso procurar o que está acontecendo antes daquele ponto da "correnteza".

O modelo comunitário de policiamento

Há uma importante modificação doutrinária em curso entre as polícias: em praticamente todos os países, a idéia de policiamento comunitário está ganhando espaço e, em muitos casos, já se transformou no novo discurso oficial. Nos EUA, por exemplo, a idéia é, atualmente, parte integrante dos objetivos governamentais de reforma da polícia e parece ser um consenso entre aqueles que tomam as decisões. Isso ganhou tamanha força que se chegaram a estabelecer, com a Lei Criminal de 1994, fundos para a contratação de 100 mil novos policiais comunitários nos seis anos subseqüentes.[2] Também no Canadá, o PC tem sido muito promovido pelo governo federal. Na Irlanda do Norte, uma das principais recomendações do Relatório Patten (*Patten Report*, 1999) indica que o PC deve ser a função central para os novos serviços de polícia.[3] O mais influente documento escandinavo sobre política de segurança foi produzido na Noruega e consagra os princípios do PC.[4] Grande parte dos países da Europa ocidental vive um processo semelhante e iniciativas de policiamento comunitário podem ser encontradas em todos os continentes. Skolnick e Bayley (2002) pesquisaram projetos de PC na Austrália, Canadá, Noruega, Suécia, Dinamarca, Finlândia, Grã-Bretanha, EUA, Japão e Cingapura. O exemplo deste último pareceu aos autores o mais interessante, porque o novo modelo foi introduzido em todo o país após uma rigorosa avaliação do projeto-piloto em 5 áreas. Os resultados, animadores, permitiram a adoção do modelo para o trabalho de toda a polícia.

A Rede Européia para a Prevenção do Crime (The European Crime Prevention Network – EUCPN) organizou uma grande conferência em Aalborg, Dinamarca, nos dias 7 e 8 de outubro de 2002. O objetivo foi a troca de experiências entre as boas práticas de prevenção do crime entre os Estados membros dessa rede, sendo que o PC esteve no centro dos debates. Encontros desse tipo assinalam que as experiências de policiamento comunitário passaram a fazer parte do cotidiano de todas as forças policiais das nações democráticas e que o interesse pela sua efetividade é cada vez maior.

Também no Brasil nota-se interesse pelo tema e já é possível alinhar experiências importantes em vários estados, ainda que bastante limitadas e, normalmente, esporádicas. Os trabalhos de avaliação são ainda raros, mas um estudo como o de Leonarda Musumeci, Jacqueline Muniz, Patrick Larve e Bianca Freire – "Segurança pública e cidadania, a experiência do policiamento comunitário em Copacabana (1994-95), Relatório Final do Monitoramento", feito através do Iser – parece apontar características e limitações bastante típicas.[5] Na maior parte das vezes, os esforços em favor do policiamento comunitário em nosso país estão diretamente vinculados ao papel desempenhado por alguns policiais, destacadamente por alguns oficiais das Polícias Militares que têm procurado, sem qualquer apoio governamental, desenvolver novas abordagens de policiamento a partir da crítica ao "modelo reativo". Em relação a isso, deve-se reconhecer o trabalho pioneiro do coronel Carlos Magno Nazareth Cerqueira. Não apenas pelas experiências que coordenou no Rio de Janeiro e pelos lúcidos textos que nos legou,[6] mas, sobretudo, pelo exemplo de dignidade que construiu, seu nome continua sendo uma referência quando se discute a modernização de nossas polícias.

A disseminação de projetos de PC em tantos países poderia já ser apresentada como um êxito considerável. Esse aparente sucesso, entretanto, não significa que uma verdadeira transição tenha se realizado. Na verdade, o modelo de policiamento amplamente majoritário em todo o mundo ainda corresponde, em linhas gerais, ao perfil reativo. Nos EUA, raros são os departamentos de polícia integralmente dedicados ao PC. Assim como ocorre na maioria dos países europeus, o tema continua envolvendo o que se convencionou chamar de "programas especiais"; em outras palavras: determinados grupos de policiais são destacados para iniciativas localizadas de policiamento comunitário. Sobre essa tendência, aliás, Moore (2003: p.152) sublinhou que ela pode produzir o efeito indesejado de "desresponsabilizar" todos os demais policiais diante dos princípios do PC. Relações com a comunidade passariam a ser encaradas como uma espécie de atribuição do grupo especializado e não como um desafio para toda a instituição. Em decorrência disso, a organização poderia deixar de se preocupar com esse tipo de questão.

Estamos, então, ainda distantes de uma mudança que tenha se concretizado em uma alteração na organização das funções policiais. O novo discurso surge ao lado e, não raras vezes, por dentro das práticas tradicionais de policiamento. Em parte, esse fenômeno pode ser explicado pela consciência da crise do modelo tradicional e pela necessidade, cada vez mais evidente, de buscar caminhos alternativos, mas, ao mesmo tempo, a "co-habitação" referida demonstra a força prática do antigo modelo, que continua orientando a ação cotidiana.

Skolnick e Bayley (2002: p.15), em sua obra sobre PC, sustentam que há uma grande manifestação de apreço e adesão à idéia em todo o mundo, mas que não há uma compreensão unívoca sobre seu significado. Essa característica explicaria as razões pelas quais ainda é possível se falar em PC sem uma clara consciência do quanto o novo paradigma insinua como ruptura. Rosenbaum (2002: p.30) argumenta que as ambigüidades em torno da expressão são, ao mesmo tempo, "uma bênção e uma maldição". Pelo lado positivo, ninguém se opõe à idéia, o que lhe assegura popularidade; pelo lado negativo, alguns chefes de polícia e políticos começam a usar a expressão para buscar o "efeito auréola" (com o qual se procura legitimar práticas antigas com o novo rótulo). De fato, conforme já havia sido assinalado por Williams,[7] ao contrário do que pode ocorrer com os conceitos de "Estado" ou "nação", a idéia de "comunidade" parece não permitir qualquer oposição ou conotação negativa. Nesse sentido, ninguém se sentiria autorizado a ser contra um policiamento "comunitário", o que não significa, entretanto, estar comprometido com o novo paradigma.

Seja com for, Skolnick e Bayley (2002: p.18) sustentam que a premissa central do novo modelo deve ser a de que o público passe a exercer um papel coordenador na conquista da segurança. Por isso, eles propõem que só se considere como integrantes do PC as experiências que alterem as "comunicações de mão única" entre a polícia e a comunidade. Partem, enfim, do princípio anunciado por lorde Scarman, quando de seu famoso relatório sobre os sérios distúrbios populares que sacudiram a cidade de Brixton, na Inglaterra, no início da década de 1980: "Uma força policial que não trocar idéias com a população não poderá ser eficiente." (Scarman, 1982)

Os mesmos autores lembram o pioneirismo de Arthur Woods, famoso comissário de polícia de Nova York entre 1914 e 1919. Em diversas conferências em Yale, ele insistiu no ponto de que os policiais deveriam ser impregnados do valor social e moral de seu trabalho. Sob sua direção, a polícia organizou ligas policiais "juvenis", visitou escolas para prevenir o crime, inventou as "ruas de lazer" – projeto que permitiu espaço para as crianças brincarem em ruas fechadas ao trânsito e que beneficiou as famílias mais pobres, cujos filhos não tinham acesso a parques ou outros locais de lazer. Aquela era também uma época na qual os desempregados pediam e recebiam ajuda da polícia para encontrar empregos.

A idéia mais revolucionária de Woods era a de que a imagem e o papel da polícia não poderiam ser associados à dimensão repressiva natural de seu trabalho, mas que ela deveria ser vista por todos como o equivalente à idéia de "proteção". Essa seria, possivelmente, uma boa síntese para o que se pretende com a proposta de policiamento comunitário. O que se procura, na verdade, é uma identificação entre os policiais e as comunidades. Algo como o que desejava sir Robert Peel, fundador da Polícia Metropolitana de Londres, quando afirmou que "A polícia é o público e o público é a polícia".[8]

Mesmo para o que se convencionou chamar de "luta contra o crime" a polícia normalmente não vai a lugar algum se não contar com o apoio da população. Se as pessoas não registram os crimes e se não estão dispostas a testemunhar ou a prestar informações, a polícia ficará de mãos atadas. Mas o papel a ser desempenhado pelos cidadãos quanto à segurança é também central se o assunto for a prevenção do crime. De fato, uma comunidade relativamente organizada e disposta a agir em prol de sua própria segurança pode fazer muito, evitando a prática de vários tipos de crimes.

Para o modelo reativo de policiamento, as chamadas pelo sistema 190 constituem o centro das demandas. Por conta do elevado número de solicitações e dos recursos sempre limitados à disposição da polícia, a decorrência natural é que apenas as chamadas consideradas graves merecem verdadeira atenção.

A National Emergency Number Association dos EUA relatou que chamadas "fantasma" – feitas por engano ou pela pressão involuntária de uma tecla codificada de celular – respondem por 25 a 70% das ligações para o 911 (número da emergência policial) em certas comunidades americanas. A California Highway Patrol estima que algo entre 1,8 e 3,6 milhões de chamadas recebidas anualmente no estado sejam "fantasmas". As polícias britânicas calculam que recebem 11 mil chamadas desse tipo por dia. Se somarmos a esse fenômeno o número de trotes e de chamadas repetidas sobre um mesmo incidente, teremos uma idéia do problema, que já faz com que muitos policiais vejam o sistema de ligações de emergência como uma maldição. Segundo matéria de José Luiz Costa no jornal *Zero Hora*, em 13 de fevereiro de 2004, estatísticas gaúchas apontaram que 56,98% das ligações ao 190 feitas em Porto Alegre, em 2003, foram notícias falsas, chamadas para brincadeiras e ofensas a atendentes. Dos 1.413.265 telefonemas recebidos, apenas 53.286 (3,77%) foram pedidos reais de socorro.

Dentro desse paradigma, a escolha que a polícia acaba tendo de fazer não deixa de ser uma conseqüência lógica. Os críticos desse modelo, entretanto, passaram a sustentar que a grande maioria das chamadas – precisamente aquelas que dão conta de fatos não criminais ou relacionados a delitos de menor gravidade – poderia expressar algo mais importante do que as polícias estariam dispostas a reconhecer (Moore, 2003: p.131-2). Em primeiro lugar, uma parte daquelas chamadas consideradas "de menor importância" – ou mesmo "sem qualquer importância" – diz respeito a situações emergenciais que, embora não tenham natureza criminal no momento em que estão sendo comunicadas, podem evoluir rapidamente para a ocorrência de crimes, a menos que haja uma intervenção da polícia. Esse seria o caso, por exemplo, dos episódios de violência doméstica.[9] Assim, em vez de uma linha demarcatória nítida a separar os eventos criminais daqueles que nada têm a ver com o crime, o que parece estar mais próximo da realidade é a existência de diferentes tons que se sobrepõem em práticas que são "quase-criminais" e que podem, inclusive, desencadear uma sucessão de eventos violentos.

Além disso, essas chamadas podem oferecer à polícia uma dimensão mais exata das necessidades e expectativas da população com relação ao seu trabalho. Como regra, as experiências com projetos de policiamento comunitário têm permitido que muitos policiais se surpreendam quando constatam, no contato com as pessoas, que os problemas considerados mais sérios nas comunidades normalmente não se referem a "crimes graves", consistindo em questões bem mais prosaicas como brigas entre vizinhos, arruaças ou perturbação do sossego público, acúmulo de sujeira, dificuldades de acesso aos recursos de saúde, venda de drogas nas ruas etc. Ora, se problemas dessa natureza são aqueles que mais afligem as comunidades, não seria correto os policiais estarem comprometidos em auxiliar a população a enfrentá-los?

Essa hipótese passou a ser considerada mais seriamente a partir do momento em que pesquisadores chamaram a atenção para a forte relação existente entre a degradação das condições de sociabilidade em uma comunidade e o crime. Rosenbaum (2002: p.35) sustenta que quando o bairro se degrada e a desordem emerge, há um recado claro para os infratores potenciais: "Aqui você poderá agir." Há, também, uma mensagem clara para as demais pessoas: "Aqui vocês poderão ser vitimadas." De fato, as pesquisas indicam que quanto mais alto o nível de desordem em um bairro, maior é a sensação de insegurança e o medo do crime.[10] Da mesma forma, quanto maior a desordem em um bairro, maior o número de delitos sérios. Crime e desordem estão claramente relacionados e, ao contrário do que se imagina, a desordem não é um problema "leve" sem relação com os problemas "graves".

Vale ressaltar que o conceito de "desordem" empregado pela literatura especializada não é usado apenas em referência a arruaças ou perturbação do sossego público, mas, também, à degradação ambiental. Assim, lixo acumulado nas ruas, vazamentos, terrenos baldios, casas desocupadas ou pichações também são "desordem". Outros trabalhos fazem uma diferenciação entre o que denominam "desordem física" e "desordem social".

Nesse ponto, a "Teoria das janelas quebradas", de Wilson e Kelling (1982), talvez tenha oferecido uma valiosa contribuição para o fortalecimento de uma nova abordagem policial. A metáfora usada pelos autores é a de que quando a janela de uma casa tem uma vidraça quebrada é preciso repará-la rapidamente, pois, se isso não ocorrer, haverá a tendência de que outros vidros sejam quebrados. O abandono produziria, assim, uma "mensagem" que estimularia os infratores a persistirem nas ações ilegais e a torná-las progressivamente mais sérias (como uma espiral de declínio).

De modo paradoxal, é precisamente essa abordagem que tem amparado políticas de "tolerância zero" pelas quais pessoas envolvidas em pequenas transgressões ou condutas anti-sociais são conduzidas a curtos períodos de encarceramento. Essa derivação, que tem recebido merecidas críticas em todo o mundo, não demonstrou qualquer resultado sólido na diminuição do crime e, uma vez aplicada, tende a desfazer os laços de confiança entre as comunidades e a polícia, além de estimular condutas arbitrárias e violentas.[11] Duas das lideranças da polícia de Nova York sustentam, por exemplo, que:

> Afirmar que a política de "tolerância zero" no policiamento mudou a face de Nova York, como se ver-se livre de pedintes pudesse por si só baixar os níveis de roubos e assaltos, é de um simplismo grosseiro. Para ter êxito, tivemos que empregar uma estratégia de qualidade de vida concertada com uma variedade de estratégias orientadas contra os delitos mais graves.[12]

Na experiência de Nova York, as reclamações feitas contra a polícia por cidadãos sentindo-se agredidos ou desrespeitados cresceu 41% desde que a política de tolerância zero foi iniciada, e o total pago pela prefeitura em indenizações às vítimas da brutalidade policial cresceu, em apenas dois anos, de 13,5 milhões para 24 milhões de dólares.[13] Innes (1999) afirma que diferentes estratégias de policiamento têm sido implementadas nos mais variados contextos sob a rubrica tolerância zero. Segundo esse autor, tal flexibilidade, associada ao crescente medo do crime e ao oportunismo político-eleitoral, garantiu popularidade à idéia.

Além de Nova York e São Francisco, políticas de tolerância zero foram aplicadas na Inglaterra, em Cleveland e, em 1996, na área de King's Cross, em Londres. Nesse último caso, contrariando toda a tradição britânica do "policiamento por consentimento", um grupo de 25 policiais foi deslocado para prender pessoas alcoolizadas e moradores de rua, sob os aplausos do então líder da oposição Tony Blair. O apoio a medidas do tipo só pode ser compreendido dentro dos marcos do "populismo penal".

Pesquisas bastante detalhadas sobre os efeitos dessas abordagens mostram que elas retiram policiais das ruas, por conta do aumento extraordinário no número de prisões e da conseqüente imobilização administrativa dos que são obrigados a acompanhar os detidos até a delegacia (cada prisão ocupa, em média, 4 horas de trabalho do policial que estava na patrulha). Ao mesmo tempo, há indícios fortes de que as prisões, ainda que curtas, de pessoas envolvidas em infrações de menor importância possuem uma característica criminogênica; ou seja: ao invés de desencorajarem as condutas ilegais, tendem a precipitar opções por infrações mais sérias.

De qualquer maneira, a preocupação com a desordem não precisa necessariamente se traduzir em políticas de tolerância zero, razão pela qual sustento que é possível utilizar a "Teoria das janelas quebradas" na perspectiva do policiamento comunitário. Sendo assim, sempre que tratarmos do conceito de desordem será importante lembrar de uma sugestão oferecida pelo coronel Nazareth Cerqueira (1997: p.130) quando nos falava da necessidade de a polícia contribuir para a "construção da ordem", em vez da perspectiva tradicional e autoritária insinuada pelo jargão "manutenção da ordem a qualquer custo". De fato, em um Estado democrático de direito, a polícia não pode se furtar a desempenhar um papel mediador entre vários interesses muitas vezes conflitantes. A sensibilidade necessária para esse tipo de abordagem pode ser decisiva para a afirmação de um novo equilíbrio social, mesmo que provisório, como convém a uma democracia.[14]

As experiências de policiamento que consideram esses pontos têm colhido resultados bastante promissores, o que se pode observar também no Brasil. O projeto de PC no morro do Quadro, em Vitória (ES), permitiu, em 5 anos, a redução de 64% na taxa de homicídios da região; de 43% na de assaltos, agressões e tentativas de homicídio; de 30% na de roubos e furtos; e de 24% na de crimes contra o patrimônio (Oliveira, 2002: p.31). Nessa mesma experiência, ao final de outubro de 2002, já se completavam 2 anos sem que a comunidade tivesse encaminhado uma queixa contra a corporação da Polícia Militar na área (Oliveira, 2002: p.33).

A experiência de PC em Macapá, por sua vez, permitiu uma redução de cerca de 50% nos indicadores de criminalidade na região bastante pobre de Perpétuo Socorro, às margens do Amazonas. Nesse caso, destaca-se ainda a extinção de uma temida gangue juvenil conhecida como GK2, cujos integrantes (46 ao todo) aderiram ao programa de PC formando um destacamento de colaboração com a polícia chamado Anjos da Paz. Atualmente, eles oferecem segurança à tradicional Feira do Pescado local.

Também na região de mais de 260 mil habitantes conhecida como Jardim Ângela, em São Paulo – local considerado pela ONU, em 1996, o mais violento do mundo (116,23 homicídios para cada grupo de 100 mil habitantes) –, o PC trouxe resultados surpreendentes. Ele foi articulado com a estruturação de serviços de apoio que oferecem uma "retaguarda social" imprescindível, como abrigo para mulheres vítimas de violência doméstica, serviço de tratamento para drogadição e centro de referência para crianças e adolescentes em situação de risco. No Jardim Ângela, as crianças – como os demais moradores – conhecem os policiais pelo nome e passaram a respeitá-los e requisitá-los. Antes do projeto de PC, elas tinham o hábito de cuspir no chão quando avistavam um policial (Oliveira, 2002: p.56).

Em cada um desses casos há características comuns estruturadas em torno da idéia de uma interação efetiva entre o trabalho policial e as comunidades. Em todos eles, a atenção dispensada à desordem cumpriu um papel importante. Na verdade, a linha de raciocínio pela qual desordem e crime são associados foi a responsável pela importante descoberta de que o medo do crime tende a agregar problemas de segurança para a população. Em primeiro lugar, quando uma região convive com uma sensação de insegurança disseminada e as pessoas passam a lidar com a percepção de que poderão ser assaltadas ou agredidas a qualquer momento, a tendência é a de que elas evitem circular pelas áreas públicas e permaneçam, durante a maior parte de seu tempo livre, em suas próprias casas (Lavrakas et al., 1980). Isso faz com que elas se isolem progressivamente, o que enfraquece e, em alguns casos, destrói as relações sociais que constituem a comunidade.

Em segundo lugar, pouco importa o grau de correspondência – se maior ou menor – dessa percepção com os riscos concretos de vitimização. O fato é que as pessoas que se sentem ameaçadas vivem essa sensação como uma realidade incontrastável. É preciso reconhecer isso para que não se pretenda, ingenuamente, "convencer" as pessoas de que elas estão tendo o "sentimento errado". Quando alguém está atemorizado é preciso oferecer a essa pessoa proteção, e não uma explicação sobre as probabilidades de vitimização. A sensação de insegurança terá de ser enfrentada com políticas específicas que a desconstituam, o que jamais será um processo simples ou a curto prazo.

À medida que os antigos laços comunitários são enfraquecidos, as atividades sociais nas quais as pessoas costumavam se encontrar tendem a desaparecer e as chances de que a população possa se engajar em algum projeto de natureza coletiva diminuem sensivelmente. Isso sugere que o medo do crime diminui o poder das comunidades. Ao mesmo tempo, esse processo faz com que a vigilância natural – oferecida pela simples presença das pessoas – deixe de existir, o que, por sua vez, estimula a ação dos infratores e dissemina práticas consideradas anti-sociais, como a venda e o consumo de drogas nas ruas.

Quando as pessoas procuram evitar os espaços públicos – não apenas os residentes, mas também os eventuais visitantes –, os empreendimentos comerciais da região são afetados. Os que mais sofrem com isso são aqueles que operam à noite ou que estão vinculados ao entretenimento. Muitos desses negócios, então, são obrigados a fechar, e as oportunidades de emprego na região definham. O clima geral de insegurança fará com que muitos moradores, especialmente os que dispõem de melhor condição socioeconômica, tomem a decisão de fixar residência em outras regiões. Esse processo terá conseqüências no mercado imobiliário, depreciando o valor das residências e dos aluguéis naquela localidade.[15] Alguns moradores, porém, não conseguirão se fixar em outra região, pelo menos não imediatamente. Eles continuarão, entretanto, alimentando a expectativa de consegui-lo, o que diminuirá seu interesse em realizar quaisquer investimentos em suas residências ou em contribuir para melhorias na localidade. Nas situações desse tipo, os novos moradores tendem a ser originários de camadas mais pobres, o que irá redefinir as características sociais da região e, assim, sucessivamente, em uma dinâmica de retroalimentação.

Fica claro que o medo do crime constitui um problema específico, a ser enfrentado pelas polícias com políticas definidas. Muitas vezes, os policiais percebem que lidar publicamente com o medo das pessoas pode ser uma alternativa política para, por exemplo, conseguir um aumento nos recursos oferecidos à polícia ou para que a própria importância do seu trabalho seja reconhecida. O preço que se paga por isso, não obstante, tende sempre a ser maior do que os eventuais benefícios. Mesmo quando se lida com dados verdadeiros a respeito do crime e da segurança pública, é necessário tratá-los com bastante cuidado e alertar a imprensa para que faça o mesmo. Temas como o número dos efetivos policiais ou deficiências de armamentos e viaturas não devem ser objeto de divulgação. O cuidado deve ser especialmente observado, também quando se discute as "taxas de atrito" – conceito pelo qual se mede o número de crimes em torno dos quais não se produziu qualquer tipo de responsabilização. Como essas taxas são bastante altas em todo o mundo (ou seja, a grande maioria dos crimes permanece impune) e, certamente, muito mais altas ainda em países como o Brasil, um tratamento inadequado dado ao tema pela imprensa pode funcionar como um "convite" ao crime.

Por outro lado, quando as pessoas demandam algum tipo de proteção à polícia e se percebe que o problema, mais do que um risco objetivo de vitimização, refere-se a uma "sensação de insegurança", é preciso que a resposta seja dada de tal forma que o medo seja aplacado. Essa resposta se faz necessária ainda que, para isso, seja preciso tomar alguma atitude de caráter simbólico como, por exemplo, aumentar a presença física dos policiais nas ruas. Se isso ocorrer, a medida não tende a surtir efeitos concretos quanto à redução das taxas de criminalidade, mas poderá se justificar caso promova maior sensação de proteção.

Outro exemplo dessa sensação de insegurança tornou-se conhecido com o caso de um sargento de Chicago que recebia, freqüentemente, ligações de pessoas afetadas por algum tipo de transtorno mental. Em várias oportunidades, essas pessoas solicitavam ajuda da polícia por conta de "criminosos invisíveis" que as estariam ameaçando. O sargento, então, assegurava que iria acionar o "pelotão invisível" da polícia – o que tranqüilizava os reclamantes. Comentando essa história, Goldstein (2003) assinala que o sargento, talvez inconscientemente, "tenha colocado o dedo sobre algo que tem tudo a ver com o policiamento".

O que o modelo do PC assume como um outro ponto de partida é que as tarefas de manutenção da paz e de conquista da segurança devem ser concebidas como algo a ser compartilhado entre o Estado e a sociedade. O cerne desse novo modelo reside no reconhecimento de um limite: a idéia de que a polícia não poderá ser bem-sucedida na luta contra o crime se atuar isoladamente. Todos os documentos e guias disponíveis para a implantação dos novos projetos ressaltam muito esse pressuposto que pode ser traduzido em sínteses como, por exemplo, o slogan que orienta os esforços do policiamento comunitário em Chicago: "Juntos, nós podemos." Essa é a posição de Rosenbaum (2002: p.39), para quem "o maior erro da história do policiamento moderno foi o de ter dado às polícias a responsabilidade plena pela segurança; pela simples razão de que as organizações policiais não podem, por melhor que sejam, produzir, elas próprias, uma resposta satisfatória".

O desafio, então, é o de uma "co-produção". Jacobs descreveu essa realidade de maneira muito clara, afirmando:

> A primeira coisa para se entender é que a paz pública das cidades – a paz nas calçadas e nas ruas – não é mantida pelas forças policiais, mesmo que elas sejam necessárias. É mantida, em primeiro lugar, por uma rede intrincada e quase

inconsciente de controles e padrões voluntários entre as próprias pessoas, que elas próprias se encarregam de fazer com que sejam cumpridos.[16]

Observe que a suposição feita aqui não é a de que os cidadãos devam cumprir um papel complementar ou secundário diante daquele a ser desempenhado pela polícia, mas que a instituição policial é que deve ser percebida como suplementar ao papel desempenhado pelos cidadãos. O que parece ocorrer é que a presença ostensiva da polícia tende a ser tanto mais necessária quanto maior seja a distância construída entre as pessoas. Comunidades com fortes tradições culturais e movimentos de natureza coletiva produzem um amálgama pelo qual as pessoas se vinculam umas às outras. Em decorrência, mecanismos informais de controle se materializam. Isso talvez implique o reconhecimento de que em algumas situações – em locais onde não exista uma verdadeira *comunidade* – será necessário *criar* uma comunidade, ou seja, estimular e, em certa medida, propiciar a formação de vínculos entre as pessoas.

Dennis e Mallon (1977) chamaram a atenção, precisamente, para aquela que seria a característica moderna de dissolução das comunidades. Para eles, o tipo de estrutura das grandes cidades teria oferecido a cada jovem um anel de Giges,* ou seja, a chance de permanecer rigorosamente "invisível" e, portanto, não estar submetido a qualquer meio de controle informal. Considerando essa situação, os autores entendem que um policiamento capaz de inspirar a confiança da população pode constituir um remédio oportuno.

Os caminhos da interação

Skolnick e Bayley (2002: p.19) apontam 4 elementos-chave para um projeto de policiamento comunitário: 1) organizar a prevenção do crime tendo por base a comunidade; 2) reorientar as atividades de patrulhamento para enfatizar serviços não-emergenciais; 3) aumentar a responsabilização das comunidades locais; 4) descentralizar o comando.

Observe que o primeiro conceito fundamental é o de prevenção. Na verdade, o emprego desse termo sinaliza uma importante mudança de perspectivas. Em vez de se aguardar pela prática de um delito, a idéia do PC incorpora a

---

* Referência à narrativa da *República*, de Platão, que envolve o mito do camponês Giges. Certo dia, pastoreando suas ovelhas, Giges encontra uma cratera causada por uma tormenta. Dentro dela, o camponês vislumbra um enorme cavalo de bronze com aberturas laterais. Giges desce pelo buraco e penetra no cavalo, onde descobre o cadáver de um homem com um anel no dedo. Ele pega, então, o anel e o coloca no próprio dedo. Para sua surpresa, logo descobre que quando virava o anel para a palma da mão ficava invisível. Quando colocava o anel de volta à posição original, tornava-se visível novamente. A história mostra como, com base no poder que o anel lhe conferia, Giges passa a cometer várias ações maldosas e perversas. Primeiro, seduziu a rainha e, depois, matou o soberano e usurpou o poder.

noção de uma conduta proativa no sentido de identificar as condições que agenciam imediatamente o crime, na tentativa de preveni-lo. Ao falar em condições de agenciamento do crime, refiro-me ao fato de que, apesar de as causas da criminalidade serem de várias naturezas, há fatores que operam de maneira mais direta e imediata sobre elas, impulsionando as condutas delituosas. Saber reconhecer esses agenciamentos e definir, a partir de um diagnóstico correto, as medidas de prevenção necessárias são tarefas centrais para as perspectivas do PC.

Alguns dos cuidados básicos a serem observados na viabilização operacional de um projeto de PC envolvem a elaboração de estratégias de mobilização comunitária que estimulem a participação e a definição de objetivos gerais pelos residentes. O projeto deve estabelecer, também, formas coletivas de vigilância e de colaboração dos cidadãos com a polícia. Nesse ponto, muitas das experiências de PC no mundo têm estabelecido canais diretos de comunicação entre os moradores e os policiais, inclusive com o uso do rádio. Algumas das experiências de maior êxito no Brasil utilizam o recurso das urnas colocadas em pontos estratégicos para a coleta de sugestões para a polícia, bem como para o registro das mais variadas reclamações. Essas mesmas experiências têm proposto e construído conselhos comunitários de segurança pública que funcionam como órgãos de controle e que orientam, concretamente, o trabalho policial.

Para uma relação mais ampla entre a comunidade e a polícia, porém, o principal recurso é a imprensa local, destacadamente os jornais de maior circulação e as rádios mais ouvidas, razão pela qual cabe à polícia a iniciativa de prestar todas as informações relevantes à mídia e construir com os profissionais da área relações produtivas e respeitosas. O padrão tantas vezes identificado de uma relação marcada pela desconfiança mútua e pela ausência de transparência nos contatos com a mídia precisa ser completamente revisto e superado. Dentro desse novo modelo, a polícia deve recolher e sistematizar todas as informações sobre a violência e a criminalidade na região para que seja possível, primeiro, identificar com mais precisão as tendências presentes; segundo, informar a população a respeito dos riscos de vitimização; e, terceiro, identificar os grupos mais vulneráveis à ação dos infratores.

Embora cada uma dessas tarefas deva sempre levar em conta as características da região, haverá pouca variação entre os chamados "grupos de risco". Normalmente, as famílias de mais baixa renda são mais vulneráveis, assim como todos os grupos marcados pela desorganização social. Os adolescentes, idosos, dependentes químicos e pessoas com distúrbios ou doenças mentais também enfrentam situações particulares de fragilidade ou risco que devem ser consideradas em programas específicos.

Obviamente, não se produzirá o competente diagnóstico sem uma relação de confiança entre os policiais e a comunidade a quem eles pretendem oferecer segurança. Como se assinala em um dos principais documentos norte-americanos sobre policiamento comunitário:

> A confiança é o valor que sublinha e vincula os componentes das parcerias comunitárias para a resolução de problemas. A fundação da confiança irá permitir que a polícia estruture um forte relacionamento com a comunidade, o que irá produzir conquistas sólidas. Sem a confiança entre a polícia e a cidadania, um policiamento efetivo é impossível.[17]

Para esse objetivo específico, é importante sublinhar a necessidade de o novo modelo respeitar o princípio da eqüidade. Segundo o mesmo documento, a eqüidade no trabalho policial possui três dimensões: o mesmo acesso por parte de todos os cidadãos aos serviços policiais; o mesmo tratamento a todos os indivíduos segundo os princípios de igualdade da Constituição; e a mesma distribuição dos serviços e recursos policiais entre as comunidades. O registro é importante para que as estratégias de PC evitem a distorção que poderá ser produzida sempre que grupos com maior poder dentro das comunidades utilizem o novo modelo para assegurar seus próprios interesses. Um resultado desse tipo certamente tornaria impossível a fundação de relações de confiança com a comunidade e muito provavelmente conduziria as atividades policiais para situações desnecessárias de confronto ou para iniciativas incapazes de produzir segurança na coletividade. Sobretudo, o que parece necessário para que se construam relações produtivas entre a polícia e as comunidades é que os policiais conheçam as pessoas e estejam presentes em seu cotidiano. Para isso, a retomada das rondas a pé e a fixação dos policiais na região são passos fundamentais.

Uma nova engenharia institucional

A idéia do PC deve orientar uma mudança significativa nas formas organizacionais da polícia. Sem isso, os resultados pretendidos não serão alcançados. Uma nova "engenharia institucional" é, então, uma exigência incontornável. Policiais que trabalhem fixamente em uma área da cidade e que realizem patrulhas a pé (Kelling, 1981) deverão despender muito tempo conversando com os residentes, participando de reuniões comunitárias, acompanhando os problemas vividos pela escola local, estabelecendo e desenvolvendo relações de natureza social com os moradores. Isso não será possível caso estejam vinculados ao sistema de atendimento a emergências. Como regra, será preciso que outros policiais atendam às ocorrências tidas como emergenciais, enquanto a patrulha a pé orienta suas atividades para o atendimento daquele tipo de demanda que normalmente não envolve assuntos de natureza criminal ou que, pelo menos, não diz respeito a crimes graves.

Um efeito secundário desse tipo de organização deverá ser observado, de qualquer maneira, com a redução do número de chamadas para o 190.[18] Isso foi observado, por exemplo, em um projeto pioneiro de PC em Flint, Michigan, onde a quantidade de chamadas de emergência diminuiu 43% ao longo da experiência (Trojanowicz, 1983). Uma vez que a comunidade pode contar com o patrulhamento a pé e que passa a conhecer os policiais, a tendência é que parte significativa dos problemas antes encaminhados para a central seja comunicada e tratada no âmbito da própria comunidade.

Mais do que isso, a nova configuração dos serviços policiais deverá incorporar uma margem muito maior de descentralização nos serviços, a começar pela montagem de minidelegacias ou postos policiais que sirvam como pontos de referência à população e como apoio logístico à patrulha. Esses postos avançados estarão integralmente voltados para as comunidades onde se situam e serão um elo importante na montagem de serviços e projetos de natureza comunitária que possam envolver outras instituições, governamentais ou não.

A descentralização proposta tende a redefinir a conduta típica dos policiais. No caso brasileiro, os policiais civis costumam gozar de uma dose muito alta de autonomia por conta de uma visão diluída de hierarquia e disciplina e, também, da fragilidade dos mecanismos de controle interno. Já os policiais militares estão, normalmente, submetidos a uma estrutura bem mais rigorosa de hierarquia e disciplina, e os mecanismos institucionais de controle interno costumam ser empregados com maior freqüência. No primeiro caso, temos uma estrutura que estimula a iniciativa individual, mas que, por conta de sua fluidez e ausência de procedimentos padronizados, acaba facilitando práticas desviantes e dificultando o controle. Já no segundo caso, temos a prevalência de uma estrutura orientada por imperativos que desestimulam a iniciativa individual e a criatividade, submetendo-as, muito comumente, à inflexibilidade de uma ordem burocrática e alienada.

Uma estratégia de PC deve evitar tanto a ausência de controle quanto a falta de criatividade. O policial comunitário terá seu espaço de discricionariedade aumentado. Para todos os efeitos, é como se seu mandato fosse "alargado". Caberá a ele, diariamente, tomar decisões que, no modelo tradicional, não seriam de sua alçada (Braiden, 1992). Assim, o policial comunitário deverá, necessariamente, gozar de um novo status. Isso exige uma nova preparação, uma formação de outro tipo e, especialmente, critérios distintos de recrutamento.

Esse policial estará permanentemente em contato com a comunidade e deverá ser respeitado pelos moradores. Isso é muito diferente de ser temido por eles. Sua presença nas atividades comunitárias oferecerá oportunidades para que suas qualidades morais e suas capacidades intelectuais sejam expostas. Não passar em "testes" desse tipo pode significar a desmoralização de todo o projeto do PC na região. Como assinalaram Klein e seus colegas,[19] as histórias sobre o mau comportamento policial viajam através das redes de informação dos bairros abalando a confiança na instituição. Será o respeito pelos policiais comunitários que permitirá um maior envolvimento das pessoas nas questões atinentes à segurança pública, o que estará relacionado com o tipo de resposta a ser oferecida por esses policiais às questões não diretamente vinculadas ao crime. Um morador que foi auxiliado por um policial quando precisou deslocar um familiar doente até o hospital mais próximo dificilmente se negará a colaborar com a polícia quando se tratar de oferecer alguma informação útil sobre um suspeito. Evidências desse tipo já foram colhidas por trabalhos como o de Bloch e Specht (1973) e permitem que se passe a enfrentar um dos fenômenos mais preocupantes para o sucesso do trabalho da polícia, a própria apatia e resistência das pessoas a qualquer tipo de colaboração quanto às investigações policiais. Um tema que se tornou matéria de grande preocupação nos EUA desde que Catherine Genovese foi morta a facadas diante de 38 testemunhas que permaneceram paralisadas, em Nova York, na década de 1960.[20]

Ao mesmo tempo, o policial comunitário deverá desempenhar uma função básica para o sistema de inteligência policial – a coleta das informações necessárias à prevenção do crime. Em contato direto com a comunidade, ele passará a reconhecer as principais ameaças que ela enfrenta e saberá repassar à instituição não apenas a natureza desses problemas, mas outros dados imprescindíveis a respeito do perfil e do *modus operandi* daqueles que violam a lei na região. Aliás, pode-se esperar que os policiais comunitários desenvolvam uma capacidade maior do que a dos patrulheiros que circulam por toda a cidade, exatamente por conta do grau de conhecimento que passam a acumular sobre a região sob sua responsabilidade. Nas palavras de Goldstein (2003: p.78):

> Investigar circunstâncias suspeitas significa reconhecer que se parte de uma norma. Um policial familiarizado com uma determinada área conhece as atividades e padrões de comportamento de seus moradores. Em áreas comerciais, por exemplo, ele sabe onde as pessoas trabalham à noite, como os bens são protegidos e como os depósitos bancários são feitos. Já nas áreas residenciais, ele aprende quais são as pessoas que se reúnem regularmente nas esquinas e nos parques, os horários e práticas dos pequenos comerciantes e os padrões das pessoas ao usar e ao estacionar seus carros. Qualquer fuga desses padrões alerta a polícia para a possibilidade de um ato criminoso estar ocorrendo.

É importante sublinhar que, em um projeto desse tipo, muitas das decisões diárias a serem tomadas surgirão da base para o topo e não do topo para a base, como em estruturas rigidamente centralizadas. O que pressupõe, também, uma mudança no papel dos administradores e oficiais superiores. Em vez de comandarem cada ação, dominando-as por completo com suas instruções, deverão cumprir um papel de orientadores, certificando-se de que os policiais da patrulha tenham o apoio necessário para implementar as medidas que vão formulando em conjunto com a comunidade. Na verdade, o primeiro treinamento e os maiores esforços de capacitação deverão estar dirigidos aos supervisores e administradores do projeto, para que eles não interpretem a idéia do PC como algo destinado a corroer sua autoridade (Oettmeier e Bieck, 1988), o que traria como resultado a condenação prévia de todos os esforços em favor da mudança.

Sparrow et al. (1990: p.182-3) sintetizam essa preocupação quando assinalam:

> A polícia deve reforçar a autoridade de dois grupos: o público em si mesmo e o policial de rua. Só quando o público tiver verdadeiramente a voz de comando para estabelecer as prioridades do policiamento suas necessidades serão levadas a sério; só quando os policiais de rua tiverem, com o apoio de sua retaguarda, o espaço operacional para lidar com os problemas que encontrarem, aquelas necessidades serão realmente enfrentadas.

Em todo esse trabalho, a polícia precisará do apoio dos órgãos de poder local, além de uma rede de organizações não governamentais e de entidades da sociedade civil. O apoio da prefeitura pode ser decisivo, porque muitas das iniciativas comunitárias a serem desenvolvidas implicarão contatos com agências e departamentos municipais e, quase sempre, estimularão novas demandas ao serviço público. Será preciso, então, que as autoridades municipais estejam a par dos objetivos do PC e sejam aliadas em sua implementação e desenvolvimento. A necessidade de fortes parcerias com outras agências governamentais e não governamentais foi oficialmente incorporada na doutrina britânica de policiamento no início da década de 1990, a partir do Relatório Morgan (*Morgan Report* – Home Office, 1991). Este foi o documento pelo qual se estabeleceu que as funções de prevenção ao crime não poderiam ser interpretadas de forma estreita como de responsabilidade apenas das polícias. Tais recomendações foram finalmente incorporadas à legislação com o Crime and Disorder Act, de 1998.

As estratégias de PC precisarão, por fim, considerar a necessidade de melhorar a imagem da própria polícia, de tal forma que a ação dos seus integrantes seja cada vez mais legítima aos olhos do público. Essa conquista está profundamente vinculada à busca da eficácia e será decisiva para o estabelecimento das parcerias. Para Monet (2001: p.276), uma estrutura policial adquire legitimidade quando: 1) faz aceitar sua autoridade, inclusive o uso da força; 2) oferece respostas aos usuários nos diversos serviços que presta; 3) está próxima à população e não parece uma força estranha a ela.

A legitimidade, então, surge da aceitação da autoridade. Mas o conceito de autoridade expressa, ele próprio, uma relação e não uma função ou uma insígnia. Os policiais, em suas relações com a comunidade, partem de um patamar simbólico pelo qual são, a princípio, identificados com a lei. Esse patamar lhes confere uma vantagem especial e será em nome dos seus significados e expectativas que eles poderão consolidar suas relações com os residentes. Penso que três características pelas quais o trabalho policial é apreendido pela população sejam essenciais para assegurar à polícia, em tese, condições ótimas para um trabalho de natureza comunitária: ter alcançado, aos olhos do público, a condição de um serviço essencial; ter assegurado uma imagem segundo a qual os cidadãos o percebem como não subordinado a objetivos político-partidários; e ser reconhecido como uma função arriscada para a qual se exigem, portanto, coragem e outras qualidades morais. Essa maneira de ver a missão policial conforma uma situação que assegura, a princípio, maior legitimidade a um tipo de intervenção comunitária feita pelos policiais se comparada com aquelas realizadas por outros agentes públicos.

Quando se trata do Brasil, penso que essa condição de "legitimidade prévia" seja mais nítida para os profissionais de saúde com atuação comunitária. Seja como for, ela é certamente forte para os policiais, especialmente para os militares, que são mais visíveis e costumam intervir de forma solidária em situações que não são de ordem criminal. Essa circunstância – a presença dos policiais em ações solidárias nas comunidades – está ligada à legitimidade do trabalho policial e, também por isso, não deveria ser menosprezada. Imagino que isso não tenha sido, de qualquer modo, compreendido por todos, uma vez que são muito comuns as críticas e reclamações feitas por gestores ou mesmo por policiais com respeito ao "tempo perdido com a assistência social".

Mas quando a ação desses policiais contrariar os valores pressupostos pelo seu papel institucional, a legitimidade se esvairá rapidamente. Uma postura de auto-suficiência que desconsidere as proposições e solicitações encaminhadas pela comunidade costuma constituir outro atalho para a erosão da autoridade. É preciso que os policiais comunitários rompam o paradigma do "nós e eles" em suas relações com os moradores e possam abdicar do pretendido direito a uma autodefinição. Em vez de se refugiarem atrás dos seus procedimentos técnicos e de suas patentes, ou de evitarem o "olhar profano" e o convívio com os civis, cabe aos policiais comunitários a realização de uma estratégia de interação pela qual as comunidades possam, finalmente, identificar a polícia como a *sua* polícia.

Policiamento orientado para a solução de problemas

A teoria do policiamento orientado para a solução de problemas (Posp) foi formulada por Herman Goldstein, professor da Faculdade de Direito da Universidade de Wisconsin, Madison.[21] O modelo conceitual dessa proposta foi sintetizado na abordagem conhecida como Sara, sigla pela qual se identificam os procedimentos de *Scanning, Analysis, Response and Assessment* (Levantamento, Análise, Resposta e Avaliação). Tais passos poderiam ser sistematizados da seguinte maneira:

Levantamento

- Identificar os problemas recorrentes que preocupam as pessoas e a polícia;
- Priorizar os problemas que serão enfrentados;
- Estabelecer objetivos definidos;
- Confirmar a existência e a dimensão dos problemas;
- Selecionar um problema para exame;
- Coletar e examinar dados a respeito.

Análise

- Tentar identificar e compreender os eventos e condições que precedem e acompanham o problema;
- Identificar as conseqüências do problema para a comunidade;
- Identificar a freqüência do problema e há quanto tempo ele vem ocorrendo;
- Identificar as condições que permitiram a emergência do problema;
- Definir o problema da forma mais precisa e específica possível;
- Ser criativo e identificar os recursos disponíveis que possam auxiliar o desenvolvimento de uma compreensão mais aprofundada do problema.

Resposta

- Pesquisar o que já foi feito em outras comunidades que enfrentaram o mesmo problema e quais os resultados obtidos;
- Permitir que todos possam dar sua opinião e produzir uma "tempestade de idéias" (*brainstorm*);
- Escolher uma das soluções possíveis;
- Elaborar um plano concreto e identificar as responsabilidades de cada um;
- Estabelecer objetivos específicos;
- Identificar os dados relevantes a serem coletados durante a implementação do plano para permitir uma avaliação posterior;
- Sustentar as atividades planejadas.

Avaliação

- Determinar se o plano foi ou não implementado;
- Identificar se os objetivos foram alcançados e coletar dados quantitativos e qualitativos;
- Identificar qualquer nova estratégia que deva ser acrescentada ao plano original para aperfeiçoá-lo;
- Conduzir a avaliação em processo para se assegurar de que a eficiência se manterá.

O Fórum Executivo de Pesquisa Policial nos EUA introduziu um prêmio anual para os melhores projetos de Posp (Herman Goldstein Award for Excellence in Problem-Oriented Policing). Em 1999, foram 7 os projetos vencedores e, no ano 2000, entre 99 projetos apresentados por departamentos de polícia dos EUA, Canadá, Reino Unido e Austrália, 5 foram selecionados.[22] Da primeira lista, separei um projeto de revitalização de uma área comercial levado a efeito pelo departamento de polícia de Green Bay, em Wisconsin e, entre os vencedores do ano 2000, o projeto realizado pela polícia de San Diego chamado "Prevenção e supressão de pichações ilegais". A idéia de reproduzi-los aqui é a de oferecer ao leitor alguns exemplos mais detalhados a respeito da operação concreta de um modelo teórico. Isso pode ser útil para o trabalho daqueles que estejam empenhados na reforma do policiamento e pode, também, oferecer aos eventuais críticos dessa abordagem novos argumentos a serem considerados.

1) Projeto de revitalização de uma área comercial

O projeto de revitalização aconteceu na cidade de Green Bay, onde a área central da Broadway Street havia adquirido péssima reputação. Ao longo de 40 anos, os problemas só foram se agravando. Muitas pessoas vivendo pelas ruas, freqüentemente bêbadas e produzindo todo tipo de desordens. Havia garrafas quebradas em todo lugar. Em 18 bares locais, brigas eram comuns e ocorrências com tiros ou facadas tornaram-se parte do cotidiano. Em geral, as pessoas evitavam a região e os moradores conviviam com o medo. Os negócios existentes na área agonizavam e a sensação geral era a de abandono por parte do governo.

Em 1995, teve início ali o programa de policiamento comunitário. Dois novos policiais designados para a área, Bill Bongle e Steve Scully, passaram a conversar com os moradores, com os professores das escolas, com os jovens e com os empresários locais. Em pouco tempo, haviam identificado as principais características que atormentavam a todos: demanda desproporcional, se comparada com as outras regiões da cidade, por serviços da polícia; alta concentração de crimes, incluindo espancamentos, arruaça, pequenos furtos, danos a propriedades, tráfico de drogas, pessoas realizando suas necessidades fisiológicas pelas calçadas, pessoas visivelmente drogadas circulando pelos parques e próximo às escolas etc.

Uma análise preliminar demonstrou que cerca de 20 moradores de rua, muitos com sérios problemas de saúde mental e drogadição, eram responsáveis pela maior parte dos problemas. Foi possível, também, descobrir que a grande maioria das pessoas que haviam sido agredidas ou vitimadas na região – inclusive aquelas que foram alvejadas ou esfaqueadas – era constituída por freqüentadores dos bares locais. As chamadas repetidas recebidas pela polícia diziam respeito, invariavelmente, a brigas e problemas relacionados ao abuso de álcool. A taxa de vitimização entre os cidadãos que não freqüentavam os bares era bastante baixa.

Prisões de pessoas fortemente alcoolizadas não podiam ser realizadas porque o presídio local não recebia indivíduos que estivessem com a taxa de intoxicação acima de um determinado percentual, exigindo que elas fossem encaminhadas, antes, a tratamento de desintoxicação em um hospital. A polícia fazia esse transporte e, em 24 horas, as mesmas pessoas estavam de volta às ruas repetindo o ciclo. Não havia relação da polícia com outras agências governamentais e a confiança dos residentes na instituição era próxima de zero.

Embora existisse uma lei regulamentando o processo para a concessão e renovação dos alvarás de funcionamento dos estabelecimentos, a praxe era a da renovação sistemática, sem qualquer tipo de fiscalização ou exigência do poder público. Pela lei, os proprietários só poderiam ser acionados pela polícia caso estivessem presentes no momento de algum incidente com violência em seus bares.

A polícia começou, então, elaborando, com o apoio do Ministério Público, uma lista de pessoas que estavam freqüentemente alcoolizadas na rua e envolvidas em desordens. Essa lista foi entregue a cada proprietário de bar da região acompanhada de uma carta da polícia na qual se solicitava que não se servissem bebidas àquelas pessoas. Para que houvesse um critério objetivo capaz de ser aplicado na confecção da lista, estabeleceu-se que só entrariam nela: envolvidos em algum tipo de comportamento público pelo qual a polícia tivesse recebido queixa de moradores; pessoas que tivessem sido detidas três ou mais vezes nos três meses anteriores por conta de intoxicação; aqueles que tivessem sido internados para desintoxicação pelo menos três vezes nos três meses anteriores. Vale ressaltar que um único indivíduo esteve internado para desintoxicação no centro de saúde mental da região mais de 80 vezes. Segundo o Brown County Health Center, a estimativa é que esta trajetória tenha custado aos cofres públicos pelo menos 96 mil dólares.

A medida adotada pela polícia envolvia, por certo, uma polêmica a respeito dos direitos civis e, não casualmente, motivou o imediato protesto da União pelas Liberdades Civis Americanas (American Civil Liberties Union – Aclu), uma das mais respeitadas ONGs dos EUA. A Aclu argumentou que a proibição da venda de produtos legais a um grupo de cidadãos alterava ilegalmente o status dos indivíduos e infringia sua liberdade, abrindo um sério precedente. A preocupação era bastante compreensível, mas uma lei do estado de Wisconsin, que vetava a venda de bebida a pessoas conhecidas como alcoólatras, amparou a proibição. Ao mesmo tempo, os policiais começaram a encaminhar pessoas alcoolizadas e envolvidas em distúrbios para a corte, onde recebiam ordens de tratamento e proibição temporária de acesso a bares. Violações a essas ordens passaram a ser consideradas motivos legais para prisão.

Uma revisão das características urbanas e ambientais da região permitiu levantar vários outros problemas. Muitos bares possuíam áreas escuras e tinham portas de acesso cercadas por muros – o que permitia a entrada protegida de suspeitos e dificultava a aproximação dos policiais. Nas áreas abertas havia espaços onde era impossível a vigilância natural, o que facilitava o trabalho dos traficantes e lhes oferecia muitos esconderijos. Várias mudanças foram, então, efetivadas. Os donos dos bares foram obrigados a iluminar os acessos e a torná-los totalmente visíveis. As portas dos fundos dos estabelecimentos foram modificadas para permitir apenas a saída de pessoas. Os bancos dos parques foram alterados para que não fossem utilizados como camas. Todo tipo de construção que impedisse a vigilância natural ou permitisse o acúmulo de lixo foi removido. Os acessos a prédios que permaneciam escondidos foram, também, modificados e iluminados.

Desde o início do projeto, o policiamento comunitário estabeleceu uma forte aliança com a mídia, que passou a cobrir cada passo e a apoiar as modificações realizadas. Isso foi muito importante para que a população residente voltasse a acreditar na polícia. Os cidadãos mobilizados ao longo do processo passaram a realizar intensa pressão sobre a prefeitura e a câmara de vereadores para que houvesse outra atitude com relação aos alvarás dos bares, com o cumprimento de várias exigências antes de concedidas as renovações. Como resultado, criou-se um sistema de pontuação para os estabelecimentos, em que se marcam, por exemplo, ocorrências violentas entre fregueses. Se um bar atinge 12 pontos pode ser fechado automaticamente por um prazo determinado. Em decorrência de medidas desse tipo, foram canceladas as licenças de 5 bares – inclusive a de um onde drogas eram vendidas livremente.

Desde que o projeto foi implementado, a situação da Broadway Street foi radicalmente alterada. No período de 4 anos, 8,4 milhões de dólares foram investidos na região em projetos de iniciativa pública e privada; 410 novos empregos foram criados; 33 novos estabelecimentos comerciais foram abertos;

um abrigo de 1,8 milhão de dólares está sendo construído; 3,1 milhões foram investidos pela prefeitura em iluminação pública e alterações urbanas. Observou-se um decréscimo de 65% nas chamadas à polícia entre 1993 e 1999, e uma queda de 86% nas ocorrências de desordem. Os níveis de confiança na polícia voltaram a ser bastante altos e a população já não tem medo de sair às ruas. Durante 40 anos, a polícia de Green Bay trabalhou na região respondendo a chamados de emergência e efetuando prisões. Durante os mesmos 40 anos, a situação de toda a região só se deteriorou. O projeto de policiamento comunitário, com o aporte teórico do policiamento orientado para a solução de problemas, alterou essa história.

2) Projeto de prevenção e supressão das pichações ilegais

O problema identificado pela polícia de San Diego foi o de pichações realizadas por gangues que danificavam prédios e monumentos. Os policiais entenderam que seria necessário não apenas remover as pichações ou tentar punir os responsáveis, mas monitorar alguns infratores reincidentes, além de criar alternativas para que os autores pudessem se expressar de maneira não destrutiva. Com base nessa avaliação, a resposta desenvolvida resultou em várias iniciativas.

Alguns jovens com antecedentes e que estavam envolvidos nas pichações passaram a receber aconselhamento psicológico. Outros, que já haviam recebido condenação judicial, passaram a receber a tarefa de limpar as paredes pichadas como condição para que recebessem benefícios na execução das sentenças. Voluntários passaram a monitorar as áreas onde havia maior probabilidade de novas pichações e organizaram sua limpeza. Ao mesmo tempo, a polícia conseguiu levantar recursos para comprar várias bicicletas, que foram doadas a jovens residentes entre 13 e 18 anos que, por sua vez, passaram a realizar "patrulhas ciclísticas"; alguns policiais também passaram a acompanhar mais de perto aqueles que já haviam sido condenados por pichações ilegais. Por fim, os alunos das escolas foram estimulados a participar de grandes atividades de pintura artística em painéis especialmente construídos para isso. Após a implementação dessa estratégia, houve uma redução de 90% nas ocorrências de pichação. E este efeito se manteve, sugerindo uma mudança de comportamento.

Segundo a comissão julgadora, esse projeto foi considerado especialmente significativo por várias razões. Primeiro, porque as pichações não são comumente percebidas como uma prioridade – elas sequer são consideradas um problema de segurança pública. Seja como for, o fato é que este foi o problema destacado pela comunidade na pesquisa realizada pela polícia. A área coberta por esse departamento de polícia em San Diego é densamente povoada e bastante pobre. Residentes antigos convivem com imigrantes em uma realidade multicultural. Nas escolas da comunidade, falam-se 38 línguas diferentes. A região possui um histórico de assaltos, tráfico de drogas, prostituição e furto de veículos. A polícia, obviamente, sempre esteve concentrada nesses crimes.

Em março de 1999, em uma reunião com a comunidade, após se apresentar a lista de crimes mais comuns que ocorriam ali, um cidadão pediu a palavra e perguntou:

— E a respeito das pichações? Vocês não vão fazer nada?

Essa pergunta encontrou imediata ressonância e várias outras pessoas presentes passaram a falar sobre o problema e sobre as razões pelas quais julgavam que ele deveria ser combatido pela polícia. Uma delas justificou suas preocupações com o tema afirmando que "doença atrai doença", uma conclusão que, como já vimos, foi identificada por Wilson e Kelling (1982).

Os policiais ficaram atônitos. Jamais imaginaram que a comunidade pudesse ter esse tipo de preocupação tendo em conta os crimes mais comuns na região. Foram, então, realizar um levantamento das dimensões do problema. Os policiais identificaram mais de 300 lugares onde as pichações haviam depreciado os imóveis e produzido uma atmosfera de abandono e sujeira e, então, pararam de contar. Depois eles investigaram os dados disponíveis a respeito dos custos financeiros do problema e descobriram que, no ano anterior, a comunidade havia gasto pelo menos 500 mil dólares apenas com as despesas de pintura das propriedades danificadas. Uma quantia adicional havia sido gasta para a remoção do spray.

Uma análise cuidadosa das pichações permitiu descobrir determinados padrões que identificavam aquelas feitas por iniciativa individual e aquelas derivadas da atuação de gangues. Na medida em que passaram a estudar o problema, os policiais souberam que elas integravam uma disputa por espaços entre gangues rivais. Os que pichavam isoladamente o faziam, em regra, porque desejavam integrar uma gangue. As gangues marcavam o seu território com inscrições e realizavam "ataques maciços" que cobriam toda a região em apenas uma noite. Alguns momentos depois, uma gangue rival realizava o seu ataque e pichava por cima das marcas que identificavam o poder e o território do outro grupo. Todos sempre "assinavam" as inscrições para que suas existências fossem reconhecidas. Mais do que isso, os policiais descobriram que as pichações diziam respeito a uma progressão natural das atividades das gangues.

O trabalho de assistência psicológica permitiu que se soubesse mais a respeito dos jovens que participavam das pichações. Eles necessitavam de atenção e de aceitação e eram atraídos pelo risco da própria atividade. O gesto era para eles – que não possuíam um modelo adulto de virtude – uma forma de competir. Após três meses de trabalho, os psicólogos identificaram características como: ausência de uma relação mais próxima com adultos; falta de aconselhamento; ausência de autocontrole; pouca auto-estima; impulsividade e traumas de infância.

Observe que a abordagem desenvolvida pela polícia envolveu outros atores sociais, de profissionais em psicologia e magistrados com atuação na área da juventude a serviços de atenção a adolescentes, escolas e voluntários da comunidade. A resposta foi criativa e colaborativa, de forma que não se pode medir exatamente quais das iniciativas tiveram maior ou menor responsabilidade nos resultados alcançados. O fato é que a abordagem, como um todo, funcionou, sem que houvesse intervenção repressiva.

Projetos desse tipo foram desenvolvidos nos EUA a partir da experiência inovadora de policiamento comunitário patrocinada pela polícia de Nova York em 1984. A idéia era a de que o policial comunitário funcionasse como:

- Um planejador, auxiliando a comunidade a identificar seus problemas;
- Um solucionador de problemas, ajudando na implementação de estratégias que solucionassem os problemas identificados;
- Um organizador da comunidade, motivando as pessoas e identificando os recursos disponíveis;
- Uma conexão para a troca de informações, da polícia para o público e deste para a polícia (McElroy, 2003: p.103).

A estratégia do policiamento orientado para a solução de problemas (Posp) delineada por Herman Goldstein pode, a rigor, ser diferenciada do policiamento comunitário. Muitos autores observam que ela é uma visão específica sobre a prevenção do crime que, teoricamente, poderia conduzir o trabalho da polícia independentemente dos marcos que caracterizam o PC. Já outros autores, como Moore e Trojanowicz,[23] sustentam que os dois conceitos se sobrepõem. Seja como for, os exemplos reproduzidos neste capítulo tornam evidente a existência de uma complementaridade entre as duas abordagens. De fato, as propostas do Posp apenas radicalizam e aprofundam as perspectivas comunitárias de policiamento oferecendo-lhes, todavia, possibilidades de maior eficácia quanto à redução das taxas de criminalidade. Para além das questões propriamente teóricas ou de classificação, as duas estratégias podem perfeitamente ser aplicadas como aspectos de um mesmo projeto de segurança capaz de redefinir por completo a atuação das polícias modernas.

Sustento, então, que a orientação geral a ser assumida pela organização policial moderna deve ser de natureza comunitária – situando tal definição como uma orientação favorável à integração do policiamento às necessidades percebidas pela comunidade, com o decorrente estabelecimento de patrulhas a pé e da fixação de policiais em áreas geográficas definidas – e que o conteúdo dessa disposição geral deve ser aquele oferecido pela perspectiva do Posp.

Com o Posp há um compromisso efetivo em direção à prevenção. Normalmente, os programas inspirados nessa abordagem procuram detectar os "agenciamentos" do crime – ou seja, suas conexões imediatas. O que é diferente de procurar enfrentar as suas causas gerais, aquelas que operam em níveis mais profundos na sociedade e no processo de formação dos indivíduos e que estão, em regra, muito além das possibilidades abertas para a atuação policial. Vale a pena, neste ponto, sublinhar que as desigualdades sociais e as injustiças delas decorrentes agenciam a violência e a criminalidade de maneira mediada, articulando-se com uma complexa rede de cadeias causais imediatas. São exatamente essas conexões imediatas que devem ser conhecidas em detalhe para que uma política de segurança pública seja possível, mesmo diante de uma situação social marcadamente injusta.

No Brasil, ainda é comum, por exemplo, que nos deparemos com tragédias produzidas por incêndios em vilas pobres, superpovoadas e quase sem estrutura de serviços públicos. Um incêndio em uma favela formada por barracos de madeira pode adquirir proporções terríveis e ameaçar centenas de pessoas. Parece evidente que circunstâncias dessa natureza estejam associadas à miséria reinante nessas comunidades. O que não costuma ser evidente é que esses incêndios são, normalmente, produzidos por causas imediatas evitáveis – como o uso de velas em casas sem energia elétrica ou a utilização de mangueiras e instalações precárias no gás de cozinha. Assim, uma política de isenção de tarifas de energia elétrica para moradias carentes sustentada por um adicional pago por residências de alto consumo, ao lado de uma ação proativa do corpo de bombeiros na substituição gratuita das mangueiras e válvulas dos botijões de gás, podem reduzir drasticamente o número de ocorrências e poupar sofrimentos e mortes, mesmo que aquelas pessoas continuem vivendo em condições de miséria. O desafio para uma política de segurança pública eficaz é o de enfrentar agenciamentos equivalentes a esses que tornam possível a ação criminosa, a fim de preveni-la tão amplamente quanto possível.

Como estratégia de policiamento comunitário, o Posp visa construir uma maneira de "fazer polícia" radicalmente distinta do modelo tradicional que é, na verdade, um policiamento direcionado para o incidente.[24] Uma vez identificados os problemas de segurança que preocupam a comunidade e depreciam sua qualidade de vida, a polícia se preocupa em resolvê-los. As melhores soluções serão aquelas que diminuam a ansiedade e a sensação de insegurança, que promovam a ordem, estreitem os laços de confiança entre a polícia e a comunidade e minimizem a necessidade de ações repressivas. Muitos outros exemplos simples, envolvendo criatividade e sensibilidade da polícia, podem ilustrar essa abordagem.

Em Madison, Wisconsin, a polícia era constantemente chamada para atender a denúncias de arruaça e desordem no pátio de um dos grandes shoppings da cidade. Reportagens afirmavam que cerca de mil pessoas estariam vinculadas a essas situações indesejáveis, que acabavam por espantar os clientes. Após se debruçar sobre o problema, a polícia constatou que todos os incidentes eram causados por um grupo de 13 pessoas, moradoras de rua, que haviam estado sob supervisão psicológica e já não participavam de qualquer programa terapêutico. O contato com serviços especializados, que desenvolveram uma abordagem dirigida a esse público, resolveu os problemas.

Em Baltimore, Maryland, havia muita preocupação com casos freqüentes de furtos em lojas. A polícia constatou que o objeto de grande maioria deles era luva de beisebol. Foi organizado, então, um programa especial de venda desse item a baixo custo para populações jovens da periferia, e os furtos cessaram.[25]

Já Moore (2003: p.138) cita o caso dos estaleiros de Newports News, onde, em 1984, os furtos de veículos representavam cerca de 10% de todos os crimes registrados pela polícia. As investigações isolaram as áreas mais comuns em que esses casos aconteciam e separaram um grupo de suspeitos. Também foi tomada uma providência adicional. Entrevistas com pessoas que estavam presas por conta de furtos de veículos permitiram que se sistematizassem as características e as eventuais facilidades que faziam com que os carros se tornassem "atraentes". As informações passaram a ser usadas por empregados e seguranças privados para desenvolver medidas preventivas. O resultado do projeto implicou uma redução de 55% das ocorrências.

Sherman (2003: p.237) destaca a necessidade de a polícia concentrar sua atenção nos receptadores, uma estratégia que seria muito mais eficiente para prevenir o crime. Observe-se, por exemplo, o relato de dois diretores da Polícia de Nova York:

> Para controlar os assaltos a residências e os roubos de auto-rádios, perseguimos receptadores que traficam bens roubados, outra coisa que a Polícia de Nova York nunca se preocupou em fazer. Logo a seguir, a polícia efetuou rusgas para deter dois dos maiores receptadores de Brooklyn, recuperando mercadoria suficiente para encher um armazém. Finalmente, os receptadores ajudaram a identificar uma lista pormenorizada dos assaltantes de Brooklyn; um dos receptadores tinha mesmo uma fita de vídeo de segurança mostrando muitas das caras dos assaltantes. Mesmo quando não leva a detenções em massa de assaltantes, como foi o caso dessa operação, o encerramento dos negócios dos receptadores pode ter um impacto dramático nos níveis de assaltos a residências nos diferentes bairros. Pode fazer com que os assaltantes necessitem de bastante tempo até encontrarem outro local de escoamento para os bens roubados, não podendo voltar a atuar enquanto não se tiverem visto livres da mercadoria recentemente roubada. Os assaltos a residências diminuíram em cerca de 25.000 casos em 1994 e 1995, ou seja, 25%. Em 1998, tinham baixado 53%.[26]

Sherman também registra alguns relatos de efeitos substanciais de redução de arrombamentos por conta de programas de reforço de segurança nas residências em Seattle, por exemplo,[27] ou em Portland.[28] E aponta ainda que, segundo as avaliações disponíveis, o uso de etiquetas que identificam o programa nas fachadas das casas reduz o número de arrombamentos. O autor comenta que os furtos de veículos podem ser enfrentados preventivamente através de um sistema de localização de carros por transmissores de rádio – algo que está sendo usado em Massachusetts desde 1986. Nos primeiros cinco anos de funcionamento, seguindo os sinais e localizando os veículos, a polícia recuperou 95% dos carros roubados em um tempo médio de duas horas após a comunicação do fato. O índice das prisões dos responsáveis é de 20%, bem maior do que a média nacional de 5% para o mesmo tipo de delito. Sistemas mais sofisticados com alarme por código e uso de satélites evitam a possibilidade de atraso na comunicação do crime, porque a polícia é avisada sempre que o carro for ligado sem o uso do código; sistemas desse tipo também permitem que a polícia desligue o carro à distância. Se essas formas de prevenção fossem obrigatórias, o furto de veículos acabaria. Caso elas sejam obrigatórias apenas para os carros novos, o furto irá se deslocar para os carros velhos, como ocorreu na Inglaterra depois que as travas de segurança passaram a ser equipamentos básicos dos novos modelos.[29] Um sistema de localização antifurto poderia, também, acabar com as fraudes contra seguradoras.

Resistência às mudanças

Resistências dentro da própria polícia serão inevitáveis no momento em que a reestruturação ocorrer. Durante o desenvolvimento de qualquer mudança, é comum que muitos policiais se sintam inseguros ou ameaçados e lutem contra o projeto (Cordner et al., 1991). Isso será especialmente verdadeiro quando o policiamento comunitário for equivocadamente percebido como uma proposta "leve" na luta contra o crime, quando se disser que ele transforma os policiais em "assistentes sociais" – o que seria, portanto, uma forma de negar aquela que seria a "essência" da atividade policial: a repressão. Brodeur (2002: p.265) lembra, por exemplo, que a cultura policial está profundamente marcada pelas noções de retribuição – o que se transforma, na prática, na idéia de que os infratores merecem um tratamento duro ou violento. Para todos aqueles acostumados a um tipo de abordagem repressiva e que imaginam a atividade policial como exatamente isso, será, certamente, bastante difícil operar uma transição para um modelo fundado em outras premissas.

Quase todos os estudos sobre esse assunto concluem que a estrutura e a cultura das organizações policiais são os maiores impedimentos à implementação do PC. Outras dificuldades serão por certo sentidas, e aparecerão logo no momento de implementação dos projetos, porque os efeitos positivos das abordagens baseadas nas relações comunitárias só aparecem após um período de maturação. Isso pode significar, por exemplo, que os agentes políticos interessados prefiram não investir em um projeto cujos eventuais bons resultados só poderão ser experimentados a longo prazo. Normalmente, os gestores motivados por objetivos de ordem político-eleitoral preferem apostar em abordagens que ofereçam perspectivas de êxito a curto prazo, o que, evidentemente, nunca funciona, mas pode parecer que sim, pelo menos até as eleições seguintes.

Dificuldades ainda maiores poderão surgir sempre que a opinião pública estiver marcadamente influenciada por uma demanda punitiva. Tais situações são bastante comuns em sociedades como a brasileira, em que elevadas taxas de criminalidade convivem com índices também muito altos de impunidade e com a crescente exploração do fenômeno contemporâneo da violência por setores da mídia e por lideranças políticas. Parece evidente que, diante de pressões de toda ordem, do alarme ou da indignação pública provocados por crimes de larga repercussão, a polícia se incline quase naturalmente em direção a "resultados imediatos". Isso é sempre associado ao número de prisões realizadas e, por mais incrível que possa parecer, também ao número de mortos pela polícia. Diante do horror e do medo generalizados, a razão costuma ser uma vítima não contabilizada, e qualquer discussão em torno de reformas mais complexas da estrutura policial será vista como "perda de tempo". Em um ambiente assim, definido nos limites de uma ecologia do pânico, os espaços para a argumentação pública são drasticamente reduzidos – o que, por si só, isola a inteligência e o seu potencial transformador.

Leite (2002), avaliando as dificuldades para a implementação do PC no Brasil, chama a atenção para as características específicas de nossas polícias. A autora destaca o fato de termos uma estrutura policial que divide o chamado "ciclo do trabalho policial" em duas partes: uma encarregada da investigação e outra do policiamento ostensivo. E ressalta também que, ao contrário dos EUA e de várias nações européias, não temos no Brasil uma tradição municipal de policiamento:

> Essas características implicam ressalvas quanto ao modelo de policiamento comunitário. ... Em primeiro lugar, porque tais modelos supõem uma organização policial que integre as atividades de policiamento e de investigação criminal. Em segundo lugar, e mais importante, porque as bases políticas, em um contexto em que as polícias são estaduais, baseiam-se menos nas comunidades locais – fundamentais para se pensar em estratégias preventivas e comunitárias –, do que no poder centralizado.[30]

De fato, os dois motivos constituem empecilhos às pretensões mais amplas de reforma das polícias brasileiras. Penso, entretanto, que nenhum deles oferece dificuldades insuperáveis. A integração das atividades policiais é possível mesmo no quadro da existência de várias polícias – e, possivelmente, talvez seja preferível à idéia da "polícia única" que, no caso brasileiro, poderia caracterizar uma aventura. De outro lado, há uma tendência cada vez mais forte no sentido de que os municípios assumam responsabilidades com relação à segurança, o que deverá aproximar as prefeituras das polícias. Seja como for, devemos estar atentos aos limites que a experiência de PC pode revelar para que não venhamos a desenvolver, diante dessa abordagem, uma postura ideologizada.

As experiências-piloto já realizadas no Brasil parecem demonstrar que não é possível aplicar em maior escala qualquer das variações comunitárias de policiamento sem garantias institucionais básicas. Estas envolvem o apoio necessário – e não apenas retórico – nas esferas governamentais e a solidariedade de, pelo menos, parcelas significativas das instituições policiais. Na Polícia Militar, por exemplo, a ausência de autonomia dos setores responsáveis pelo policiamento de rua faz com que projetos de PC possam ser facilmente desarticulados por decisões administrativas aparentemente neutras, que, entretanto, reforçam o modelo reativo que se deseja superar. Um projeto de PC, por isso mesmo, não pode prosperar na ausência de uma correta política de segurança pública na qual ele seja natural e racionalmente valorizado. É o que sublinha Cláudio Beato, quando afirma:

> Na verdade, experiências de policiamento comunitário, para serem bem-sucedidas, requerem que processos mais amplos de reforma policial estejam em curso. A dinâmica global de interação comunitária se expressa também no desenvolvimento de instrumentos de gestão, sistemas de informações detalhadas e, se possível, mapeadas, prestação de contas, novas formas de interação com o público e com a mídia etc. É um equívoco acreditar que se pode implementar policiamento comunitário mantendo intactas antigas estruturas administrativas ou de relacionamento com o público e mesmo com as outras organizações do sistema de justiça.[31]

Um tema, entretanto, deveria merecer uma reflexão à parte. Quando nos referimos ao "alargamento" do mandato policial produzido pelas abordagens comunitárias e quando sublinhamos que o novo modelo estaria centrado na idéia de prevenção, sugerimos, também, que o perfil dos policiais deveria mudar. No capítulo anterior, tocamos de passagem nesse tema quando reproduzimos a frase de Goldstein, para quem seria preciso, em vez de "educar os recrutados, recrutar os educados". Agora que tratamos das dificuldades para a reforma, a questão precisa ser retomada de modo detalhado.

Ao abordar criticamente o tipo de formação conferida aos policiais nos EUA, Bittner (2003: p.163) chama a atenção para o fato de que, muitas vezes, as normas e os procedimentos exigidos pelas corporações policiais são de natureza burocrática e militar, e aspectos meramente formais – como pontualidade, asseio, cumprimento de rituais rotineiros, preenchimento de relatórios, observação estrita da hierarquia e da disciplina etc. – constituem o centro das orientações e das expectativas relacionadas ao "bom policial". O autor, então, propõe um paralelo com os serviços de saúde, questionando o juízo que faríamos de um hospital que fosse impecavelmente limpo, onde todos os profissionais atuassem na estrita observância das regras de hierarquia e disciplina, fossem pontuais e estivessem em seus postos segundo as escalas de trabalho, mas onde não houvesse regras e procedimentos definidos em torno do conhecimento médico ou de enfermagem. Onde, por decorrência, não se soubesse exatamente como tratar os pacientes, como medicá-los ou como e quando realizar uma cirurgia:

> Alguém acredita que se tal habilidade e conhecimento existissem de uma maneira apenas superficial e amplamente desprovida de formulação, elas pudessem florescer sob condições em que a submissão às regulamentações burocráticas fosse considerada, independentemente de qualificação, como prioridade acima das outras? Alguém esperaria que se desenvolvessem enfoques cuidadosos a problemas em lugares onde os funcionários se sentem encorajados a tentar tantas façanhas dramáticas quantas forem possíveis, para obterem mérito substantivo? Naturalmente a resposta para essas questões é um ressonante não, e não pode haver discordância sobre a questão de que, embora os hospitais devam ser bem regulados, suas regulamentações devem ser, necessariamente, subordinadas ao exercício profissional da cura das doenças.

Bittner destaca algo que, certamente, a maioria das pessoas ainda não percebeu. Na verdade, quando tratamos do trabalho policial estamos nos referindo a uma das funções mais complexas e difíceis que há, cujo desempenho exige um grau de especialização e conhecimento seguramente bem superior a várias outras atividades laborais contemporâneas que, já há muito tempo, só podem ser exercidas por profissionais de nível superior. Entretanto, como sabemos, na maior parte dos países o ingresso nas polícias não depende de formação de nível superior. Quando essa exigência é feita – e apenas para algumas funções policiais –, o que se tem é o pré-requisito de um diploma universitário, quase sempre de formação específica em direito ou, mais amplamente, na área de ciências humanas. Para ser policial, então, não se exige formação superior em segurança pública, uma condição tão rara quanto as oportunidades de especialização oferecidas na área.

Na base dessa imensa lacuna iremos encontrar não o esquecimento ou a negligência quanto à formação, mas, antes disso, uma visão determinada a respeito do que deve ser o trabalho policial. Especialmente quando se tem em conta os policiais de rua, os patrulheiros – a tradição mais forte que formou as polícias modernas sempre partiu do pressuposto de que as exigências básicas do trabalho estavam associadas à lealdade, de um lado, e à agressividade e à coragem, de outro. Um bom recruta seria aquele que demonstrasse a virtude da obediência, que tivesse disposição para enfrentar o perigo e que fosse, tão-somente, alfabetizado para que pudesse ler ordens escritas e redigir relatórios simples de trabalho. Alguém que não estivesse muito disposto a pensar e não tivesse qualquer habilidade intelectual específica (Bittner, 2003: p.15). Ora, há aqui uma contradição insustentável, porque se conferem a esse recruta atribuições, poderes e responsabilidades que dizem respeito aos dois valores mais importantes que se pode imaginar no mundo moderno: a liberdade e a vida dos seres humanos. Uma situação que permitiu a Skolnick e Bayley sintetizarem o resultado em uma frase: "Damos uma pistola a esses jovens, equipando-os para matar, e esperamos deles que mantenham a ordem para que possamos viver em segurança. Que tremenda responsabilidade a deles, que colossal ato de fé de nossa parte."[32]

O que sustento, então, é que as tarefas de policiamento precisam ser concebidas de forma a libertá-las completamente do amadorismo. Para que seja possível pensar no policiamento como uma profissão, entretanto, será necessário que um conhecimento específico sobre segurança pública, exposto às regras da produção científica, seja sistematizado, transmitido e renovado em ambiente acadêmico. Apenas um processo desse tipo pode, a rigor, formar profissionais de polícia. Assim como a arte de curar – que é muito anterior às profissões da área de saúde – só se emancipou das crendices e superstições através dos protocolos do saber científico, também a arte de proteger as pessoas, prevenir o crime e responsabilizar os transgressores deve se emancipar do "pensamento mágico" e da influência de uma subcultura que só têm perpetuado a ineficiência. Tudo isso implica, como parece óbvio, a remuneração do trabalho policial ter a mesma importância da remuneração dos médicos e demais profissionais de saúde pública, providência sem a qual não será possível recrutar pessoas mais preparadas.

Enquanto essa questão de fundo não começar a ser enfrentada, continuaremos tendo um quadro de policiais despreparados, via de regra dispostos a cometer atos violentos contra os mais humildes e contra aqueles que chamam de "vagabundos". Policiais que, no fundo, não passam de amadores com certo grau de periculosidade, disputando o reconhecimento de seus pares pelo número de prisões realizadas e desprezando, do alto de uma ignorância orgulhosa de si mesma, qualquer conversa a respeito de prevenção e, por decorrência, de policiamento comunitário.

Avaliando o novo modelo

Em 1977, o Tesouro britânico iniciou uma política de "nenhum tostão a mais" para os gastos em segurança a menos que eles comprovadamente demonstrassem a capacidade de reduzir o crime. Por conta disso, investiu-se em uma grande revisão dos estudos disponíveis nos EUA, Reino Unido e Holanda. Isso identificou programas que, de fato, funcionavam a partir de investimentos na prevenção. Ficou então demonstrado que as abordagens preventivas eram muito mais interessantes do ponto de vista do volume de gastos públicos, se comparadas à opção por mais policiais nas ruas e mais condenações à prisão (Goldblatt e Lewis, 1998). A organização nacional responsável pela inspeção da atividade policial (Her Majesty's Inspectorate of Constabulary, 1998) passou a examinar o quanto as polícias britânicas eram capazes de reduzir o crime. As forças policiais capazes de reduzir em até 40% as taxas de criminalidade em um espaço de cinco anos, sem aumentar seu efetivo, utilizaram-se da abordagem de Posp e firmaram fortes parcerias com as comunidades.

O estudo como um todo demonstrou que a maior parte dos esforços de policiamento era, ainda, reativa, embora pesasse o interesse demonstrado pelo tema da prevenção. Um relatório da Audit Comission (1996), o equivalente britânico do Tribunal de Contas, revelou que os recursos para o combate ao crime juvenil estavam sendo desperdiçados. O dinheiro estava sustentando respostas pouco eficientes oferecidas após as ocorrências, quando o mal já estava feito, em vez de se destinar a programas envolvendo as crianças desde muito cedo, de modo a desviá-las do crime. A Audit Commision concordou com as conclusões do Relatório Sherman de que o principal impacto do encarceramento era o de incapacitar os infratores colocando-os atrás das grades, mas que essa medida não possuía efeitos consideráveis na redução do crime (Sherman et al., 1997).

Qualquer que seja a avaliação dos novos programas de policiamento, deve-se considerar que a redução nas taxas de criminalidade não pode ser observada a curto prazo. Para medir propriamente efeitos desse tipo é necessário um acompanhamento mais amplo e a espera paciente de todas as agências envolvidas até que o modelo se consolide. Ao mesmo tempo, em muitas experiências pode-se observar uma distância entre o modelo e sua implementação. Por isso, eventuais resultados desanimadores podem sinalizar não uma inadequação do modelo, mas limitações na forma pela qual ele foi levado à prática.

Dos esforços para a prevenção do crime baseados na comunidade, Rosenbaum[33] resumiu 4 experimentos importantes: o Programa de Prevenção ao Crime de Seattle; o Programa de Prevenção ao Roubo de Portland; o Programa de Prevenção ao Crime de Hartford; e o Programa Urbano de Prevenção ao Crime de Chicago. Dos 4, apenas o de Chicago não apresentou resultados mais sólidos de redução do crime, o que parece estar vinculado ao fato de que pressupunha o envolvimento de uma parcela muito ampla da comunidade. Esses estudos sugerem que, se os objetivos forem circunscritos e a implementação bem-feita, é possível colher resultados encorajadores – especialmente no caso de roubos e arrombamentos.

Embora as pesquisas já tenham demonstrado que os programas de PC melhoram muito rapidamente a imagem da polícia, não se pode afirmar com certeza que o novo modelo já tenha demonstrado sua superioridade. Estudos a longo prazo são ainda necessários para conclusões mais sólidas. O que se poder afirmar, entretanto, é que os resultados de várias pesquisas já disponíveis são encorajadores. Nos EUA, um rigoroso estudo de Skogan,[34] em 14 bairros selecionados em 6 cidades (envolvendo grupos de controle pré-teste e pós-teste), forneceu a visão mais sistemática sobre os efeitos de programas de PC. Nessas 14 áreas, 9 apresentaram melhorias estatisticamente significativas nas atitudes dos moradores com relação à polícia, 7 apresentaram redução nos índices de medo do crime, 6 na desordem percebida no bairro e 3 no número de vítimas. Outras pesquisas têm recolhido dados positivos e reduções sensíveis na quantidade de crimes.

Segundo a abrangente revisão coordenada por Sherman (1997) para o Congresso norte-americano, "a abordagem mais promissora do PC é também a sua assertiva mais coerente". Baseados em duas décadas de laboratórios e pesquisas de campo, os analistas podem sustentar que a legitimidade da polícia previne o crime. Tyler (1990) encontrou uma forte correlação em estudo desenvolvido em Chicago entre a percepção dessa legitimidade pelos cidadãos e sua disposição de obedecer à lei. No caso, a idéia de legitimidade foi medida a partir da avaliação dos cidadãos sobre como a polícia os havia tratado no último contato que tiveram. O PC praticado em Chicago também demonstrou que a maior redução nas taxas criminais ocorreu nos distritos onde os cidadãos consideravam a polícia mais atenciosa e receptiva quanto às preocupações do público.

Os dados são coerentes com outra pesquisa realizada em Houston, quando se demonstrou que o medo dos cidadãos – medido após o escândalo da morte de um mexicano espancado pela polícia – diminuiu sensivelmente com um programa de visitas de porta em porta realizadas pelos policiais. Sherman et al. (1997) sustentam que o teste mais poderoso para a hipótese de maior atenção por parte dos policiais foi o reexame da experiência de Milwaukee sobre violência doméstica (Milwaukee Domestic Violence Experiment),[35] no qual se descobriu que os mais baixos indicadores de reincidência estavam entre os agressores detidos que avaliavam terem sido tratados respeitosamente pelos policiais. No caso, esse poderoso efeito apareceu associado ao fato de os policiais terem oferecido seu tempo para ouvir também a versão dos agressores.

Tendo em conta o objetivo de redução das taxas de criminalidade, as avaliações devem, em vez de quantificar o que ocorreu, medir "o que deixou de ocorrer". De novo aqui será preciso examinar com bastante cuidado a experiência porque, havendo maior confiança da população na polícia e sendo os contatos com os policiais mais freqüentes, haverá a tendência de um aumento nas taxas de comunicação de crimes. Assim, ainda que o número real de delitos possa estar diminuindo, os dados estatísticos elaborados com base nos Boletins de Ocorrência poderão mostrar um falso aumento.

Por outro lado, quando se for medir a satisfação da comunidade com o projeto – o que será sempre importante para uma avaliação desse tipo –, deve-se ter o cuidado de procurar identificar eventuais preconceitos existentes no público, além de tentar medir em que extensão as expectativas existentes não refletem demandas puramente repressivas e "vingativas" estimuladas durante anos pelo modelo anterior. Assim, por exemplo, uma pesquisa realizada em 2000 pelo Ilanud, em São Paulo, para tentar medir a satisfação do público com um projeto de PC, demonstrou resultados bastante problemáticos. Por um lado, havia maior valorização da polícia comunitária; ao mesmo tempo, por outro, permanecia a idéia de que a polícia tradicional é a que pode "funcionar" na luta contra a criminalidade. Segundo os entrevistados, a comparação entre os dois modelos de policiamento mostrou os seguintes resultados:

	POLÍCIA COMUNITÁRIA	POLÍCIA TRADICIONAL
Mais educada	56,9%	7,2%
Mais prestativa	56,0%	10,5%
Mais violenta	0,6%	60,2%
Mais corrupta	0,6%	42,1%
Mais eficiente	14,5%	32,4%

Sendo assim, percebe-se que a mesma população que considera a polícia comunitária muito mais educada e prestativa, muito menos violenta e muito menos sujeita à corrupção, entende, paradoxalmente, que a polícia tradicional – menos educada e prestativa e muito mais violenta e corrupta – seria mais eficiente no combate ao crime. Tal quadro só pode ser compreendido se imaginarmos que o paradigma com o qual muitas pessoas lidam em termos de segurança é precisamente aquele construído pela hipótese repressiva, onde só o que importa é a punição dos infratores. O fato de a polícia ser corrupta e violenta, então, pode até constituir um ruído, um complicador, mas estaria longe de erguer qualquer impedimento para que seu papel punitivo fosse desempenhado a contento, daí a aparente contradição das respostas.

O respeito, a forma educada e justa de tratar uma demanda, tanto quanto a honestidade e a civilidade, são, por certo, qualidades muito apreciadas pelos cidadãos quando está em jogo a sua relação com os policiais. Isso não significa que essas mesmas qualidades sejam esperadas pela maioria dos cidadãos quando se discute a forma pela qual os policiais devem tratar aqueles que são considerados "delinqüentes". Nesse caso, a idéia de que todas as pessoas possuem direitos básicos a serem respeitados, inclusive aquelas acusadas ou condenadas pela prática de um delito, tende a ser rapidamente esquecida.

Por outro lado, será preciso mudar os sistemas de avaliação do desempenho individual para que reflitam os objetivos do PC. Eles deverão, por exemplo, enfatizar muito mais a qualidade do trabalho do que os resultados imediatamente quantificáveis (Brann e Whalley, 1992). Os policiais de rua podem ser avaliados a partir do quanto conhecem a respeito de sua região de patrulhamento – um pré-requisito para a identificação dos problemas – e do quanto efetivamente eles e seus supervisores têm adotado as técnicas de solução de problemas. Outro critério importante é o de saber qual a extensão e a intensidade das relações com a comunidade que os policiais foram capazes de construir, quantas parcerias foram formadas e qual a natureza da contribuição que trouxeram para o projeto. Essa avaliação é bem mais complexa do que contar as prisões efetuadas, as chamadas telefônicas atendidas ou o tempo médio de resposta. Essa característica levou Moore (2003: p.169) a observar que o novo modelo deve atrair o pessoal estimulado pelo "espírito de serviço", em vez do "espírito de aventura".

O aumento nos níveis de participação da comunidade nos esforços de prevenção do crime, de qualquer modo, será sempre um bom indicador dos progressos alcançados pelo programa. Isso acontece porque os residentes não tomarão parte nas atividades de prevenção caso tenham sido mal informados sobre o projeto, estejam com medo ou suspeitem de sua seriedade.

Os esforços da polícia de Chicago para implementar programas de Posp também foram analisados por Skogan et al. (2000b) em um programa apoiado pelo Instituto Nacional de Justiça, a agência de pesquisas do Departamento de Justiça dos EUA. As conclusões parecem bastante significativas tanto no que se refere às possibilidades abertas pela nova abordagem quanto em relação às dificuldades que deverá superar. O programa desenvolvido na cidade ficou conhecido como "Estratégia Alternativa de Policiamento de Chicago" (Chicago Alternative Policing Strategy – Caps). Ele se tornou parte de um esforço para uma mudança mais ampla em direção ao PC, uma vez que o departamento de polícia local contava com mais de 16 mil policiais – era o segundo maior dos EUA e servia a aproximadamente 3 milhões de pessoas, em uma área de quase 600km^2. Skogan e os demais pesquisadores separaram 15 áreas de PC (em um total de 279 áreas), aplicaram em cada uma delas questionários junto à população, examinaram cada um dos programas implementados – ouvindo os policiais envolvidos, coletando informações de outras agências – e realizaram observações de campo. Ao final dessa avaliação e após um ano de acompanhamento, consideraram que em 4 delas os projetos de Posp haviam sido implementados em grau de excelência, alcançando-se todos os resultados esperados; em outras 5 áreas se havia conseguido realizar um trabalho razoável; em 2 áreas havia um grande esforço, mas os resultados eram muito pequenos; e em 4 áreas havia um fracasso absoluto dos programas.

O mais interessante desse trabalho é que os pesquisadores recolheram evidências suficientes para concluir que entre todos os fatores que pesaram para o sucesso ou o fracasso de cada um dos projetos estava o fator liderança. Especialmente a liderança operacional de campo. Nas áreas de melhor aplicação havia entre os líderes um genuíno entusiasmo com o novo modelo. Eles transmitiam essa confiança aos policiais e asseguravam grande incentivo ao trabalho nas ruas. Já nas áreas onde os programas fracassaram, os policiais que os coordenavam declararam ver o programa como algo destinado ao marketing da polícia, afirmando só estar ali porque haviam sido designados para a função ou, então, que a idéia do Posp poderia ser interessante, mas que era muito difícil colocá-la em prática. Não por outro motivo, os grupos comandados por esses policiais seguiam fazendo o que sempre haviam feito.

Para Bayley (2001: p.95), o PC agrega vantagens. Uma delas é uma abordagem que pode fazer o papel do "cavalo de Tróia", atacando "por dentro" a tendência ao isolamento social – algo tão marcante nas polícias modernas. O PC traria para o interior da organização as demandas do público, o que implica várias mudanças. Pode-se acrescentar que essa possibilidade está diretamente relacionada com o desafio em favor da democratização das forças policiais. De fato, seria bastante ingênuo imaginar que as instituições policiais pudessem transitar em direção a um ideal democrático sem que fossem atravessadas pelas demandas da população, especialmente aquelas encaminhadas pelos setores mais periféricos e marginalizados em nossas sociedades.

Bayley também chama a atenção para o fato de que o PC não demanda um tipo físico especial de policial, nem estimula a formação de uma larga diferença entre os gêneros. O policial comunitário pode ser homem ou mulher, baixo ou alto, forte ou fraco. O que se exige dele ou dela é que tenha boa capacidade de comunicação, carisma – para que possa mais facilmente motivar as pessoas – e inteligência para poder identificar os problemas vividos pela comunidade e definir estratégias de enfrentamento. Essas circunstâncias fazem com que a diferença passe a ser concebida como um valor positivo.

É importante destacar, também, que os projetos de PC reduzem sensivelmente o medo do crime – uma conquista que, como já vimos, terá implicações positivas em uma estratégia de redução da criminalidade. Ao mesmo tempo, as pesquisas demonstram suficientemente que os policiais envolvidos em programas desse tipo têm sua auto-estima revigorada e a satisfação com o trabalho elevada. Para muitos deles, o PC será a primeira chance de serem, de fato, valorizados pelas pessoas. Ao mesmo tempo, a experiência concreta de estar construindo alguma coisa – no caso, uma comunidade mais segura, cujos resultados podem ser medidos e avaliados –, permite a esses policiais que sua própria atividade seja reinventada e que passe a ter pleno sentido.

Deve-se acrescentar que a integração dos policiais com a comunidade contribui para que o tipo de resposta oferecida por eles seja, tendencialmente, menos agressiva ou violenta do que seria na ausência dos mesmos vínculos. Primeiro, porque os policiais sabem que o apoio das comunidades é essencial para o sucesso do seu trabalho; segundo, porque sabem que uma resposta violenta seria testemunhada "em seu local de trabalho" – ou seja, no espaço para onde retornam todos os dias e não em um lugar desconhecido onde talvez nunca mais voltassem a realizar uma patrulha.

Brown e Willis (1985) realizaram um estudo específico sobre os efeitos do treinamento de policiais para se evitar o autoritarismo e o emprego de métodos violentos. Os autores concluíram que esse tipo de abordagem não sobrevive por muito tempo quando os policiais trabalham no modelo reativo de policiamento. Contudo, os mesmos efeitos se prolongam e podem ser mantidos em um projeto de PC.

As evidências colhidas até agora autorizam a expectativa de que as experiências de PC e de Posp possam reduzir o crime mais efetivamente do que os melhores resultados do modelo reativo de policiamento. O sucesso de estratégias desse tipo, de qualquer maneira, dependerá muito do tipo de decisão política tomada quanto à importância atribuída aos esforços de aplicação da lei, identificação e prisão de culpados, por um lado; e os esforços de prevenção do crime, identificação e solução de problemas com as comunidades, por outro. As possibilidades mais amplas de intervenção de políticas públicas para a redução do crime surgem quando se percebe o papel de outros segmentos e atores sociais no enfrentamento de uma série de "fatores de risco". É o que veremos no próximo capítulo.

CAPÍTULO 3

PREVENÇÃO E FATORES DE RISCO

O que pode nos dizer a moderna criminologia

Em seu trabalho sobre o desenvolvimento da criminologia na Inglaterra, Garland (2002: p.8) sustenta que a nova ciência teria surgido a partir do encontro de dois projetos: de um lado, aquilo que denomina "projeto governamental", de políticas públicas voltadas pragmaticamente para o interesse da administração do crime e dos "criminosos"; de outro, o "projeto lombrosiano", interessado em encontrar cientificamente a diferença entre "criminosos e não-criminosos". O autor usa esses nomes para designar tipos de interesses e não para vinculá-los, necessariamente, ao Estado ou à perspectiva teórica de Lombroso. Como se sabe, as tradições inglesas de pesquisa e produção científica sempre se orientaram por um vigoroso pragmatismo. Tal tradição, marcada pelo paradigma do "*what works*?" (o que funciona?), contrasta fortemente com a paixão pelo texto e pelo raciocínio especulativo. O que temos no Reino Unido como um todo, então, é uma constante avaliação dos programas que estão sendo implementados e uma valorização das pesquisas de campo capazes de medir resultados e testar hipóteses.

No que diz respeito à criminologia, as teses de Lombroso, por exemplo, nunca foram populares na Inglaterra, porque a grande maioria dos profissionais da área atuava junto ao sistema penitenciário ou a órgãos vinculados à justiça criminal. Havia, portanto, desde o início, uma grande preocupação prática no trato das questões enfocadas pela criminologia. A visão predominante era a de que a grande maioria dos infratores era formada por pessoas comuns e apenas uma minoria necessitaria tratamento psiquiátrico – o que envolveria sua remoção do sistema penitenciário e a decorrente internação em instituições de caráter hospitalar.

Nessa tradição, ganha-se algo e perde-se outro tanto. De um lado, temos possibilidades inéditas de questionamentos e de investigações que se debruçam sobre detalhes e que escrutinam a microfísica de causalidades dentro das sociedades modernas. De outro, nos afastamos das perspectivas mais amplas capazes de situar o próprio fenômeno da criminalidade dentro das extraordinárias mudanças que vêm afetando o mundo no âmbito político, cultural ou econômico. Tal resultado talvez nos ofereça a síntese paradoxal de mais conhecimento e menos compreensão.

Para Garland (2002: p.13), a criminologia é uma construção social e uma maneira específica de organizar o conhecimento e os procedimentos investigativos que só surgiu no século XIX. Dessa forma, assim como a maioria das disciplinas das ciências sociais, a criminologia teria "um passado bastante extenso, mas uma breve história".

Há várias formas de se tratar o crime e de percebê-lo. A criminologia é uma delas. Na base do projeto criminológico há a ambição de encontrar causalidades até então desconsideradas. Nesse sentido, o projeto lombrosiano, cujas principais teses já haviam sido sustentadas por outros autores muito antes dele, destaca-se dos demais por conta de uma característica básica: Lombroso imaginou que estava fundando uma ciência criminal. Suas conclusões preconceituosas e autoritárias – que seriam rapidamente refutadas pelos critérios científicos – inauguraram, então, uma perspectiva diferenciada cujos desdobramentos jamais poderiam ser imaginados. Até onde esses desdobramentos podem oferecer explicações razoáveis ou plenamente legítimas para melhor compreender o fenômeno moderno da criminalidade é algo que ainda deverá ser demonstrado.

Com isso, quero afirmar que lidamos aqui com temas cuja própria natureza talvez constitua um impedimento para uma base científica mais ampla sobre a qual possamos todos nos mover com tranqüilidade. Como ocorre, em geral, nas ciências sociais, estabelecer nexos causais que expliquem o crime jamais será o mesmo que procurar demonstrar a causalidade de outros fenômenos observados pela ciência. Isso ocorre porque quando falamos em "crime" lidamos, queiramos ou não, com a emergência de uma ruptura elaborada pelo indivíduo. E quando lidamos com o indivíduo, somos obrigados a tratar de um "sem-fundo". Ou seja, somos confrontados com a condição da liberdade pela qual as pessoas concretas são responsáveis por suas ações; uma condição que não pode ser deduzida de qualquer condição prévia, mas que emerge com o fenômeno humano e possivelmente o define. Os seres humanos são, em síntese, aqueles capazes de respostas morais. Quando agem, ainda que constrangidos pelas determinações econômicas, sociais, políticas, culturais ou genéticas mais intensas e limitadoras que se possa imaginar, agem moralmente, no sentido de que fazem escolhas. Essas escolhas são irredutíveis; não podem, a rigor, ser apresentadas como uma conseqüência inevitável ou necessária de qualquer outro fenômeno que lhes anteceda. Só por conta disso, aliás, é que se pode compreender por que pessoas submetidas aos mesmos constrangimentos ou influências oferecem respostas substancialmente diversas às mesmas situações.

Assim, por exemplo, quando nos deparamos com algumas histórias vividas por prisioneiros nos campos de concentração, chama a atenção o fato de que inúmeras situações-limite, em vez de terem condicionado uma reação padronizada, seja ela qual fosse, terminaram por engendrar respostas tão desencontradas quanto inimagináveis, conforme analisadas magistralmente por Todorov (1995). De um lado temos cenas como a relatada por Martchenco,[1] na qual um preso corta seus pulsos, sob o olhar de dezenas de outros detentos que comem sua ração diária de sopa, sem que ninguém faça algo para impedir sua morte: "Um homem perde o sangue sob os meus olhos e eu lambo o fundo da tigela pensando apenas na hora em que vão me trazer o que comer outra vez. Ainda há algo de humano em mim, em todos nós que estamos aqui?" Ou a situação que Borowski[2] relata de uma mãe que, para salvar-se, finge não reconhecer o filho ou, ainda, o que contou Elie Wiesel,[3] sobrevivente de Auschwitz, sobre o filho que arranca o pão das mãos de seu pai. De outro lado, temos relatos como o de Antelme[4] que descreve a cena de pai e filho, os dois famintos, juntos "oferecendo-se o pão com olhar de adoração" e tantos outros que deram mostras de coragem e dignidade que pareceriam impossíveis diante das circunstâncias e do horror.

Além disso, é preciso sublinhar que boa parte da tradição de pesquisas criminológicas em todo o mundo ainda assume de forma não crítica os indicadores criminais produzidos pelas agências do sistema de justiça criminal e pelas polícias. Ao procederem assim, compartilham uma ilusão: a idéia de que os fenômenos modernos de criminalidade e violência podem ser dimensionados adequadamente por aqueles registros oficiais.

Um estudo longitudinal – em que se acompanha a vida de um largo grupo de crianças até a idade adulta, por exemplo – que tenha a pretensão de produzir dados estatísticos sobre o desenvolvimento de comportamentos infracionais não poderá restringir sua atenção ao número de pessoas da amostra que recebe condenações criminais. Embora essa informação seja importante e possa ser mesmo, a depender do contexto, significativa para o estudo – o que justifica que alguns deles tenham sido citados neste capítulo –, a tendência é que ela reflita com maior propriedade quais são os grupos considerados "ameaçadores" pela opinião pública e que, por isso mesmo, estarão mais expostos à atenção policial e judicial. Assim, em vez de oferecer um instrumento para avaliar a incidência do crime, o estudo estaria – sem se dar conta – oferecendo um instrumento para a avaliação da seletividade com a qual opera o próprio sistema persecutório.

As conclusões da criminologia só poderão universalizar suas assertivas à medida que forem apresentadas como tendências, e não como verdades absolutas. Parece não restar dúvidas, entretanto, de que não é mais possível pensar o crime na modernidade desconsiderando a abordagem criminológica. Será preciso, de qualquer maneira, "manter a guarda alta" diante de algumas abordagens pretensamente científicas que, ainda hoje, não fazem mais do que reproduzir preconceitos disseminados socialmente. Isso pode ser percebido de modo mais fácil quando as situações agenciadoras do crime são magicamente dissolvidas, restando para análise a figura patética do "perpetrador", uma construção social tão ameaçadora quanto incompreensível. O próprio desenvolvimento da criminologia permitiu que avaliações críticas desse tipo se tornassem comuns, o que evidencia sua natureza plural, complexa e contraditória.

Feita essa ressalva, é preciso reconhecer, não obstante, que, ao contrário do que ocorreu com as teses de Lombroso – que chegaram a ser muito populares em sua época –, boa parte das perspectivas inauguradas pela moderna criminologia estão destinadas à desconfiança. Como regra, os conhecimentos que vêm sendo produzidos por esse ramo das ciências sociais costumam contrariar assertivas que se cristalizaram no senso comum. As teses lombrosianas que afirmavam a existência de um "tipo físico criminoso" encontraram-se harmonicamente com os preconceitos disseminados socialmente na Europa ao longo de muitos séculos e ofereceram às classes abastadas uma legitimação pretensamente científica para os seus medos diante das "classes perigosas". Já o que há de melhor na moderna criminologia tem normalmente contrariado as crenças políticas a respeito do controle da criminalidade e parece se chocar com a crescente demanda punitiva observada nas democracias ocidentais – o que, imagino, deva ser compreendido como uma virtude extraordinária.

Mesmo assim, ainda quando estamos diante de uma assertiva correta e validada cientificamente, é preciso ter presente que o saber produzido pela criminologia irá desdobrar-se sobre a realidade diagnosticada, podendo produzir efeitos não esperados ou mesmo indesejáveis. Quando, como neste capítulo, tratamos dos fatores de risco para a violência e para a criminalidade, por exemplo, partimos do pressuposto de que é preciso proteger as pessoas mais vulneráveis, abrir alternativas a essas pessoas de tal forma que se reduzam as chances de seu envolvimento com atos infracionais etc. Nossa perspectiva, então, é a do humanismo. Isso não nos oferece a garantia, entretanto, de que esse mesmo saber não será usado contra aqueles que pretendemos proteger. Assim, se a criminologia permite concluir que crianças socialmente marginalizadas e vitimadas pela violência doméstica possuem chances muito maiores de desenvolver condutas infracionais na adolescência, tal informação pode ser lida por policiais ou por operadores do direito de forma a presumir que jovens com esse histórico são "suspeitos". Dessa maneira, teríamos, paradoxalmente, um novo caminho para o reforço à hipótese repressiva e para a discriminação e a estigmatização dos jovens pobres. Vale ressaltar que casos assim deveriam, pelo contrário, estimular programas de proteção às crianças em situação de risco.

De qualquer maneira, o simples fato de tratar as pessoas mais vulneráveis como objetos de uma política de prevenção do crime e da violência já significa reduzir o drama enfrentado por elas à condição de uma ameaça potencial. Assim, em vez de tratar dos seus direitos elementares e da necessidade de garantir-lhes acolhida, compreensão e carinho como uma questão autônoma, cuja dramaticidade seria mais do que suficiente para alavancar inúmeras iniciativas solidárias, estaríamos propondo políticas públicas que só insinuariam a proteção desses segmentos na exata medida em que isso fosse funcional aos objetivos da paz pública. Questões dessa natureza, como parece claro, não podem ser respondidas apressadamente e sugerem ambivalências com as quais todos nós temos de conviver. Elas servem, de qualquer maneira, para que possamos perceber nosso trabalho e nossas posições políticas e doutrinárias como constitutivamente problemáticas e, nesse sentido, devem estimular um processo permanente de revisão, avaliação e autocrítica.

Dito isso, penso que os esforços no sentido da prevenção da criminalidade e da violência adquirem especial importância no momento em que se torna patente a crise das formas tradicionais de controle oferecidas pela justiça criminal, por um lado; e quando se mede a relação custo/benefício dos programas preventivos, por outro. Análises de custo-benefício sobre programas de prevenção passaram a ser comuns a partir da década de 1990. Muitos autores têm assumido a conclusão alcançada pelo "Perry Project" – nome pelo qual ficou conhecido um dos mais famosos programas de desenvolvimento de habilidades cognitivas, inteligência e freqüência em pré-escolas, aplicado em Ypsilanti, Michigan.[5] Nesse programa foi demonstrado que para cada dólar investido em prevenção ao crime, a sociedade economizaria 7 dólares a longo prazo. Como se sabe, os custos financeiros do crime são imensos. Farrington (2002: p.662) cita um estudo com a estimativa de um total de 60 bilhões de libras de prejuízos mensuráveis com o crime na Inglaterra e no País de Gales em 1999.[6] Alguns estudos estimam que a violência custe 5% do PIB nos EUA (Mandel et al., 1993). O BID estima que o custo na América Latina seja igual a 14,2% do PIB ou 168 bilhões de dólares (Londoño e Guerrero, 1999). Kahn (2000: p.26) concluiu um estudo com estimativas de custos gerais com o crime no estado de São Paulo afirmando que:

> O PIB nominal do estado de São Paulo foi de 241,58 bilhões de dólares ou de 292,31 bilhões de reais, em valores de 1997, segundo o Seade. Os custos da violência aqui levantados, em caráter provisório, atingem a cifra de 8 bilhões e 96 milhões de reais, ou cerca de 3% do PIB estadual. É difícil julgar se esta é uma proporção elevada ou não em comparação com outros estados ou países, mesmo porque não existe comparabilidade metodológica deste estudo com os demais. Mas é sem dúvida um gasto elevado quando comparamos com o que é investido

em outros setores: representa, por exemplo, 2,7 vezes o gasto feito com a Secretaria da Saúde e 21,7 vezes o gasto com a Secretaria de Assistência e Desenvolvimento Social em 1998.

Um estudo[7] sobre os gastos anuais com segurança pública no município do Rio de Janeiro, contabilizados os custos hospitalares e os do sistema persecutório e da justiça criminal, as transferências sociais em seguros, os anos perdidos por mortes prematuras etc., estimou um prejuízo anual de 2,5 bilhões de reais – cerca de 5% do PIB municipal. Esses números seriam ainda mais expressivos caso fossem contabilizados os gastos com segurança privada e os efeitos inibidores da violência sobre os negócios e os investimentos. Em 1995, considerando apenas os gastos orçamentários, o governo de Minas Gerais gastou 940 milhões de reais com seu sistema de segurança, o que equivale a 10% do orçamento realizado naquele ano.

O estudo de Sansfaçon e Welsh (1999) calculou que os benefícios derivados de investimentos que estimulem o desenvolvimento das crianças e jovens e que amparem as famílias na redução do crime variam de $1,06 a $7,16 para cada dólar gasto. Demonstrou, também, que as ações direcionadas à redução das oportunidades de vitimização produzem um retorno de $1,83 a $7,14 para cada dólar investido. Sabe-se, por fim, que a redução dos atos infracionais e uma melhora nos indicadores de integração social normalmente produzem uma série de outros benefícios, inclusive econômicos. Tais benefícios vão desde maior oferta de empregos, maior arrecadação de impostos e aumento dos investimentos nas comunidades à diminuição da demanda em relação à justiça criminal e aos serviços de assistência social e de saúde pública. Nos EUA, estudo da Rand Corporation descobriu que uma redução de 10% nas taxas criminais do país custaria 228 dólares em impostos extras a serem pagos por família, caso a alternativa escolhida fosse aumentar as taxas de encarceramento. O custo para a mesma redução de 10% seria de 118 dólares caso a escolha fosse melhorar os serviços de liberdade condicional; 48 dólares caso se escolhesse investir em treinamento dos pais; e 32 dólares caso a escolha fosse a de apoiar jovens em situação de risco para que completassem sua formação escolar (Greenwood et al., 1996).

Estudos realizados na Holanda, como os de Van Dijk (1997), por exemplo, mostraram que, entre os cenários possíveis para se alcançar uma redução de 10% nas taxas de criminalidade, investimentos de caráter preventivo em desenvolvimento social seriam muito mais efetivos do que aumentar o policiamento com a contratação de mil novos policiais. Por conta disso, o governo holandês realocou 100 milhões de dólares – previstos para investimentos em segurança pública durante cinco anos – para programas de prevenção. Um amplo estudo de revisão desenvolvido por Aos et al. (2001) analisou 400 pesquisas sobre a relação custo/benefício de programas de prevenção nos EUA e no Canadá nos últimos 25 anos, e demonstrou que alguns deles podem garantir um retorno de até 20 dólares em benefícios derivados da redução da criminalidade para cada dólar investido.[8] Em 1992, os norte-americanos gastaram 93,7 bilhões de dólares na manutenção de seu sistema de justiça criminal.[9] Alguns estudos de 1990, por outro lado, estimam em 450 bilhões de dólares os prejuízos pessoais das vítimas dos crimes e os gastos públicos com elas.[10]

Ainda que cálculos de custo/benefício sejam bastante úteis, devemos destacar que, quando falamos em crime e violência, os "custos" mais importantes e dramáticos são intangíveis. Afinal, além dos prejuízos que podem ser medidos – como o de bens subtraídos, danos causados à propriedade, recursos despendidos em tratamento hospitalar às vítimas etc. –, o que há de intolerável no fenômeno da vitimização é precisamente a quantidade de medo, dor, sofrimento e redução da qualidade de vida que ele carrega. Esses são os custos que não podem ser estimados.

Estratégias de prevenção

No Brasil, normalmente, quando se fala em prevenção da violência ou da criminalidade, imaginam-se possibilidades vinculadas diretamente às chamadas "políticas sociais". Em função disso, as chances de redução da criminalidade e da violência estariam na dependência de mudanças significativas nas oportunidades de emprego, educação, habitação etc., a partir da extensão efetiva desses direitos a todos. É certo que mudanças desse tipo afetam largamente as taxas de criminalidade, produzindo resultados positivos e importantes. Essa maneira de encarar o tema da prevenção, não obstante, carrega consigo várias limitações.

Em primeiro lugar, desconsidera-se o papel das polícias na prevenção, seja porque se acredita que ele não pode mesmo ser efetivo, seja porque se avalia que os eventuais efeitos positivos produzidos pela ação policial seriam, por definição, insuficientes e incapazes de alcançar qualquer repercussão digna de nota. Nesse ponto, conforme já tivemos a oportunidade de ver, estamos diante de uma clara subestimação. O que se pode afirmar com certeza é que para muitos crimes, pelo menos – notadamente para os chamados "crimes de oportunidade" –, uma correta intervenção de caráter preventivo desencadeada pela polícia pode fazer enorme diferença. Essas possibilidades são, entretanto, mais dificilmente percebidas em um contexto histórico marcado pelo "modelo reativo" de policiamento e pelo decorrente desprezo institucional diante dos desafios de prevenção da criminalidade suscitados pelo próprio modelo.

Mas a forma mais comum de se pensar a prevenção – como um simples efeito benigno de mudanças na infra-estrutura econômica e social – não é inadequada apenas porque despreza o papel das polícias. Ocorre que ela é também incapaz de enfrentar especificamente os fatores de risco para o crime e a violência (compreendidos como tais os agenciamentos que condicionam e preparam as circunstâncias em que os indivíduos estarão, tendencialmente, mais habilitados à transgressão). Se as condições gerais de vida experimentadas pelas populações empobrecidas estão relacionadas à emergência do fenômeno moderno da criminalidade e da violência – como efetivamente estão –, devemos nos perguntar por que apenas alguns entre os que experimentam os carecimentos típicos desses modos de vida inclinam-se para o crime. Também é preciso perguntar por que um grupo ainda menor entre esses indivíduos constitui, efetivamente, uma "carreira criminal".

Os desafios para a prevenção do crime têm sido sistematicamente negligenciados no Brasil e, a rigor, desconsiderando as poucas experiências inovadoras na área, pode-se afirmar que não dispomos de uma política específica voltada para esse fim. Sabemos que os conceitos de prevenção e responsabilização não são excludentes nem devem ser interpretados como pólos representativos do que seriam, respectivamente, políticas criminais "macias" ou "duras". Em alguns casos específicos, os mecanismos de responsabilização criminal – incluindo as penas de prisão – podem construir respostas desencorajadoras ao crime e, nesse sentido, prevenir a sua ocorrência. Em outros casos, esses mecanismos não surtirão qualquer efeito e, na maioria das vezes, terminarão tendo efeitos criminogênicos – ou seja, não irão prevenir o crime, mas sim produzi-lo e agravá-lo. O que deveríamos ter em mente, então, são os resultados que podemos alcançar com cada programa ou iniciativa política na área de segurança pública, pouco importando os rótulos que possam acompanhar cada abordagem. O imperativo aqui, mantido um compromisso basilar com os direitos humanos, é o da eficiência de uma intervenção pública.

Mas se me reporto à eficácia – e, portanto, ao paradigma tão estimado pelos ingleses do "*what works?*" – a partir de uma base ética definida pelo compromisso com os direitos humanos, devo assinalar que a ressalva não será sempre suficiente. A eficácia que nos interessa deve ser "humanista" porque soluções de outro tipo costumam produzir efeitos indesejáveis ainda quando oferecem respostas pragmáticas a determinados problemas. Isso é claro; no entanto, parece menos evidente que mesmo uma perspectiva comprometida com os direitos humanos haverá de lidar com algumas propostas na área de segurança pública que são moralmente controversas. Em alguns momentos, estaremos diante de contenciosos morais em que as partes envolvidas poderão sustentar, legitimamente, seus pontos de vista a partir de uma mesma base moral diferenciando-se, tão-somente, na ênfase oferecida a um ou outro princípio.

Assim, por exemplo, pesquisas recentes sugerem que a disponibilidade de serviços públicos para a interrupção da gravidez indesejada está relacionada com a redução das taxas de criminalidade (Donohue e Levit, 2000).[11] A maior parte daqueles que preferem interromper uma gravidez indesejada possivelmente não está habilitada ou disposta a receber e educar uma criança com o mesmo comprometimento afetivo daqueles que desejam uma gravidez. Ao mesmo tempo, sabe-se que uma parcela considerável dos casos de gravidez indesejada está relacionada a um tipo de comportamento no qual a aceitação de riscos e a impulsividade são bastante comuns.

Conforme veremos mais adiante, tais características de personalidade são modernamente consideradas fortes fatores preditivos de criminalidade. Imaginemos, então, que evidências colhidas por pesquisas confirmem o efeito benigno de redução da criminalidade associado à legalização do aborto. Essa conclusão seria suficiente para que passássemos a defender essa prática? Por certo que não, porque há, neste exemplo, como em muitos outros, diversas questões a serem consideradas – especialmente aquelas sustentadas por posições de princípio. O problema parece ser mais complicado ainda quando reconhecemos que quaisquer das opiniões em disputa – a favor e contra a legalização do aborto – podem apresentar razões humanistas sérias ou, pelo menos, respeitáveis.

Ao mesmo tempo, devemos sublinhar que os programas destinados à prevenção da criminalidade e da violência – mesmo quando focados em fatores de risco – devem articular-se amplamente com as demais políticas públicas para que as condições sociais que caracterizam as populações-alvo possam ser melhoradas. Um programa de prevenção da violência juvenil que tenha colhido ótimos resultados em uma comunidade pode falhar completamente em uma circunstância na qual 75% das pessoas adultas estejam desempregadas, o que fez com que Sherman tenha sublinhado que programas de prevenção "não são entregues no vácuo" (Sherman et al., 1997).

Marciniak (1994) demonstrou, por exemplo, que prisões curtas por conta de casos de violência doméstica podem resultar em efeitos preventivos em localidades com baixos indicadores de desemprego e altas taxas de relações estáveis. No entanto, essas mesmas prisões aumentam os casos de violência doméstica quando realizadas em comunidades com altas taxas de desemprego e baixas taxas de relações estáveis. Pesquisas desse tipo parecem reforçar a conclusão do Relatório Sherman a respeito da necessidade de uma abordagem multidisciplinar e integrada dos programas de prevenção. Tal abordagem deve considerar, por exemplo, o fato de que as escolas não podem ter êxito sem o apoio das famílias, de que as famílias não podem desempenhar bem o seu papel se estiverem à margem do mercado de trabalho, de que o mercado de trabalho não pode operar a contento se as ruas não forem seguras e bem policiadas e de que a polícia, por sua vez, não pode alcançar esse resultado sem a participação das comunidades.

Segundo os defensores da teoria do "desencorajamento condicional" (Tittle e Logan, 1973; Williams e Hawkins, 1986), mesmo os benefícios que ainda se possam esperar dos mecanismos de responsabilização judicial só serão efetivos se reforçados por outras instituições que tornem possível o controle informal do crime. Em circunstâncias nas quais, por exemplo, a ida para a prisão transforma-se em uma marca de prestígio social – o que tem sido observado em muitos trabalhos –, parece evidente que a estratégia de encarceramento pode ser simplesmente inútil.

As perspectivas comprometidas com a prevenção da criminalidade ou com sua redução estão concentradas em três níveis: estrutural, psicológico e relativo às circunstâncias do crime. Elas devem fazer algo com relação aos infratores, às vítimas e aos locais onde os crimes ocorrem. O ideal é que abordem essas três dimensões em projetos integrados racionalmente. Os autores, em sua maioria, têm se referido às estratégias de prevenção na área de segurança pública, além disso, a partir de três esferas diferenciadas, nos moldes da tipologia empregada pela saúde coletiva (Brantingham e Faust, 1976).[12] Temos, assim, a *prevenção primária*, na qual as medidas e as políticas públicas têm como alvo a comunidade inteira; a *prevenção secundária*, em que medidas e políticas orientam-se para a proteção de pessoas com alto risco de se iniciarem na delinqüência; e a *prevenção terciária*, cujo alvo específico são aqueles que já iniciaram um processo de criminalização.

Além dessas distinções mais gerais, é possível separar as políticas de prevenção a partir da natureza das estratégias empregadas. Alguns autores lidam com as seguintes categorias:[13]

Prevenção no desenvolvimento individual

Intervenções destinadas a prevenir o desenvolvimento de potencialidades criminais nos indivíduos; em especial, intervenções que visam aos fatores de risco e de proteção revelados nos estudos de desenvolvimento humano.

Prevenção comunitária

Estratégia que envolve medidas e intervenções destinadas a mudar as condições sociais e institucionais (famílias, grupos de influência, normas sociais, clubes, organizações etc.) que podem condicionar e estimular opções infracionais nas comunidades.

Prevenção situacional

Medidas destinadas à prevenção da criminalidade através da redução de oportunidades e do aumento de riscos e dificuldades para a ação infracional.

Prevenção do sistema de justiça criminal

Refere-se à tradicional missão de desencorajamento, incapacitação e reabilitação que oferecem justificação ao trabalho das agências da justiça criminal em todo o mundo.

Essas e muitas outras formas de se distinguir entre ações preventivas possíveis apenas tornam mais simples perceber a necessidade de se dirigir a intervenção para objetivos circunstanciados, associados a fatores de risco previamente identificados como relevantes. Mais do que um imperativo para o bom emprego dos recursos disponíveis, é essa a direção que pode produzir os melhores efeitos no menor espaço de tempo.

A prevenção focada em risco foi importada da medicina e da saúde coletiva por vários trabalhos.[14] Muitos outros estudos têm chamado a atenção para o fato de que as políticas públicas de prevenção na área da saúde mantêm uma larga interface com a prevenção na área de segurança pública. O que tem sido confirmado por inúmeros programas de sucesso, na verdade, é a necessidade de integrar esses esforços para evitar o desperdício de recursos e maximizar benefícios.

Poderíamos, na verdade, falar em políticas públicas de segurança baseadas em evidências (ou "provas") da mesma forma como se usa modernamente o conceito de "medicina baseada em evidências" – MBE (*evidence-based medicine*). Essa expressão designa uma evolução do pensamento científico e do raciocínio médico. Seus defensores tratam a MBE como um "novo paradigma" que teve início com a chamada "medicina científica" consagrada pelo famoso Relatório Flexner, nos EUA, que sugeriu mudanças nos currículos dos cursos de medicina e favoreceu o pensamento cientificamente orientado e o aumento do uso da alta tecnologia. A idéia central aqui é a de amparar raciocínios clínicos em estudos científicos e estratificar os diferentes tipos de estudos em níveis diversos de prova ou evidência.

Sendo assim, uma recomendação clínica (uma cirurgia, por exemplo) que se baseie em estudos de baixo nível de evidência deve ser preterida, por exemplo, caso exista outra recomendação baseada em estudos de maior nível. Um procedimento médico para o qual existam provas derivadas de estudos de caso vale menos que uma recomendação alternativa baseada em estudos de coorte, que vale menos que uma baseada em estudos randômicos duplo-cegos. Considera-se que o mais alto padrão de prova está na metanálise de estudos multicêntricos randômicos (com amostra aleatória) e duplo-cegos (em que tanto pesquisador como pesquisado não têm conhecimento sobre o objeto estudado) de alta amostragem (estatisticamente significativos).

O processo de descobertas e desenvolvimento de ricas hipóteses criminológicas descortinado por uma série de pesquisas tornou claro, primeiramente, que os fatores que condicionam a infração também são preditivos para outros problemas sociais como doença mental, drogadição, alcoolismo, fracasso escolar ou desemprego. O que fez com que Farrington (2002) registrasse a dificuldade básica de se separar fatores que são causas efetivas da infração daqueles que são apenas uma característica correlata. Nem sempre se pode ter certeza de quando determinadas situações (por exemplo, alcoolismo, não comparecimento às aulas, divórcio, desemprego) são causas ou, tão-somente, efeitos de um comportamento anti-social.

A prevenção focada em riscos deve, também, identificar os fatores de proteção disponíveis. A definição do que sejam esses fatores é controversa. Alguns autores sustentam que seriam apenas o grau oposto na escala dos fatores de risco – ou seja, que se trataria de um outro nome para situações de mesma natureza conceitual. Outra abordagem sustenta que os fatores protetores seriam aqueles que interagem com os de risco na condição de moderadores. Assim, por exemplo, sabe-se que a falta de cuidados dos pais aumenta o risco de infração para meninos em famílias de baixa renda, mas não para meninos de famílias com alta renda. Assim, "boa renda familiar" pode ser classificada como um fator protetor que contracena e alivia o fator de risco "falta de cuidado" (Farrington, 2002: p.662). Problemas metodológicos desse tipo são muitos e não vamos abordá-los, salvo quando isso for rigorosamente necessário para que o próprio fator de risco seja mais bem compreendido.

Neste capítulo, trataremos de três tipos de políticas de prevenção associadas a fatores de risco: aquelas destinadas a contornar os condicionantes individuais da criminalidade; aquelas que procuram tratar dos fatores associados à família; e aquelas voltadas às tarefas de prevenção na escola. Abordaremos também, em um ponto à parte, as iniciativas que conformam estratégias situacionais de prevenção (que envolvem os chamados "crimes de oportunidade").

Embora cada uma dessas estratégias possua uma interface com o trabalho policial e deva ser conhecida pelas polícias – o que é ainda mais óbvio no caso da prevenção situacional –, não irei me referir especificamente às políticas de prevenção que estão, por sua própria natureza, vinculadas ao trabalho que é possível se esperar das polícias. De fato, elas já foram suficientemente sugeridas quando abordamos as tendências modernas dos modelos de policiamento comunitário e orientado para a solução de problemas. Tampouco falaremos agora do papel a ser cumprido pela justiça criminal porque ele será tratado, de maneira crítica, nos capítulos 6 e 7, que abordam, respectivamente, as possibilidades de tratamento e recuperação de infratores e as possibilidades inauguradas pela justiça restaurativa.

Poderíamos ter realizado outras escolhas ou selecionado temas mais amplos, como as políticas de prevenção de natureza comunitária ou a prevenção relacionada ao mercado de trabalho. De qualquer forma, penso que os fatores de risco mais significativos e em torno dos quais há mais conhecimento acumulado na criminologia estão suficientemente indicados neste capítulo. As estratégias de prevenção situacional poderiam ser concebidas também como uma política de enfrentamento de riscos. Há uma diferença importante, todavia, entre a idéia de risco e a idéia de oportunidade. Com a primeira, designam-se situações que podem permitir um desenvolvimento futuro de condutas infracionais; com a segunda, indica-se uma circunstância facilitadora para o crime no presente. Apenas por conta disso, as estratégias de prevenção situacional aparecem como um ponto à parte neste capítulo.

Ao mesmo tempo em que formos apresentando essas estratégias e oferecendo, tanto quanto possível, exemplos que as ilustrem, iremos nos valer de alguns estudos e revisões pelos quais os pesquisadores vêm tentando medir a eficácia dos mais variados programas de prevenção. Nesse esforço, o trabalho de Sherman et al. (1997), encomendado pelo Congresso norte-americano e responsável pela avaliação de mais de 500 programas de prevenção nos EUA, será considerado com destaque por conta de sua amplitude e de seu método rigoroso.[15] Pelos mesmos motivos, recorreremos aos dados oferecidos pela revisão de Farrington (2002).

Fatores de risco individuais

Quando examinamos os fatores de risco individuais para o crime e a violência – ligados ao processo de desenvolvimento –, é necessário, antes de tudo, afastar qualquer tentação determinista do tipo "se tivermos a situação A, teremos o resultado B". Projeções desse tipo, de caráter prospectivo, costumam ser estatisticamente pobres. Assim, por exemplo, se examinarmos o número de crianças que enfrentaram situações de risco individual e se tornaram adultos infratores, teremos números pouco expressivos. Já as chamadas "projeções retrospectivas" costumam ser muito eficazes. No exemplo citado, o número de infratores adultos que foram crianças de alto risco é, de fato, bastante alto.

Na verdade, muitos eventos ao longo da vida podem exercer influência forte no desenvolvimento de uma carreira infracional, encorajando-a ou inibindo-a. Alguns deles são bastante previsíveis e parecem manter com o fenômeno da criminalidade uma relação quase lógica. Tais parecem ser os casos de maus-tratos na infância, abuso sexual e negligência parental. Outros, entretanto – como casar, separar, mudar de casa, servir o exército ou receber a primeira condenação criminal –, podem parecer surpreendentes.

Em língua inglesa, usa-se a expressão *temperament* (temperamento) para expressar o equivalente a "personalidade" quando se fala de crianças. Assim, os mais variados levantamentos empíricos realizados ao longo das últimas décadas estabeleceram suficientemente a correlação entre um temperamento irritadiço na infância (manifesto, entre outras circunstâncias, por dificuldade de adaptação e hábitos irregulares) e dificuldades futuras de adaptação ao fim da adolescência e aos primeiros anos da vida adulta. Tal relação lida, ainda, com categorias muito abertas e genéricas, o que torna difícil submeter determinadas hipóteses a um controle mais rigoroso. Entre os estudos que procuraram maior precisão de análise e empregaram conceitos mais definidos – estudos, portanto, menos sujeitos a interpretações preconceituosas –, deve-se citar o experimento realizado na Nova Zelândia que acompanhou 1.000 crianças desde os 3 até os 20 anos de idade.[16] As personalidades foram classificadas pela observação do comportamento das crianças durante sessões de teste. Dimensões como impulsividade e falta de atenção apareceram fortemente relacionadas a comportamentos agressivos, infração auto-relatada (em *self-reported studies*) e condenações criminais no período de 18 e 20 anos.

O conceito de impulsividade aparece, na verdade, como um tema central sempre que se debatem fatores de risco individual para o crime e a violência.[17] Segundo a revisão de Farrington (2002: p.666), o conceito inclui várias características como hiperatividade, ausência de consideração pelas conseqüências, dificuldade de planejamento, orientação exclusiva por perspectivas a curto prazo, baixo autocontrole, busca por sensações fortes, gosto pelo risco e baixa capacidade de adiar gratificações. Nessa linha, muitos estudos modernos têm relacionado hiperatividade com infração.

O mesmo autor cita o Projeto Perinatal de Copenhague, uma pesquisa na qual a hiperatividade e a dificuldade de concentração entre os 11 e os 13 anos foram consideradas preditivas para prisões por atos violentos até os 22 anos, especialmente para meninos que enfrentaram complicações no nascimento. Para esses casos, mais da metade dos garotos foi presa por atos violentos na idade adulta, contra 10% de taxa de prisão verificada entre os demais.[18] Da mesma forma, o estudo longitudinal de Orebro, na Suécia, relacionou hiperatividade aos 13 anos com registro criminal por ato violento até os 26 anos. A mais alta taxa de violência foi encontrada entre jovens do sexo masculino com hiperatividade motora e dificuldade de concentração (15%), contra 3% dos restantes.[19]

Em um estudo realizado em Cambridge, garotos apontados pelos professores como tendo deficiência de atenção e hiperatividade; os nomeados pelos pais, amigos e professores como os mais ousados ou com gosto por situações de risco; e os mais impulsivos em testes de psicomotricidade, entre os 8 e os 10 anos, foram identificados como parte do grupo com maior possibilidade de desenvolver comportamento infracional mais tarde.

Ousadia, baixa concentração e hiperatividade são preditivos para condenações criminais e para infrações auto-relatadas, sendo a ousadia o mais independente (Farrington, 1992). Casos de HIA (*Hyperactivity-impulsivity-attention deficit*) no período entre os 8 e 10 anos aparecem como fortes preditivos de futuras condenações, independentemente de eventuais problemas de conduta (Farrington et al., 1990). Seguindo a mesma linha de investigações empíricas, autores como Lynam[20] argumentam que crianças com HIA e problemas de conduta possuem alto risco para comportamento infracional crônico no futuro. Segundo Farrington (2002: p.666), é largamente reconhecido que uma pequena capacidade de se sensibilizar com os problemas vividos pelos outros está relacionada com a prática de crimes. Pessoas capazes de se vincular emocionalmente à dor sentida pelos demais têm menos probabilidades de vitimizar alguém. Por conta dessa conclusão, programas orientados pelo chamado "cognitivismo-comportamentalista" – que visam aumentar a empatia (entendida como a capacidade de se identificar com os demais) – têm sido estimulados na Inglaterra e em outros países. Os resultados empíricos na medição da empatia, entretanto, são, até agora, muito frágeis. É comum fazer-se uma distinção entre empatia cognitiva (capacidade de *entender* o sentimento dos outros) e empatia emocional (capacidade de *experimentar* esse sentimento).

Não há qualquer consenso entre os pesquisadores a respeito das causas da impulsividade. Algumas abordagens teóricas chegam mesmo a relacioná-la com deficiências de natureza neurológica. Moffitt (1990), por exemplo, sustenta que a impulsividade reflete uma disfunção cerebral quanto às funções executivas. Outros estudos relacionam a baixa freqüência cardíaca com a infração.[21] Em inúmeras análises regressivas, os fatores de risco mais importantes e independentes para violência foram ousadia, baixa concentração e baixa freqüência cardíaca.

Quando estudamos as situações definidoras da opção infracional segundo o modo como elas são observadas e sentidas pelos próprios infratores, fica claro que os benefícios do crime – entre eles o ganho material, a aprovação dos pares ou, mesmo, a recompensa sexual – tendem a ser contemporâneos ao ato infracional. Já os custos tradicionais do crime – como o risco de ser apanhado e punido, a possibilidade de perder reputação ou emprego – aparecem como incertos e se projetam a longo prazo. Recompensas e custos, uma vez colocados na balança, em um raciocínio puramente instrumental ou estratégico, fazem com que a infração apareça como recompensadora para boa parte dos infratores, pelo menos. Nessa linha de raciocínio, há determinados "custos" que podem pesar mais para desencorajar os infratores potenciais, como a sensação de culpa, a condenação pelos observadores ou a retaliação da vítima – exatamente por se tratarem de custos mais imediatos. Assim, pessoas impulsivas seriam mais sensíveis a eles, e não a outros.

A mais importante técnica de prevenção voltada para contornar a impulsividade e a baixa empatia é a abordagem cognitivo-comportamental e a referência citada por Farrington (2002: p.683) é a obra organizada por Ross e Ross

(1995) e seu Reasoning and Rehabilitation Programme, levado a efeito em Otawa, Canadá (voltaremos a essa abordagem no capítulo sobre o tratamento de condenados por crimes violentos).

Várias teorias enfatizam a importância da consciência como inibidor interno e sugerem que isso é construído desde cedo pelos pais, na medida em que reforçam ou punem as condutas transgressoras típicas da infância.[22] Outros autores criticam os criminologistas por ignorarem o fato de que as pessoas diferem na maneira como sublinham suas tendências ao crime e de que essas diferenças aparecem muito cedo.[23] Eles entendem que o elemento-chave do processo é o "baixo autocontrole", expressão com a qual procuram referenciar a vulnerabilidade às tentações do momento. Para outros, um comportamento agressivo é conseqüência do aprendizado de um *script* violento que é resistente a mudanças.[24]

Ainda no que se refere aos fatores de risco individuais, há uma importante seqüência de pesquisas que tem procurado responder à seguinte questão: haveria algum condicionamento genético para os comportamentos violentos e/ou infracionais? Não discorrerei sobre esse ponto porque ele envolve uma matéria em torno da qual não há acúmulo suficiente de conhecimento – pelo menos no âmbito da criminologia em sua interface com as ciências médicas. Trata-se, no mais, de um tema técnico e especializado que só pode ser tratado, com a devida profundidade, pelos profissionais e pesquisadores da área.

Devo sublinhar, não obstante, que há fortes evidências de que a impulsividade seja devida a fatores genéticos.[25] É possível, também, encontrar evidências de condicionamentos genéticos para comportamentos anti-sociais. Estudos realizados com gêmeos idênticos demonstram uma semelhança maior de comportamento do que a encontrada entre gêmeos não-idênticos. Sabe-se, também, que crianças adotadas reproduzem alguns dos comportamentos de seus pais biológicos, mesmo quando não os conhecem.[26] Autores como Scarr (1992) consideram que a influência genética não deveria ser desconsiderada, pois os indícios disponíveis parecem confirmar cada vez mais a importância da hereditariedade para características decisivas como as capacidades cognitivas e mesmo para casos de psicopatologias. Mitchells (1997) cita um estudo[27] sobre as correlações entre criminalidade, filhos adotivos e seus pais (biológicos e adotivos), no qual se descobriu que as crianças adotadas têm mais chances de desenvolver comportamentos infracionais quando o pai biológico é um infrator do que quando seu pai adotivo o é (22% *versus* 12%). O mesmo autor lembra, entretanto, que esses dados podem ser lidos de diferentes maneiras. Em uma das interpretações,[28] levanta-se, por exemplo, a hipótese de que determinada predisposição à coragem ou à ousadia poderia ser herdada – o que, entretanto, poderia se manifestar nos extremos do heroísmo ou da criminalidade, a depender das circunstâncias que conformam os indivíduos.

De qualquer maneira, trabalhos como o de Smith (2002: p.724-5) sustentam que as pesquisas mais recentes tendem a não separar o que seria influência genética e o que seriam influências ambientais porque tais condicionantes apareceriam sempre integradas de alguma forma. Assim, os pais formam os genes dos seus filhos, mas erguem, também, o ambiente cultural em que eles serão formados; uma pessoa agressiva tende a provocar a agressividade das outras; assim, sua disposição violenta é correlata a um ambiente violento. Em geral, tende-se a selecionar ativamente ambientes correlatos aos interesses, preferências e gostos pessoais, mecanismo pelo qual se processaria um encontro do genótipo com o "nicho ecológico" compatível.

Há, pelo menos, duas razões fortes para que – a par de qualquer influência genética possível quanto aos comportamentos violentos e/ou infracionais – se enfatize mais, no plano individual, outros fatores de risco. Primeiramente, não poderíamos encontrar uma explicação razoável para as mudanças de comportamento operadas em pessoas com personalidades violentas caso supervalorizássemos o tema da hereditariedade. Isso vale para outras influências ou fatores que podem estar, de alguma forma, associados à violência – desde disfunções cerebrais até a metabolização da glicose ou o impacto hormonal sobre os adolescentes. O impacto da testosterona em meninos adolescentes pode nos dizer algo sobre a agressividade nessa etapa da vida, mas não conseguirá explicar por que a maioria dos adolescentes do sexo masculino não desenvolve condutas violentas. Em segundo lugar, conforme indicam as pesquisas, é perfeitamente possível desenvolver abordagens preventivas para os fatores de risco individual, o que sugere que os condicionantes comportamentais de natureza genética – entendidos como uma predisposição ao desenvolvimento deste ou daquele comportamento – podem ser contrastados por mudanças ambientais.

Fatores de risco na família

A chave para abordar os riscos na família é educação dos pais. Investimentos realizados nessa área normalmente não envolvem quantias significativas – pelo menos quando comparadas aos custos necessários para a manutenção do sistema de justiça criminal ou para o funcionamento das polícias. Os resultados, entretanto, são surpreendentes.

Em Elmira, Nova York, foi desencadeado um programa que se tornou célebre.[29] A idéia do projeto foi muito simples: tratou-se de assegurar a um grupo de 400 mulheres visitas residenciais de enfermeiras durante a gravidez e os dois primeiros anos após o nascimento das crianças. Os resultados foram comparados com um grupo de controle de mães que não receberam essa atenção. As profissionais ofereceram conselhos pré e pós-natais sobre os cuidados necessários durante a gestação, com o bebê, a nutrição, os malefícios do cigarro e do álcool etc. Os resultados demonstraram uma diminuição sensível de casos de abuso e negligência nos lares que estavam no programa, especialmente nos de mães pobres e adolescentes. Nos lares visitados, registrou-se, em dois anos, 4% de casos de abuso ou negligência, contra 19% no grupo de controle. Esse resultado é muito importante porque se sabe que abuso e negligência na infância – além de um drama – são preditivos para atos infracionais na adolescência. Em um acompanhamento de 15 anos posterior ao programa, descobriu-se que, tanto entre os filhos como entre as mães pobres e jovens que receberam visitas pré e pós-natal, houve menos prisões do que entre os filhos e as mães dos grupos que haviam recebido apenas visitas pré-natal e entre as famílias que não haviam recebido visitas de qualquer tipo.[30] Da mesma forma, entre as crianças do grupo cujas mães não haviam recebido qualquer visita, foram encontradas duas vezes mais prisões na adolescência em comparação com aquelas crianças cujas mães receberam um tipo ou outro de visita.[31] Com base nesse programa pioneiro, outros serviços do tipo têm sido desenvolvidos em vários países.[32]

O estudo longitudinal de Montreal[33] identificou 300 meninos disruptivos (agressividade/hiperatividade) com a idade de 6 anos. Entre os 7 e os 9 anos, o grupo experimental recebeu treinamento de habilidades sociais e autocontrole. Da mesma forma, os pais das crianças receberam treinamento específico. Um acompanhamento posterior demonstrou um sucesso importante. Os meninos que haviam participado do projeto, aos 12 anos estiveram muito menos envolvidos em atos infracionais e em brigas e manifestaram menor probabilidade de ficarem alcoolizados ou de usarem drogas, quando comparados com o grupo de controle. Os mesmos meninos tiveram ótimo desempenho na escola. O interessante é que a diferença de comportamento entre os meninos dos dois grupos – o experimental e o de controle – cresceu ao longo do acompanhamento.

O treinamento dos pais a fim de que disponham de métodos e abordagens corretos para educar suas crianças mostrou-se eficiente em vários estudos. Um experimento conduzido por Scott e outros[34] em Londres e Chichester, com 140 meninos pobres selecionados pelo fato de apresentarem comportamentos anti-sociais, procurou ensinar aos pais outras formas de enfrentar o problema. O treinamento, feito com base em videoteipes, foi oferecido por duas horas semanais, durante um período de 13 a 16 semanas. Os vídeos mostravam situações nas quais os pais estabeleciam restrições e recompensas, fixavam limites e lidavam com maus comportamentos. Um acompanhamento posterior ao programa demonstrou decréscimo significativo de problemas de conduta com as crianças quando comparadas com o grupo de controle.

Loeber e Dishion[35] descobriram, em uma extensa revisão sobre fatores preditivos para o crime em jovens do sexo masculino, que os mais importantes deles são, pela ordem: falta de cuidado apropriado com as crianças; comportamento anti-social na infância; agressões sofridas pelos pais ou irmãos; baixos indicadores de conhecimento e inteligência; e separação da criança do pai ou da mãe. Mais tarde, Loeber e Stouthamer-Loeber[36] verificaram que os fatores preditivos seriam: crianças pouco cuidadas; crianças rejeitadas pelos pais; famílias muito grandes; baixo envolvimento dos pais com as crianças; brigas entre marido e mulher; e pai ou mãe infratores. Mais recentemente, autores como Smith e Stern (1997) reafirmaram que a falta de cuidado com as crianças, a ausência de habilidade para educar e o convívio com situações de conflito ou maus-tratos conduzem tendencialmente ao crime. Estudos recentes têm colhido evidências novas e convincentes sobre a relação entre negligência, maus-tratos e abuso sexual de crianças com condenações criminais futuras.

Um estudo desenvolvido por Weatherburn e Lind (1997) concluiu que a negligência dos pais era o mais forte preditivo de comportamento infracional nos adolescentes. Mais forte do que a situação de pobreza ou do que situações como famílias sem um dos pais ou famílias grandes habitando um mesmo cômodo. A negligência apareceu também como um fator mais forte do que o abuso sexual sobre as crianças. Segundo as estimativas levantadas por esses autores, assumindo, para efeito argumentativo, que todos os demais fatores da vida dessas famílias permanecessem inalterados, um aumento de 1.000 novas crianças negligenciadas por seus pais produziria mais 256 adolescentes envolvidos em comportamentos infracionais, enquanto um aumento de 1.000 novas famílias pobres resultaria em mais 114 adolescentes transgressores. Os autores sugerem que fatores como pobreza, famílias de mães solteiras ou famílias muito grandes afetam as taxas de infração juvenil mais porque aumentam os casos de negligência do que por conta da própria pobreza material.

Essas conclusões parecem ser reforçadas por outros dados a respeito de crianças que demandam cuidados especiais e que são internadas em abrigos. Normalmente, elas terminam desproporcionalmente envolvidas em atos infracionais durante a adolescência. Dados de New South Wales, na Austrália, por exemplo, mostram que os meninos abrigados terão 134 vezes mais chances de serem presos no futuro, e que as meninas na mesma situação terão 35 vezes mais chances de serem detidas quando adolescentes.[37] Nesses casos, entretanto, será preciso lembrar que essas mesmas crianças estarão sob maior vigilância da justiça e da polícia, que a maioria delas viverá nas ruas, enfrentará todo tipo de violências e ameaças e, possivelmente, cometerá delitos para sobreviver.

Cashmore e Paxman (1996), por outro lado, sustentaram que a estabilidade é um fator muito importante na vida de uma criança e que mudanças em demasia são perigosas. No caso das crianças em abrigo, é muito comum que elas sejam permanentemente transferidas ou que passem por várias alternativas de cuidado, o que termina por lhes trazer novas dificuldades.

A revisão de Farrington (2002: p.670-1) sublinha o fato de que pais infratores ou com comportamento anti-social tendem a ter crianças com comportamento anti-social. O autor cita em apoio a essa tese o estudo longitudinal clássico de McCord,[38] em Boston, e trabalhos como o de Robins,[39] em St. Louis. Segundo o Estudo de Cambridge (Cambridge Study in Delinquent Development) – pesquisa realizada com mais de 400 meninos em Londres, acompanhados dos 8 até os 46 anos de idade –, ter um pai, uma mãe, um irmão ou uma irmã condenados é um fator preditivo para a condenação de um menino e cada um dos 4 parentes são, independentemente, fatores importantes de predição.[40] Cerca de 63% dos meninos cujos pais foram condenados criminalmente foram, eles próprios, condenados mais tarde (contra 30% de condenações para os garotos cujos pais não passaram por esse processo). A relação com a condenação criminal do pai é mais forte como fator preditivo para os garotos e a relação com a condenação da mãe é mais importante para as meninas. A condenação de um irmão mais velho constitui fator preditivo mais forte do que a condenação de um irmão mais jovem. A figura do pai é a mais importante no que se refere aos fatores de predição por prisão na família.

Farrington et al. (2001) fazem referência a um dos primeiros trabalhos sobre esse tema, desenvolvido no Reino Unido em 1952 por Ferguson.[41] Trata-se de um estudo que envolveu 1.349 meninos de Glasgow, Escócia, que haviam deixado a escola aos 14 anos. Cerca de 12% deles foram condenados até os 18 anos, normalmente por furtos e arrombamentos. O que ficou demonstrado é que o percentual de garotos condenados crescia de maneira impressionante com o número de parentes previamente condenados. Para o grupo de garotos sem qualquer membro da família condenado, o percentual de condenações foi de 9%. Para um condenado na família, o percentual subiu para 15%; para dois familiares condenados, o percentual foi de 30%; e, para três ou mais familiares condenados, o percentual chegou a 44%. Ferguson demonstrou que ter um parente condenado era um fator preditivo para a infração que operava de forma independente diante de outros fatores preditivos como péssimas condições de moradia, superlotação das residências ou baixa freqüência escolar. O fator "condenações na família", segundo essa e muitas outras pesquisas realizadas posteriormente, demonstrou ser um forte preditivo de infração, pelo menos tão forte quanto os mais conhecidos.

O que as pesquisas têm revelado é que famílias grandes também constituem um fator preditivo de criminalidade. Essa tendência tem sido observada em diferentes realidades sociais e em vários países. No Estudo de Cambridge, por exemplo, garotos de 10 anos com 4 ou mais irmãos revelaram um risco para condenações como infratores na adolescência igual ao dobro dos demais.

Na pesquisa nacional sobre saúde e desenvolvimento, Wadsworth[42] verificou que o percentual de garotos reconhecidos como infratores crescia de 9% nas famílias com um filho para 24% nas famílias com 4 ou mais. Essa situação indica, possivelmente, duas formas de limitações no processo de desenvolvimento das crianças: primeiramente, crianças em famílias grandes tendem a receber menos cuidados ou a dispor de menos atenção individual por parte de seus pais; em segundo lugar, é possível deduzir que o número de situações conflituosas e mesmo agressivas seja significativamente maior, o que também exerceria um papel nefasto. De outra parte, como é evidente, famílias com muitas crianças tendem a experimentar carências materiais adicionais, se comparadas a outras famílias do mesmo extrato socioeconômico com menor número de filhos.

Falta de cuidado, de qualquer maneira, é um dos mais fortes preditivos para atos infracionais quando tratamos de fatores de risco na família. Crianças demandam cuidados intensivos e monitoramento permanente. Detalhes desse tipo podem fazer toda a diferença quando examinamos o desenvolvimento de condutas futuras de conflito com a lei. "Cuidado" e "monitoramento" são conceitos que envolvem, obviamente, a disposição dos pais de oferecer carinho, atenção, respeito e proteção aos seus filhos, por um lado, mas também a capacidade que eles devem ter de fixar regras de comportamento que esperam sejam seguidas pelas crianças, de recompensar seus filhos pela atenção a essas regras e de oferecer a eles algum tipo de restrição ou admoestação quando elas são violadas.

Refiro-me, aqui, a uma idéia de disciplina que, infelizmente, não é comum no processo de educação das crianças. No caso de países como o Brasil, especialmente, temos dois extremos, ambos nocivos. De um lado, as visões mais tradicionais, autoritárias e repressivas, amparadas pelas práticas de punição física e pelo hábito de ameaçar e insultar as crianças. De outro, as condutas permissivas, incapazes de oferecer qualquer limite às crianças. Nem sempre esses extremos se excluem. É comum que os pais sejam, ao mesmo tempo, permissivos e violentos. Eles falham em estabelecer com seus filhos uma idéia clara a respeito de regras a serem observadas, são incapazes de fixar um padrão de conduta desejável e de reagir de modo coerente a ele porque, normalmente, não estão preocupados com isso, nem contam com o aparato conceitual ou o aconselhamento necessários para perceber a importância desses procedimentos básicos. Em decorrência disso, permitem que suas crianças cresçam sem limites e que desenvolvam tendências impulsivas e egoístas.

Nos momentos de crise aguda, quando se torna evidente a inconveniência ou o mau comportamento dos filhos, surge, então, o recurso à estupidez, momento em que os adultos costumam descarregar sobre as crianças a violência derivada de sua própria impotência. Eles punem seus filhos por conta do fracasso que construíram e não são raras as vezes em que os machucam seriamente – em casos extremos, chegam mesmo a matá-los. A violência contra as crianças, praticada no espaço onde os pequenos deveriam estar a salvo de qualquer perigo, mas que, paradoxalmente, se transforma em um dos lugares de maior risco – suas próprias casas –, ainda não foi adequadamente descrita e constitui um dos capítulos mais dramáticos das sociedades contemporâneas.

Seria preciso reconstituir a história desse tipo de punição desde, pelo menos, quando os castigos físicos sobre as crianças foram introduzidos no Brasil pelos jesuítas, no século XVI, para horror dos índios que desconheciam a prática. Os séculos seguintes consolidaram o sadismo patriarcal e uma pedagogia dos vencedores sobre os vencidos, dos senhores sobre os escravos. Penso mesmo que exista uma linha direta entre a palmatória – que vigorou em muitas escolas brasileiras até 1960 – e os lamentos que cercaram nossas senzalas.

Pesquisas recentes demonstram que o hábito de bater nos filhos marca 80% dos lares brasileiros. As mães batem mais freqüentemente, e os pais usam mais violência. Tapas, puxões de cabelo e beliscões são, via de regra, a ante-sala para o emprego de chinelos, cintas, arame, corda, fios elétricos. Nessa escada perversa, há espaço para o rebenque, a régua e a vara. Nos casos de maior gravidade, é comum que crianças pequenas sejam esmurradas, jogadas na parede, queimadas com cigarro, água fervente ou ferro elétrico. Muitas delas morrem por conta de surras produzidas pelo seqüestro emocional dos que deveriam cuidar delas e amá-las. Outras tantas carregarão seqüelas por toda a vida. Os interessados poderão conferir, por exemplo, os desenhos feitos por crianças que apanham em Azevedo (2001) e formar suas próprias conclusões.

Centenas de pesquisas comprovam que crianças que apanham têm mais chances de reproduzir comportamentos violentos. Um estudo impressionante desenvolvido pelo criminologista americano Lonnie Athens, "A Creation of Dangerous Violent Criminals" (A criação de criminosos perigosos e violentos), divulgado por Rhodes (1999), demonstrou a relação entre condenados por crimes especialmente violentos e processos de brutalização experimentados na infância. Uma visão crítica da perspectiva de Athens foi oferecida por O'Donnell (2003), que chama a atenção para outros perfis violentos que não poderiam ser explicados pela teoria da brutalização. Mesmo essa crítica, entretanto, não se opõe às impressionantes conclusões a que chegou Athens; pelo contrário, O'Donnel afirma que a contribuição deste deveria ser canônica na criminologia moderna.

Falamos, então, de um perigoso hábito para o qual deveriam estar atentos todos os que se preocupam com a violência contemporânea e, especialmente, com a incidência da crueldade em determinados atos infracionais. A experiência recente de países como Suécia, Noruega, Finlândia, Dinamarca, Áustria, Chipre, Croácia e Letônia, onde foram aprovadas leis que proíbem a prática de punições físicas sobre as crianças, demonstra que é possível impor limites aos nossos filhos sem bater neles, ameaçá-los ou humilhá-los. Essa mesma experiência revela que pais violentos, de qualquer forma, precisam de ajuda, em vez de punição. É preciso mostrar a eles que elogiar uma criança e recompensá-la por boas condutas é muito importante, e que há formas de repreendê-la e até mesmo de responsabilizá-la que não pressupõem violência, raiva ou medo. Algo assim como dizer a eles que as crianças precisam de amor e que os direitos humanos devem começar por casa.

Muitos trabalhos importantes têm procurado construir caminhos alternativos para a educação das crianças viabilizando contatos intensos e carinhosos especialmente na primeira infância. Em 1999, tive a oportunidade de conhecer, em Washington, EUA, o trabalho do professor Richar Roe, na Universidade de Georgetown. O professor Roe trabalha na faculdade de direito e coordena vários projetos. Em um deles (Family Literacy Project), acadêmicos trabalham em comunidades carentes da periferia e em presídios ensinando os familiares de presos e os próprios detentos a contar histórias aos seus filhos.[43] Há alguns anos, descobriu-se que, em 11 de cada 15 escolas secundárias americanas, metade dos alunos não era capaz de ler um livro. Para o professor Roe, a ausência de leitura e a incapacidade de escrita estão diretamente relacionadas à efetividade do direito, porque as pessoas que não lêem e não escrevem estarão à margem da lei, seja porque não a compreendem, seja porque não a praticam. Seu trabalho de pesquisa, entretanto, foi mais longe. Descobriu que a forma mais eficaz de socializar uma criança e estimular seu gosto pela leitura é contar histórias para ela. Esse hábito, não obstante, costuma se circunscrever às camadas médias intelectualizadas.

A equipe de Roe, então, seleciona histórias infantis consideradas mais adequadas para enfrentar o déficit emocional produzido nas periferias pelo silêncio dos pais. Em uma delas, por exemplo, uma menina esquimó pergunta a sua mãe: "Mamãe, você me ama?" Diante da resposta afirmativa, a menina pergunta novamente: "Quanto?" A mãe diz que a ama mais do que as estrelas no céu. A garotinha, então, passa a checar essa resposta diante de situações-limite como: "E se eu quebrar os ovos de nosso iglu, você continuará me amando?"; "E se eu for brincar perto do urso polar?" Diante do que a mãe segue renovando seu compromisso amoroso. A idéia, simples, é a de permitir que os pais possam dizer aos seus filhos que o seu amor é incondicional, coisa que, infelizmente, muitos nunca fazem. Dizer a uma criança que ela será sempre amada é parte essencial de um cuidado que se traduz em confiança e em sensação de pertencimento.

Uma visão repressiva e essencialmente punitiva, ainda que "coerentemente" aplicada, não funcionará e passará a integrar o rol dos fatores preditivos de infração, como o mostraram Haapasalo e Pokela (1999) em uma revisão importante e vasta sobre o assunto. No estudo de Rochester sobre o desenvolvimento da juventude, uma pesquisa longitudinal com cerca de 1.000 crianças, Smith e Thornberry (1995) mostraram que o registro de maus-tratos antes dos 12 anos é preditivo para atos infracionais na adolescência. No acompanhamento que fizeram de aproximadamente 700 crianças em Nottingham, John e Elizabeth Newson[44] descobriram que punições físicas de crianças entre 7 e 11 anos de idade eram um fator preditivo de futuras condenações criminais: 40% dos condenados foram espancados na idade de 11 anos, contra uma incidência de 14% de casos de espancamento entre os não condenados.

Farrington (2002: p.673) destaca que uma disciplina errática – que às vezes pune um comportamento e em outro momento o tolera – e inconsistente – quando, por exemplo, um dos pais é rigoroso demais e o outro é tolerante demais – estimula a infração.[45] Pais que não premiam o bom comportamento também terminam por estimular o ato infracional.[46]

Um estudo recente de McCord[47] mostrou que o carinho dos pais pode atuar como moderador para o fator preditivo da punição física. Assim, 51% dos meninos que passaram por punições físicas e não tiveram uma educação carinhosa foram condenados por atos infracionais. Contudo, esse índice cai para 21% entre os que foram punidos fisicamente, mas tiveram uma educação carinhosa – um número quase igual ao de condenações posteriores de meninos que jamais foram punidos fisicamente e tiveram uma educação carinhosa.

Segundo o Estudo de Cambridge, ter um pai que jamais participou de uma atividade recreativa com seu filho dobra o risco de condenação criminal. Já o Estudo de Pittsburgh sobre a juventude[48] demonstrou que uma comunicação deficiente entre pais e filhos estimula a infração. Segundo o Estudo de Chicago sobre o desenvolvimento da juventude,[49] pouca coesão familiar é o mais forte fator preditivo na família.

Inspirados pela obra de Bowlby[50] – ou o que ficou conhecido como "Attachment Theory", muitos estudos têm demonstrado que crianças que não são emocionalmente reforçadas com carinho e amor têm muito mais chances de experimentar condutas infracionais mais tarde. As teorias do aprendizado também têm enfatizado que o comportamento das crianças depende da decisão dos pais em recompensá-las e em oferecer-lhes limites, sendo também vinculado ao comportamento dos próprios pais.

Já se sabe, com certeza, que casos de abuso sexual e negligência aumentam de modo considerável os riscos de uma criança desenvolver comportamentos infracionais ao crescer.[51] Entre todos os estudos sobre esse tema, o trabalho de Widom é um dos mais conhecidos e respeitados.[52] Essa autora realizou um levantamento dos registros da justiça criminal para identificar mais de 900 crianças vítimas de abuso ou negligência antes da idade de 11 anos. Depois disso, comparou-as com um grupo de controle formado a partir das mesmas características de idade, gênero, escola e local de residência. Vinte anos de acompanhamento permitiram demonstrar que aquelas que sofreram abuso ou foram negligenciadas tinham maiores chances de condenação que as demais. Abuso sexual, maus-tratos e negligência também são fatores que concorrem para a prisão de adultos por crime sexual.[53]

A revisão de Farrington (2002: p.674-5) cita ainda outro estudo de McCord,[54] no qual se verificou que cerca da metade dos meninos que sofreram abuso ou negligência foram condenados por crimes sérios, tornaram-se alcoólatras, desenvolveram doença mental ou morreram antes dos 35 anos.

Outro tema que tem interessado aos pesquisadores, no que diz respeito aos fatores de risco para o crime e a violência na família, é a separação dos pais. O trabalho de Bowlby, já citado, insistiu na tese de que a separação dos pais seria um fator de estímulo à infração e tornou-se muito popular, embora tenha sido contrastado por outras pesquisas que relativizaram suas descobertas. Esse trabalho lidou, contudo, com temas que continuam bastante atuais, e seu pioneirismo deve ser destacado.

Para Bowlby, o amor materno na infância cumpria um papel decisivo e seria tão importante para a saúde mental das crianças quanto as proteínas e as vitaminas para a saúde física. Segundo ele, uma criança obrigada a se separar da mãe por um período prolongado, durante os primeiros 5 anos de vida, tenderia a enfrentar sérias conseqüências, incluindo frieza emotiva e infração na idade adulta. Essa afirmação tem, de alguma forma, encontrado amparo em estudos recentes.

Kolvin e seus colegas,[55] por exemplo, com uma mostra de 800 crianças nascidas em Newcastle-upon-Tyne, descobriram que meninos que experimentaram a separação dos pais até os 5 anos tinham duas vezes mais riscos de condenação criminal até a idade de 32 anos. A revisão de Farrington (2002: p.675) cita o estudo de McCord[56] em Boston, onde se identificou alta prevalência de conduta infracional para meninos que vinham de famílias com pais separados sem uma mãe carinhosa (62%) e também para aquelas caracterizadas por fortes conflitos entre pai e mãe (52%). Os percentuais eram baixos para os meninos de famílias "pacificadas" (26%) e – o que é importante – também baixos para famílias de pais separados nas quais a mãe era carinhosa (22%). Esse estudo talvez demonstre que não é a separação dos pais em si o que estimula a infração futura, mas os conflitos que antecedem a separação e a ausência de carinho da mãe (carinho que pode oferecer um tipo de compensação pela falta do pai).

Ao mesmo tempo, várias pesquisas sugerem que separações anteriores à idade de 5 anos não costumam ser um fator criminogênico.[57] Outros trabalhos de Farrington oferecem sustentação para a tese de que separações antes dos 10 anos são um importante fator preditivo de condenações criminais de jovens e adultos e de agressões à esposa até a idade de 32 anos. A pesquisa nacional britânica sobre saúde e desenvolvimento, com uma amostra de 5.000 crianças nascidas em uma mesma semana na Inglaterra, País de Gales e Escócia, demonstrou que garotos de famílias com pais separados têm 27% de chances de condenação criminal até os 21 anos. Já os meninos que perderam a mãe por morte apresentaram uma taxa de 19% de condenações, e os que perderam o pai por morte, de 14%. Garotos de famílias que permaneceram unidas tiveram 14% de taxa de condenações. Novos casamentos parecem não ajudar muito.

Em que pesem os dados não coincidentes de muitas pesquisas sobre esse tema em particular, não resta dúvida de que conflitos entre os pais e violência doméstica são fortes preditivos de infração para a criança.[58] Aquelas que testemunham atos violentos entre os pais também têm mais chances de desenvolver comportamentos infracionais.[59] As pesquisas sugerem que quando as mulheres espancadas são mães, ¾ das crianças terão assistido, pelo menos, a um caso de incidente violento dentro de casa.[60] Em 1986, Loeber e Stouthamer-Loeber[61] relataram os resultados de uma metanálise sobre as pesquisas realizadas nos EUA, na Grã-Bretanha e na Escandinávia. As pesquisas posteriores não alteraram as conclusões estabelecidas por elas. Eles distinguiram quatro paradigmas de má influência familiar:

Negligência
Teria dois aspectos: ausência de supervisão e ausência de participação efetiva dos pais na vida das crianças;

Conflito
Disciplina inadequada ou inconsistente e rejeição;

Comportamento e valores desviantes
Quando os pais são, eles próprios, infratores ou sustentam atitudes anti-sociais, e

Perda
Separação, morte ou doença de um dos pais.

As variáveis também estão relacionadas com infração futura. O estudo, entretanto, demonstrou que a correlação é bastante forte para o paradigma da negligência; médio para os paradigmas do conflito e do comportamento desviante; e fraco para a situação de perda.

Segundo a avaliação de Sherman et al. (1997), a combinação de programas de visitação familiar que ofereçam apoio aos pais com oportunidades de educação pré-escolar reduz significativamente as chances de atos infracionais na adolescência. Um único programa de visitação doméstica, por exemplo, reduz comprovadamente os casos de abuso sobre as crianças – o que é, a um só tempo, um crime de violência doméstica e fator preditivo de infração para a criança abusada. A avaliação coordenada por Sherman manifesta um grande entusiasmo com relação aos programas de visitação e sustenta que são os que produzem os melhores resultados na prevenção dos fatores de risco na família:

> O centro de um programa de visitações domésticas é um profissional que se preocupa com o desenvolvimento da criança, sentado dentro de casa com a mãe ou o pai e seu filho. Esse profissional pode ser uma enfermeira, um assistente social, um professor de pré-escola, um psicólogo, um paraprofissional. Ele pode oferecer informações sobre os processos de cognição da criança, prestar apoio emocional ou ambos. Pode ensinar ativamente os pais a como lidar com seus filhos ou, então, apenas observar e ouvir passivamente, simplesmente oferecendo uma boa "escuta". Pode ser treinado em temas relacionados à saúde, em desenvolvimento humano, em aspectos de cognição e de habilidades sociais ou, então, ter noções gerais a respeito de cada uma dessas coisas. Pode ser experiente ou novato, entusiástico ou não, confiante ou hesitante. Independentemente de como seja e do que faça, irá providenciar uma ponte entre os pais – usualmente a mãe – e o mundo exterior.

Segundo o mesmo estudo, a primeira escolha a ser feita em um trabalho de prevenção aos fatores de risco na família é entre uma opção universal de prevenção e uma focalizada. Em muitos países europeus, todas as famílias com crianças recém-nascidas são visitadas por enfermeiras treinadas. Já os programas focalizados podem ser "seletivos" – quando as famílias ou os indivíduos são identificados previamente como de alto risco – ou "indicados" – quando os serviços são oferecidos a famílias nas quais a criança já manifestou algum tipo de comportamento anti-social.

A escolha em favor de programas focalizados parece ser mais natural sempre que se lida com recursos escassos. Mas é preciso estar atento para o fato de que a simples definição de um foco pode agregar dificuldades ao trabalho, o que acontecerá, por exemplo, se as famílias visitadas sentirem-se discriminadas pela escolha. Um programa de caráter universal tende a ser mais bem recebido. Sempre que isso for impossível, a melhor solução será a aplicação dos programas em regiões de risco, de tal forma que, naquela área geográfica, todas as famílias com crianças sejam visitadas.

Fatores de risco na escola

Discute-se muito a respeito das responsabilidades da escola na prevenção do crime e da violência, e há um sólido corpo de pesquisas sobre a matéria. Entre todas as questões que aparecem relacionadas a esse tema, uma parece especialmente importante: o fracasso escolar. Quando a escola falha em assegurar a seus alunos o aprendizado ao qual têm direito – destacadamente quando, em países como o Brasil, a escola falha na sua primeira tarefa, que é a de alfabetizar –, ela está, de alguma forma, construindo uma das condições mais propícias para a prática da infração. É possível, então, abordar muitas formas pelas quais as escolas podem contribuir com os esforços de prevenção à criminalidade e à violência. Trataremos, então, de oferecer alguns exemplos disso, mas a principal contribuição preventiva será a de cumprir bem a sua missão – isto é, ensinar.

Muitas pesquisas no Reino Unido e nos EUA têm interpretado a "baixa inteligência" como fator de risco. Elas partem de medidores de Quociente de Inteligência (QI) e, aparentemente, comprovam a correlação entre baixos coeficientes em crianças com condenações criminais posteriores. Não estou convencido, entretanto, que se possa tomar esses testes como um instrumento confiável ou incontroverso. É possível que eles excluam as crianças que não compartilham dos mesmos ambientes culturais que caracterizam o cotidiano das classes médias e intelectualizadas, o que, se verdadeiro, introduziria distorções e preconceitos nas próprias pesquisas. Por conta dessa dúvida, não citarei os resultados das pesquisas que se valeram desses medidores. Esse cuidado não significa, entretanto, a recusa à idéia da existência de um forte componente hereditário na inteligência – o que, aliás, já foi suficientemente demonstrado pela ciência.[62]

De qualquer maneira, parece claro que a ausência de conceitos abstratos, sua pouca prevalência ou a dificuldade em lidar com eles sejam pontos relevantes quando tratamos de preditivos para a violência e o crime. Não estaríamos aqui, propriamente, tratando de "inteligência", mas de uma capacidade que condiciona e formata a inteligência permitindo às pessoas, por exemplo, lidar com conexões mais amplas e, portanto, menos dependentes da experiência imediata. Pessoas que possuem dificuldade em lidar com conceitos abstratos terão também, seguramente, problemas em antecipar adequadamente as conseqüências de seus atos. Princípios morais, regras de conduta que não estão diretamente vinculadas às possibilidades de ganho, utilidade ou benefício, são também conceitos abstratos, sem os quais é pelo menos muito mais difícil reconhecer nos demais a idéia de "direitos" ou mesmo compartilhar o sentimento de vítimas que sejam estranhas – ou seja, com quem não estabeleceram laços ou vínculos emocionais derivados do convívio.

Segundo Cohen (1955), pessoas que estruturaram sua linguagem exclusivamente em termos concretos tendem a viver para o presente e a desconsiderar repercussões a longo prazo. O que insinua uma relação com a idéia de impulsividade já referida e, por certo, nos diz algo sobre as possibilidades de comportamentos violentos e/ou infracionais. O tema nos remete de volta aos condicionantes familiares e aos cuidados que devem ser dispensados aos bebês. Se não por outro motivo, pela razão exposta por Fonagy (2003), que afirmou:

> Diferenças na capacidade lingüística entre indivíduos violentos e não-violentos refletem diferenças na qualidade de suas primeiras experiências de relacionamento mais do que meramente qualquer determinante constitucional restrito à capacidade lingüística em si mesma. Os primeiros relacionamentos são decisivos não apenas para proteger o vulnerável bebê humano, mas para organizar as funções do cérebro (...) existem muitas maneiras pelas quais esse processo pode ser comprometido, cedo ou tarde, em meninos e meninas, no contexto familiar ou na escola, através de atos violentos ou não-violentos, mas o caminho mais comum para a violência é a momentânea inibição da capacidade de comunicação e de interpretação.

Por outro lado, sabe-se que as escolas secundárias variam muito em suas taxas infracionais. Segundo Farrington (2002: p.677), pode-se encontrar diferenças que vão desde um ápice de 21 meninos conduzidos à justiça para cada grupo de 100 alunos, até taxas de 0,3 para cada grupo de 100. Escolas com altas taxas de infração tendem a ter baixas taxas de freqüência, alunos com deficiências de aprendizagem e oriundos de famílias de baixa renda, conforme demonstrou o mais conhecido estudo britânico sobre o tema.[63]

As razões para essas altas taxas de infração não podem ser explicadas satisfatoriamente apenas pela origem social ou pelas deficiências dos alunos; devem ter alguma relação com as próprias escolas. O que as pesquisas sugerem é que um dos fatores responsáveis pela infração é a alta taxa de punição e a ausência do costume de premiar e/ou elogiar os alunos em classe. Outro trabalho britânico importante[64] verificou, através de estudo de auto-relato (*self-reported study*), que escolas com grande número de alunos, altas taxas de punição e educação mais formal tendem a ter os piores comportamentos. Uma revisão das pesquisas norte-americanas sugere que escolas com regras claras, justas e consistentes produzem baixas taxas de mau comportamento.[65]

Programas no nível da pré-escola também podem ser importantes em uma política de prevenção. O já citado Perry Project, aplicado em Ypsilanti, Michigan, no início da década de 1960, procurou apoiar crianças negras e pobres entre 3 e 4 anos de idade. O grupo do experimento freqüentou diariamente um programa de pré-escola e suas famílias receberam visitas semanais durante um ano. O objetivo principal do programa foi o de fornecer estímulo intelectual, desenvolver o raciocínio e as habilidades do pensar e melhorar as chances de bom desempenho posterior na escola.[66] Avaliações mostraram que, aos 19 anos, as crianças que haviam participado do programa tinham mais chances de estar empregadas, mais chances de terem concluído seus estudos e menores probabilidades de serem presas do que aquelas do grupo de controle. Aos 27 anos, o grupo de controle tinha duas vezes mais prisões do que o grupo que havia participado do projeto.

Ainda segundo o estudo de Farrington (2002), um dos mais importantes programas de prevenção em escolas foi conduzido em Seattle, com treinamento de professores, pais e crianças. Cerca de 500 alunos foram selecionados para o experimento e para o grupo de controle em 21 classes de 8 escolas. As crianças nas classes experimentais receberam tratamento especial na escola e em casa, direcionado a aumentar seus vínculos com os pais e seus limites na escola. Elas foram treinadas, também, em resolução de problemas cognitivos, e os pais foram instruídos a reforçar nelas os comportamentos desejáveis. Os professores, por sua vez, foram habilitados a lidar com as classes a partir de regras e expectativas claras e a recompensar as crianças que tivessem bons comportamentos. Esse programa teve benefícios a longo prazo. O'Donnel e outros pesquisadores[67] avaliaram o desempenho das crianças de famílias de baixa renda e descobriram que, aos 12 anos, os meninos que haviam participado do programa tinham menores percentuais de envolvimento com atos infracionais, enquanto as meninas tinham menor envolvimento com drogas. No último acompanhamento de avaliação, os pesquisadores[68] verificaram que, aos 18 anos, os participantes do programa tinham menor tolerância à violência e apresentavam menos casos de abuso de álcool e menos parceiros sexuais que o grupo de controle.

Outro exemplo do tipo foi o programa desenvolvido em Newcastle-upon-Tyne. Foram separadas 270 crianças de escolas primárias – entre 7 e 8 anos – e 322 estudantes secundaristas – entre 11 e 12 anos –, para os grupos experimental e de controle. Todos os alunos selecionados apresentavam algum tipo de distúrbio social, psiquiátrico ou dificuldades de aprendizagem. Havia três tipos de programas de prevenção: modificação comportamental; encontros de pais e professores para aconselhamento; e terapia de grupo com os maiores e ludoterapia com os menores. Os programas foram avaliados 18 meses depois, contando com três anos de uso de indicadores clínicos para distúrbios de conduta, e demonstraram boas taxas de redução dos distúrbios.

O mais ambicioso projeto do tipo em vigor na Inglaterra é o chamado Início Certo (Sure Start). Com ele, procura-se auxiliar pais e futuros pais, bem como crianças em situação de risco, de forma que se alcance um crescimento saudável e seja possível quebrar o ciclo de desvantagem de uma geração inteira de crianças pobres.[69] Independentemente dos efeitos esperados de redução das taxas criminais, programas dessa natureza deveriam ser considerados prioritários por razões de ordem moral. De alguma forma, é a idéia que temos a respeito da humanidade que se coloca aqui de forma incontrastável.

Vários outros programas têm sido adotados, especialmente em escolas, para a prevenção da infração e da violência. O Interpersonal Cognitive Problem-Solving – ICPS (Resolução de Problemas de Cognição Interpessoais) e o Providing Alternative Thinking Strategies – Path (Oferecendo Estratégias Alternativas de Pensamento) têm alcançado sucesso nos EUA, segundo as avaliações disponíveis.[70]

O programa ICPS tenta diminuir a impulsividade e consiste em intervenções diárias na forma de jogos. As primeiras lições centram sua atenção em palavras simples como "não", "ou", "diferente" e "porque" que são essenciais para as futuras habilidades na resolução de problemas. A ênfase é a capacidade de resolver problemas de relacionamento desenvolvendo a empatia. Seus efeitos têm sido duráveis, tanto ao desempenho escolar quanto ao comportamento das crianças.

O programa Path procura reduzir a incidência de comportamento anti-social precoce através da integração emocional e cognitiva e do desenvolvimento de habilidades comportamentais na primeira infância. Ele começa na pré-escola e procura estimular o autocontrole, desenvolver um vocabulário afetivo de forma a ajudar a criança na compreensão de si própria e dos outros, integrar as habilidades afetivas, cognitivas e lingüísticas para uma capacidade social de resolução de problemas e promover a auto-estima e as relações afetivas. Esse programa tem sido usado com êxito também na redução de problemas comportamentais com crianças surdas.

A extensa revisão realizada pelos pesquisadores do Departamento de Justiça dos EUA (Krisberg et al., 1995) cita positivamente várias técnicas de "gestão comportamental" utilizadas por professores norte-americanos em sala de aula. Em geral, essas técnicas privilegiam o elogio e a recompensa ao invés da punição. Uma delas é chamada "jogo do bom comportamento". Primeiramente, os professores identificam as crianças com tendências de maior agressividade e, depois, as distribuem em grupos diferentes, misturando-as com as demais. O jogo consiste em evitar que, por conta de comportamentos individuais reconhecidos previamente como indesejáveis, o grupo seja prejudicado e ganhe pontos. Antes que o jogo comece, um prêmio é anunciado para o grupo que ao final de um período determinado – geralmente uma semana – tiver o menor número de pontos. Os prêmios variam desde adesivos até períodos extraordinários de recreio.

Um programa de dois anos foi avaliado em Baltimore. Os participantes eram crianças de áreas típicas de classe média ou pobres. Cerca de 49% dos alunos eram do sexo masculino e 65% do total da amostra eram negros. Os resultados foram comparados com um grupo de controle (ao qual não se aplicou o jogo). Após um ano, os estudantes que participavam do grupo experimental demonstravam indicadores muito menores de agressividade em comparação com o grupo de controle. O maior efeito dessa técnica se fez sentir sobre aquelas crianças consideradas as mais agressivas. Efeitos positivos no que tange à prevenção da violência e do ato infracional juvenil foram também encontrados por avaliações realizadas em programas de recreação desenvolvidos após o horário de aulas.

A referência a exemplos dessa natureza ainda causa estranheza entre boa parte dos pedagogos brasileiros acostumados a identificar a abordagem como "behaviorista" (comportamentalista). Com essa rotulação, imaginam que já resolveram o problema, quando, de fato, ainda nem o identificaram. A recusa, aliás, reflete bem nossa inclinação em favor das filiações ideológicas e o desprezo pelos argumentos derivados de evidências empíricas colhidas por pesquisas.

Há uma grande atenção no Reino Unido para a necessidade de se evitar que as próprias escolas reproduzam comportamentos violentos, autoritários e/ou discriminadores, designados pela expressão *bullying*.* Os programas anti-*bullying* pretendem impedir que alunos vitimizem seus próprios colegas, seja por brincadeiras ofensivas ou humilhantes, seja por ameaças ou agressões físicas. As crianças são informadas do que se pretende evitar e são estimuladas a relatar casos de vitimização que tenham testemunhado ou sofrido. Os períodos de recreio são supervisionados, tanto quanto a entrada e a saída da escola. Os pais são informados e há muitos esforços para banir as práticas consideradas agressivas entre os próprios alunos.

Phillips (2003: p.711) cita um dos maiores estudos sobre o tema, com 6.758 alunos em Sheffield, onde se verificou que mais de 1/4 deles havia sofrido algum tipo de *bullying* durante o trimestre em curso.[71] Da mesma forma, uma pesquisa com 2.377 estudantes de escolas primárias em Hertfordshire e ao norte de Londres mostrou uma taxa de vitimização de cerca de 30% para alunos que relataram 4 casos de *bullying* ou mais nos últimos 6 meses.[72] O estudo de Sheffield mostrou que a vitimização repetida (pelo menos uma vez por semana) atinge cerca de 10% dos alunos nas primeiras séries e cai para 5% nas escolas secundárias. Normalmente, os meninos são vítimas mais freqüentes nos casos de agressão, enquanto as meninas são mais vitimadas por isolamento e rejeição. Casos de suicídio das vítimas chamaram a atenção para a gravidade do problema. Os pioneiros em pesquisas e políticas públicas nessa área são os países escandinavos, e a referência mundial mais importante continua sendo a experiência norueguesa que assegurou a prevenção em todas as escolas e reduziu os casos de *bullying* em 50%.

---

* Algumas traduções têm utilizado a expressão "intimidação", que, entretanto, não me parece cobrir a extensão dos significados sugeridos pela expressão inglesa, que vão desde a ação de importunar conscientemente alguém até as práticas de exclusão e de violência física. Por essa razão, preferi manter o termo *bullying*.

Para Gottfredson (1997), os programas de prevenção na escola incluem intervenções destinadas a prevenir problemas como casos de furto, violência, agressões, uso de álcool e outras drogas, comportamento anti-social, desafio à autoridade e desrespeito aos demais. Esses comportamentos estão correlacionados e são produzidos por causas comuns. Fenômenos como a evasão escolar e a baixa freqüência dos alunos favorecem seu desenvolvimento e devem ser enfrentados como prioridade.

As pesquisas realizadas nos EUA identificaram efeitos positivos e a longo prazo, por exemplo, em programas efetivos de alfabetização. Sabe-se que melhorar o desempenho de leitura de um menino significa, também, diminuir sua chance de se envolver com drogas na adolescência. Muitos dos pesquisadores na área têm aceitado o vínculo entre a diminuição dos problemas de comportamento na escola e a redução dos indicadores futuros de criminalidade. Infelizmente, as escolas localizadas em regiões mais pobres e afetadas pelos mais sérios problemas de comportamento, evasão e baixa freqüência são, em regra, aquelas que menos dispõem de recursos humanos e financeiros para desenvolver abordagens preventivas.

O relatório Sherman recomenda um aumento dos investimentos do governo norte-americano em programas de prevenção na escola. Segundo seu estudo, os gastos oficiais com programas desse tipo eram, ao final da década de 1990, da ordem de 25 milhões de dólares ao ano. Muito pouco se comparados com os gastos anuais de 1,4 bilhão de dólares para programas extras requisitados pelas polícias, 617 milhões para a construção de novas prisões ou 5,5 bilhões, apenas na Califórnia, para sustentar os custos da lei que prevê a prisão perpétua de todos os que forem condenados pela terceira vez, independentemente da natureza dos crimes cometidos.

Prevenção situacional do crime

Sabemos que uma parte considerável dos crimes é cometida por conta de uma situação interpretada como favorável pelos infratores. A formulação mais influente nesse sentido foi oferecida por Ron Clarke (1992), para quem as taxas de criminalidade respondiam à configuração de três fatores básicos:

- O esforço exigido para a prática do crime;
- O risco concreto que se corre ao praticá-lo;
- O tamanho da recompensa oferecida pela sua realização.

Tendo em conta esses elementos, é possível sistematizar as iniciativas destinadas a tornar o crime mais difícil e, portanto, menos provável. Quando defendemos melhor o alvo do crime (pessoas e/ou objetos), tornamos mais difícil aos eventuais infratores a aproximação do alvo, desenvolvemos políticas que estimulam as pessoas a agir de forma correta e educada e estabelecemos o controle de alguns "facilitadores" do crime – como armas e drogas –, estamos fazendo com que a decisão de cometer um delito seja mais complicada. Da mesma forma, aumentamos o risco dos infratores quando melhoramos as condições de vigilância, seja ela formal – oferecida pela polícia, pelos guardas ou funcionários de um estabelecimento – ou natural – que pode ser oferecida por câmeras, ambientes iluminados, remoção de obstáculos que permitam a ocultação de pessoas etc. No mesmo sentido, podemos diminuir a recompensa do crime se conseguirmos remover o alvo, se identificamos os bens cobiçados, se melhoramos o desempenho da polícia etc.

As oportunidades "criam" o crime. Um exemplo interessante e bastante conhecido na Inglaterra foi a comprovação de que os estragos propositais feitos em ônibus de dois andares eram 20 vezes mais freqüentes no andar de cima. A razão, bastante simples, prende-se à ausência de vigilância, já que apenas o primeiro andar era vigiado pelo motorista (atualmente passou a ser muito comum o uso de câmeras no interior dos veículos). Outro exemplo famoso surgiu com a pesquisa sobre as diferentes taxas de furto de veículos em estacionamentos em Croydon,[73] quando se demonstrou que estacionamentos de rápida permanência usados apenas por clientes de lojas e com grande movimentação possuem taxas muito menores de furtos do que aqueles de longo período e afastados da circulação de pessoas.

A experiência internacional demonstra que a redução drástica dos chamados "crimes de oportunidade" pode alcançar, também, eventos violentos e situações trágicas. Na Inglaterra, a substituição do suprimento de gás, antes muito tóxico, por gás natural nas residências fez cair drasticamente o número de suicídios. O interessante é que as pessoas que tendiam a cometer suicídio não optaram por outro método. A maioria escolheu simplesmente não fazê-lo, na ausência de um método que, por várias razões, parecia fácil ou adequado (Pease, 2002: p.954).

Não há nada, entretanto, que possa ser oferecido como receita universal capaz de ser aplicada em todos os lugares com o mesmo sucesso. As estratégias de prevenção situacional compartilham o desafio proposto pelo Posp, desenvolvido por Goldstein (1990), já examinado no capítulo anterior. Trata-se, em última instância, de identificar os agenciamentos concretos do crime em cada momento particular, apresentando a resposta adequada à especificidade da situação.

As abordagens de prevenção situacional do crime têm se desenvolvido desde a contribuição da chamada Escola de Chicago. Com esse nome se reconhece a tradição de mapear e fazer o cruzamento, nas cidades, de todos os dados sociais e criminais disponíveis. A Teoria dos Espaços Defensáveis, desenvolvida por Jane Jacobs[74] – autora preocupada com as chances de vigilância natural nos espaços urbanos –, trouxe novos elementos teóricos. O conceito de "espaço defensável" foi tomado da antropologia e da arquitetura. Os locais de moradia passaram a ser vistos como apropriados para a vigilância dos próprios moradores. Outros autores passaram a enfatizar a necessidade de mudanças nos projetos arquitetônicos para melhorar a segurança. Para o mundo acadêmico, o conceito de prevenção do crime por projeto ambiental (*Crime Prevention Through Environmental Design* – CPTED) é, geralmente, entendido como a manipulação dos objetos e condições que cercam pessoas e propriedades para alterar as circunstâncias favorecedoras da prática do crime. Pode-se falar em CPTED, também, quando se alteram essas condições ambientais com o intuito de reduzir o medo do crime. Essa abordagem teórica é relativamente recente e vem sendo desenvolvida basicamente nos EUA. Seus fundadores foram Oscar Newman e C.Ray Jeffery.[75]

Essas e outras iniciativas têm estimulado o desenvolvimento de novas técnicas de prevenção e influenciado vários setores além das polícias. Em muitos países, observa-se um crescente comprometimento das indústrias, que passam a conceber seus produtos com dispositivos engenhosos de proteção, e de muitos comerciantes, que têm tornado seus estabelecimentos mais seguros. A Royal Society of Arts introduziu o tema da prevenção do crime nas competições estudantis[76] e tem desenvolvido projetos antifurto para telefones celulares, designs para moradias estudantis mais seguras, modelos de bicicletas menos vulneráveis etc. O Central Saint Martin Design School de Londres exibiu, recentemente, um novo projeto para cadeiras a serem usadas em bares e cafés. Elas têm um artefato que permite guardar bolsas e pertences pessoais, tornando muito menos provável o furto.[77] Os esforços de prevenção passaram a influenciar as escolas de arquitetura e engenharia, e a construção de prédios tende a ser cada vez mais informada por projetos que incorporam o conceito de redução das oportunidades para o crime. O projeto denominado Secured by Design (SBD), apoiado e administrado pela Associação dos Chefes de Polícia na Inglaterra, parece oferecer um bom exemplo dessa tendência. Pesquisas recentes indicam que as taxas de criminalidade em construções orientadas pelo padrão SBD são 30% mais baixas que nas construções comuns.[78]

Todos esses esforços em direção a mais segurança e a um espraiamento das formas de controle têm gerado, também, uma série de críticas. Alguns autores citam o "Panopticon", lembrado por Foucault,* ou se referem ao pesadelo

* Referência à proposta do filósofo Jeremy Bentham que, em 1791, imaginou uma planta prisional cuja inovação consistia em um modelo arquitetônico circular no qual todas as celas pudessem ser observadas por uma torre de vigilância situada na parte central. Em sua obra *Vigiar e punir*, Foucault observou que o controle não exigia mais a dominação física sobre o corpo, mas poderia ser alcançado através do isolamento e da constante possibilidade de observação. Nas sociedades modernas, os espaços seriam organizados de tal forma que os indivíduos estariam sempre sós e constantemente visíveis. Daí o uso metafórico da expressão de Benthan, o "Panopticon".

do "Big Brother".* Esse tipo de crítica é mesmo inevitável sempre que se discute, por exemplo, o emprego de câmeras de TV em espaços públicos. Esse tema deve voltar ao debate tão logo se torne comum o emprego de uma das novas tecnologias em desenvolvimento, como o software de reconhecimento facial. Nesse caso, pelo menos, os críticos não costumam ter muita consideração pelos resultados concretos em termos de redução da criminalidade. Suas posições, ademais, parecem frágeis sempre que confrontadas com programas sérios, que ofereçam garantias contra o uso público das imagens gravadas, preservando o direito à privacidade – um bem que, obviamente, não pode dispensar nossa tutela em defesa dos direitos humanos. Outra crítica, entretanto, me parece mais adequada. Refiro-me à sensibilidade para a tendência, cada vez mais forte, de segregar espacialmente os diferentes grupos sociais, o que estaria redesenhando uma nova "estratificação social" de acordo com os riscos a que os diferentes grupos estão expostos (Rock, 2002: p.65).

Por fim, a prevenção situacional tornou-se mais complexa a partir do desenvolvimento da Teoria das Atividades de Rotina, desenvolvida por Cohen e Felson (1979). Por essa abordagem, parte-se do pressuposto de que os crimes acontecem em contextos rotineiros percebidos pelos infratores como facilitadores. Assim, o conceito de oportunidade foi alargado, o que permitiu rebater a crítica de que tratar o crime como conseqüência de oportunidades favoráveis não permitiria compreender por que, por exemplo, regiões mais desprovidas de bens valiosos possuem, em geral, taxas mais altas de arrombamentos. Essa teoria permitiu também desenvolver dois pontos importantes: a) o interesse pelo cotidiano das vítimas potenciais e daqueles que podem oferecer vigilância natural; b) o interesse pela dimensão espacial das atividades infracionais.

Segundo o estudo de Bottoms e Wiles (2002: p.638), as infrações ocorrem, normalmente, em locais bem conhecidos pelos infratores. Patricia e Paul Brantingham[79] demonstraram que os padrões de vida cotidiana dos infratores influenciam muito a localização da ocorrência ilegal. Eles argumentam que todos nós trazemos em nossas cabeças "mapas cognitivos" da cidade onde vivemos. Algumas partes nós conhecemos muito bem, como, por exemplo, nossa própria vizinhança, as proximidades do local onde trabalhamos ou estudamos e as áreas onde fazemos compras ou nos divertimos. Também tendemos a conhecer muito bem as ruas que interligam esses espaços. Mas há áreas que não conhecemos – bairros distantes, por exemplo – e onde não temos conhecidos. Nessas regiões nada nos atrai em especial. O que os pesquisadores sustentam é que a grande maioria dos infratores jamais cometerá um crime em uma área que desconheçam totalmente. Para a maioria dos crimes, então,

* Referência à obra de George Orwell, *1984*, na qual a expressão "Big Brother" (Grande Irmão) representava a realidade opressiva da vigilância total sobre os indivíduos.

é preciso que se cruzem uma boa oportunidade e um local conhecido pelo infrator.

Bottoms e Wiles (2002: p.639) citam uma pesquisa com prisioneiros condenados por arrombamentos no condado de Delaware, Pensilvânia, que mostrou que os locais escolhidos para a prática dos crimes estavam desproporcionalmente distribuídos em áreas próximas das rotas cotidianas dos infratores.[80] Os mesmos autores citam um estudo mais recente, em Sheffield,[81] onde se verificou que, em média, os infratores deslocam-se a cerca de 3km de suas casas para cometer o crime – um dado similar ao recolhido em muitos outros estudos.

Bottoms e Wiles (2002), não obstante, sublinham que, na maioria das vezes, a decisão de assaltar é tomada de forma improvisada e no momento em que a oportunidade surge dentro das atividades rotineiras dos infratores. Normalmente, o percurso feito por eles não reproduz o triângulo sugerido por Brantingham (casa – trabalho/diversão – compras), porque sua exclusão social antecede o ato infracional e impossibilita o trânsito por esses espaços. Assim, é mais comum que os trajetos realizados sejam aqueles entre algumas poucas vizinhanças, onde a pessoa inclinada a cometer a infração encontra-se com seus amigos ou parceiros. Esses resultados, apurados em entrevistas com condenados, demonstram que o tipo de vida dos infratores pobres é mais limitado do que o primeiro modelo insinua. Os pesquisadores lembram que, quando a oportunidade cumpre papel destacado no crime, não se deve desconsiderar o fato de que boa parte das infrações também é resultado de decisões não racionais, ou não planejadas, o que torna a questão um pouco mais complexa.

Uma atenção especial deve ser dada aos lugares onde o crime tende a ocorrer e à tendência – já observada em muitos estudos – de vitimizações repetidas. Cerca de 10% das vítimas nos EUA estão envolvidas em 40% dos crimes; 10% dos agressores estão envolvidos em 50% dos crimes; e 10% dos lugares formam o ambiente para cerca de 60% das ocorrências infracionais.[82] Eck (1997) sustenta que providências simples, como novas fechaduras, marcação de bens e melhoria de segurança nos acessos em conjuntos habitacionais podem prevenir a ocorrência de arrombamentos. O mesmo foi observado com relação a lojas de conveniência especialmente vulneráveis. Eck lembra ainda a existência de um sólido corpo de pesquisas relacionando determinados bares com crimes nas redondezas. A despeito dessa fama, a maioria dos estabelecimentos não permite qualquer relação com o crime ou a desordem, enquanto alguns deles constituem *hot spots*. O autor sugere que o comportamento dos proprietários ou atendentes pode ter algo a ver com isso, e que programas específicos de treinamento em gestão com ênfase na prevenção podem reduzir casos de agressão, direção sob efeito de álcool e acidentes de trânsito.

Em geral, os críticos dos programas de prevenção situacional costumam argumentar que os efeitos positivos de redução da criminalidade induzidos por essa abordagem seriam anulados pelo deslocamento (*displacement*) do crime. Assim, uma dificuldade oferecida aos eventuais infratores em um determinado ambiente reduziria o crime apenas naquele local, mas deveria acarretar um aumento em outros. A preocupação é legítima e também tem sido medida em muitos estudos. A revisão de Hesseling[83] concluiu que o deslocamento pode mesmo ocorrer, mas não é uma conseqüência inevitável nem comum da prevenção. Vários outros estudos comprovam que o deslocamento não é o problema principal[84] e que, mesmo nas situações em que ele ocorre, raramente manifesta um caráter integral. Por outro lado, as políticas de prevenção produzem, também, efeitos de difusão de benefícios. Ou seja, iniciativas bem-sucedidas de prevenção em uma região tendem a contaminar as áreas contíguas, o que é o inverso do efeito de deslocamento.

Pease (2002: p.956) sublinha o que parece ser uma preocupação mais importante com relação à abordagem situacional: para ele, o problema principal é a sustentação dos efeitos positivos a longo prazo. Ocorre que os governos tendem a realizar investimentos de caráter preventivo – quando os realizam – em áreas marcadas por altos índices de criminalidade. Essa opção termina se impondo e dificilmente se poderia imaginar outro tipo de decisão. Aqueles locais, então, onde se alcançou efeito positivo de redução do crime tendem a ser secundarizados pelas políticas de segurança. Essa dinâmica terminaria por afirmar, a longo prazo, o enfraquecimento dos efeitos benignos alcançados. Nesse mesmo trabalho, o autor lembra também que as oportunidades para o crime estão sempre sendo reinventadas e mudam na medida em que o mundo muda. Isso permite sustentar que poucas atividades de prevenção situacional funcionarão "para sempre".

Por fim, os esforços de prevenção situacional devem oferecer uma atenção especial ao fenômeno da vitimização repetida. Algumas situações de violência e crime tendem a ser crônicas, como, por exemplo, a violência doméstica sobre mulheres e crianças. Mas outros crimes também costumam se repetir com as mesmas vítimas e, não raro, com os mesmos infratores. Tal é o caso, por exemplo, dos arrombamentos, dos assaltos a banco ou a estabelecimentos comerciais e dos chamados "crimes de ódio" – entre eles os motivados pelo racismo. Os casos de vitimização repetida ocorrem com muito mais freqüência e em muito maior extensão do que se imagina. Um estudo realizado em 1994, na Inglaterra, pelo Comitê Nacional para a Prevenção do Crime (National Board for Crime Prevention), sugere que 4% das vítimas são alvo de 44% de todos os crimes. Situações como a miséria ou a exposição freqüente a agressões racistas favorecem a múltipla vitimização. Essa experiência afeta não apenas as vítimas, mas todos os que compartilham de seu cotidiano, especialmente as crianças que, nesse sentido, devem ser consideradas vítimas indiretas – como o são, também, aquelas que testemunharam crimes, especialmente crimes violentos.

As pesquisas de vitimização na Inglaterra verificaram que 84% das vítimas foram afetadas emocionalmente pelo crime. Crimes interpessoais, como agressões físicas ou sexuais, produzem efeitos a longo prazo. Cerca de 75% das vítimas de agressões, roubos ou estupros continuam afetadas psicologicamente pelo episódio dois anos e meio após a ocorrência.[85] Nos casos de violência sexual, os efeitos podem persistir por muitos anos com manifestações de distúrbios emocionais, perturbações do sono ou da alimentação, sentimentos de insegurança ou baixa auto-estima, problemas de relacionamento etc. Nesses casos, se as vítimas forem crianças, os efeitos serão ainda mais prolongados. Os danos podem mesmo não ser visíveis, mas induzem a profundos sentimentos de medo, vergonha e culpa.[86] Vítimas de abuso sexual na infância tendem a manifestar dificuldades de aprendizagem e comportamento regressivo.[87] A experiência de vitimização pode levar à síndrome do estresse pós-traumático, condição clínica de sintomas como ansiedade, depressão, perda de controle, culpa, perturbação do sono e pensamentos obcecados quanto ao crime. Zedner (2002: p.429) lembra que, entre as razões pelas quais se verificam diferentes reações em cada vítima, devem ser destacadas: vulnerabilidade, prévia experiência de vitimização, isolamento e situação econômica.

Normalmente, quando o fenômeno da vitimização repetida se verifica, há uma tendência de que isso ocorra rapidamente. Assim, os esforços de prevenção devem ser urgentes. Uma providência imediata para o reparo do dano causado ou a proteção da vítima irá, muito provavelmente, impedir um novo crime. Essa será uma forma, também, de priorizar a proteção às pessoas mais fragilizadas. Como os casos de vitimização repetida são muito mais freqüentes nas comunidades que sofrem com os crimes mais graves, o interesse pelo tema também coincide com o critério público de priorizar essas áreas. Mais uma vez, estamos diante de um tema que parece exigir um olhar mais atento para a Teoria das Janelas Quebradas, impedindo que sua intuição central seja pervertida por uma apropriação política reacionária e demagógica.

Observações adicionais

A decisão de investir em programas de prevenção encontra, inevitavelmente, resistências que mobilizam mitos. O mais amplo relatório australiano a respeito da prevenção do crime (*National Crime Prevention*, 1999) lembra alguns deles, como a idéia de que "nada funciona"; de que a "polícia e a justiça é que devem tratar disso"; ou de que o crime e a violência "possuem uma única causa", o que exigiria, como conseqüência, "uma única solução"; entre outras. Alguns desses mitos podem ser, inclusive, compartilhados por criminologistas, como o de que "tudo deve ser feito muito cedo na vida, ou nem adianta tentar", ou "tudo o que deve ser modificado são os indivíduos, uma vez que os fatores de risco mais críticos são os individuais" etc.

O que se pode afirmar, em contrapartida, é que não há qualquer dúvida entre os especialistas de que políticas de prevenção podem e têm funcionado. Algumas delas, é claro, não apresentam os resultados esperados, e outras parecem fracassar absolutamente e, por isso, devem ser superadas. Os eventuais maus resultados, entretanto, não obscurecem a gama de iniciativas que têm alcançado conquistas tantas vezes surpreendentes e alterado a vida de milhões de pessoas em todo o mundo. Ao examinar essas experiências, o que se discute é quais dentre elas tendem a apresentar os melhores resultados e as melhores relações de custo/benefício, ou como maximizar seus desempenhos.

Sabemos que não existe uma única trajetória que conduz os indivíduos ao crime ou às práticas violentas e que os caminhos existentes se bifurcam e oferecem desvios e rotas de retorno. Assim, se é correto destacar a importância das intervenções precoces, seria absurdo imaginar que abordagens realizadas mais tarde ou em diferentes estágios da vida individual estariam fadadas ao fracasso. As pesquisas disponíveis mostram que intervenções precisas podem produzir resultados positivos em qualquer momento do desenvolvimento individual, inclusive – conforme veremos em outro capítulo – quando envolvem o tratamento de adultos condenados por crimes violentos.

O que parece sublinhar ainda mais a importância das abordagens de caráter preventivo é o fato de que elas não resumem seus resultados apenas ao curso de vida dos indivíduos afetados diretamente, mas tendem a se prolongar na segunda geração. Pode-se afirmar isso com certeza quando se descobre que um dos melhores preditivos para se saber o quanto um menino será agressivo é o quanto seu pai foi agressivo quando criança (Huesmann et al., 1984). Evidências demonstram que as meninas que enfrentaram dificuldades em seu processo de formação e que conviveram com pais agressivos estarão menos aptas a desenvolver comportamentos violentos quando adultas se comparadas aos meninos nas mesmas circunstâncias, mas serão tendencialmente mães ineptas quanto ao desafio de construir uma visão correta de disciplina para seus próprios filhos (Patterson, 1996).

Iniciativas de prevenção costumam ter mais êxito quando combinam diferentes abordagens para o maior número possível de fatores de risco. A conclusão é a mesma em vários estudos, como o Relatório da Sociedade Psicológica Norte-Americana (American Psychological Society Report, 1997):

> Não importa o quanto aprendemos sobre o processo de socialização e não importa o muito que aprendemos sobre mudança de atitudes, crenças e outras cogni-

ções, nós simplesmente teremos menores probabilidades de prevenir a violência se não tivermos a chance de alterar os fatores ambientais da vida de uma criança que promovem a agressão. Por conseqüência, somos obrigados a examinar o quanto podemos avançar em mudanças na vizinhança, nas escolas e nas famílias de forma que elas possam induzir menos ao desenvolvimento de comportamentos violentos.

Assim, por exemplo, se estivermos empenhados em reduzir os casos de gravidez na adolescência – sabidamente uma situação preditiva para atos infracionais, principalmente nos casos de gestantes pobres e solteiras –, teremos que fazer mais do que estabelecer um foco em políticas de contracepção. Iniciativas do tipo surtirão melhores efeitos quando acompanhadas por mudanças organizacionais que permitam às mães adolescentes recuperarem as condições que tinham antes da gravidez. Mudanças que possibilitem, por exemplo, a conclusão de sua formação escolar, em vez da "natural" exclusão.

A necessidade de combinar intervenções preventivas não significa que devamos somá-las, mas sim dispor delas de forma coordenada. Afinal, não faz muito sentido enfrentar um único aspecto ou fator de risco quando sabemos que a violência e o crime, como fenômenos complexos, possuem diversas causas.

Um estudo canadense realizado por Vitaro et al. (1997) sustenta a necessidade de combinar o enfrentamento dos fatores de risco individual com o contexto em que eles se manifestam concretamente. O estudo acompanhou 868 meninos entre 11 e 13 anos. A característica pessoal destacada foi a tendência ao comportamento agressivo com a amostra dividida em dois subgrupos: um com tendências severas de agressividade e outro com tendências moderadas. O contexto estudado foi o da influência exercida sobre esses meninos por seus amigos. O que a pesquisa descobriu foi que para os de 11 anos, identificados como portadores de tendências "severas" de agressividade, a companhia dos amigos não exercia qualquer influência. Seu comportamento continuava agressivo independentemente de os amigos serem agressivos ou não. Mas, para os meninos classificados como "moderadamente" agressivos, na idade de 11 anos, a companhia de seus amigos fazia muita diferença. O nível de agressividade desse grupo aos 13 anos tornava-se alto quando os amigos eram muito agressivos. Tal conclusão indica claramente a necessidade de abordagens diferentes para os dois grupos estudados.

Seguramente, as condições sociais de miséria e exclusão da cidadania alicerçam boa parte dos fatores de risco mencionados, no sentido de que vinculam quase todos eles. Crianças que vivem em comunidades deterioradas, onde a maioria das famílias convive com um desemprego estrutural e prolongado e onde há um déficit extraordinário de recursos e serviços públicos, possuem, evidentemente, maiores possibilidades de viver situações de conflito com a lei. E são também maiores as chances de problemas de saúde, evasão escolar, gravidez precoce, abuso de drogas etc.; certamente, elas acabam enfrentando mais situações que as estimulam em direção a condutas agressivas e violentas – senão por outro motivo, por conta da necessidade de luta diária pela sobrevivência.

Afirmar isso pode mesmo parecer óbvio, mas o faço de maneira que, possivelmente, não o seja. Ocorre, em primeiro lugar, que as próprias privações materiais não produzem a violência ou o crime. Sabemos disso, primeiramente, porque as pessoas que vivem na pobreza, em todo o mundo, em sua grande maioria, não se inclinam para o crime, nem poderiam ser definidas como mais violentas. Também sabemos que muitos dos crimes e atos de violência praticados em qualquer sociedade moderna surgem em situações conflituosas não subordinadas diretamente a qualquer questão de benefícios econômicos. Raiva, frustração, orgulho ferido, ciúme, descontrole, preconceito, ódio, vingança, ambição, lapsos e valores – entre outros sentimentos – existem independentemente da luta de classes ou das fraturas sociais que repartem nossas cidades e que segregam milhões de seres humanos. Por fim, sabemos também que muitas das infrações em todo o mundo são praticadas por pessoas que integram as elites econômicas e culturais.

Parece claro que, em cada situação, será possível encontrar fatores de risco que atuam com mais força do que outros e ainda alguns que não integram os três grupos aqui mencionados (individuais, familiares e escolares), como, por exemplo:

Disponibilidade de armas de fogo

Revólveres e pistolas, especialmente, formam um dos mais importantes fatores para o aumento da violência e dos casos de morte em todo o mundo. A disponibilidade de armas de fogo faz com que disputas banais – que normalmente estariam resumidas a uma troca de insultos ou de socos – se transformem facilmente em tiroteios. Inúmeras pesquisas têm demonstrado que as comunidades que oferecem maior disponibilidade de armas de fogo experimentam taxas mais altas de crimes violentos, inclusive de homicídios.[88]

A forma como a mídia retrata a violência

Há cada vez mais evidências de que a violência, tal como retratada e reproduzida pela mídia – destacadamente pela TV – influencia o grau de aceitação da violência e pode estimular comportamentos agressivos e violentos (voltaremos a esse ponto em um capítulo mais adiante).

Transições e mobilidade

Mesmo as transições normais dentro de uma escola, quando os alunos passam de ano ou se deslocam do ensino elementar para o secundário, costumam estar associadas a um aumento de problemas comportamentais, inclusive em relação ao consumo de drogas. Esses são também os momentos em que a evasão escolar ocorre com mais freqüência.

Desorganização comunitária e baixos vínculos com a vizinhança

Quando as pessoas não se reconhecem como "comunidade" e experimentam uma forma de vida marcada pelo isolamento, têm mais chances de conviver com problemas de drogadição na juventude, com altas taxas infracionais e com as maiores incidências de vandalismo e desordem. Baixas taxas de participação em atividades sociais ou mesmo políticas (nos EUA, por exemplo, baixas taxas de participação nas eleições) e pouco comprometimento dos pais com a escola costumam refletir ausência de "comunidade", o que torna mais difícil qualquer tipo de intervenção social, assim como a difusão de normas e expectativas.

Gangues

Os principais estudos disponíveis sobre o comportamento de infratores violentos crônicos demonstram que eles não se envolvem apenas com atividades ilegais, mas também manifestam outros problemas comportamentais. Geralmente saíram muito cedo da escola, possuem e carregam armas de fogo para sua própria proteção, integram gangues, iniciam precocemente sua vida sexual (pelo que tendem a se tornar pais e mães muito cedo) e tornam-se independentes de suas famílias em uma idade em que os demais jovens ainda mantêm fortes laços com seus pais. No estudo de Rochester, aproximadamente 2/3 dos jovens com esse perfil relataram integrar gangues. Durante o período em que estão vinculados a essas organizações, o número de crimes e atos violentos que praticam é muito maior do que os encontrados nos períodos imediatamente anteriores e posteriores a essa "filiação".

Amigos envolvidos em problemas de comportamento

Jovens envolvidos com pessoas que possuem problemas de comportamento – situações de conflito com a lei, abuso de drogas, violência, atividade sexual precoce, evasão escolar etc. – têm mais probabilidade de seguir esse caminho.[89]

Por fim, penso que seja importante sublinhar alguns dos fatores de proteção que podem contrabalançar os fatores de risco já mencionados. Com relação aos adolescentes, sabe-se que o fato de pertencerem a um grupo cultural ou religioso oferece vínculos importantes e permite que determinadas responsabilidades sociais sejam assumidas – o que, naturalmente, termina por formar um fator protetor não negligenciável. O vínculo é, de qualquer forma, um conceito fundamental. Pesquisadores envolvidos com o Estudo de Rochester identificaram 12 fatores protetores nas categorias "família", "escola", "grupo de influência" e "características individuais". Isoladamente, nenhum desses fatores parece exercer influência significativa, mas quando atuam conjuntamente tendem a produzir forte impacto nos indicadores de violência e atos infracionais. Entre os jovens considerados de "alto risco" no estudo mencionado (aqueles que possuíam cinco ou mais fatores de risco), 80% daqueles que tinham menos de 6 fatores protetores em seu ambiente relataram envolvimento em atos infracionais sérios. Ao mesmo tempo, entre o mesmo grupo considerado de "alto risco", apenas 25% dos que possuíam 9 ou mais fatores protetores relataram algum envolvimento em infrações sérias.[90] O que se pode afirmar é que os jovens que mantêm vínculos fortes com suas famílias, com seus amigos, com sua escola ou com sua comunidade estão também comprometidos em alcançar os objetivos e manter os valores desses grupos. Estando vinculados, terão menos probabilidades de se engajar em qualquer tipo de comportamento que ameace esses vínculos.

O argumento vale, também, no extremo oposto, para que se compreenda a fidelidade dos jovens aos valores de uma gangue, por exemplo. Muitos estudos têm demonstrado que jovens que não desenvolveram comportamentos infracionais – em que pese sua exposição a vários fatores de risco – costumam manter fortes vínculos com pelo menos um adulto, seja membro da família ou não, que tomam como modelo de conduta.

Quando as famílias e as escolas atribuem aos adolescentes determinadas responsabilidades – tratando-os, portanto, de um modo mais próximo a como os adultos são tratados – também se produzem vínculos importantes. O mesmo pode ser dito para adolescentes empregados em meio período ou envolvidos em atividades profissionalizantes. Situações do tipo são consideradas "protetoras" porque permitem algum tipo de remuneração, o que reforça um padrão positivo de recompensa pelo esforço e oferece exemplos de conduta no mundo adulto. Possibilidades reduzidas de contato ou convívio com grupos de adolescentes em conflito com a lei, especialmente quando derivadas de laços fortes com o ambiente familiar, parecem ter bastante importância.

Ainda com relação ao grupo de amigos, dificuldades para alcançar "popularidade" – como timidez ou inibição – também constituem fatores protetores, bem como para o amadurecimento físico e sexual tardio. Bom índice de auto-estima e autocontrole, forte escala de valores morais e sentimento operante de responsabilidade e solidariedade para com os demais (empatia) são igualmente fatores protetores na adolescência.

Independentemente disso, sabe-se que os vínculos de um jovem com sua escola são importantes para seu desenvolvimento, seja qual for a sua conduta. Quanto mais significativos forem esses vínculos, menos provável será o envolvimento em situações de conflito com a lei. Um recente trabalho realizado no Canadá, por Sprott et al. (2000),[91] sublinha essa importância alertando que políticas de "tolerância zero" na escola – que produzem expulsões e suspensões – só fazem estimular os atos infracionais.

Muitas outras iniciativas podem ser pensadas dentro de uma política ampla de prevenção da criminalidade e da violência, e novas pesquisas têm descortinado campos de estudo promissores nessa área. Apenas para que se tenha uma idéia de novas abordagens, discute-se atualmente, por exemplo, o quanto estimular uma alimentação sadia pode ser um bom caminho na luta contra a violência. Um estudo realizado por pesquisadores da Universidade de Oxford (Gesch et al., 2002) sugere que adicionar vitaminas e outros nutrientes vitais nas refeições dos jovens pode diminuir o número de atos infracionais por eles cometidos. Isso foi descoberto após uma experiência com jovens adultos privados de liberdade em uma instituição de "máxima segurança" em Buckinghamshire. O estudo (randômico duplo-cego) deverá ser desenvolvido para confirmar se a abordagem pode colher os mesmos resultados entre a população em geral.

Bernard Gesch e seus colegas de Oxford envolveram 230 presos jovens do Her Majesty Young Offenders Institution Aylesbury em seu estudo. Metade deles recebeu pílulas contendo vitaminas, minerais e ácidos graxos essenciais, e a outra metade recebeu placebo. Os pesquisadores coletaram o número de infrações cometidas pelos presos nos 9 meses anteriores à experiência e durante os 9 meses em que as pílulas foram distribuídas. Verificaram que o grupo que recebeu as pílulas com os nutrientes cometeu 25% menos infrações que o grupo de controle. Desagregando os tipos das infrações, a maior redução se deu justamente entre aquelas de natureza mais séria, incluindo os incidentes com violência, que caíram 40%. Os autores descreveram esses números em um artigo para o *British Journal of Psychiatry* como "impressionantes" e sugeriram que melhorar a dieta dos encarcerados pode ser uma forma barata e eficiente para reduzir o crime e, também, a população carcerária.

Os autores do experimento lembram que tentativas de tratar o comportamento a partir da nutrição datam da Segunda Guerra Mundial, quando Sinclair convenceu o governo britânico a suplementar a dieta das crianças inglesas com óleo de bacalhau e suco de laranja. Desde então, muitas evidências a favor da tese de que uma alimentação correta pode reduzir os comportamentos anti-sociais têm sido encontradas.[92]

CAPÍTULO 4

OS JOVENS E O CRIME

Anotações a partir do caso James Bulger

A idéia de que há uma "explosão de criminalidade" no mundo se faz acompanhar, na grande maioria dos países ocidentais, pela convicção de que as sociedades modernas experimentam uma "onda de violência juvenil" sem precedentes. Casos esporádicos de violência ou atos infracionais graves praticados por adolescentes ganham espaços generosos nos meios de comunicação e despertam a indignação pública. Paralelamente, os temas do tráfico e do consumo de drogas – práticas que aparecem associadas à juventude – suscitam debates e muitas preocupações. Como seria de esperar, os sentimentos disseminados apontam, invariavelmente, para um mesmo tipo de resposta: mais repressão, redução da idade penal e novos mecanismos de controle.

Diante dessa situação seria preciso perguntar, primeiramente, se é possível falar em um problema específico de violência ou criminalidade juvenil que tenha adquirido proporções inéditas. Ao mesmo tempo, é preciso saber até que ponto se pode tratar de juventude ou adolescência como conceitos que denotem fenômenos precisos e, ainda, em que consistem os atos infracionais e a violência realmente praticados pelos jovens. Finalmente, o desafio maior que o tema nos oferece é o de sugerir uma abordagem que seja, pelo menos, mais eficaz no trato da violência juvenil do que as receitas tradicionais e conhecidas sugeridas pela hipótese repressiva e sustentadas pelo discurso de "lei e ordem".*

O presente capítulo não tem a pretensão de oferecer uma receita. Seu objetivo é o de permitir um olhar mais cuidadoso (e, possivelmente, mais amplo) sobre um tema cuja complexidade tem sido subestimada e que, também por isso, é vitimado pela simplificação e o preconceito.

---

* A expressão "*law and order*", título de um conhecido seriado de TV, foi o slogan do governo Reagan nos EUA. Com ela, a maioria dos autores costuma designar um tipo de discurso ou de política centrado na idéia de "mais repressão e rigor".

O caso James Bulger

No dia 12 de fevereiro de 1993, uma mãe, acompanhada de seu pequeno filho de 2 anos, entrou no Bootle Strand Shopping Center, em Merseyside, na saída de Liverpool. Eram 15h39 quando ela virou as costas para seu filho enquanto tentava comprar carne em uma mercearia. Quando se voltou, não o encontrou. Tomada pelo desespero, saiu à procura do menino, de nome James Bulger, que jamais veria outra vez com vida. O corpo do pequeno James foi encontrado no outro dia, a 3km de distância do local, sobre os trilhos de uma estrada de ferro. Para surpresa da própria polícia, o exame das fitas gravadas por 16 câmeras de TV espalhadas pelo shopping mostrou que o menino havia sido conduzido pela mão por dois outros meninos. Robert Thompson e Jon Venables foram identificados como os responsáveis pela morte de James. Ambos tinham 10 anos.

Esse caso chocou o mundo e teve repercussão devastadora na Inglaterra. As cenas dos últimos momentos de vida de James Bulger, gravadas pelas câmeras do shopping, foram exibidas pelas televisões britânicas centenas de vezes. A cada vez que eram mostradas, renovavam-se dramaticamente os sentimentos de incompreensão, espanto e ódio entre os telespectadores. O destino de uma criança de 2 anos, morta de maneira brutal, adquiria, com as imagens silenciosas do shopping, o status de uma tragédia compartilhada por todas as famílias do Reino Unido. A cobertura da imprensa foi impressionante. Apenas para que se tenha uma idéia, um dia após o julgamento dos acusados, que ocorreu em 24 de novembro daquele ano, o *Daily Mail* apresentou 24 histórias sobre o caso, em um total de 40 histórias nos três dias subseqüentes ao julgamento. Dois dos mais circunspectos e qualificados jornais britânicos, o *The Guardian* e o *Daily Telegraph*, publicaram 22 e 23 artigos, respectivamente.

As identidades de Thompson e Venables só foram divulgadas após o julgamento. Mesmo durante esse processo, eles foram designados como "menino A" e "menino B". Os tablóides ingleses – conhecidos pelo sensacionalismo e a falta de ética – referiam-se aos acusados como "monstros", ampliando a ansiedade geral e as demandas punitivas. O tom prevalecente nas opiniões foi de que, para um caso assim, "uma sentença de prisão perpétua seria um prêmio". Talvez estivesse ocorrendo algo mais forte, entretanto, do que o mero fenômeno do "populismo penal". Conforme assinalou o jornal *Sunday Times*, em 28 de novembro de 1993: "Nunca mais poderemos olhar para as nossas próprias crianças da mesma maneira." Vale então reproduzir aquilo que foi observado alguns anos depois por dois pesquisadores: "Não eram apenas duas crianças que estavam sendo julgadas naquele dia. Estava também em julgamento a própria natureza do que era até então entendido como infância."[1]

Nunca se soube ao certo o que os garotos que seqüestraram James Bulger tinham em mente e nem por que tomaram a decisão de matá-lo. No julgamento, um dos acusados chorou convulsivamente e o outro parecia apenas estar curioso com o que ocorria. Talvez tenham pretendido roubar algo do menino, talvez imaginassem ter algum ganho se o seqüestrassem. É possível que o garoto, uma vez fora do shopping, tenha protestado e que isso tenha feito Thompson e Venables perceberem que estavam "com problemas" e que seriam punidos por terem "roubado" o menino. Resolveram, então, "livrar-se do problema". Quando falaram sobre a decisão de matar, responderam apenas que o fizeram porque o garoto "não parava quieto". Ao longo das investigações, a polícia recolheu o testemunho de 38 pessoas que declararam terem visto os dois caminhando com o menino. Uma dessas testemunhas, uma senhora, declarou ter percebido que James estava com um machucado na cabeça e que pensou em intervir para conduzi-lo até um local onde fosse medicado. Não o fez, entretanto, porque não poderia deixar seu cachorrinho na rua.

Thompson e Venables estavam "matando aula" aquela tarde e foram ao shopping para cometer pequenos furtos. Ambos vinham de famílias pobres da periferia de Liverpool. Um deles possuía um histórico de atendimentos psiquiátricos por ter feito, deliberadamente, ferimentos em seu próprio corpo. Embora nunca se tenha tido certeza, há indícios de que os dois haviam sido vítimas de abuso sexual quando tinham pouco mais que a idade de James. Por certo, sabiam que furtar era algo errado – assim como matar –, tanto que procuraram dissimular o feito colocando o corpo de James junto aos trilhos de tal forma que parecesse ter sido atropelado por um trem. A questão é: como se pode exigir de duas crianças de 10 anos – especialmente com o histórico que tinham – que soubessem, exatamente, *quanto* é errado matar alguém? Essa questão nunca foi sequer considerada ou cogitada pela imprensa.

De fato, o caso constituiu um exemplo incontrastável da forma como a mídia costuma se comportar diante do crime. Além da brutalidade e do que há de impensável no ato em si, a morte de James Bulger foi um fato jornalístico "valioso". Ele era "espetacular" e estava simbolizado em uma imagem forte; havia se consumado por violência física e, talvez, tivesse envolvido violência sexual. Também estava possivelmente conectado a alguma patologia individual e agregava em torno de si uma extraordinária demanda por retribuição e/ou vingança. Foram essas características que chamaram a atenção da imprensa e foi por conta delas que o episódio se prestou a uma disputa de mercado. O papel desempenhado pela mídia, então, foi, de longe, o principal responsável por ter transformado a tragédia em um divisor de águas na política britânica quanto ao tema da violência juvenil.

Desde a segunda metade da década de 1980, o número de casos registrados pela polícia envolvendo adolescentes em conflito com a lei na Inglaterra vinha caindo. Para alguns estudos, esse resultado estaria relacionado a mudanças demográficas, uma vez que, durante essa década, observou-se uma redução de 18% no número de casos com jovens entre 14 e 16 anos, comparado à década anterior. Mas ainda que essa variação possa ter produzido algum efeito, ela seria insuficiente para explicar a redução significativa de detenções de meninos nessa faixa etária, que chegou a ser igual a 12% em 1985 e que, no início da década de 1990, já era de 7%. Mudanças legislativas e alterações na forma como as polícias passaram a tratar várias situações envolvendo adolescentes possivelmente tiveram muito mais importância. Aquela foi uma época em que as medidas de serviço comunitário para jovens em conflito com a lei eram estimuladas. Entre 1983 e 1987, por exemplo, 110 projetos para execução de medidas alternativas à prisão de adolescentes, com 3.389 vagas, foram montados com trabalho voluntário em 62 regiões do país. No início de 1988, um documento do Ministério do Interior (*Punishment, Custody and the Community*) anunciava a intenção governamental de, com base na experiência com o aprisionamento de adultos, evitar tanto quanto possível a detenção de adolescentes:

> A maioria dos jovens infratores sai do crime quando se torna mais maduro e responsável. Eles devem ser encorajados e ajudados a se tornar respeitadores da lei. Mesmo um pequeno período de encarceramento poderá mais provavelmente fazer com que eles confirmem seu comportamento criminoso, particularmente porque adquirem novas habilidades criminais no convívio com infratores mais sofisticados. Eles vêem a si próprios como criminosos e, então, passam a se comportar de acordo.

O caso James Bulger alterou completamente esse panorama. Ele foi, na verdade, a "senha" para que várias tendências que atuavam subterraneamente viessem à tona. O discurso, a sensibilidade e as expectativas produzidas na esfera pública permitiram um efeito perverso de retroalimentação entre aquilo que exigiam os editoriais, as matérias e os chamados "formadores de opinião" e aquilo que passaram a anunciar os políticos e os governantes. Para uns e outros, a consideração mais presente nada tinha a ver com o caso em si, mas com o desafio de disputar "audiência" mostrando ao público que seu "produto" era melhor do que o oferecido pelos concorrentes. O primeiro-ministro da época, o conservador John Major (disputando contra os "concorrentes", no caso os trabalhistas), declarou que: "O caso deve fazer com que sejamos obrigados a condenar mais e a compreender menos."

Dez dias após a tragédia, o ministro do Interior anunciou o plano de construir uma rede de instituições penais para jovens infratores entre 12 e 15 anos (um objetivo que só não se concretizou graças à resistência dos profissionais que trabalhavam com adolescentes em conflito com a lei). Mudanças importantes foram, de qualquer forma, introduzidas na legislação criminal com o Criminal Justice and Public Order Act, de 1994, que dobrou o tempo máximo de encarceramento para jovens infratores – de um ano para dois – e introduziu novas medidas punitivas como a internação de adolescentes entre 12 e 14 anos em campos de treinamento. "Medidas duras e imediatas" inflaram os noticiários: adoção do modelo norte-americano dos "*Boot Camps*" (espécie de colônias rurais de inspiração militar e essencialmente punitivas); toque de recolher para crianças com menos de 10 anos; humilhação pública dos infratores; possibilidade de punir os pais que tivessem filhos infratores; uso de prisões militares; e, é claro, políticas de "tolerância zero" foram algumas das propostas discutidas ao longo de todo o período até as eleições gerais de 1997.

O resultado dessa nova inclinação repressiva foi – como se poderia esperar – o aumento no número de prisões. Entre 1992 e 1998, o número de adolescentes entre 15 e 17 anos encarcerados subiu 79%. No período que vai de 1993 até 1999, o número total de adolescentes encarcerados aumentou 122%. O novo documento do Home Office sobre o tema, publicado em 1997, tinha como título uma expressão que não poderia sintetizar melhor a nova disposição do poder: "*No More Excuses*" ("Sem mais desculpas").

As leis penais da Inglaterra e do País de Gales estabelecem a idade penal de 14 anos, mas se a promotoria consegue convencer o judiciário de que o ato foi cometido com plena consciência de seu caráter, então crianças a partir dos 10 anos podem ser levadas a julgamento em uma corte de adultos. Foi o que aconteceu no caso James Bulger. No dia do julgamento, cerca de 500 pessoas cercaram a corte dispostas a linchar os acusados. Ao final, Thompson e Venables foram considerados culpados por seqüestro seguido de morte e condenados a uma pena mínima de 8 anos de encarceramento. Ao fim desse período, seriam submetidos a avaliação e só seriam colocados em liberdade se houvesse garantias suficientes de que "haviam deixado de ser uma ameaça à sociedade". Essa decisão foi amplamente contestada pela opinião pública, que a considerou excessivamente branda. O ministro do Interior interveio no caso e determinou que a pena mínima fosse de 15 anos; no entanto, isso foi considerado inconstitucional. A maior parte das pessoas acreditava – e possivelmente segue acreditando – que os réus deveriam permanecer presos por toda a vida.

Após terem cumprido o período de 8 anos (aos 18 anos de idade, portanto), os dois foram submetidos a avaliação e colocados em "liberdade condicional por tempo indeterminado". Os jovens e seus familiares receberam novas identidades para que pudessem recomeçar suas vidas em lugar incerto. Por decisão judicial, a primeira do tipo em toda a história da Inglaterra, a imprensa e os provedores de Internet foram proibidos de divulgar qualquer informação que permitisse revelar as novas identidades dos rapazes ou o local onde vivem. O interdito constituiu, na verdade, um momento isolado de lucidez. Tão logo a imprensa passou a especular com a possibilidade do livramento condicional dos condenados, uma verdadeira campanha contra a soltura foi organizada por alguns tablóides. Um deles, o *The News of the World* – possivelmente o mais representativo veículo inglês da chamada "*gutter press*" (algo como "imprensa da sarjeta") –, comentando a possibilidade da liberdade, deu como manchete a seguinte frase: "Serão mortos em quatro semanas."

O caso Mary Bell, a violência que não se vê

O caso James Bulger, de qualquer maneira, representa um tipo raro de tragédia. Na Inglaterra, sabe-se de 25 casos semelhantes ao longo dos últimos 250 anos (!); ou seja, um a cada 10 anos. A última situação do tipo havia sido registrada em 1968, quando uma menina de 11 anos, Mary Bell, matou dois meninos, de 3 e 4 anos, no espaço de 9 semanas. Esse caso não teve o mesmo impacto porque não havia imagens a respeito e porque a imprensa ofereceu, no geral, um tratamento discreto ao tema. Mary Bell só alcançou liberdade definitiva aos 23 anos. Reestruturou, então, sua vida e teve uma filha. Por conta dessa circunstância, sua identidade foi protegida.

Em 1998, uma nova polêmica em torno de seu nome alcançou a mídia. Mary Bell estaria "explorando a trágica história" ao receber dinheiro por prestar depoimentos para um livro sobre o caso. Tony Blair declarou que isso lhe parecia "repugnante", e o governo trabalhista tentou impedir o pagamento sob a ameaça de romper o anonimato que protegia Mary Bell. Como resultado dessa polêmica, os jornalistas cercaram sua casa na tentativa de entrevistá-la, o que fez com que Mary Bell e sua filha se vissem obrigadas a fugir. Foi dessa forma, aliás, que a menina, na época com 14 anos, recebeu a primeira informação a respeito do que havia ocorrido na infância de sua mãe. Vale ressaltar que a mesma imprensa que a criticava furiosamente por receber dinheiro pelos depoimentos que prestaria ao livro oferecia-lhe fortunas por uma entrevista exclusiva.

O livro em questão chama-se *Cries Unheard* (*Gritos no vazio*, na edição brasileira), e foi a seqüência de um sério trabalho a respeito de abuso sexual e traumas infantis. A autora, Gitta Sereny, uma veterana que havia trabalhado com crianças traumatizadas pelos campos de concentração, já era internacionalmente conhecida por suas publicações a respeito do horror nazista, entre elas os estudos sobre as personalidades do arquiteto amigo de Hitler, Albeet Speer e do comandante do "campo da morte" de Treblinka, Franz Stangl. Longe de se tratar de uma publicação sensacionalista, o livro procurava demonstrar o tipo de dano que podia ser causado a uma criança, como Mary Bell, abusada aos 5 anos por sua mãe, uma prostituta sadomasoquista que havia tentado 4 vezes matar a filha. O interesse da história é ainda maior porque Mary Bell conseguiu superar esses condicionantes e construir plenamente sua vida. Uma conquista que ela atribuiu ao apoio de James Dixon, um oficial aposentado da marinha britânica que foi o diretor da escola-prisão (Red Bank) onde esteve internada. Sobre a decisão de remunerá-la pelos dolorosos depoimentos autobiográficos prestados, Gitta Sereny declarou que insistiu em pagá-la, ainda que isso representasse uma pequena quantia, para evitar que, uma vez mais, ela fosse "usada" por alguém. Uma declaração que também deveria ser interpretada como expressão de um sentimento e de um compromisso moral sempre ausentes entre a grande maioria dos jornalistas e dos políticos britânicos.

O interessante é que, muitos anos após os trágicos acontecimentos, Mary Bell afirmou que, aos 11 anos, não entendia o conceito de morte como algo para sempre. Para ela, naquele tempo, a morte era algo irreal, incompreensível. Comentando essa declaração, Sereny (2002: p.146) destacou que:

> Isso é difícil de entender ou mesmo de acreditar. Nós que somos pais de crianças de 8 anos achamos que elas sabem o que é a morte. Mas talvez estejamos errados. Talvez elas somente saibam quando a pessoa que morre é alguém que é próxima a elas, e que elas sintam a irreversibilidade da morte, não como resultado do conhecimento ou entendimento, mas como uma reação à dor que elas vêem em outros que elas amam, ao redor delas.

Um pouco depois do caso James Bulger, outro caso de criança morta por crianças foi registrado na Noruega, na cidade de Trondhein. Em outubro de 1994, uma menina de 5 anos chamada Silje Raedergard foi morta por dois meninos de 6 anos de idade. Silje gostava de jogar futebol e brincava muitas vezes com os dois garotos. No dia 15 de outubro daquele ano, entretanto, o jogo se tornou violento e os garotos brigaram com ela. Durante a briga, eles bateram na menina com uma pedra e ela caiu inconsciente. Os garotos, em pânico, fugiram, deixando-a morrer na neve. O caso chocou profundamente a pequena comunidade de 135 mil habitantes onde, nos 6 anos anteriores, só havia ocorrido dois homicídios.

O caso possui características que o distinguem do caso James Bulger, mas chama a atenção quanto à reação do público, das autoridades e da imprensa, que se afastou do padrão evidenciado entre os ingleses. Primeiro, os nomes dos dois meninos nunca foram divulgados e eles não foram processados. Em vez de expressar o desejo de vingança, a comunidade manifestou profundo sentimento de responsabilidade. Na Noruega, os garotos foram tratados como indivíduos em formação que precisavam de ajuda. Em uma semana, estavam novamente integrados ao jardim-de-infância que freqüentavam antes do episódio. Os familiares de Silje foram amparados e um psicólogo acompanhou os meninos. Esse profissional, de nome Trond Andreassen, relatou que, após reunião com os demais pais do jardim-de-infância, todos chegaram à conclusão de que "os meninos precisavam se integrar ao convívio normal com os demais e que alguém deveria tomar conta deles".

Situações do tipo estão comumente vinculadas a um dos mais sérios e desconsiderados fenômenos da violência contemporânea: os maus-tratos infligidos pelos adultos aos seus filhos. Inglaterra e País de Gales possuem uma das mais altas taxas de homicídios de crianças em casos de violência doméstica da Europa (atrás, apenas, da Áustria e da Alemanha). Crianças com menos de um ano formam o grupo de seres humanos com maiores probabilidades de morte violenta naqueles dois países, com uma taxa de 44 homicídios para cada grupo de um milhão de pessoas. (A taxa média de homicídio na Inglaterra e no País de Gales é de 12 para cada um milhão – Home Office, 1997b.) Na verdade, quando tomamos os casos de mortes violentas de crianças e adolescentes até 16 anos, descobrimos que mais de 10% dos homicídios no Reino Unido são perpetrados pelos pais contra seus filhos. Um estudo de Ghate e Spencer (1995) mostrou que 16% dos adultos no Reino Unido relatam algum tipo de abuso sexual que teriam sofrido quando crianças.

No Brasil, não há dados confiáveis sobre homicídios de crianças praticados pelos pais, mas pode-se imaginar que o problema seja ainda mais sério. Dados obtidos por Hélio Raimundo Santos Silva e Cláudia Milito no Rio de Janeiro, com base em estudo de inquéritos policiais, revelaram que em 25% dos casos de mortes violentas de crianças, os pais foram os autores. O percentual sobe para 67% quando o universo dos responsáveis envolve os demais familiares.[2]

Já o levantamento do Departamento de Saúde (Department of Health, 1995) na Inglaterra, realizado com uma mostra de 400 famílias, verificou que uma em cada 6 crianças tem sido punida fisicamente com freqüência, normalmente por suas mães, e que 90% das crianças apanharam em algum momento de suas vidas – 3/4 delas nos dois anos anteriores. A cada 12 meses, cerca de 25 mil crianças vitimadas passam por instituições ou lares substitutos. Ao final de março de 1997 havia 32.369 crianças e adolescentes vivendo em instituições de proteção ou com famílias substitutas na Inglaterra.

A grave situação de violência doméstica enfrentada no Reino Unido é confirmada pelos dados a respeito da vitimização de mulheres. Painter e Farrington (1998) verificaram que uma em cada sete esposas na Grã-Bretanha havia sido estuprada por seus maridos. Outros indicadores estatísticos oficiais apontam que 23% das mulheres e 15% dos homens (entre 16 e 59 anos) relatam terem sido agredidos alguma vez em suas vidas dentro de casa e que, a cada semana, duas mulheres no Reino Unido são mortas pelo atual ou antigo parceiro.

O problema não diz respeito apenas à violência doméstica, mas também à violência institucional, da qual se sabe ainda menos. Circunstâncias desse tipo permitem que se vislumbre uma realidade tantas vezes negada ou negligenciada de violência oferecida pelos adultos contra os jovens. Qualquer análise a respeito da gravidade ou da incidência dessas ocorrências conduziria à conclusão de que as crianças e os jovens são, em primeiro lugar, vítimas em vez de perpetradores.

Para que seja possível desenvolver uma abordagem mais precisa quanto aos adolescentes, seria preciso reconhecer que eles formam, em quase todos os países ocidentais, o grupo etário que fornece, a um só tempo, o maior número de vítimas e de agressores. Em muitas oportunidades, de fato, ofensores e vítimas tendem a compartilhar determinadas características. Assim, por exemplo, as taxas de vitimização e as taxas criminais tendem a ser igualmente elevadas entre os jovens do sexo masculino (Smith, 2002: p.730-1). Ao mesmo tempo, sabe-se que a vitimização pode estimular a vítima em direção ao ato infracional. Smith cita o estudo de McAra e dele próprio[3] com 4.300 jovens em Edimburgo, onde a vitimização apareceu como um fator de risco para a infração tão alto quanto impulsividade, ausência de cuidados dos pais ou "desimpedimento moral". As mesmas características pessoais, como impulsividade e gosto pelo risco, podem conduzir tanto à prática de atos violentos quanto à vitimização. Mas o que se procura demonstrar é que há certos mecanismos pelos quais a vitimização pode conduzir à infração, seja por meio da aprendizagem ou do desenvolvimento de um aparato psicológico de autojustificação que conduziria a uma "neutralização moral". O que se soma às possibilidades já tão estudadas de relações causais entre trauma infantil e violência posterior.

Phillips (2003: p.712) cita estudo com 892 adolescentes e pré-adolescentes em 4 regiões diferentes da Escócia,[4] onde se descobriu que metade dos meninos da amostra foram vítimas de agressão (o que ocorreu também com 23% das meninas). Metade dos que foram vitimados relataram terem vivenciado muito medo por conta da experiência que tiveram. As agressões, em sua grande maioria, foram praticadas por outros jovens, com 90% dos agressores dos meninos e 83% dos agressores das meninas tendo 20 anos ou menos. A pesquisa também demonstrou uma taxa relativamente alta de agressões praticadas pelos entrevistados, com 23% dos meninos e 7% das meninas envolvidos em brigas de rua que causaram ferimentos em outros jovens. Do total da amostra, 43% haviam participado de alguma briga de rua no ano anterior. Um estudo mais recente, com 13.970 estudantes de 47 escolas secundárias na Inglaterra,[5] verificou que 14% dos alunos haviam se envolvido em pelo menos uma briga de rua no ano anterior.

Em 1992, a primeira pesquisa sobre vitimização de jovens na Inglaterra e no País de Gales constatou que 40% dos meninos e 23% das meninas foram agredidos nos 8 meses anteriores, e a maioria dos casos envolveu agressores de idade próxima e do mesmo sexo. A última pesquisa de vitimização na Inglaterra incluiu perguntas para jovens entre 12 e 16 anos e o resultado foi surpreendente: mostrou que esse grupo etário enfrenta riscos tão grandes quanto aqueles enfrentados pelos adultos e, para certos tipos de crime, riscos ainda maiores. Para um período de pouco mais de 6 meses, 1/3 dos jovens entre 12 e 15 anos foi agredido e quase 1/4 deles relatou vitimização por furto.

Em contraste, menos de 1/10 dos jovens entre 16 e 19 anos foram agredidos no mesmo período, e apenas 6% deles relataram vitimização por furto. Jovens negros enfrentam mais riscos. Em geral, cerca de 1/3 dos jovens mantém algum contato com a polícia em um período de 6 a 8 meses. Cerca de 1/5 deles é parado pela polícia e 8% são revistados – uma taxa muito maior do que aquela encontrada entre outras faixas etárias. Por outro lado, apenas 1 em cada 10 casos onde os jovens foram vitimados implicou a presença da polícia, o que produz a situação, aparentemente paradoxal, na qual os jovens se sentem a um só tempo supercontrolados e subprotegidos pela polícia (Newburn, 2002: p.547).

As pesquisas de vitimização nos EUA também mostram um aumento no número de jovens atingidos pela violência a cada ano. Estima-se que mais de 1,5 milhão de crimes violentos foram cometidos contra adolescentes em 1992, por exemplo, naquele país – um aumento de 23% desde 1987. As taxas de vitimização de adolescentes norte-americanos para os crimes de violação sexual, roubo e espancamento eram as mesmas experimentadas por indivíduos entre os 18 e os 24 anos e eram equivalentes a quase o dobro das taxas de vitimização pelos mesmos delitos que atingiam indivíduos entre os 25 e 34 anos.

Mais recentemente, há um maior interesse quanto à violência praticada por meninas. Um novo estudo na Escócia[6] tratou do tema com um questionário para *self-reported crimes* (crimes auto-relatados) com 800 meninas adolescentes de várias origens sociais e verificou que 30% delas já haviam batido, socado ou chutado alguém; enquanto 41% da amostra haviam sido vitimadas dessa mesma forma. Mesmo assim, apenas 1 em cada 10 meninas poderia ser considerada "freqüentemente violenta". Agressões verbais, abuso psicológico, intrigas e táticas de exclusão são muito usadas entre meninas na escola, o que pode produzir danos emocionais mais profundos do que agressões físicas. A violência aqui, como ocorre entre os meninos, projeta a agressora na hierarquia do grupo e reforça sua auto-estima. É comum que lutas envolvam largas platéias, nas quais os espectadores se divertem e estimulam o confronto físico. Alguns estudos sustentam que esses valores favoráveis à agressão começam a ser superados pelo processo de amadurecimento sexual das meninas e pela vontade de serem "bonitas" ou de se tornarem "atraentes" para os rapazes.

Existe uma "onda de violência juvenil"?

Para Estrada (2001: p.642), os meios de controle sobre a juventude, nas duas últimas décadas, deslocaram-se dos espaços informais (família, escola, comunidade etc.) para as agências da justiça criminal e da polícia. Isso explicaria a aparente tendência de aumento da violência e do crime entre os adolescentes nos países ocidentais, uma vez que a quase totalidade das matérias a respeito do tema, e mesmo a maioria dos estudos acadêmicos, costumam lidar apenas com os registros de ocorrência produzidos pelas polícias e com as condenações judiciais.

Na Suécia, a violência praticada e sofrida pelos jovens tem se mantido estável. Pode-se afirmar isso com muita tranqüilidade porque há o recurso das pesquisas sistemáticas de vitimização, dos estudos sobre auto-relatos e, ainda, dos registros de atendimentos feitos em hospitais. No exemplo sueco, houve um pequeno crescimento da violência na metade da década de 1980 e, depois, os indicadores voltaram a ser bastante similares aos do final da década de 1970.

Os indicadores são bastante semelhantes nos demais países europeus. A Dinamarca e a Holanda também têm dados alternativos aos registros policiais e mostram o mesmo fenômeno de estabilização da violência juvenil (na Holanda, houve mesmo uma pequena diminuição a partir da década de 1990). Eisner[7] chegou à mesma conclusão examinando os dados disponíveis para o caso da Suíça. Uma ampla revisão de Pfeiffer,[8] por sua vez, demonstrou que a situação dos países da Europa ocidental, exceção feita à Inglaterra e à Alemanha, também não combina com a idéia de um aumento da violência juvenil.

Examinando a hipótese de que a verdadeira mudança poderia estar na forma como a sociedade e suas instituições passaram a lidar com a violência e os atos infracionais dos jovens, Estrada (2001: p.647) estudou a atenção dispensada pela imprensa a esses casos. Tomando os 6 principais jornais diários da Suécia, entre 1950 e 1994, ficou demonstrado que houve uma clara mudança editorial quanto a esse tema. Até meados da década de 1960, as notícias sobre os atos infracionais estavam centradas em casos de furtos. A partir da década de 1970, quase não se escreve mais sobre isso. De 1950 a 1985, muito pouco foi escrito na imprensa sobre violência praticada por jovens.

O quadro se altera radicalmente, na Suécia, a partir de 1986, com o assassinato do primeiro-ministro Olof Palme. O tema da violência juvenil passa, então, a ser o foco das atenções. Até essa data, quando se abordava a violência praticada pelos jovens, discutiam-se os fatores de risco, especialmente as carências familiares. A imagem do jovem envolvido em situações de violência era muito mais a de alguém que, por ter sido fragilizado em seu processo de desenvolvimento, falhava na forma como interagia com a sociedade. Uma imagem que mobilizava iniciativas solidárias. A partir do verão de 1986, os casos de violência juvenil passam a ser tratados como uma ameaça oferecida por "jovens frios e calculistas". Com a imagem do jovem como "perpetrador", os sentimentos agregados tendem a ser, evidentemente, cada vez mais punitivos.

As estatísticas policiais costumam ser muito "sensíveis" a essas mudanças. No novo clima criado, as escolas passaram a comunicar à polícia todo tipo de ocorrências, inclusive aquelas que, durante anos, sempre haviam resolvido sozinhas. Isso passa a ocorrer, inclusive, quando as vítimas não desejam registrar a ocorrência. As comunicações à polícia passaram a ser feitas por fax, em formulários padronizados, e as escolas, além disso, registram brigas de tal forma que as duas partes (vítimas e agressores) são consideradas "suspeitas" de serem vítimas ou agressores (*sic*) o que faz com que, para efeitos estatísticos, a ocorrência se transforme em duas. Assim, a mudança de atitude das escolas é responsável por 80% do "aumento" da violência juvenil na Suécia desde a década de 1980.

É preciso considerar as circunstâncias quando examinamos as estatísticas policiais e o número de condenações de jovens. Ainda assim, não se pode ignorar a seriedade do problema. Nos EUA, dados do FBI mostram que, entre os anos de 1992 e 1993, as detenções de jovens com menos de 18 anos por atos infracionais violentos cresceram perto de 6%, enquanto as de adultos diminuíram. Detenções de adolescentes por homicídios cresceram 14%; por roubos e agressões, 6%. O que parece ainda mais complicado nisso é que as detenções de jovens com menos de 15 anos por homicídios cresceram, no mesmo período, mais de 24%, enquanto as de jovens nessa idade que portavam armas de fogo cresceram 14%. Durante o mesmo período, as prisões de adultos por homicídio tiveram um aumento de 2%, e as prisões por violação da lei de posse de armas, 7%. Para um período mais longo, entre 1984 e 1993, as detenções de adolescentes nos EUA aumentaram quase 68%.[9]

Entre os jovens que cometem infrações, alguns se destacam pelo envolvimento repetido em várias delas. Esse pequeno grupo representaria um problema mais sério, porque seria responsável pela maioria das ocorrências envolvendo jovens e, especialmente, por grande parte das situações mais graves de violência. Um estudo acompanhou um grupo de crianças na Filadélfia (EUA) e verificou que os jovens responsáveis por múltiplos atos infracionais constituíam 6% do número total e 18% dos envolvidos em alguma infração. Esses "infratores múltiplos" foram responsáveis por 51% de todos os atos infracionais e por quase 2/3 de todos os atos violentos praticados. Um acompanhamento de 15 anos em torno de 10% da amostra original desse estudo examinou os registros policiais do grupo até os 30 anos de idade. O que os pesquisadores constataram foi que, apesar da tendência observável de maior seriedade nos delitos praticados pelos infratores múltiplos, o número de detenções para o grupo todo declinou substancialmente após os 18 anos, e cerca de 1/4 dos adultos jamais tiveram um registro policial. Um segundo estudo na Filadélfia verificou que 7% do grupo geral e 23% dos infratores respondiam por 61% de todas as infrações, 65% das agressões graves, 60% dos homicídios, 75% dos estupros e 73% dos roubos (Krisberg et al., 1995).

A Pesquisa Nacional sobre a Juventude (National Youth Survey – NYS) realizada nos EUA mostrou que cerca de 5% de todos os jovens entre 12 e 17 anos poderiam ser classificados como infratores sérios e violentos (considerados como tais os envolvidos em três ou mais dos seguintes atos: agressão grave, agressão sexual, lutas de gangue e assalto à mão armada). Em média, esses jovens cometeram 132 atos infracionais por ano – 8 deles considerados sérios e violentos. Mesmo assim, 84% deles não possuíam qualquer registro policial. A análise das informações dessa pesquisa mostrou que há uma tendência de que esses jovens com perfis mais agravados comecem a praticar atos ilegais muito cedo. Aos 12 anos, a freqüência desses atos começa a aumentar. Ela irá dobrar entre os 13 e os 14 anos, seguirá crescendo até atingir seu ponto máximo entre os 16 e 17 e, então, cairá em cerca de 50% a partir dos 18 anos. A tendência de queda foi observada até os 27 anos. Mais da metade desses jovens começam a praticar atos violentos entre os 14 e os 17 anos. Cerca de 45% daqueles que relataram terem cometido seu primeiro ato infracional antes dos 11 anos continuaram praticando atos violentos após os 20. Dados desse tipo fizeram com que Huizinga, Loeber e Thornberry assinalassem que:[10]

> Se nós quisermos reduzir os níveis gerais de violência na sociedade, deveremos intervir com sucesso na vida daqueles infratores de alto risco que cometem em torno de 75% de toda a violência juvenil. O que significa dizer que ainda que nós conseguíssemos 100% de êxito na prevenção da violência praticada por aqueles jovens que não possuem um perfil agravado, só conseguiríamos reduzir o nível da violência em 25%.

O mesmo relatório de Krisberg et al. (1995) cita três outros estudos longitudinais realizados nas cidades norte-americanas de Denver (Colorado), Rochester (Nova York) e Pittsburgh (Pensilvânia) que produziram informações importantes a respeito do fenômeno aqui designado com a expressão "infratores múltiplos". Vinculados ao programa de pesquisa sobre as causas e as correlações da delinqüência juvenil do Escritório da Justiça Juvenil e Prevenção à Delinqüência do Departamento de Estado norte-americano, tais estudos dedicaram-se, também, a identificar os fatores precursores da violência para esse grupo de perfil agravado. A pesquisa foi a mais ampla e detalhada já realizada nos EUA sobre o tema, e acompanhou largas amostras de crianças desde os 6 anos. Todas as informações que reproduziremos a seguir, a respeito desse trabalho, foram colhidas em estudos sobre auto-relatos (*self-reported studies*).

Uma surpreendente proporção de jovens relata ter cometido atos violentos. Na amostra de Rochester, 58% dos adolescentes estiveram envolvidos em algum ato desse tipo. O estudo de Denver constatou 54% de relatos positivos para o mesmo ponto. Entretanto, uma extraordinária variação quanto à extensão dessas práticas foi também identificada. Infratores múltiplos, que constituíam 15% da amostra de Rochester e 14% da amostra de Denver, foram responsáveis pela vasta maioria dos casos: 75% dos atos violentos em Rochester e 82% em Denver. Em Rochester, daqueles que começaram a cometer atos violentos aos 9 anos ou antes, 39% se transformaram em infratores múltiplos quando adolescentes. Dos que começaram a praticar tais condutas entre os 10 e 12 anos, cerca de 30% seguiram o mesmo caminho.

Os dados de Denver foram ainda mais interessantes, demonstrando que, entre aqueles que começaram a manifestar comportamento violento aos 9 anos ou antes, 62% se transformaram em infratores múltiplos. Em média, os adolescentes com perfil mais agravado começam a praticar atos violentos um ano antes daqueles que não se transformam em infratores múltiplos.

Em Rochester, um total de 5.504 atos violentos foi relatado pelos entrevistados. Desse montante, infratores não-crônicos de 17 e 18 anos relataram 1.370 casos – uma média de 3,9 por pessoa. Por outro lado, infratores múltiplos relataram um total de 4.134 casos de violência – uma média de 33,4 por pessoa. Em Denver, os entrevistados de 17 e 18 anos relataram 5.164 casos de violência. Desse total, 927 foram cometidos por infratores não-crônicos – uma média de 4,5 casos por pessoa. E 4.237 casos pelos infratores múltiplos – uma média de 51,7 por pessoa.

Esses estudos confirmaram que os infratores com o perfil mais agravado possuem históricos com múltiplos fatores de risco. Isso sugere que nenhum fator de risco pode produzir esse resultado de forma isolada, e que é a interação de vários deles e seu efeito cumulativo que estão na base do problema. Quanto mais cedo um jovem deixar a escola, começar a usar drogas, cometer atos ilegais e iniciar sua vida sexual, maiores as possibilidades de se transformar em um infrator múltiplo. Pesquisas têm demonstrado, por exemplo, que os jovens que começam a usar drogas antes dos 15 anos têm duas vezes mais chances de se tornarem dependentes se comparados aos que começam a usá-las a partir dos 19 anos.

A preocupação com a violência juvenil nas sociedades modernas é, de qualquer modo, desproporcional à gravidade e à incidência dos atos infracionais praticados pelos adolescentes – o que é verdadeiro, principalmente, para países como o Brasil. Infelizmente, como não dispomos de dados nacionais confiáveis a respeito da incidência do crime e da violência, é impossível realizar com segurança uma avaliação mais ampla a respeito. O que não significa que não tenhamos acúmulo suficiente – seja por conta de pesquisas já feitas na área, seja pelos próprios indicadores disponíveis – para identificar problemas bastante graves e específicos, como a escalada de mortes violentas de adolescentes do sexo masculino, normalmente negros, nas periferias dos grandes centros urbanos. A tendência aparece claramente vinculada ao tráfico de drogas e à larga disponibilidade e emprego de armas de fogo a ele associada. Os jovens, em uma mortandade que já produziu efeitos demográficos comuns às guerras, aparecem, a um só tempo, como vítimas e agressores (Soares et al., 1996: p.257-8).

Segundo o "Mapa da violência III", 17.762 jovens brasileiros foram assassinados no ano 2000, o que representou 39,2% das mortes entre jovens naquele ano. Para o conjunto da população, a proporção de homicídios entre as mortes no Brasil foi de 4,7%. De todos os casos de homicídios de jovens no Brasil nesse mesmo período, 41,9% envolveram arma de fogo. Segundo o mesmo estudo, entre 60 países analisados, o Brasil possui a terceira maior taxa de mortalidade juvenil, ficando atrás, apenas, da Colômbia e de Porto Rico. Nossas taxas de homicídio juvenil são 100 vezes maiores do que a existente em países como a Noruega ou a Suécia (Abramovay, 2003: p.99). O fenômeno é especialmente grave em cidades como o Rio de Janeiro, onde, em 1999, tivemos 239 homicídios para cada grupo de 100 mil jovens entre 15 e 29 anos.

Parte significativa da violência contemporânea e de todos os delitos praticados está relacionada à atuação de homens jovens – adolescentes e adultos até os 25 anos. Há muitas hipóteses sobre essa preponderância masculina quanto ao crime e à violência. Heidensohn (2002: p.521) oferece uma visão ampla sobre o tema, sustentando que as mulheres estão submetidas, desde cedo, a pressões e recompensas que os homens desconhecem. Sanções informais desencorajam-nas diante de comportamentos que não reproduzam um padrão considerado adequado. Pais e mães, possivelmente, agem mais prontamente quando recriminam e punem as meninas por seus "desvios". Meninas que "se comportam mal" são desvalorizadas socialmente, tornam-se objeto de fofocas e de comentários maldosos em suas comunidades e ficam com "má reputação" entre os homens. O medo do crime, do assédio e do estigma compõe esse processo. Outros comprometimentos – como as crianças, a família e a comunidade – ocupam as mulheres muito mais do que os homens. As meninas seriam, também, mais supervisionadas e cuidadas pelos pais. Por fim, há um determinado encorajamento aos meninos e aos homens para que se comportem de forma agressiva e mesmo violenta, o que legitima a quebra de determinadas regras de convivência. Por outro lado, centenas de milhares de anos de evolução durante os quais os machos da espécie se matam constantemente devem ter algo a nos dizer sobre o tema – o que vem sendo destacado por geneticistas e pela sociobiologia. De qualquer modo, não há estudos conclusivos sobre isso.

Os jovens costumam ocupar os espaços públicos e as circunstâncias que acompanham os atos infracionais por eles praticados, em regra, se produzem nas ruas. Os jovens manifestam estilos de vida e de consumo diversos daqueles compartilhados pelas elites, pelos adultos das classes médias e pelos demais assalariados. Vestem roupas surpreendentes, usam penteados estranhos, compartilham tendências da moda, marcam seus corpos com tatuagens e *piercings* e, muito freqüentemente, assumem comportamentos considerados extravagantes, ruidosos ou incômodos. É comum que andem em grupos, produzam algazarras e freqüentem shows, jogos, bares e clubes noturnos. Uma boa parte deles consome bebidas alcoólicas e mantém contato regular com drogas ilegais. Tudo isso faz com que sua presença seja muito mais visível e "chamativa". Também por isso, eles são mais comumente alvo de atenção da polícia do que outros grupos. Apenas essa característica já seria capaz de produzir distorções entre o número de prisões ou condenações de jovens quando comparadas com outros grupos etários.

O que ocorre, entretanto, parece ser ainda um pouco mais complexo. Ao contrário do que presume o positivismo jurídico, não se pode definir "crime" como aquela conduta tipificada pela Lei Penal. "Crime" é, de fato, aquilo que, em um determinado momento histórico, as pessoas reprovam e consideram grave o suficiente para receber uma sanção jurídica. O que pretendo dizer é que não existe a realidade material de um crime que se imponha indistintamente à consciência dos sujeitos sem um processo de elaboração subjetiva que selecione e identifique a conduta como grave ou reprovável e, portanto, merecedora de sanção.

Quando examinamos um episódio como a recente "guerra do Iraque", por exemplo, a maioria das pessoas não identificará a decisão tomada pelo governo dos EUA de bombardear uma nação soberana como um "ato criminoso". Embora essa invasão tenha todos os elementos objetivos, necessários e suficientes para caracterizar uma ameaçadora violação da legislação internacional. Por certo, essa decisão será mais facilmente interpretada como "criminosa" pelos familiares das vítimas dos bombardeios que, como se sabe, calcinaram mulheres, idosos e crianças. Há aqui elementos que conformam de maneira injusta uma situação potencialmente "descriminalizante": primeiro, a forma "oficialista" e pró-norte-americana como a maior parte da mídia cobriu a guerra; segundo, o fato de os episódios aparecerem junto ao senso comum como o exercício de um direito de "retaliação" em face dos atentados de 11 de setembro; terceiro, a distância em que se processaram os fatos. E ainda seria possível enumerar outros...

Quando os governos cometem atrocidades, quando policiais torturam suspeitos pobres, quando grandes banqueiros promovem fraudes, quando empreiteiros corrompem políticos, quando políticos abusam do poder econômico ou "compram" votos, quando pais espancam suas crianças, quando empresas poluem rios, quando madeireiras derrubam o que resta das florestas, quando pessoas inescrupulosas anunciam medicamentos milagrosos, quando cidadãos "de bem" sonegam impostos, quando se explora a mão-de-obra infantil, estamos sempre diante de tipos penais, mas normalmente eles não aparecem como "crimes" e raramente promovem algum tipo de consternação ou alarme público. Curiosamente, essas condutas horrorosas e ameaçadoras não são praticadas por jovens ou adolescentes.

Ao que tudo indica, não apenas a noção do que seja "crime" está na dependência de representações sociais, mas também a visão preponderante em cada sociedade a respeito dos "criminosos". Melossi (2000) sustenta que sociedades em períodos de pleno emprego e prosperidade tendem a desenvolver visões mais tolerantes com relação aos infratores, enquanto em tempos de recessão, desemprego e crise social tendem a produzir sentimentos fortemente punitivos.

A adolescência como invenção

A idéia de "adolescência" é relativamente nova e diz respeito a um fenômeno social e cultural desconhecido no passado. Trata-se de uma "invenção" cuja base objetiva está assentada em mudanças importantes ocorridas na economia industrial moderna a partir do fim do século XIX. Diz respeito, também, às mudanças operadas na estrutura familiar, à universalização da escola pública, à extensão do período normal de escolarização e ao fato de que a inserção dos jovens no mercado de trabalho passou a ser progressivamente retardada ao longo do século XX, destacadamente após a Segunda Guerra Mundial.

O que podemos observar com a expressão "adolescência" é algo similar ao que se verificou com a idéia de "infância" – ela própria também uma construção social. As civilizações antigas não conheceram a "infância", e durante toda a Idade Média, conforme alguns pesquisadores o demonstraram,[11] as línguas européias sequer dispunham de conceitos que expressassem a diferença entre crianças e jovens ou entre estes e os adultos. As crianças eram vistas como "adultos em miniatura" que portavam uma carência, quase um defeito, na medida em que ainda não eram "grandes". Em geral, eram concebidas como propriedades de seus pais – que, por sinal, não mantinham com os filhos pequenos as relações intensas de afeto e cuidado que, modernamente, nos parecem tão naturais. Era mesmo muito comum, especialmente entre as famílias abastadas, que serviçais fossem encarregados de cuidar dos bebês e das crianças. Entre os aristocratas e, depois, também entre a burguesia ascendente, esse primeiro período era então superado por um sistema tutorial, com professores contratados, pelo qual a criança iniciava-se no mundo das letras e da cultura. Nesse tipo de relação, pouco havia daquilo que modernamente se imagina deva ser uma boa relação de paternidade e maternidade.

Como se sabe, o trabalho de crianças e de adolescentes em fábricas, moinhos e minas era mais do que comum na Europa até quase o fim do século XIX. Ele foi mesmo central para a acumulação capitalista. Uma lei de 1833 na Inglaterra (Factory Act), refletindo as pressões feitas por reformadores humanistas, estabeleceu que nenhuma criança com menos de 9 anos poderia ser empregada em fábricas e moinhos e que as jornadas de trabalho seriam limitadas a 8 horas diárias para aqueles que tivessem menos de 13 anos e a 12 horas para aqueles com menos de 18. O que, por si só, está longe de nos oferecer uma idéia do horror da situação anterior. De qualquer maneira, restrições do tipo passaram a redefinir o mercado de trabalho e a deslocar as crianças pobres das fábricas para as ruas. A estrutura familiar, antes unificada pelo trabalho, foi se tornando cada vez mais independente. Isso, junto à crescente legitimidade do individualismo, termina por construir, verdadeiramente, a "esfera privada". Foi o isolamento da família, realizado através da separação entre o espaço doméstico e o mundo do trabalho, que construiu a unidade familiar típica da modernidade – que é, antes de tudo, uma unidade de consumo e não mais de produção (Newburn, 2002: p.533).

Até o fim da primeira metade do século XX, os jovens costumavam deixar a escola por volta dos 12 anos e engajavam-se imediatamente no trabalho com seus pais ou com outros adultos. Nessa época, os adolescentes ficavam muito tempo com os adultos por conta dessa situação objetiva. A partir da década de 1950, foi estabelecido o sistema de educação em tempo integral na maioria dos países europeus e o tempo de permanência na escola foi significativamente ampliado. Isso fez com que a entrada dos jovens no mercado de trabalho fosse adiada. A crise econômica e as mudanças no mundo do trabalho encarregaram-se de adiá-la ainda mais, o que aumentou o tempo de convívio dos jovens com os próprios jovens. O processo que hoje conhecemos como "adolescência" seria completamente outro na ausência desses fenômenos precursores.

As primeiras teorias sobre a adolescência foram bastante influenciadas por uma abordagem muito popular conhecida na literatura especializada como "modelo tempestade" ("*Storm and Stress model*"), desenvolvido pelo psicólogo americano G. Stanley Hall. A expressão é, possivelmente, uma tradução da idéia alemã de "*Sturm and Drang*", que designou o período e o estilo literário românticos. Essa abordagem e seus desenvolvimentos, a par de suas virtudes, estimularam um paradigma no qual a adolescência aparece como um fenômeno essencialmente biológico. Nesse modelo, mesmo os conflitos psicológicos são tidos como típicos de uma fase de "maturação" (expressão, aliás, que insinua uma metáfora naturalista) compreendida como equivalente a uma faixa etária determinada. A adolescência seria, assim, um fenômeno universal marcadamente "problemático". Essa abordagem, já se observou, pode inclusive exercer um papel ativo na consciência dos próprios adolescentes, que tenderiam a se comportar "problematicamente" uma vez que essa é a forma como todos esperam que se comportem. A teoria, no caso, anunciaria uma profecia que se autocumpre.

"Adolescente" foi, por muito tempo, uma expressão usada indistintamente para meninos e meninas, ricos e pobres, brancos, negros, orientais ou indígenas. Uma abordagem que terminou também abrindo caminho para que as intervenções clínicas e medicamentosas, destacadamente aquelas oferecidas pela psiquiatria, fossem crescentemente legitimadas. Por outro lado, quando se parte do entendimento de que a adolescência é, substancialmente, um fenômeno social e cultural, temos maiores possibilidades de compreender as diferenças promovidas por gênero, raça ou classe social. Por certo prestaremos maior atenção aos ambientes culturais e às circunstâncias formadoras dos valores morais compartilhados pelos jovens em cada realidade social específica (o que nos permitirá distinguir completamente o adolescente de uma comunidade de periferia do adolescente de um condomínio fechado, por exemplo) e assim sucessivamente.

Adolescência e transgressão

No que diz respeito à violência e ao crime, muitas pesquisas têm demonstrado que tais manifestações disruptivas podem ser diferenciadas por meio das suas "linhas de tempo" – isto é, a idade em que tendem a começar, a alcançar sua maior expressão e a declinar. Furtos em lojas, por exemplo, na Austrália, começam a ser praticados, geralmente, por jovens entre 11 e 12 anos, alcançam seu pico aos 15 anos e, então, começam a declinar. Algumas pessoas podem até começar a praticar esse tipo de delito mais cedo ou persistir nele por mais tempo, mas o curso típico está associado, nos grandes centros urbanos modernos, a essa construção denominada "adolescência".

Sabe-se que mais de 2/3 dos jovens praticam apenas um delito em suas vidas e outros 15% desistem após terem cometido dois delitos (Australian Institute of Criminology, 2002). O trabalho de Kivivuori (1998) sobre atos infracionais praticados por adolescentes na Finlândia envolveu mais de 4.000 estudantes e constatou, nessa amostra, uma "fase de furtos em lojas" que começava aos 13 e terminava aos 14 anos, com uma média de 15 infrações por pessoa. A mesma autora cita duas pesquisas, uma na Alemanha e outra em Israel, com adolescentes em conflito com a lei nas quais eles próprios declaram que seu envolvimento com pequenos delitos era algo episódico ou ligado a causas biológicas, sendo, portanto, algo "natural". Isso sugere que muitos deles talvez imaginem que "pequenas transgressões" constituam uma maneira de "ser jovem".

Sabe-se que a prática de atos sabidamente ilegais pelos jovens possui os mais variados motivos, desde a necessidade de sobrevivência até o desejo de reconhecimento e aceitação por seus pares. A necessidade de afirmação pessoal envolve a capacidade de demonstrar "maturidade" e "independência". Mesmo hábitos como fumar, beber, usar drogas ou ficar na rua até tarde (e, possivelmente, também a iniciação sexual) estão vinculados à necessidade subjetiva de "agir como adulto" e de ser reconhecido não mais como "menino" ou "menina". Mas quando os jovens passam a ser, de fato, independentes, seus motivos anteriores deixam de existir e a maioria deles desiste de praticar atos que os coloquem em confronto com a lei. Atos ilegais praticados por adolescentes podem diminuir ou cessar na exata medida em que estes encontrem outras maneiras de demonstrar que devem ser tratados com respeito. Por certo, a prática de atos ilegais apresenta – pelos riscos pressupostos – oportunidades singulares para que um jovem em busca do reconhecimento de seu grupo possa mostrar seu destemor, audácia e habilidades. Não por outro motivo, em várias subculturas juvenis o fato de alguém do grupo ter apanhado da polícia ou ter sido condenado judicialmente é fator que agrega prestígio.

Moffit[12] propôs uma conhecida distinção entre dois tipos de infratores e pessoas com comportamentos anti-sociais: os que persistem durante toda a vida e os que limitam seus atos desviantes à adolescência. Os motivos, causas e características que antecedem a vida desses dois tipos seriam, também, muito diversos. A mudança de comportamento daqueles que se limitam a cometer atos ilegais durante a adolescência poderia ser compreendida pelo simples fato de que, após o ponto mais elevado de concentração dos atos infracionais, por volta dos 18 anos, as pessoas passam a constituir vínculos mais estáveis com as demais. As crianças são fortemente vinculadas aos seus pais e dependem estritamente deles; os adultos estão vinculados conjugalmente, estão vinculados aos seus filhos, empregos etc. Apenas a adolescência seria uma etapa marcada pela ausência de vínculos fortes, o que equivale a uma ausência de restrições de natureza social.

Em favor dessa interpretação, Quinton e seus colegas[13] verificaram que jovens em conflito com a lei que estabelecem mais cedo uma relação conjugal estável, em domicílio definido, possuem mais probabilidade de "mudar de vida", afastando-se de condutas ilegais, quando comparados com aqueles que permanecem solteiros. Isso parece afirmar algo relevante a respeito daquela que poderia ser uma especificidade do fenômeno do adolescer no mundo moderno. Ainda que a explicação seja verdadeira, entretanto, ela não poderá ser facilmente aplicada a determinadas situações, como o comportamento agressivo que parece oferecer um raro grau de continuidade através do tempo. Algumas pesquisas têm sugerido, por exemplo, que esse tipo de comportamento em meninos de 10 anos está fortemente relacionado com sua presença 10 e 20 anos depois.

As interpretações mais comuns desde os estudos de Gottfredson e Hirschi[14] sobre os motivos que conduzem a grande maioria dos jovens envolvidos em atos infracionais a "mudarem de vida" estiveram sempre vinculadas à idéia de "maturação". O processo todo, então, seria tão natural quanto misterioso. Críticos a essa visão, Farral e Bowling (1999) sustentam que o processo é marcado pela mudança de algumas variáveis psicológicas e sociológicas centrais que atuariam de forma combinada, "estruturando" uma situação favorável ou não. Assim, um relacionamento amoroso, o acesso a um emprego, a saída de casa ou a redefinição em torno do que seja, de fato, importante na vida seriam fatores decisivos. O processo de decisão operaria de forma articulada com possibilidades e constrangimentos objetivos. Os dois autores partilham das concepções de Anthony Giddens,[15] que insistiu na tese de que não se deveria separar "agentes" e "estruturas sociais" porque nenhum deles poderia existir separadamente, sendo ambos criados e recriados constantemente, ao mesmo tempo e da mesma maneira. Além disso, defendem que um fator como, por exemplo, o vínculo com a escola só será realmente importante dependendo da atitude do aluno para com a escola. O mesmo vale para o casamento. Ele estaria vinculado à desistência das práticas ilegais a depender da qualidade da relação amorosa e assim sucessivamente.

Diante da violência juvenil há a tentação de "explicá-la" a partir de determinados modelos ou paradigmas conceituais. Ocorre que essa é uma época sem modelos, um tempo pós-paradigmático, que envolve uma sociedade angustiada. As noções utópicas tradicionais – compreendidas como tal aquelas que se definiram como "grandes narrativas", particularmente a idéia do socialismo/comunismo – foram varridas da história. Podemos apreciar esse resultado ou lamentá-lo, mas o fato é que a idéia de "transcendência", de superação daquilo que está posto como sociedade, parece cada vez mais inatingível. Os riscos do conformismo ou da inação são por demais evidentes. O mundo é, para a grande maioria das pessoas, a dimensão de um presente contínuo que se define não apenas pela ausência de memória e respeito à tradição – vale dizer, pela insignificância do passado –, mas, também e fundamentalmente, pelo fim do futuro.

Note-se que, entre todos, é exatamente para os jovens que essa carência de história no seu sentido mais amplo parece ser mais perturbadora. Isso porque, além das referências (que entre os adultos poderiam ser "supridas" pela experiência), essa carência também tira deles a disposição em favor dos outros e o descentramento oferecido pela virtude do cuidado (o que na realidade do mundo adulto será operante, pelo menos, na relação com os filhos). Premiados por essa circunstância cultural, os seres humanos – mais facilmente hoje que nas gerações passadas – podem encontrar sentido para a existência nela mesma. A busca do prazer, a realização dos desejos, encontra na urgência o seu tempo ótimo e no consumo o seu espaço ideal, confundindo-se com a noção de felicidade. Não por outra razão, aquele que desejar compreender o "espírito objetivo" dessa época haverá de se debruçar sobre a publicidade.

Pois bem, a adolescência é, ela própria, um trânsito, um aprazamento, entre o mundo da iniciação habitado pelas crianças e o mundo da realização vivido pelos adultos. Na verdade, o adolescente vive a experiência de uma definição a respeito de si mesmo formatada pela negatividade. Ele é aquele que "já não é" e, também, aquele que "ainda não é". Assim, é natural que as indefinições de uma época e os dilemas de uma cultura se façam sentir com maior agudeza entre os jovens.

As sociedades que conhecemos imaginaram a instituição escolar como o espaço privilegiado para a preparação dos jovens diante dos desafios da integração ao mundo do trabalho. No próprio processo da aprendizagem, há uma ética pressuposta – oferecida mais ou menos explicitamente aos alunos – pela qual o estudo é o esforço necessário (ou mesmo o sofrimento incontornável) para a qualificação profissional. Assim, aquele que estuda poderá adquirir as condições exigidas pelo mercado e habilitar-se ao sucesso. Essa "ética do trabalho", entretanto, contrasta violentamente com valores ideológicos muito mais efetivos e com a própria realidade social, com mais vigor ainda em países como o Brasil. Primeiro, a própria cultura de massa cimenta uma espécie de "ética do prazer" pela qual os heróis ou os modelos de sucesso se realizam. Como o assinala Morin (1990), "o tema da liberdade se apresenta através das janelas diariamente abertas da tela, do vídeo, do jornal, como evasão onírica ou mítica fora do mundo civilizado, fechado, burocratizado". Assim, o espaço da liberdade é aquele só vivido pelos ricos e pelos "fora-da-lei". Uns e outros, afinal, "tudo podem".

Seja como for, o contraste com a esfera da "necessidade" – da contenção, da aceitação de regras ou da lei – faz com que a liberdade seja vivida como um desejo que se realiza, sobretudo, na violência e pela violência, desde as histórias infantis. Ao mesmo tempo, os jovens – e com mais incidência aqueles da periferia – intuem que a aposta no esforço em direção ao mercado de trabalho significa, mais certamente, o espaço subalterno oferecido pela condição de trabalhador, de assalariado, quando não o destino do desemprego. Ora, mas se a felicidade é uma grife, se "ser jovem" significa possuir determinados ícones de consumo que oferecem distinção, então "o trabalho não compensa" (Diógenes, 1998). Essa conclusão aparece explicitada na fala de muitos jovens no Brasil. Miriam Abramovay (Unesco, 2003: p.98) nos oferece alguns exemplos:

> Ah, rala, rala, e nunca tem nada. É melhor robá, sabia? Porque tipo assim, você trabalha lá. Você trabalha o mês todinho prá pegá cento e vinte reais. Você não faz nada com cento e vinte reais. Quando você assalta uma padaria, chega a quinhen-

> tos contos de uma só vez. Cinco minutos dentro da padaria. (Entrevista em escola, grupo de *rappers*, Brasília)

> Neguinho fica revoltado também, porque, tipo assim, um pai de família tem altos moleque prá assumi, aí tipo, vai arrumá um trampo véio, ganha cento e vinte reais. Aí o cara fica indignado. Aí neguinho pensa em robá mesmo. (Idem)

De outra parte, se a moral dessa época carece de referências fortes e o sentido de bem vincula-se irrefletidamente à idéia de prazer, então, para grande parte dos jovens, a escola é um mal.

Seria preciso, é claro, lembrar que a instituição chamada "família" já não pode mais ser entendida como se expressasse um fenômeno unívoco. Sob essa palavra encontra-se uma vasta rede de relações interpessoais e grupais que já se diferenciam significativamente do "modelo família" cuja realidade é uma lembrança. "Irmãos" filhos de casamentos diferentes que convivem em uma mesma unidade doméstica; "pais" e "mães" que se multiplicam, "aparecem" ou "desaparecem" na medida em que as relações entre os adultos são reconstituídas, e muitos outros fenômenos, alguns até mesmo de difícil identificação, tornaram-se habituais. Parece claro que esse processo radical de dissolução das estruturas familiares tradicionais – paralelo à inserção moderna da mulher no mercado de trabalho – enfraqueceu determinados mecanismos de socialização das crianças, esmorecendo, notadamente, a interdição ou, se preferirem, a "função paterna". Jovens que carecem de limites e que se inclinam em direção à perversão parecem ser, nesse quadro, um resultado previsível.

Seja como for, é evidente que a estrutura real dos grupos encarregados da "recepção" das crianças no mundo moderno – o que chamamos indiferenciadamente "família" – caracteriza-se, atualmente, por uma permissividade objetiva, medida muitas vezes pela própria distância que separa os filhos e os pais. O que não significa, como já vimos ao examinar os fatores de risco na família, que tais relações tenham se tornado menos arbitrárias ou violentas. O que parece ter diminuído é a incidência formadora dos pais sobre seus filhos. Se essa observação for verdadeira, há uma nova demanda sobre a escola no Brasil. Uma demanda para a qual, assinale-se, os professores não foram preparados.

A escola descobre-se, então, acossada a partir de seu próprio interior. A violência não é mais uma ameaça oferecida pelo que há de incompreensível e intolerável fora de seus muros. Muitos adolescentes vinculam-se à violência dentro da escola e em oposição a ela. Alguns exibem armas nos corredores, outros se drogam nos banheiros. O que fazer?

Qualquer que seja a solução, ela não será alcançada pela hipótese repressiva. Pelo contrário, a tentativa de "disciplinar" os adolescentes pelo reforço de medidas impositivas ou pela presença de diferentes formas de policiamento tende a aguçar e generalizar conflitos. É preciso lembrar que os valores morais mais apreciados entre os jovens são exatamente aqueles repetidos à exaustão pelos meios de comunicação de massa. Digno de estima moral, então, é aquele que se impõe por sua força, habilidade ou coragem pessoal – aquele "que se garante". Diógenes (1998b) faz menção ao problema quando sustenta a necessidade de a escola superar a lógica do confronto. A pesquisadora cearense afirma que é preciso romper a dinâmica em que há, sempre, ganhadores e perdedores. O importante é construir soluções *com* os próprios adolescentes, e não *contra* eles. O que não deve ser entendido como recusa diante da necessidade de fixar limites e responsabilizar aqueles que os transgridem. A questão inicial é anterior. É preciso ver na violência juvenil um sintoma de problemas mais amplos, situados na própria escola.

O primeiro deles pode ser percebido a partir do silêncio e da invisibilidade dos adolescentes. Qual a importância conferida a eles, efetivamente, pela escola? Que oportunidade lhes é concedida de contestarem, pelo uso da palavra, as regras existentes ou os métodos empregados pelos professores, antes que o façam com pedras ou pontapés? As noções de "disciplina" vigentes em nossas escolas se fizeram sinônimas do silêncio. A figura do "bom aluno", muitas vezes, confunde-se com aquele que é "quietinho" e que, por isso, não incomoda. Quando a escola olha para um aluno – especialmente para aquele que se afigura como um "problema" – o que, de fato, ela observa: a realidade das eventuais transgressões ou a pessoa implicada? Em outras palavras, a dinâmica efetivada pela instituição disciplinar permite ao professor/orientador/dirigente que reconheça no fato imputado como "desviante", além da norma a ser observada, as subjetividades irredutíveis a serem descobertas? Em caso negativo, como estabelecer com esse aluno uma ponte que permita a comunicação e, por conseqüência, um pacto firmado pela palavra?

Hannah Arendt (1994) sublinhou as distinções conceituais entre os fenômenos da violência e do poder, normalmente desconsideradas pela tradição sociológica. Ela sustenta que a violência não é apenas distinta do poder, mas o seu oposto. Se o poder é a capacidade que temos de agir em conjunto, toda impossibilidade de ação (política) estimula o ato violento. Talvez por isso mesmo a violência seja tão glorificada pela cultura de massa, oferecendo-se ao ser humano fragmentado como o único gesto possível diante da burocratização da vida pública e da influência arrasadora dos grandes conglomerados econômicos. Na violência, então, haveria sempre a expressão do que Arendt designou como "a impotência tornada ativa".

Ora, talvez a violência juvenil seja essencialmente um apelo em favor do reconhecimento. Uma expressão muda em busca de um sentido que a própria escola já não oferece. Não vai aqui nenhuma ilusão romântica diante da violência juvenil. O fenômeno da violência equivale, sempre, à subtração arbitrária de direitos. Quando falamos em "ato violento", então, queremos dizer, também, "produção de vítimas". A violência é, por isso mesmo, a natureza de uma conduta inaceitável para uma ética centrada na perspectiva dos direitos humanos.

Ocorre que estamos tratando de políticas públicas para o enfrentamento de um problema cujas razões são complexas e, normalmente, desconhecidas. Se desejarmos uma intervenção eficaz, é preciso romper nosso estranhamento diante do universo cultural dos adolescentes e lidar com alternativas que tenham, de pronto, sua adesão. Nem que seja para iniciar uma relação que construa pontes legitimadoras de futuros compromissos. Assim, por exemplo, boas oficinas de *rap* em uma escola de periferia com um público que gosta do gênero podem ser mais funcionais para conter a violência do que a presença de policiais nas imediações da escola.

Notadamente, a cultura *hip hop* – e também outras formas de expressão artística – oferece aos jovens a possibilidade de simbolizar discursivamente o ato violento, o que é muito distinto de praticá-lo. Trata-se de uma alternativa. Uma aproximação maior entre a escola e as famílias, a participação dos alunos em campanhas solidárias e em questões de sua própria comunidade e a organização de viagens culturais e de lazer preparadas conjuntamente, com o esforço dos próprios alunos, são outras idéias importantes. A Unesco no Brasil, por exemplo, tem desenvolvido iniciativas que apontam para possibilidades normalmente desconsideradas quanto ao uso do espaço escolar. O programa denominado Abrindo Espaços, encoraja várias escolas em alguns estados brasileiros a abrir seus portões aos finais de semana para programas de ordem cultural, de lazer e de esportes, envolvendo os alunos e a comunidade. Uma iniciativa simples que pode agregar benefícios imensos para um país onde cerca de 19% dos municípios não possuem uma biblioteca sequer, 73% não possuem um só museu, 75% não contam com um teatro ou casa de espetáculos e 83% não sabem o que é uma sala de cinema.[16]

É preciso estudar muito mais o fenômeno da violência juvenil e sua emergência nas escolas em países como o Brasil. Não seria surpresa, todavia, se chegássemos à conclusão de que o problema se vincula ao tédio e à ausência de sentido, as heranças mais fortes que as sociedades desta época oferecem a seus infantes. Independentemente de qual seja a abordagem necessária para enfrentar o problema, tal como ele concretamente se desenvolve em cada escola, o que importa é fazer com que a própria instituição seja um espaço produtor de vida e liberdade. A escola, portanto, precisa ser inventiva e transformadora, e capaz de, nos seus próprios limites, ensinar uma causa aos que se rebelam sem ter uma. Esse, afinal, parece ser o desafio.

Drogas, juventude e crime

O tema do tráfico e do consumo de drogas transformou-se em uma questão política de primeira grandeza e influencia qualquer debate em torno de segurança pública. Como se sabe, as políticas contra as drogas na América Latina têm seguido os passos da "guerra contra as drogas" proposta pelos EUA. Por essa abordagem, os governos pretendem livrar as sociedades das drogas com medidas repressivas. Após décadas de experiência, essa política colheu um retumbante fracasso. Mesmo assim, seus seguidores não se cansam de propor doses mais fortes do mesmo remédio.

A maioria dos países europeus tem realizado um movimento oposto. Na Europa também há muitas diferenças e as experiências antípodas são oferecidas pela política holandesa de tolerância, por um lado, e pela abordagem repressiva da Suécia, por outro. O modelo holandês, tão criticado em seu início, exerce influência cada vez maior, como o demonstram as recentes posições descriminalizadoras adotadas por Portugal, Alemanha e Bélgica – notadamente com relação à maconha, que possui pelo menos 40 milhões de consumidores na Europa. Os holandeses sustentam que o objetivo de "erradicar as drogas" é irreal e que a dependência química deve ser tratada como um problema de saúde pública, e não como caso de polícia. Eles implementaram programas de redução de dano, desenvolveram centros de reabilitação e permitiram a venda, em bares credenciados, de pequenas quantidades de maconha. Com isso, operaram uma divisão no mercado entre as drogas leves e as drogas pesadas, desenvolvendo uma repressão seletiva do tráfico.

Na mesma linha, Killias e Rabasa (1997: p.424-9) relataram os primeiros resultados da experiência de redução de danos realizada na Suíça com a prescrição de heroína para dependentes químicos. Em um país de 7 milhões de habitantes, as autoridades estimavam a existência de cerca de 30 mil viciados em drogas pesadas, com destaque para a dependência de heroína. Desse total, cerca de 15 mil se encontravam já em algum tipo de tratamento, mas os demais não eram alcançados pelos recursos disponíveis. A hipótese do projeto de redução de danos era a de que muitos desses dependentes sustentavam o consumo de drogas por meio da prática dos mais variados crimes. Na amostra de pessoas que passaram a receber a prescrição da droga, os pesquisadores verificaram uma redução drástica no número de ocorrências criminosas. Para crimes como assalto, por exemplo, a redução foi de até 80%. Resultados amplamente positivos também foram registrados quanto à redução das taxas de vitimização entre os participantes do programa. Como se sabe, a par de resultados dessa natureza, o simples contato com os dependentes químicos e a possibilidade de oferecer a eles uma vida afastada do tráfico e da clandestinidade aumentam em muito as chances de tratamento.

Imagino que experiências desse tipo encerrem verdades básicas que, entre nós, têm sido enterradas pelo discurso moralista dominante. O resultado é a "vegetação vingadora" das quadrilhas de traficantes, dos massacres nas favelas, da superpopulação prisional, da ausência de alternativas de tratamento para os dependentes e da corrupção que atinge a polícia e se espalha por todas as instâncias do poder. Por esses e outros efeitos, nunca foi tão evidente a necessidade de se mudar a política de drogas em nosso país. Mas, talvez, essa seja uma sociedade que precise mais da mentira do que da verdade. Talvez a mentira seja, inclusive, nossa droga predileta. A droga do poder, por excelência. Talvez.

A pesquisa de Sutherland e Sheperd (2002: p.433-41) realizada em 1999 com 13.650 alunos entre 11 e 16 anos em 39 escolas de três regiões da Inglaterra apresentou resultados interessantes a respeito do uso de drogas (lícitas e ilícitas). Com base em estudos sobre auto-relatos, os pesquisadores procuraram investigar as correlações existentes entre o uso de álcool e de outras drogas e o envolvimento em brigas, o nível de auto-estima e o senso de responsabilidade. Cerca de 14,4% dos entrevistados relataram ter batido em alguém no ano anterior. Segundo as respostas oferecidas, foi possível identificar uma proporção de 22,1% da amostra com "baixo senso de responsabilidade" e uma proporção de 2,6% com "baixa auto-estima". Segundo a mesma pesquisa, 12,7% dos jovens ingleses bebem com freqüência (20,5% dos quais relataram ter bebido em excesso por pelo menos 4 vezes no último ano); 16,6% são fumantes; e 3,3% relataram usar regularmente drogas ilícitas.

Uma pesquisa com 435 estudantes secundaristas sul-africanos, entre 15 e 19 anos, realizada por Madu e Matla (2003: p.121-36), constatou 19,8% de usuários regulares de drogas ilegais, 10% de fumantes e 39,1% de consumidores habituais de bebidas alcoólicas. A maioria dos usuários de drogas relatou que recorrem a elas quando estão entediados, cansados, estressados ou quando querem se divertir em festas. A idade média encontrada para a primeira experiência com drogas ilegais foi de 14,9 anos, quase a mesma para o início da experiência com cigarros comuns (14,5 anos). Já a idade média para o início do uso regular de bebidas alcoólicas foi de 15,3 anos.

A literatura especializada oferece muitas evidências de uma correlação entre violência e consumo de álcool.[17] É importante lembrar disso para se contrapor à tendência de, diante do tema da violência e das drogas, tratar apenas daquelas consideradas ilegais, esquecendo o álcool e seus efeitos. Parker e Carmill (1998) sustentam, por exemplo, que há forte relação entre as taxas de homicídio nos EUA e o consumo de bebidas alcoólicas. Em estudo que abrangeu o período de 1934 a 1995, afirmam que a redução dos homicídios nos EUA está vinculada à diminuição no consumo de cerveja e destilados – os dois tipos representam 90% da venda de bebidas naquele país. Eles demonstram que, desde 1934, reduções no consumo de álcool são seguidas por diminuições nas taxas de homicídios, e que todo aumento de consumo de bebidas foi seguido por elevações nos mesmos indicadores de violência.

Os mesmos autores citam uma pesquisa em 256 cidades norte-americanas onde se comprovou que o número de estabelecimentos que vendem bebidas alcoólicas está relacionado à taxa de homicídios, bem como à violência e ao crime em geral. Em outras palavras: mais pontos de venda de bebida alcoólica equivale a mais crimes. Sabe-se, também, que os estados norte-americanos com maior consumo de álcool são os que têm as maiores taxas de homicídio. Outros trabalhos encontraram resultados semelhantes na Europa.

Mas a relação entre violência e consumo de outras drogas não é considerada evidente. Muitos crimes são praticados para que os consumidores – especialmente quando dependentes químicos – possam ter acesso à droga. Segundo dados da polícia de Zurique, por exemplo, 3 em cada 4 assaltos de rua são praticados por dependentes químicos (Killias e Rabasa, 1997). Mas as relações entre o efeito das diferentes drogas no psiquismo individual e o comportamento violento não foram suficientemente demonstradas. No caso da maconha é possível, inclusive, identificar redução de comportamento violento entre usuários.[18]

Sutherland e Sheperd (2002) verificaram, na pesquisa referida, que apenas 3,7% entre os entrevistados que não bebem relataram ter brigado no último ano. Mas entre os que bebem com freqüência maior do que "semanalmente", 45% estiveram envolvidos em brigas. Cerca de 10,1% daqueles que não fumam estiveram envolvidos em brigas, contra 44% dos que fumam. Os mesmos pesquisadores sustentam que baixa auto-estima é fator preditivo de violência – mas isso não é um consenso, pois outras pesquisas apontam o contrário. Baixo senso de responsabilidade também seria, segundo a pesquisa, um fator preditivo – embora não com a mesma força do primeiro.

Pesquisas realizadas na Inglaterra mostraram que, entre os 15 e os 20 anos, o uso de drogas varia de 10 a 35% nas amostras nacionais e de 5 a 50% nas amostras locais, sendo a maconha, de longe, a droga mais usada. O consumo de drogas pesadas, como LSD, anfetaminas e ecstasy, cresceu a partir do fim da década de 1980. Levantamentos em estudos sobre auto-relatos comprovam que o fenômeno moderno do consumo de drogas está claramente vinculado à idade. Ele é raro no início da adolescência, cresce rapidamente nos anos intermediários e chega ao seu máximo no final dessa fase, caindo muito fortemente nos anos subseqüentes.

Pesquisas anuais realizadas por Howard Parker desde o início da década de 1990 em escolas inglesas têm oferecido o mais abrangente estudo contemporâneo sobre a extensão do uso de drogas entre adolescentes. O uso contínuo marca a experiência de 36% dos entrevistados de 14 anos, chegando a 64% entre os de 18 anos! O uso da maconha entre jovens de 16 a 19 anos mais que dobrou entre 1983 e 1991. As pesquisas não encontraram qualquer evidência de alterações relativas ao uso entre os sexos. O uso e a disponibilidade das drogas estão firmemente relacionados ao cotidiano e ao lazer da juventude. Sabe-se, também, que o consumo entre jovens reconhecidos como múltiplos infratores é bastante alto. Cerca de 74% deles relataram ter esse hábito (Newburn, 2002: p.546).

Prisão para adolescentes: isso funciona?

Entre as várias teorias que procuram compreender o fenômeno moderno da criminalidade, a chamada "Teoria da rotulação" (*Labelling Theory*) sustenta que os nomes pelos quais as pessoas são designadas e reconhecidas importa muito. Trata-se, na verdade, de uma aplicação na área da criminologia de aportes que foram desenvolvidos pelo chamado interacionismo simbólico e pela fenomenologia. Em síntese, o que a teoria coloca em discussão é até que ponto os processos pelos quais as pessoas são classificadas como "delinqüentes" ou "criminosas" não termina produzindo determinações objetivas e subjetivas que reforçariam a identidade delinqüente e/ou criminosa nos sujeitos implicados, fazendo com que eles se comportassem de forma coerente com a designação. Uma versão radical dessa abordagem é sustentada, por exemplo, por Becker, que afirmou:

> O desvio não é uma qualidade do ato que a pessoa comete, mas antes a conseqüência da aplicação pelos outros de regras e sanções ao ofensor. O desviante é aquele a quem foi aplicado com êxito o rótulo de desviante e o comportamento desviante é o comportamento daquelas pessoas que foram rotuladas demais.[19]

Rock (2002: p.71) lembra que a metáfora de subir as escadas entre os andares pode ser adequada para descrever respeitáveis carreiras, mas é falha para compreender as chamadas "carreiras criminais". A imagem mais adequada, nesse caso, seria a de alguém caminhando na floresta. Alguns seguem a trilha de seus predecessores, outros inventam caminhos; alguns seguem rapidamente, outros movem-se aos poucos. Por fim, alguns podem se perder e outros tomam a decisão de voltar. Para a teoria, a rotulação dos infratores como criminosos termina por produzir um "desvio secundário", fenômeno pelo qual alguém passa a se comportar de forma desviante para se defender das reações ao seu desvio primário. Assim, uma vez identificado publicamente como "bandido", a pessoa passará a enfrentar mais dificuldades para retornar ao convívio social e é bastante provável que isso a empurre para alternativas ilegais de sobrevivência. O "rótulo", aqui, cumpriria uma função claramente criminogênica.

Nos EUA, por exemplo, uma lei conhecida como Megan's Law (em homenagem a uma menina morta em um crime sexual) obriga a divulgação pública dos nomes dos egressos do sistema penitenciário que tenham cumprido pena por delitos sexuais. Essa circunstância faz com que os ex-sentenciados terminem sendo empurrados para uma vida clandestina, o que aumenta as chances de que venham a incorrer em práticas ilegais. É preciso ter essa preocupação em mente quando tratamos de políticas públicas para a prevenção do crime e da violência entre os jovens. Nesse caso, com mais gravidade ainda do que pode ocorrer com um adulto – uma condenação criminal e a rotulação subseqüente podem constituir o passo mais seguro para a marginalização e para uma vida dedicada ao crime.

O mais amplo estudo australiano para a prevenção (*National Crime Prevention*, 1999) afirma que há muitas transições e passos importantes na trajetória que nos conduz à vida adulta. Nos movemos de casa para a escola, da escola primária para a secundária, da escola para o mercado de trabalho, tiramos carteira de motorista, adquirimos a condição legal para comprar bebidas alcoólicas, saímos de casa etc. Quando nos tornamos adultos, transições posteriores também ocorrem – estabelecemos compromissos com outras pessoas, temos filhos etc. Em cada um desses pontos de transição há a possibilidade de resultados diferentes. Para algumas crianças, a transição da casa para a escola ocorre sem problemas, especialmente se tiveram acesso à pré-escola. Outras, entretanto, irão aprender que as escolas são lugares dos quais se quer distância, pois tudo o que lhes mostraram é que elas "são um fracasso". Algumas pessoas negociam sua transição da escola para o mercado de trabalho sem dificuldade, enquanto outras jamais a realizarão. Assim, a abordagem que leva em conta o desenvolvimento das pessoas é caracterizada pela ênfase nos caminhos trilhados e nos aspectos de tempo e oportunidade ao longo da vida. Diz o estudo australiano:

> Caminhos aqui são compreendidos não apenas como trajetórias individuais, mas como rotas de vida – desde a concepção até à morte – que se repartem em diferentes opções em pontos de transição cruciais que marcam novas experiências e novos relacionamentos. Uma pessoa pode trilhar um caminho tranqüilo até sua vida adulta, ou um caminho dolorido através da experiência de abuso de drogas na adolescência, de viver nas ruas e morrer cedo. ... A natureza e o momento das intervenções a serem feitas nesses processos dependem, segundo esta abordagem que considera o desenvolvimento individual, não apenas da idade das pessoas, mas da identificação dos caminhos trilhados até a prática do delito e dos pontos cruciais de transição que caracterizam este caminho. O primeiro delito e o primeiro contato com o sistema de justiça criminal são dois destes pontos cruciais de transição na vida de todas as pessoas.[20]

Quando nos referimos, então, à possibilidade de prender um jovem infrator estamos, possivelmente, lidando com um momento crucial na vida dele. A depender dos resultados dessa experiência, muitas coisas poderão piorar em seu prognóstico. Sabemos que encarcerar adolescentes não funciona, ainda mais se isso for feito em instituições que reproduzem – como no sistema Febem, no Brasil – todas as características penitenciárias. Nesse quadro, o debate sobre a redução da idade penal no Brasil adquire a condição de extraordinária perda de tempo, quando não de ameaça.

Uma interessante e perturbadora pesquisa de Klein,[21] nos EUA, com verbas do Instituto Nacional de Saúde Mental, selecionou 306 adolescentes com atos infracionais moderadamente sérios. Eles receberam mandados de soltura em vez de três outras disposições judiciais de repressão. O surpreendente nessa análise foi que o grupo teve taxas de reincidência bem mais baixas do que aqueles submetidos às medidas judiciais mais fortes de aprisionamento. Essa experiência de Minneapolis foi reproduzida em 6 outras cidades e os resultados obtidos confirmaram a experiência original. Especialmente para os casos de detenção, adolescentes punidos parecem evoluir no crime em vez de se recuperarem.

A institucionalização produz sempre os piores efeitos. Inclusive quando lidamos com o destino de crianças em instituições de abrigo. No Brasil, o impressionante estudo de Silva (1997), ele mesmo um egresso da Febem de São Paulo, mostra como crianças institucionalizadas em função de orfandade, abandono ou miséria – portanto, sem qualquer problema de conduta – terminaram por desenvolver, em larga escala, comportamentos infracionais na adolescência e no mundo adulto.

No que diz respeito às unidades de privação de liberdade, que deveriam ser regradas e concebidas de acordo com os limites e conteúdos previstos pelo Estatuto da Criança e do Adolescente (ECA), o que temos, na maioria das vezes, são complexos prisionais herdados do antigo sistema Febem que funcionam de maneira muito similar aos presídios e, em alguns aspectos, podem mesmo ser ainda mais duros e estigmatizadores. Em um trabalho importante sobre a execução de medidas socioeducativas no Brasil, Fajardo (2004: p.354) observa que:

> As medidas socioeducativas contrapõem-se à noção de pena, no sentido retributivista, tendendo a uma ênfase retórica no conteúdo educativista, mas isso não se reflete na prática. Sobre o caráter pedagógico do modelo, o ECA é claro, no inciso VI do artigo 112, quando define a internação em estabelecimento educacional como medida socioeducativa. Nota-se, também, a clareza da lei ao definir o tipo de estabelecimento no qual devem se internar os adolescentes: educacionais. Assim, a privação de liberdade, se imposta e realizada de acordo com o ECA, é medida socioeducativa e não condição para a mesma. Ao não se cumprir a lei, entretanto, surge a necessidade de justificar a privação de liberdade como meio para concretizar o conteúdo educacional, nunca efetivado, da medida imposta, como

se o conteúdo pedagógico fosse alheio à própria natureza da medida, algo acrescido, mas necessário. Essa distorção resulta também justificadora de medidas cada vez mais repressivas em termos de segurança dos internatos, inclusive, eventualmente, com a presença de forças de segurança externa dentro das casas de internação.

Nesse mesmo texto, a autora examina algumas das mais evidentes limitações do ECA a partir de uma perspectiva de garantias; uma postura que considerações de ordem "tática" ou mesmo "dogmáticas" sustentadas pelos segmentos mais progressistas não têm permitido. Seu argumento, por exemplo, sobre a violação do princípio da segurança jurídica decorrente da indeterminação quanto à duração das medidas socioeducativas de privação da liberdade são, de fato, irrespondíveis:

> A indeterminação temporal e conceitual das medidas socioeducativas é um dos mais evidentes traços que expõem a ambigüidade do modelo de intervenção a partir do ato infracional adotado pelo ECA. É, teoricamente, própria do caráter enfaticamente pedagógico do modelo teórico de justiça juvenil adotado. Entretanto, na prática, termina por causar uma insegurança individual (decorrente da violação do princípio da segurança jurídica), que muito dificulta o trabalho socioeducativo com ênfase pretensamente pedagógica. (Fajardo, 2004: p.374)
>
> Em primeiro lugar, sendo o tempo um valor inestimável para os adolescentes, o poder nas mãos dos agentes de execução é imenso e dá margem a arbítrio. Por causa disso, em segundo lugar, o adolescente pode tentar adaptar-se artificialmente às exigências impostas para ganhar tempo, gerando um mercado de trocas entre comportamentos e liberdades. Em terceiro lugar, as garantias jurídicas ficam subsumidas à lógica tutelar e, com isso, perde-se em conteúdo pedagógico para a cidadania. Em quarto lugar, os educadores também trabalham à mercê da lógica institucional que, nem sempre, prima pelo melhor interesse do adolescente, nem do funcionário, e sim pelo melhor interesse da política de segurança pública, podendo condicionar o tempo de intervenção a outros critérios, como por exemplo, recursos, espaços e prioridades políticas internas e externas. (Idem, p.377)
>
> Essa indeterminação também causa, portanto, problemas para os técnicos, pois, em decorrência, não sabem exatamente por quanto tempo poderão trabalhar com cada adolescente, o que dificulta o estabelecimento de um plano de trabalho mais ou menos previsível. Nesse sentido, a indeterminação temporal da medida socioeducativa, que é elemento do princípio pedagógico, termina por ser exatamente seu oposto, dificultando o trabalho educativo e, assim, transformando-se em tempo indefinido de penitência. (Ibid., p.381)

O ECA, uma das legislações mais avançadas em todo o mundo, ainda não foi devidamente implementado no Brasil, e o descompromisso da maioria dos governos e do próprio Poder Judiciário é mais do que evidente. O que não deve constituir argumento para que se desconheça a necessidade de aperfeiçoar a legislação na área. Deveríamos ter já uma lei para a regulação estrita da execução das medidas socioeducativas, de tal forma que fossem reduzidas as margens de arbítrio hoje existentes e que se aumentassem as chances para efetivar garantias. Seja como for, o debate sobre a lei diz respeito a uma dimensão do problema apenas – e, possivelmente, não a mais importante.

Tive a oportunidade de conhecer muitas unidades de privação de liberdade de adolescentes no Brasil. Além daquilo que pude ver e relatar, restaram vários questionamentos. O mais urgente talvez seja o seguinte: qual o recurso mais importante para a execução de uma medida socioeducativa? A tendência das várias respostas possíveis tem sido a de identificar no Estatuto da Criança e do Adolescente (ECA) uma referência satisfatória, quando não absoluta. Se aceitarmos, entretanto, a premissa de que o estatuto nos oferece a referência básica para a execução das medidas – o que não parece tão pacífico mesmo do ponto de vista jurídico –, poderíamos renovar a pergunta nos seguintes termos: a lei nos basta? Penso que não. Suspeito, inclusive, que o fundamental a ser conquistado não guarda qualquer relação com a lei. Seria de todo impossível, por exemplo, enfrentar, apenas com base no ECA, a situação de meninos como aquele com quem conversei longamente em Franco da Rocha e que tatuou em seu braço a frase: "Por que o medo de morrer se o futuro é a morte?" Observe-se que a sentença só aparentemente constitui uma interrogação. Na verdade, a frase expressa uma proposição que poderia ser escrita assim: "Nada a temer, pois nosso futuro é a morte." Insisto na frase porque considero que simboliza os termos de um problema de fundo. De fato, para a maioria dos adolescentes em conflito com a lei, o passado que os constitui só é suportável como esquecimento e o futuro confunde-se com o nada representado pela morte.

Na introdução do relatório que produzi sobre a IV Caravana Nacional de Direitos Humanos (Comissão de Direitos Humanos da Câmara Federal, 2001) que visitou 18 instituições do sistema Febem e congêneres em vários estados brasileiros, lembrei a comovente personagem de um filme de Wim Wenders, *O hotel de um milhão de dólares*, vivida pela atriz Milla Jovovich, que, em determinado diálogo, confrontada com os riscos de seu hábito de fumante, oferece a seguinte resposta: "Não há problema em fumar, pois eu não existo." "Como assim?", pergunta seu interlocutor. Ela, então, insiste: "Eu não existo, compreendes? Quem não existe não pode morrer." Uma funcionária de uma das casas de internação para adolescentes em conflito com a lei no Rio de Janeiro relatou a seguinte experiência: "Numa dessas últimas rebeliões, um adolescente jogou um botijão de gás no fogo e não saiu de perto. Alguém perguntou se ele não pensou que, se aquilo explodisse, ele iria junto. A resposta foi: 'E que diferença faz?'"

As duas cenas – uma sugerida pela sensibilidade do artista, outra recolhida como experiência dramática – nos colocam diante de uma característica das sociedades modernas: o fato de que inúmeros seres humanos, excluídos e marginalizados socialmente, percebem-se não apenas como carentes de sentido, mas mergulhados em uma dinâmica de tamanha negatividade que suas próprias vidas lhes parecem desprovidas de realidade.

Penso que devemos, então, remeter o debate para a natureza dos sentidos construídos pelos jovens infratores e para a impossibilidade de tratá-los, efetivamente, na ausência de um esforço que lhes permita a construção de sentidos diversos. Autores como Oliveira (2001), Diógenes (1998a) e Abramovay (1999), entre outros, têm nos oferecido um caminho fértil para pensarmos esse problema quando relacionam os valores de uma sociedade definida pelo consumo com as aspirações de uma juventude de periferia a quem se nega o acesso ao mercado. Ora, esse momento tão particular do adolescer passa a sofrer, em nossa época, agenciamentos que precisam ser identificados. De início, parece evidente o quanto a publicidade produz apelos voltados exclusivamente ao chamado "público jovem" e o quanto isso promove uma determinada "identidade" a esse público. Os adolescentes existem na exata medida em que consomem, visto que só a posse de produtos e marcas "jovens" lhes assegura visibilidade. Viver é ir entre o que vive, diria João Cabral. E isso pressupõe ser observado, ser visto, ser notado. Nossa existência, por óbvio, dá-se pelo olhar do outro. Se o fato de ser visível no mundo contemporâneo pressupõe a posse de determinados bens, sejam eles quais forem, então o ato de consumir passa a ser uma condição incontornável da própria vida, enquanto vida reconhecida.

Essa situação define, também, o seu inverso, que se desdobrará como experiência mortificadora para aqueles alijados do consumo: eles simplesmente não existirão. O processo de exclusão não se delimita apenas espacialmente a partir das fronteiras que separam o centro ou as áreas privilegiadas de nossas cidades de suas periferias esquecidas. Ele se afirma, antes, pelas possibilidades e impossibilidades de consumo.

Dessa forma, no momento da vida em que se espera que os jovens formem suas identidades – no aprazamento que se convencionou chamar de adolescência –, o que se observa é que as expectativas geradas pelas sociedades de consumo lhes oferecem um padrão de beleza e saúde, de diversões e prazeres, de inteligência e atração sexual, todos diretamente vinculados ao consumo de produtos que são como signos de sucesso, grifes de felicidade. O que é oferecido simbolicamente a todos, não obstante, é o mesmo que é subtraído de milhões de jovens pobres, negros e semi-alfabetizados que habitam nossas periferias. Esses jovens transitam desequipados de todos os símbolos da inclusão. Não podem freqüentar os espaços dos que estão "dentro" da sociedade, nem ostentar suas marcas. Logo, são invisíveis e, por isso, "não existem".

É difícil imaginar os sentimentos vivenciados por esses jovens. Uma reportagem da revista *Veja* de 22 de junho de 1994 traz o testemunho de uma menina de 15 anos, moradora de uma favela carioca:

> A gente nunca compra roupa. Ou compra roupa ou comida. Os dois, não dá. A gente ganha roupa usada. Nunca ganhei um tênis novo da minha mãe ou do meu pai. Tenho um sapatinho que ganhei de um bandido daqui que assaltou um caminhão da C&A. Eu não gosto de usar roupas usadas. Preferia ter dinheiro para comprar. Eu queria ter um tênis da Redley e uma camiseta da Anonimato.

Carentes de tudo aquilo que a modernidade construiu como emancipação e alijados das próprias promessas de emancipação, a convivência desses jovens marginalizados socialmente com aqueles que estão incluídos torna-se atravessada por uma tensão primordial. Afinal, por que alguns têm acesso garantido a tudo enquanto outros devem se conformar com o nada? Uma pergunta assim – que jamais será respondida pelos defensores da ordem – oferece a esses meninos e meninas apenas uma certeza: a certeza da injustiça que os produz.

Não por acaso, os jovens privilegiados, integrantes das elites ou mesmo das camadas médias, são vistos com um misto de desdém e ódio por muitos jovens de periferia. "Otário", "playboy" e "gado" são alguns dos nomes pelos quais são chamados; desqualificações para tentar compensar uma distância que se sabe insuperável. Inúteis, condenados ao fracasso, ignorantes e ameaçadores, os jovens excluídos não conhecem o processo argumentativo e, para eles, a democracia é apenas uma palavra tola. Não há espaço público onde se reconheçam e, por decorrência, não podem ser ouvidos. Se por acaso resolverem empregar seu salário na compra de roupas de grife ou de qualquer dos ícones produzidos pelo capitalismo, há grandes chances de que sejam abordados pela polícia sob acusação de roubo e, muitas vezes, de serem expropriados. Aliás, essa face repressiva é a única demonstração do Estado que conhecem. Entre eles, a noção de "autoridade" e mesmo o sentido da palavra "lei" expressam apenas o rosto do inimigo. Por isso mesmo, reagem em um apelo mudo para afirmar sua existência. A cidade os excluiu? Trata-se, então, de ocupar a cidade. Não lhes dão a palavra? Trata-se, então, de registrá-la nos muros e nas fachadas com grafite. Sonegam-lhes as quantias em dinheiro para que tenham acesso aos símbolos da juventude? Ora, o dinheiro se pode tomar. Mas o pior é que, diante deles, a sociedade dos incluídos responde com um largo silêncio. A atitude predominante dos que estão do lado de cá, no mundo paradisíaco do mercado, traduz apenas a indiferença, aquela que "constitui o partido mais ativo e, certamente, o mais poderoso".[22]

Ora, se as experiências existenciais desses jovens os conduziram a valorizar o ato infracional – tido, no mais, como o equivalente da coragem e da negação de um mundo injusto –, trata-se de tornar possível que eles inventem maneiras diferentes de afirmar coragem e justiça. Um projeto pedagógico orientado por esse objetivo, entretanto, é rigorosamente inconcebível fora de um quadro de relações interpessoais marcadas por forte investimento afetivo. Se essa afirmação puder ser aceita como verdadeira, será preciso reconhecer que nossas sociedades promoveram as relações afetuosas, fundamentalmente, nos marcos da família. O nascimento da família moderna e suas modificações subseqüentes – acompanhadas, de toda maneira, pelo ideal de uniões justificadas por amor e por interesse crescente pelos filhos – são acontecimentos históricos recentes que conformam e estruturam a vida moderna. Esse processo é tão radical que poderíamos falar na emergência de uma nova noção de "sagrado" quando nos referimos ao amor abrigado pelas relações familiares – seja aquele existente entre os parceiros adultos, seja aquele construído na relação com os filhos. O "sagrado" em uma versão pagã, bem entendido, nos termos propostos por Ferry (1997) como aquilo pelo que vale a pena morrer.

Pois bem, sabe-se que os adolescentes em conflito com a lei com perfil mais agravado enfrentam, como regra, um déficit extraordinário de afeto. Para a maior parte deles, possivelmente, a própria idéia de "família" soa como uma abstração. Nem por isso seus vínculos com esse ou aquele parente – normalmente com as mães – são pouco importantes. Pelo contrário, tudo indica que sejam ainda mais decisivos. O ponto a que desejo chegar poderia ser resumido pela idéia de que uma instituição de privação de liberdade para adolescentes com os mais sérios e persistentes conflitos com a lei deveria ser pensada, tanto quanto possível, como uma estrutura familiar em que a norma e a regra expressem a função paterna e o cuidado e a atenção insinuem a presença da mãe. Dito de uma forma mais simples – e, se quiserem, em termos cristãos –, uma instituição vocacionada para o amor.

Por contraste, o que temos hoje, no Brasil, é uma estrutura na qual a regra é um largo estranhamento entre trabalhadores e internos. Um estranhamento concebido pelos dois pólos como uma relação necessariamente beligerante, em que os interesses de cada grupo definem-se na medida de sua oposição. Uma estrutura, enfim, na qual o encontro com a humanidade do interno não deve ser produzido. Se, porventura, ele ocorrer, a cultura institucional tratará de registrar o resultado como uma relação "suspeita". As instituições totais, afinal, são espaços onde a própria idéia de humanidade é suspeita.

Os lugares de privação de liberdade para adolescentes no Brasil terminam por oferecer um extraordinário reforço na "identidade delinqüente" e, não raro, constroem novos problemas na medida em que pretendem tratar os já existentes. A drogadição pode nos dar um exemplo. Em um trabalho recente, Silva (2003) separou vários depoimentos de adolescentes que haviam passado por internações na Febem de Porto Alegre. Em um desses depoimentos, um menino, usuário de drogas, diz:

> Pensá, pensá eu consigo, demais até... por isso que ultimamente eu tenho tomado bastante remédio, prá mim não pensá muito. Quanto mais remédio eu tomo agora, mais eu, mais eu quero. Quanto mais remédio eu tô tomando, mais eu quero, quanto mais eu posso né, ficá olhando televisão mais eu quero, porque enquanto eu tivé olhando televisão, eu não tô pensando em nada diferente, simplesmente tô lá, tô curtindo a televisão né? Ficá prestando atenção na televisão né? Não dô bola né se tem o fulano de tititi nos meus ouvidos, se não tem, né?

Temos assim, uma nova experiência de drogadição, dessa vez sustentada por prescrições médicas que envolvem o estranho conceito de "se necessário for", o que constitui uma autorização perpétua incorporada na linguagem dos internos a partir da solicitação-padrão: "Me dá o se necessário." (*sic*)

Experiências de natureza repressiva e institucionalizantes como os "*boot camps*" nos EUA faliram em todo o mundo. No caso norte-americano, segundo levantamento de Parent (2003: p.6), no ano de 2000, cerca de um terço dos "*boot camps*" havia fechado, restando 51 em funcionamento.

No que concerne à Febem, o trabalho a ser feito exige uma desconstrução. Tarefa das mais difíceis, porque os novos paradigmas organizacionais não são sempre nítidos nas pretensões de reforma e os esforços necessários não podem prescindir dos sujeitos que, de uma forma ou de outra, foram forjados pela própria instituição. Uma parte deles encontra-se, como se sabe, em tal estágio de degradação moral e comprometimento com práticas de violência que não há como um projeto coerente de reforma deixar de produzir atritos mais ou menos intensos. Outro grupo encontra-se deprimido, atemorizado e descrente. Também por isso, as pretensões reformistas de vários projetos em diferentes governos vão sendo substituídas por concessões que terminam consolidando a conivência com as práticas de violação dos direitos humanos. Esse resultado tem sido mesmo a condição para um "equilíbrio político" medido pragmaticamente pela ausência de rebeliões ou fugas em massa, tão útil ao poder público – inclua-se aí, também, o poder judiciário – quanto catastrófico para os adolescentes. O processo indicado envolve, na verdade, uma vitória da instituição sobre os indivíduos que a viam criticamente. A herança cultural, plasmada inicialmente na arquitetura dos prédios e transformada em força material em cada cela, termina se impondo como um silêncio que todos devem carregar.

CAPÍTULO 5

A MÍDIA E O CRIME

Ou a violência como espetáculo

Se observarmos a atenção que as pessoas costumam dedicar ao crime – nos noticiários, nos filmes de ficção ou mesmo na literatura –, chegaremos à conclusão de que o crime e, especialmente, a violência fascinam. Há uma tendência de se atribuir esse fenômeno ao papel desempenhado pelos meios de comunicação, mas a verdade é que as pessoas têm encontrado algum tipo de recompensa diante de histórias sobre crimes e violência desde muito antes do aparecimento da TV ou do rádio (Reiner, 2002: p.379).

Durante os séculos XVII e XVIII, por exemplo, biografias de conhecidos "fora-da-lei" e confissões pré-execução chegaram a criar um subgênero folhetinesco de muito sucesso na Europa. Um olhar sobre nossas respeitáveis tradições culturais, entretanto, deverá reconhecer que crime e violência não são importantes apenas em publicações de segunda categoria. Desde Sófocles, passando por Shakespeare, Dostoievski, Tolstoi, Balzac, Dickens e tantos outros grandes nomes que integram o que Harold Bloom identificou como o "cânone ocidental", crime e violência têm oferecido muitas histórias e, em torno deles, personagens inesquecíveis foram criados. Muito antes de que surgisse um gênero literário específico a partir dos "romances policiais" – que se definiu com Edgar Allan Poe e Arthur Conan Doyle –, o melhor da herança cultural nos países ocidentais já mantinha uma relação privilegiada com esses temas.[1] Aliás, os textos sagrados oferecem grande atenção a eles, e o Antigo Testamento seria mesmo incompreensível se todas as passagens que relatam, insinuam ou prometem violência fossem apagadas.

As explicações para esse interesse são muitas e estão além dos objetivos deste texto. Sublinho apenas que crime e violência sempre foram temas importantes também porque tratam de realidades extraordinárias, incomuns. Destacadamente, os casos de assassinato – abordados tanto nos relatos ficcionais quanto nos noticiários – dizem respeito a "transgressões máximas" pelas quais tomamos contato, então, com "interdições máximas". Em cada história de assassinato estamos diante da lembrança da violação de uma regra fundamental da civilização. Como mandamento religioso ou como imperativo filosófico, a idéia de que não é legítimo matar – ou de que, pelo menos, não é legítimo fazê-lo na ausência de razões aceitáveis – nos constitui como seres modernos.

O contato com a morte violenta e intencional, a partir da mediação do relato, nos aproxima do extremo, compreendido como o limite que não pode ser transposto. O que, talvez, nos ofereça uma forma pela qual possamos contornar nossos impulsos mais obscuros e ancestrais. Assim, quando tratamos da violência e, especialmente, quando tratamos do assassinato, é possível que estejamos também "nos livrando" de algo. Nessa hipótese "catártica", ficaria mais simples compreender por que temos a tendência de "demonizar" os que matam sem razões aceitáveis para isso. Nesses casos, quando "desumanizamos" os autores, protestamos inocência. Assim, se aquele que matou é "um monstro", quero, sobretudo, dizer que ele não é como eu. Sim, porque assumimos o pressuposto de que pessoas "normais" não matam injustificadamente. Com essa lógica, afastamos o que poderia ser perturbador – precisamente a convicção de que assassinatos são, via de regra, praticados por pessoas como todas as outras.

Mas é possível que muitos outros mecanismos psicológicos operem e sejam agenciados em cada pessoa por caminhos diversos. Ainda no terreno das hipóteses, talvez a morte violenta agregue interesse também pelo fato de renovar em cada um de nós duas angústias constitutivas: a do sentido da vida e a da finitude. Com a primeira, nos perguntamos necessariamente pela justiça e, com a segunda, nos colocamos diante da idéia do nada. Os seres humanos talvez tenham inventado a lei para dialogar com a primeira e a idéia de vida eterna para escapar da segunda. A morte violenta "afronta" essas duas construções culturais que são também alicerces das nossas civilizações.

A forma como a ficção e o jornalismo contemporâneos tratam o crime e a violência constitui, de todo modo, um tema relevante. Primeiro porque ambos têm oferecido novas representações sobre aqueles fenômenos – o que influencia a percepção do público. Segundo porque muitas pesquisas têm investigado até que ponto os meios de comunicação social podem, de fato, estimular comportamentos disruptivos como a violência interpessoal ou as práticas ilegais. A pergunta-chave nesses trabalhos científicos é: a mídia pode ser criminogênica?

Neste capítulo, ofereceremos um breve panorama das investigações sobre as relações da mídia com o crime e a violência, dando destaque maior à televisão, que concentra grande parte das pesquisas disponíveis. Também demonstraremos quais os principais riscos oferecidos à segurança pública pela maneira habitual com que crime e violência são tratados em nossos noticiários. Por fim, delinearemos algumas possibilidades virtuosas do jornalismo orientado por uma perspectiva ética compatível com os valores humanitários.

A notícia criminal como realidade invertida

Todos os estudantes de jornalismo já ouviram a historinha do homem e do cachorro. Ao que tudo indica, o bordão foi criado por John Bogart, editor do jornal *New York Sun*, na década de 1880. O que ela nos diz é que se um homem for mordido por um cachorro isso não é notícia, mas se um homem morder um cachorro... Bem, há algo de verdadeiro nessa alusão. Ao contrário do que as pessoas imaginam, a cobertura jornalística não está voltada, exatamente, para a "realidade", mas para aquilo que, dentro dela, aparece como surpreendente.

Uma "boa matéria" é tradicionalmente pensada como aquela que relata um caso original, que desvenda uma situação não conhecida, que insinua, portanto, algo "novo". Notícia é, por definição, "aquilo que é novo". Só por isso, o jornal de ontem serve de embrulho. A historinha referida, entretanto, contém, também, uma armadilha ou um engodo. Ela faz crer que o fato noticioso – ou seja, aquele que merece ser comunicado como notícia – só possui valor na medida em que for improvável. Assim, então, se poderia concluir que um homem morder um cachorro seria mais importante do ponto de vista jornalístico do que um cachorro atacar uma criança em um parque, por exemplo, já que o primeiro fato é muito menos provável que o segundo.

Sabemos, entretanto – não apenas nós, mas também os jornalistas –, que isso não é verdadeiro e que o segundo fato é muito mais importante. Mas por que sabemos disso? Porque compartilhamos de um valor moral que nos diz que o sofrimento de uma criança "conta mais" que o sofrimento de um cão. Não há nada de objetivo nessa conclusão. Ela é "verdadeira" na exata medida em que aceitamos seus pressupostos éticos. Outra escala de valores que afirmasse o respeito a todas as formas de vida e que situasse a preferência pelo ser humano como uma manifestação de "especismo", por exemplo, poderia permitir conclusões distintas e, talvez, equiparasse os dois fatos em importância.* Da mesma forma, quando um prisioneiro comum é espancado em um presídio, só iremos "recortar" esse fato e atribuir a ele valor enquanto notícia se tivermos a convicção de que uma violência desse tipo é muito grave e que representa uma ameaça à idéia de civilização. Se, pelo contrário, partirmos do

---

* O termo "especismo" expressa a crítica às posições que reduzem a comunidade moral à espécie humana e talvez tenha se originado com o trabalho de Humphrey Primatt, que, em 1776, sustentou que todos os "seres sensíveis" deveriam ser tratados a partir de uma mesma base moral, já que todos eram capazes de sofrer. Assim, tomando a idéia kantiana de que os seres humanos, dotados de razão e liberdade, não podem ser tratados como meios, uma vez que constituem um fim em si mesmos, Primatt defendeu que os animais também não poderiam ser tratados como meios para os nossos fins. O conceito de "pessoa", em síntese, seria desnecessário para circunscrever a comunidade moral. A crítica ao "especismo" constitui um tema relevante no debate ético contemporâneo. Veja, por exemplo, o ponto de vista de Singer (2004).

pressuposto anti-humanista de que os presos devem mesmo sofrer, o fato seria dissolvido na irrelevância, e assim sucessivamente.

Quando tratamos de jornalismo, então, lidamos com a expressão de algo cuja natureza jamais poderá estar desvinculada de uma idéia moral. Toda e qualquer matéria, por mais "objetiva" e circunscrita àquilo que se entende como a "realidade fática", estará sempre estruturada em uma idéia moral. Antes mesmo da matéria, aquilo que aparece como "fato" já é o resultado de uma escolha subjetiva que aparece naturalmente, como se fosse uma evidência, apenas na medida em que nossos valores morais são, para nós mesmos, "evidentes".

A notícia tem mais "valor" – e se perfila mais propriamente ao jornalismo como gênero – quando "recorta" do presente uma singularidade significativa. Aquilo que é notícia é algo que acabou de ocorrer ou que está ocorrendo, cuja emergência no mundo é importante. Um fato trivial, ainda que expressão de uma novidade, não alcança, necessariamente, a condição de "fato noticioso". Adelmo Genro Filho (1987: p.163) explicitou essa dinâmica lidando com os conceitos de universalidade, particularidade e singularidade:

> Nos fatos jornalísticos, como em qualquer outro fenômeno, coexistem essas três dimensões da realidade articuladas no contexto de uma determinada lógica. (Refere-se ao universal, ao particular e ao singular.) Tomemos o caso de uma greve na região do ABC, em São Paulo. Ao ser transformada em notícia, em primeiro plano e explicitamente, serão considerados aqueles fatos mais específicos do movimento, ou seja, os aspectos mais singulares. Quem está em greve, quais são as reivindicações, como está sendo organizada a paralisação, quem são os líderes, qual a reação dos empresários e do governo etc., são algumas das perguntas imediatas que terão de ser respondidas. Mas a notícia da greve terá de ser elaborada como pertinente a um contexto político particular, levando em conta a identidade de significado com outras greves ou fenômenos sociais relevantes. Será um acontecimento que, de modo mais ou menos preciso, terá de ser situado numa ou mais "classes" de eventos, segundo uma análise conjuntural que pode ser consciente ou não. Nesse sentido, a particularidade do fato – embora subordinada formalmente ao singular, pois é ele que dá vida à notícia – estará relativamente explicitada. No entanto, a universalidade desse fato político, em que pese não seja explicitada, estará necessariamente presente enquanto conteúdo. Ou seja, como pressuposto que organizou a apreensão do fenômeno e como significado mais geral da notícia, teremos uma determinada concepção sobre a sociedade, sobre a luta de classes e a história. Portanto, tomando essas relações como premissa teórica, podemos afirmar que o singular é a matéria-prima do jornalismo, a forma pela qual se cristalizam as informações ou, pelo menos, para onde tende essa cristalização e convergem as determinações particulares e universais. Assim, o critério jornalístico de uma informação está indissoluvelmente ligado à reprodução de um evento

pelo ângulo de sua singularidade. Mas o conteúdo da informação vai estar associado (contraditoriamente) à particularidade e universalidade que nele se propõem, ou melhor, que são delineadas ou insinuadas pela subjetividade do jornalista.

Assim, Adelmo sustenta que o singular é a estrutura que constitui o jornalismo como gênero ou modo de conhecimento do real. As dimensões do "particular" – pelas quais temos a pertinência do fenômeno singular – e do "universal" – que tornam possível perguntar pelo seu sentido – não aparecem necessariamente na notícia. No entanto, elas estão ali, de uma forma ou de outra, porque a maneira como o fato singular é relatado e as informações agregadas a ele insinuam tanto um pertencimento do fato a um contexto quanto os valores morais pelos quais ele é compreendido – vale dizer, "julgado".

Pois bem, o primeiro problema a ser destacado quanto à maneira pela qual a mídia retrata o crime, notadamente o crime violento, diz respeito à tendência de divulgar eventos dramáticos a partir de um "tensionamento" de sua singularidade com as dimensões do particular e do universal. Dito de outra forma: o que é apresentado como "fato" – um assassinato, por exemplo – parece desejar "emancipar-se" de suas circunstâncias e já é mostrado, invariavelmente, sem que se permita qualquer referência às condições que poderiam ser identificadas como precursoras da própria violência. Quando essa forma de noticiar o crime se torna a regra – o que, infelizmente, é o caso –, passa a ser improvável que os fenômenos contemporâneos da violência sejam percebidos pelo público em sua complexidade. Soares (1996: p.167) refere-se ao problema afirmando:

> O volume de horrores acumula-se e, cada novo dia e novo episódio, aumentam a cifra trágica. Deduz o(a) leitor(a); "isso não cessa de acontecer"; "isso não termina jamais"..."onde vamos parar?" A unidimensionalidade dos canais do tempo na estrutura semiológica do noticiário diário faz com que cada novo fato se acrescente ao antigo, ampliando a cifra e indicando a deterioração da vida social. A razão é simples, não há referência externa; o canal é único e excludente: a realidade é feita de um fato depois do outro, que se soma ao anterior, tornando-o sempre maior.

Não imagine, entretanto, que essa "ausência de referência externa" (da possibilidade mesma de contextualização dos fenômenos) implique ausência de sentido. Pelo contrário, o sentido produzido quando o crime violento emerge como um fenômeno desconhecido só pode ser um: ele é a expressão da maldade dos indivíduos. Sim, pois se o evento trágico é apresentado em uma "singularidade enlouquecida" – que já não possui referência social e que, portanto, surge como fenômeno independente – então o problema já aparece reduzido aos autores. O ato infracional – especialmente quando confrontado com a dor das vítimas – é, evidentemente, um mal. O que permite a dedução de que seu autor é o portador dessa possibilidade malévola. Como essa figura não tem história, nem qualquer outro atributo que revele sua condição humana e sua personalidade contraditória, ela mesmo termina sendo reduzida e definida por aquela possibilidade perigosa e detestável. A ação que se atribui ao infrator ou que ele, concretamente, praticou já não é uma ação; ela é ele, o próprio infrator. Assim, o círculo das simplificações se fecha anunciando, também, as medidas necessárias para a proteção do público: mais repressão e rigor para "as pessoas más". Ao longo dos últimos anos, podemos encontrar centenas de editoriais em que essa receita vem sendo prescrita:[2]

> Mais sério, entretanto, é o fato de que as penas, no Brasil, vão chegando a extraordinário estágio de brandura. Ao crime hediondo deve corresponder punição severa. Se isso não acontece, a impunidade pode se tornar insuportável para a sociedade.
> *O Globo*, editorial, 23/3/1996, p.6.

> Esse é o pano de fundo da discussão, estéril, sobre quem deve assumir a responsabilidade pela existência de menores infratores – chamem-se eles meninos de rua, menores abandonados ou tenham qualquer outra denominação. Quando, finalmente, o Código Penal será acionado para punir os pais infratores e responsáveis?
> *Jornal do Brasil*, editorial, 31/5/1996, p.12.

Formulações desse tipo evidenciam que a demanda repressiva que se expande socialmente só será analisada com seriedade se incluir um balanço criterioso do papel desempenhado pela mídia. O que se percebe é que a maior parte dos meios de comunicação no Brasil está comprometida com o discurso de que "o crime está fora de controle" e que "a violência cresce de forma assustadora". Conclusões, essas, que podem ser encontradas em editoriais do século XIX e que não estão fundamentadas em qualquer base de dados confiável. Sobre essa avaliação, importantes jornais brasileiros têm sustentado desastrosas políticas de segurança pública, como se pode ilustrar com o seguinte texto:

> Em seu último relatório anual sobre direitos humanos, o Departamento de Estado dos EUA condena, com razão, a violência policial no estado do Rio. Os números que cita, tirados de levantamentos feitos por organizações não-governamentais, são impressionantes: "Antes de junho de 1995, a polícia matava, em média, 3,2 pessoas por mês; esse número subiu para 20,5 na primeira metade de 1996." Mas quando se arrisca a identificar as causas da brutalidade, o Departamento de Estado peca por excesso de simplificação. Em seu relatório, atribuiu o aumento do número de bandidos mortos nesse período quase exclusivamente à decisão do governo estadual de oferecer recompensas financeiras e promoções por atos de bravura. É fato que o governo Marcello Alencar tem uma política de

> combate ao crime mais agressiva que a dos antecessores, o que é virtude e não defeito. As recompensas em dinheiro e em avanços na carreira instituídas em 1995 pelo Secretário de Segurança Pública, general Nílton Cerqueira, sem dúvida estimularam os policiais a enfrentar os bandidos. Dar prêmios é um recurso, consagrado pela tradição, a que recorrem os comandantes para incentivar os comandados. A decisão de atacar o problema com pulso firme é correta; a política de estimular os policiais com prêmios e promoções, também.
> *O Globo*, editorial "Pulso firme", 10/2/1997, p.6.

A política que *O Globo* chama de "agressiva" foi, entretanto, a única variável independente capaz de explicar o aumento absurdo dos civis mortos/executados pela polícia no Rio de Janeiro. O que só é um excesso de simplificação quando o "pulso é firme" e o raciocínio nem tanto.

Uma avaliação mais ampla, contudo, deveria sistematizar o enfoque das matérias nas colunas policiais e levar em conta, também, o papel desempenhado pelos formadores de opinião: colunistas, radialistas, comentaristas e comunicadores de TV. Não é necessário visitar o discurso do lúmpen televisivo e radiofônico de estilo "Ratinho" ou "Afanázio". Uma colunista da *Folha de S. Paulo* pode nos oferecer bons exemplos de mau gosto:

> Desconfio que chegamos finalmente a um beco sem saída, a um estado velado de guerra. Nós contra eles. E que, em um futuro próximo, a retaliação da classe média será atirar bombas e dar tiros de bazuca contra os barracos onde o inimigo supostamente se esconde.
> Bárbara Gancia, colunista da *Folha de S. Paulo*, 14/8/1996, p.32.

> Engraçado. A lei proíbe meu higiênico e pacífico Pacheco, da pelagem livre de pulgas, da carteira de vacinação rigorosamente em dia e da ração importada, de freqüentar a orla. Mas deixa que essa farofada pornográfica emporcalhe praias intocadas até poucos anos atrás, como São Pedro, Iporanga, Maresias, etc.
> Bárbara Gancia, *Folha de S. Paulo*, 14/1/1998, p.3, caderno Cotidiano.

"Bárbaro", não é mesmo? O que fazer com esses legisladores que circunscrevem a liberdade do higiênico cachorrinho Pacheco, enquanto não tomam providências contra os pobres "pornográficos" que teimam em visitar as praias – antes só visitadas por pessoas cultas e que podiam freqüentar restaurantes – como a sensível colunista? Chegamos mesmo a um "beco sem saída" onde só a guerra pode nos redimir. Assepticamente, é claro. Por isso, "bazuca nos barracos!"

Diante do crime a mídia é sensacionalista. Não por acaso, notícias sobre o crime costumam ter um destaque muito maior em jornais pouco ou nada sérios. Na Inglaterra, por exemplo, um dos melhores periódicos nacionais, *The Guardian*, oferece ao tema a mais baixa percentagem – 5,1%. A mais alta é garantida pelo tablóide sensacionalista *The Sun* – 30,4%. O sensacionalismo é um termo que denota a tentativa de submeter a percepção do público às "sensações", à realidade sensível, garantindo-se, assim, o excitamento funcional à venda da notícia. Um processo que reforça no público os juízos que já estavam presentes antes do fato: aqueles abrigados pelo senso comum. Essa é, de fato, a dimensão conservadora desse tipo de jornalismo que solidifica preconceitos e ergue uma "blindagem" epistemológica com a qual o que não era percebido já não pode ser percebido. O público, saturado com notícias sobre atos mórbidos que vitimam inocentes, sente-se muito concretamente ameaçado. As pessoas imaginam que, se essas coisas estão acontecendo com tanta freqüência, então "podem ocorrer com qualquer um". Esse efeito terá repercussões importantes quanto à sensação de insegurança, conforme veremos mais adiante.

Ocorre que essa maneira de tratar a criminalidade e a violência termina por construir uma "realidade invertida". Sabe-se que a atenção da mídia ao crime é dirigida para a violência, notadamente para os casos de homicídio. Há, também, consenso entre os pesquisadores de que alguns homicídios atraem mais a atenção da mídia. Histórias com maior número de vítimas ganham mais destaque.[3] O número de agressores e o uso de métodos não comuns são outros fatores que podem "projetar" um caso.

Um estudo recente de Peelo et al. (2004) avaliou a cobertura dos casos de homicídio na Inglaterra e no País de Gales, entre 1993 e 1997, em três jornais nacionais (*The Times*, *The Mail* e *The Mirror*), comprovando que algumas das circunstâncias que acompanham os homicídios os tornam mais ou menos "noticiáveis". Esse estudo constatou que apenas 40% dos homicídios foram divulgados por, pelo menos, um dos três jornais analisados. Surpreendentemente, apenas 14% dos homicídios foram noticiados pelos três jornais, o que sugere a existência de critérios de seleção em cada veículo. Esse trabalho comprova que homicídios sexuais ou aparentemente "irracionais" possuem maiores chances de virar notícia. A pesquisa demonstra, também, que homicídios de crianças entre 4 e 14 anos atraem muita atenção, mas casos de infanticídio não. Os autores sublinham que a percepção do público sobre a própria violência será influenciada por esses critérios de seleção. Mais do que isso, sustentam que, se todos os homicídios são chocantes, apenas alguns irão conduzir à conclusão de que "algo precisa ser feito".

Alguns estudos nos EUA demonstraram que a morte de negros e de etnias minoritárias não chama tanto a atenção da mídia. O trabalho de Johnstone et al. (1994), por exemplo, comparou 212 casos de homicídios relatados por dois dos diários de Chicago (*Tribune* e *Sun-Times*) com os 684 casos de homicídios registrados pela polícia no mesmo período. As reportagens não eram representativas social ou etnicamente. Brancos assassinados mereciam mais atenção do que vítimas negras; e homicídio de pessoas de classe média, ou ricas, também importavam muito mais. Os assassinatos de mulheres e crianças são tratados sempre com maior destaque do que os de homens adultos.

O que talvez não tenha sido devidamente sublinhado é que os crimes mais noticiados em todo o mundo são eventos excepcionais se comparados com as demais condutas tipificadas pela legislação. Em seu estudo sobre os casos mais importantes de crimes divulgados pelo jornal *The Times*, de Londres, Soothill et al. (2002) levantaram 23 anos de matérias. Para o período todo, identificaram os 10 casos criminais mais importantes, de acordo com o número de matérias que cada um recebeu ao longo dos anos. Assim, a tragédia da Escola Primária de Dumblane, quando um sujeito de nome Thomas Hamilton matou 17 pessoas, a maioria crianças (fato que deu origem à lei inglesa que proibiu a venda e a posse de armas de fogo), é o primeiro da lista, com 511 matérias.[4] O caso conhecido como o do "estripador de Yorkshire" é o segundo, com 370. O caso dos "motins de Tottenham" (graves distúrbios de rua envolvendo uma comunidade negra e a polícia após a degola de um policial) é o terceiro, com 311. O assassinato de Stephen Lawrence é o quarto, com 264 matérias. A pesquisa revelou que homicídios estranhos, relacionados ao trabalho ou envolvendo crianças possuem as maiores chances de serem transformados em "megacasos". O mesmo levantamento mostra que homicídios praticados na família ou envolvendo amantes também interessam, mas tendem a receber uma atenção "média".

Em um único mês de 1989, 64,5% das matérias sobre crime publicadas em jornais britânicos tratou de crimes praticados com violência interpessoal,[5] enquanto os dados das Pesquisas de Vitimização (British Crime Survey) apontavam que apenas 6% de todos os crimes cometidos no período haviam sido violentos. Outro estudo,[6] que revisou 35 trabalhos sobre o padrão noticioso do crime nos EUA e mais 20 análises sobre o mesmo tema em outros 14 países, verificou uma super-representação da violência e dos crimes interpessoais quando comparados com os crimes contra a propriedade. Nos EUA, crimes violentos aparecem na mídia em uma razão de 8 para 2 em comparação com os crimes contra a propriedade, enquanto os indicadores oficiais apontam a relação inversa de 9 para 1. Essa tendência poderá ser encontrada em todo o mundo e será ainda mais acentuada se examinarmos, separadamente, as coberturas de crimes de natureza sexual. Distorções semelhantes serão encontradas, também, no exame de notícias sobre jovens. Dale Kunkel, professor da Universidade da Califórnia, constatou que 40% de todas as notícias dos principais jornais norte-americanos sobre adolescentes eram de natureza criminal.[7]

O superdimensionamento dos crimes violentos começou a ser uma regra nos noticiários a partir da influência exercida pela televisão, já na década de 1950. Reiner (2002: p.390) lembra que, naquela época, havia 7 casos de assassinato na tela para cada 100 personagens de ficção dos programas exibidos. Essa relação correspondia, então, a 1.400 vezes a taxa real de assassinatos no país. A desproporção não é, entretanto, o único problema na seleção realizada pela mídia. A natureza das ocorrências e os perfis das vítimas e dos infratores também aparecem de forma distorcida.

Enquanto o crime típico de assassinato é, via de regra, o resultado indesejado de disputas comuns entre jovens e/ou familiares ou de brigas entre vizinhos, ele aparece na ficção como o resultado planejado por alguém que atua com sangue-frio e desmedida ambição. Observa-se o mesmo para os crimes de estupro. Na vida real, a violência sexual é um resultado colhido quase sempre em relações familiares ou entre pessoas conhecidas. Já na ficção, casos de estupro caracterizam sempre uma ameaça oferecida por estranhos. As pesquisas de vitimização na Inglaterra e no País de Gales mostram que jovens do sexo masculino, pobres e negros constituem o universo mais representativo de vítimas da violência.[8] Nas matérias realizadas pela imprensa, entretanto, esse é o principal retrato dos infratores (Reiner, 2002: p.386).

Tal resultado termina criando ou reforçando estereótipos. A opção pelo uso de expressões carregadas de significados "neutralizadores", quando não abertamente preconceituosos, permite uma sucessão de "contrabandos" ideológicos dificilmente percebidos pelo público. O emprego da palavra "menor" nos oferece um bom exemplo, conforme se observa em manchetes do tipo:

> Menor dispara tiro na cabeça de menina
> O menor S., de 15 anos, exibia ontem à tarde uma pistola calibre 7.65 na porta da Escola Municipal São João Batista, em Cordovil, quando a aluna C., de 13 anos, duvidou que ele fosse capaz de usá-la.
> *O Globo*, 11/7/1996, chamada de primeira página.
>
> Menor que atirou em estudante se entrega
> *Jornal do Brasil*, 12/7/1996, manchete da p.24.

Estamos diante de um caso típico de "neutralização moral", permitido pelo emprego da expressão "menor" para descrever o autor do disparo – um aluno da mesma escola onde estudava a vítima e praticamente da mesma idade. A tragédia envolveu dois estudantes adolescentes: uma menina e um menino. Mas quando se designa o infrator como "menor", já se providencia o necessário distanciamento diante da sua condição de "menino" e de "estudante". O responsável pela infração é apresentado como uma "figura jurídica" – ou seja, sua definição é a incapacidade jurídica e a inimputabilidade – antes mesmo de se ter qualquer informação sobre o que, de fato, ocorreu.

"Menor" é a expressão utilizada freqüentemente pela mídia quando se trata de designar adolescentes em conflito com a lei. O caso é um exemplo interessante de resistência cultural ao novo paradigma introduzido pelo Estatuto da Criança e do Adolescente (ECA), que substituiu o antigo "Código de Menores" e que, corretamente, baniu a expressão "menor" de seu texto por saber que ela concentrava preconceitos e seqüestrava simbolicamente dos adolescentes e das crianças os direitos em face da condição especial da juventude e da infância – destacadamente, o acolhimento e a proteção.

Não se trata de exigência do movimento "politicamente correto" ou de preciosismo acadêmico. Ocorre que a expressão "menor" só é utilizada para se designar os filhos dos outros e, normalmente, os filhos dos pobres. Quem está no outro lado dessa imensa fratura social e tem crianças e adolescentes em casa nunca poderia imaginar qualquer referência a eles como "menores". Isso, seguramente, não ocorre por acaso, uma vez que as expressões "criança" e "adolescente" também não são neutras, revestindo-se de significações afetivas. Por isso elas são muito raramente empregadas no momento em que a mídia trata de jovens em conflito com a lei.

Talvez o leitor considere que esses argumentos exageram a importância conferida ao uso das palavras. Para tentar convencê-lo, uso outro exemplo. Poderia buscá-lo em jornais ditos "sensacionalistas" e de baixa reputação, mas vou seguir com a respeitável, objetiva e contida "grande imprensa" brasileira:

> Carangola justiça estuprador.
> *Jornal do Brasil*, manchete para notícia de linchamento, 6/11/1996, p.12.

Nesse caso, uma expressão de covardia – o linchamento – é apresentado como "justiçamento" (somos informados de que seus autores são "justiceiros") e a vítima é definida como "estuprador". Isso ocorre ainda que nossa Constituição consagre o princípio da presunção da inocência e que a noção de "verdade" para efeito criminal só possa emergir por conta de uma sentença com trânsito em julgado – ou seja, como "verdade jurídica". De fato, a manchete reproduzida aqui possui índole criminosa e constituiu, claramente, um estímulo para que cenas do tipo se repitam. Aqui, em vez da neutralização moral, temos a glamorização da barbárie. O mesmo fato poderia ser apresentado da seguinte forma: "Linchamento em Carangola ameaça estado de direito". Mas isso exigiria um padrão ético oposto ao dos responsáveis pela manchete, além da valorização do estado de direito e não do estado de natureza de que nos fala Hobbes.

Os estudos já realizados concordam, também, que os noticiários sobre o crime induzem à superestimação do risco real enfrentado pelas pessoas e, especialmente, criam uma imagem irreal sobre os riscos enfrentados pelas elites, pelas pessoas brancas de classe média e pelas mulheres brancas. Segue-se, aqui, o mesmo padrão já observado para filmes e outras produções ficcionais, onde casos de estupro são normalmente apresentados como atos típicos de psicopatas. Contudo, o estupro é uma realidade muito mais comum nas relações entre marido e mulher, e diz respeito ao cotidiano invisível da dominação masculina; portanto, ao menos como regra, não se trata de uma patologia. Talvez em função disso o fenômeno seja "invisível", afinal.

Mas os crimes contra a propriedade também aparecem distorcidos, porque na vida real envolvem normalmente pequenos valores e ocorrem sem confronto ou contato entre infratores e vítimas. Mas, na ficção, envolvem sempre fortunas, são planejados meticulosamente e se realizam mediante emprego da violência. Não é surpresa, então, que apenas nessas mesmas circunstâncias os crimes contra a propriedade terão algum valor para a mídia. Realidade e ficção se misturam, como se tornará mais claro a seguir.

Demonstrando empiricamente a inversão pela qual o crime é destacado na mídia, Kahn (2001: p.8) produziu o seguinte quadro para os jornais *Folha de S. Paulo* e *Jornal do Brasil*, comparando o percentual de notícias criminosas segundo o tipo penal com a incidência de crimes registrados pela polícia em São Paulo:

DELITO	%FOLHA 97	%FOLHA 98	%JB 97	%JB 98	% CRIMES SP
Furto	2,7	4,8	3,0	2,9	45,6
Lesão corporal	3,9	2,7	4,6	2,3	27,3
Roubo	24,7	27,6	27,3	31,5	23,7
Homicídio	41,5	38,1	41,5	43,9	1,7
Tráfico	9,5	10,5	14,3	13,1	1,0
Estupro	6,4	5,3	6,2	3,5	0,4
Seqüestro	10,6	10,5	2,5	2,2	0,0001

O que se observa, então, é que as notícias sobre o crime nos países ocidentais tendem a projetar sobre a sociedade uma imagem estranha de si mesma. Uma imagem que, não obstante, por ser a mais forte que lhe é oferecida, tornou-se familiar e mesmo óbvia.

Esse resultado produz, naturalmente, repercussões muito amplas sobre a maneira pela qual as pessoas percebem o crime e a violência. Sempre que estamos diante daquilo que a lei reconhece como "crime" é preciso que tal situação seja reconhecida como criminosa, o que é diferente de considerá-la "indesejável", "danosa" ou "imoral". Conforme já assinalei no capítulo anterior, para que uma situação seja considerada criminosa é preciso que seja nomeada como tal – ou seja, que pelo menos um grupo significativo de pessoas a referencie como delituosa. Exatamente por conta disso, a mídia pode cumprir um papel decisivo quanto à seleção das condutas identificadas como criminosas e/ou ameaçadoras. Pode alargar os limites conceituais pelos quais se identifica o crime, assim como também estreitá-los. Pode, em síntese, alterar as sensibilidades diante do crime e da violência.

O discurso de "lei e ordem", as demandas punitivas e a "inversão" produzida pelos noticiários aumentam a angústia pública diante da violência e promovem uma sensação de insegurança normalmente desproporcional aos riscos concretos. O mesmo processo inspira menor tolerância social e estimula formas agressivas de defesa. A mídia pode amplificar as chamadas "ondas de crime" e produzir pânico entre as pessoas.[9] E, o que é mais grave ainda, quando essa forma de se relacionar com o crime e a violência é a regra, cria-se uma tendência de que as polícias respondam com mais prisões e, quase sempre, mais violência. Ocorre, também, que o poder judiciário passa a responder com sentenças criminais mais duras e que os políticos aprovam leis que criam novos tipos penais e agravam as penas. Como resultado, teremos mais violência e mais crime, o que conforma o fenômeno das "profecias que se autocumprem".

Na década de 1990, enquanto os indicadores da criminalidade caíam de forma consistente nos EUA, mais de 2/3 dos norte-americanos acreditavam que eles estavam subindo. Quando perguntados sobre as razões para esse sentimento, 76% dos entrevistados citavam matérias da imprensa sobre crimes e apenas 22% mencionavam fatos ligados a sua própria experiência.[10] Entre 1990 e 1998, com uma queda média de 20% na taxa de homicídios, as notícias sobre assassinatos nos EUA subiram 600%, excluindo as matérias sobre o caso O.J. Simpson.[11] Quando, em 1994, a ativista negra de direitos humanos Rosa Parks foi espancada e roubada, aos 81 anos de idade, em Detroit, o jornal *Washington Post* noticiou o fato afirmando que "cidadãos idosos e fracos vivem à mercê de matadores de rua" e que "o que aconteceu com Rosa Parks em Detroit é um ultraje comum, moderno, que quietamente acontece em nosso país". Nos 20 anos anteriores, crimes violentos contra pessoas idosas haviam caído 60% naquele país.[12]

Mas seria um erro imaginar que as repercussões produzidas pela mídia se esgotam nessa dimensão negativa. Elas podem, também, produzir alterações benignas quanto à forma pela qual o crime e a violência são percebidos. Um documentário da década de 1980 sobre a polícia de Thames Valley, na Inglaterra, por exemplo, alterou profundamente a forma pela qual a polícia tratava as vítimas de estupro e permitiu que o registro desse crime aumentasse.[13] Portanto, a crítica que faço aqui não desconsidera as possibilidades contraditórias que se manifestam no cotidiano das coberturas e enfoques jornalísticos, nem subestima as possibilidades virtuosas que um enfoque humanista poderia desencadear.

Televisão e violência

A televisão aparece nesse debate de forma especial. Pela importância que alcançou e por sua quase universalização, sua influência passou a ser tema central de pesquisas nas últimas décadas. Apenas nos EUA já seriam 4 mil os estudos sobre a causalidade entre exposição a conteúdos violentos pela TV e comportamentos agressivos ou de risco dos telespectadores, especialmente crianças e adolescentes. Possivelmente, o interesse pelo tema seja maior nos EUA por conta de tragédias repetidas que têm envolvido crianças e adolescentes como vítimas e infratores, principalmente nas escolas.

Não por acaso, Dave Grossman abre um de seus textos sobre o tema perguntando: "Quantas crianças norte-americanas morreram ou ficaram feridas nos últimos 5 anos por conta de incêndios em escolas?" A resposta é: nenhuma. Entretanto, todas as escolas realizam simulações de incêndio e possuem alarmes para prevenir esse tipo de ocorrência. Ele continua: "Quantas crianças foram mortas ou feridas em nossas escolas nos últimos 5 anos por conta de disparos de arma de fogo?" Segundo ele, 35 foram mortas e cerca de 250 mil feridas. A pergunta, então, é: o que podemos fazer para prevenir isso? Ou: qual é o nosso "alarme"?

Além das distorções já apontadas quanto à mídia impressa e que podem também ser identificadas nos telejornais,[14] a TV agrega problemas e dúvidas novas em função das características do próprio meio. Primeiro, ela permite, mais do que o cinema, que a violência seja produzida de maneira tão realista – não apenas na ficção, mas também em programas de *reality show* – que, cada vez mais, as fronteiras entre ficção e realidade desaparecem. Recentemente, uma TV britânica exibiu um ilusionista praticando roleta-russa contra si próprio. Sob intensos protestos da polícia, dos analistas mais responsáveis e das entidades de proteção dos direitos humanos, rigorosamente ninguém pôde ter certeza se tudo não passou de um truque ou se, de fato, como o programa anunciou, milhões de pessoas estiveram na iminência de assistir, ao vivo, alguém explodindo a cabeça com uma bala calibre 38. Como a posse de armas de fogo é proibida em todo o Reino Unido, as cenas tiveram que ser filmadas e transmitidas do exterior em local não divulgado.

A programação televisiva, diferentemente do cinema, não precisa ser "acessada" mediante deslocamento à sala de exibições; também não há entradas a pagar, nem porteiros que chequem a idade dos consumidores. Ela está dentro das casas e, a rigor, não há como saber o teor dos conteúdos que serão exibidos. Isso significa que crianças e adolescentes estão expostos a mensagens e estímulos – incluídos aqueles oferecidos pelos anunciantes – que não podem ser supervisionados pelos pais, ainda que houvesse essa disposição e a necessária disponibilidade. Isso é válido também para recursos como o *V-chip*, que permitem determinados cuidados, mas que não resolvem o problema. Com relação a isso, em 1996, os EUA introduziram uma nova legislação televisiva estabelecendo que todas as televisões com mais de 13 polegadas devem conter um *V-chip*, permitindo aos pais bloquear material classificado como inadequado pelo Sistema de Aconselhamento aos Pais (Parental Advisory System – PAS). Esse sistema divide os programas televisivos em 6 categorias de acordo com a quantidade de violência, o tipo de linguagem e o tratamento da sexualidade.

As preocupações concernem aos riscos de um efeito "imunizador" da violência na psicologia infantil. As crianças expostas a programas com violência estariam mais aptas a aceitá-la como forma natural de resolver conflitos, além de manifestar preferência por esse tipo de solução. Esse risco exige uma avaliação crítica inclusive da programação tida como a mais inofensiva – os desenhos animados. De fato, além da quantidade de cenas violentas, analistas e profissionais têm chamado a atenção para o fato de que o contexto da violência nos desenhos animados permite que as crianças a tomem como algo engraçado, divertido. Elas podem inclusive imaginar que essa violência não produza dor nem sofrimento, muito menos mortes, ou até se identificar com os personagens violentos cuja "esperteza" consiste em agredir primeiro, com mais força ou precisão.

Segundo a Academia Psiquiátrica Americana da Criança e do Adolescente, as crianças nos EUA assistem, diariamente, de 3 a 4 horas à TV. Grande parte dessa audiência ocorre após o horário de escola, e é muito comum que não haja monitoramento quanto ao conteúdo dos programas. A violência na TV tem aumentado bastante nos últimos 25 anos. Um estudo da Associação Americana de Psicologia descobriu que, até por volta dos 12 anos, uma criança terá testemunhado 8 mil assassinatos e 100 mil outros atos de violência na TV. Se consideramos os desenhos animados, entretanto, esses números serão muito maiores. As pesquisas sobre os desenhos demonstraram que, em um programa "normal", há uma média de 41 atos de violência a cada hora e uma tentativa de homicídio a cada 2 minutos![15]

Quanto aos desenhos animados, sabe-se que eles movimentam um mercado em expansão que articula, além das produções televisivas, uma série de outros produtos como brinquedos, confecções, revistas e figurinhas. Produções japonesas como Pokémon, inspirado em um videogame da Nintendo, inauguraram séries violentas como Digimon e Dragon Ball que são, atualmente, distribuídas em todos os continentes. Segundo Feilitzen e Bucht (2002: p.31), Pokémon transformou-se em uma indústria que, em apenas três anos, faturou mais de 5 bilhões de dólares. As mesmas autoras assinalam que, em 1999, o *Screen Digest* listou 87 canais de televisão dirigidos especificamente às crianças em todo o mundo, 50 dos quais haviam sido lançados nos três anos anteriores. O Nickelodeon, o primeiro canal a cabo exclusivo para crianças, lançado em 1979, atingia, no início de 2001, 90 milhões de casas de família em mais de 70 países. A globalização desse mercado reforçou a influência das redes mais poderosas de comunicação, especialmente norte-americanas, e fez com que a programação violenta dirigida para crianças atingisse rapidamente as mais variadas tradições e culturas.

O Estudo Nacional Sobre a Televisão foi o mais amplo e ambicioso projeto de pesquisa nos EUA sobre violência na TV. Ele realizou, em 3 anos, um levantamento completo da programação de 23 canais de TV aberta e a cabo. Descobriu-se que 60% de todos os programas da TV norte-americana continham violência e que grande parte dela aparecia de forma aparentemente inofensiva e atraente para os telespectadores. O mesmo estudo mostrou que 40% das cenas violentas na TV são o resultado da ação dos personagens identificados como "bons" ou como "heróis" – os mesmos que podem oferecer modelos de comportamento para crianças e adolescentes. Ainda sobre o contexto, em quase 3/4 das vezes a violência exibida não produzia remorsos, crítica ou punição, e em 40% delas os vilões não eram punidos. Conseqüências negativas da violência foram mostradas em apenas 15% dos programas violentos. Ao citarem essa pesquisa, Feilitzen e Bucht (2002: p.203) sublinham que "os pesquisadores concluíram que esses padrões ensinam às crianças que a violência é desejável, necessária e indolor".

Aletha Huston-Stein e seus colegas procuraram medir os efeitos da programação infantil com uma pesquisa que separou três grupos envolvendo cerca de 100 crianças na Pensilvânia. O primeiro grupo passou a assistir a desenhos animados de Batman e Super-Homem; o segundo, a filmes antiviolência; e o terceiro, a uma programação "neutra" – nem violenta, nem crítica à violência. As crianças foram observadas nas classes e no pátio, durante os recreios, durante 2 semanas antes de começarem a assistir aos programas. Os pesquisadores colheram, então, indicadores de agressividade e de comportamento solidário. Depois disso, elas passaram a assistir aos programas designados, meia hora por dia, 3 vezes por semana, durante um mês. As observações posteriores constataram que as crianças expostas ao "cardápio" com Batman e Super-Homem eram mais ativas fisicamente, tanto na classe como no recreio. Da mesma forma, elas manifestaram maior probabilidade de se envolver em lutas entre si, brincar de forma rude com seus brinquedos, quebrá-los, pegar os brinquedos dos outros sem autorização etc. Esse grupo estava mais agressivo e produzia encontros mais agressivos com as demais crianças. Entre o grupo que havia assistido à programação antiviolência houve, também, modificação importante: as crianças estavam mais dispostas à colaboração e manifestavam comportamentos mais gentis e solidários. O terceiro grupo, por fim, que assistiu à programação "neutra", não manifestou qualquer alteração significativa de comportamento. O que esse estudo parece sugerir é que a TV também possui extraordinária capacidade de estimular comportamentos "desejáveis", o que seria o "outro lado da moeda".[16]

O "efeito imitação" pode ser, de fato, um risco para as crianças. Estudo de 1994 para medir a influência dos programas de luta livre sobre crianças israelenses constatou que elas imitavam o padrão dos combates, improvisavam "ringues" e juntavam "platéia" para as lutas, o que aumentou tanto a violência nas escolas quanto o número de estudantes feridos (Feilitzen e Bucht, 2002: p.208). Vários estudos têm investigado se crimes praticados por crianças ou adolescentes poderiam ser "inspirados" por filmes. Alguns autores observaram que os meninos que mataram James Bulger haviam assistido ao filme *Child's Play-3*, no qual há cenas muito semelhantes àquelas que eles, provavelmente, produziram. Não há evidências fortes, entretanto, que permitam conclusões desse tipo. Casos de graves violências praticadas por crianças estão, muito mais provavelmente, vinculados a outros fatores.

Outro estudo de dois psicólogos da Universidade de Michigan, Leonard Eron e Rowell Huesmann, identificou níveis de agressividade entre crianças de 8 anos. Eles entrevistaram-nas para saber a freqüência com que assistiam à TV, o tipo de programação, assim como outras coisas que gostavam de fazer. Mediram, então, os níveis de agressividade na relação com os colegas colhendo informações das próprias crianças sobre quais da turma lhes pareciam mais e menos agressivos. Pediram essa indicação também aos professores. Depois disso, buscaram informações junto aos pais a respeito da freqüência com que as crianças assistiam à TV, os programas preferidos e informações sobre regras e valores familiares. O cruzamento de dados identificou forte correlação entre a agressividade e o tipo de programação assistida. As crianças que preferiam programas violentos estavam muito mais representadas entre as indicadas pelos professores e pelos colegas como as mais agressivas.

Os pesquisadores acompanharam a evolução dessas crianças por mais 10 anos – até os 18 anos de idade – e confirmaram que os jovens com maior agressividade continuavam sendo os mesmos do grupo formado aos 8 anos. Um acompanhamento subseqüente foi realizado até a idade de 30 anos, e mostrou que o grupo considerado mais agressivo aos 8 anos – precisamente aquele que preferia programas violentos na TV – tinha uma taxa muito superior de prisões e condenações por violência interpessoal, incluindo casos de violência doméstica, homicídios, violência contra crianças e agressões sérias.

Estudos do tipo parecem sugerir algo importante, mas são controversos. Primeiro, não se pode afirmar até que ponto a programação violenta na TV influenciou as crianças ou foi escolhida por elas por conta de outros fatores que já condicionavam uma postura agressiva. Segundo, ainda que houvesse influência comprovada sobre o comportamento das crianças, não poderíamos isolá-la de outras influências e, portanto, não poderíamos saber o quão significativa ela é. E, principalmente, não há consenso a respeito de como essa influência operaria na psicologia infantil. É possível que o desenvolvimento das pesquisas possa, em breve, mostrar resultados interessantes sobre esses mecanismos também no nível neurológico (Murray, 2001).

A par das dúvidas ante as relações causais entre programação televisiva e comportamento violento, há cada vez mais indícios de que a violência na TV aumenta a propensão para as práticas violentas e que isso é particularmente grave entre determinados grupos. Paradoxalmente, não há evidências de que programações violentas agreguem maior audiência.

Post (1995) sintetizou as principais teorias sobre o tema. A primeira delas seria a hipótese do despertar, pela qual a exposição às cenas de violência induziria à agressão na medida em que excitassem os observadores. Essa hipótese desdobra-se em conclusões complexas sustentando que a violência na TV estimularia certos tipos de comportamento e não necessariamente a violência, e que a agressividade poderia ser estimulada também por cenas não violentas, mas excitantes. Um dos expoentes dessa linha é P.H. Tannebaum,[17] que é, em geral, cético quanto aos efeitos das cenas de violência por si só.

Albert Bandura[18] é o expoente da hipótese do aprendizado social. Para essa teoria, o comportamento infantil é basicamente o resultado da imitação. A assertiva, apoiada por pesquisas rigorosas e sofisticadas, é utilizada para sustentar que as crianças podem imitar personagens televisivos como se fossem pessoas reais.

Uma terceira teoria, conhecida como Teoria da desinibição, tem sido sustentada por pesquisadores da linha de Berkowitz.[19] A hipótese aqui é a de que a violência na TV estimula a agressividade porque enfraquece determinados mecanismos de controle e inibição. Programações violentas liberariam atitudes antes reprimidas.

Já Feshbach[20] sustenta um ponto de vista oposto. Para ele, a exposição às cenas de violência na TV teria como efeito principal uma redução dos níveis de agressividade. A programação violenta supriria as fantasias daqueles com mais dificuldades em simbolizar suas próprias inclinações violentas. O efeito, então, seria positivo, como na função catártica do teatro para Aristóteles. A expressão "catártica" vem do grego "*kátharsis*" e expressa, originalmente, o sentido de purgação ou purificação. Aristóteles a empregou para designar um tipo de fenômeno que ocorreria com a audiência em um teatro dramático. Mesmo sabendo que os atores estão representando personagens, a platéia se identifica com eles, envolve-se emocionalmente com o enredo e experimenta um nível de tensionamento crescente que é "relaxado" no momento de solução do conflito. Esse seria o momento da catarse. Pode-se encontrar apoio para essa hipótese em outros pensadores, destacadamente Freud. Há poucas evidências empíricas, entretanto, que possam apoiá-la. Estudos feministas como os de Dane Archer e Rosemary Gartner sustentaram, contra as hipóteses catárticas, que nações que passaram por guerras não experimentaram redução posterior em seus indicadores de violência e que, ao contrário, a violência doméstica costuma ser estimulada nesses períodos.[21]

A Universidade de Stanford realizou um estudo (The Stanford Study: Less TV = Less Violence)[22] cujas conclusões, referendadas pela Academia Americana de Pediatria e pela Academia Psiquiátrica Americana da Criança e do Adolescente, recomendam, simplesmente, desligar a TV. O estudo procurou demonstrar a hipótese inversa da relação causal. Se assistir a programas violentos aumenta a agressividade das crianças, então diminuir essa exposição deve reduzi-la. É o que foi demonstrado. Os pesquisadores encontraram 50% menos agressões verbais e 40% menos agressões físicas entre crianças que foram estimuladas a desligar a TV. Além da redução da agressividade, os pesquisadores verificaram efeitos colaterais positivos, entre eles a redução da obesidade.

Agressões físicas e verbais tornaram-se mais comuns entre as crianças de uma cidade no norte do Canadá que não possuía TV, logo após a oferta do serviço.[23] Um estudo realizado no começo da década de 1950 em 34 cidades dos EUA onde a TV acabara de ser introduzida constatou um aumento de 5% nos furtos em comparação com aquelas em que ainda não existia TV e com as demais que já possuíam o serviço há algum tempo.[24] O problema aqui, entretanto, segundo o sublinhou Reiner (2002: p.398), é que não se pode afirmar que efeitos desse tipo tenham sido produzidos pela TV. Para o autor, o que se deve abandonar, de qualquer maneira, é o modelo da "grande injeção hipodérmica" – pelo qual a TV é vista como um poder que presumidamente "injeta" valores e idéias em um público passivo e idiotizado. Em sua opinião, seria "mais plausível imaginar que as imagens produzidas pela mídia afetem um público que é um ativo intérprete em um processo complexo de interação com outras práticas sociais e culturais".

Violência na Internet e nos videogames

As pesquisas que têm procurado investigar efeitos da Internet e dos videogames sobre o comportamento das crianças estão em estágio inicial. O que já foi produzido, não obstante, é o suficiente para que se dê mais atenção ao problema da violência nesses novos recursos de comunicação e entretenimento. Uma parte significativa dos jogos eletrônicos à disposição no mercado oferece lutas e tiroteios que têm como alvo seres humanos e "monstros".

Um estudo norte-americano que investigou o conteúdo dos videogames recomendados para todos (principalmente Nintendo, Playstation e Playstation 2, da Sony, e Dreamcast, da Sega) levantou todos os jogos disponíveis no mercado dos EUA até 21 de abril de 2001. Foram, ao todo, 672 jogos, classificados em 11 gêneros. Os pesquisadores, então, selecionaram 55 jogos que foram percorridos até sua conclusão ou, pelo menos, jogados durante 90 minutos. Eles definiram a violência como aquele tipo de ação na qual o agressor tenta causar danos físicos ou morte a outro personagem. Tal definição, bastante restrita, deixava de fora, então, todas as situações de danos físicos não intencionais, desastres naturais etc. Dessa amostra de 55 jogos, 35 (64%) continham violência intencional, com uma média de 30,7% da duração do jogo sendo transcorrido mediante ações violentas. Em 33 desses jogos, ferir um personagem era requisito para avançar ou era, de alguma forma, ação premiada. Cerca de 27% dos jogos mostravam morte violenta (Feilitzen e Bucht, 2002: p.36).

A Internet, como se sabe, tem disponibilizado sites violentos. Muitos se referem à pornografia violenta, outros propagam ódio racial, religioso ou sexual, fazem propaganda da guerra, glamorizam *serial killers* etc. Embora esse tipo de lixo seja uma parcela ínfima da rede, o fato é que ele aparece associado a uma propaganda agressiva e intrusiva. Crianças e adolescentes que navegam pela Internet podem ser abordados por mensagens violentas ainda que não estejam à procura delas. Podem também receber ameaças. Cerca de 25% de todos os internautas entre 10 e 17 anos nos EUA já foram vitimados em episódios desse tipo.[25]

Feilitzen e Bucht (2002: p.200-1) relatam que, em 1997, os noruegueses realizaram uma pesquisa para mapear a disseminação e medir a acessibilidade da pornografia violenta na Internet. Os pesquisadores identificaram, em 5 meses, cerca de 6 mil ilustrações que poderiam ser enquadradas pelo código penal. A maior parte delas era apresentada como se envolvesse cenas reais. As cenas incluíam: abuso de genitália, tortura, estrangulamento, estupro, pornografia infantil, necrofilia, bestialidade, assassinato, desmembramento de corpos, pornografia animal, defecação, micção e bebês e embriões mortos e mutilados. Um ano depois, esses sites foram revisitados e descobriu-se que eles haviam se tornado mais acessíveis, com muito mais fotos, vídeos e recursos técnicos à disposição.

O acesso a sites de pornografia violenta é uma experiência comum entre adolescentes do sexo masculino. Estudos têm demonstrado que essa experiência pode estimular comportamentos agressivos e mesmo criminosos contra as mulheres.[26]

Repensando a mídia como recurso antiviolência

Os leitores habituais de nossos jornais e as pessoas que assistem freqüentemente à televisão em países como o Brasil possuem todos os motivos para imaginar que poderão ser vitimadas pela violência. Crime e violência foram entronizados no cotidiano de todos, mesmo entre os grupos de menor risco. Vivemos, assim, com uma sensação de insegurança muito alta, como se estivéssemos dentro de um filme de Dirty Harry, em que o protagonista não consegue comer um hambúrguer sem ter que se deslocar para impedir um assalto a banco.

A sensação de insegurança, conforme já vimos, constitui, ela mesma, um problema de segurança pública que agrega efeitos criminogênicos. Esses efeitos podem ser a diminuição da circulação pública, a decorrente diminuição da vigilância natural e a menor confiança na polícia e na justiça, levando a menor disposição de colaborar nas investigações e de prestar informações, o que diminui a eficácia do sistema como um todo.

Com base nessa preocupação, uma mídia comprometida com a luta contra a violência deveria tratar o tema da criminalidade com muita discrição; deveria, sobretudo, impedir que ele se transformasse em espetáculo. Sem sonegar qualquer informação relevante, essa cobertura ofereceria destaque às soluções encontradas pela polícia e chamaria atenção para os fatores precursores da criminalidade e da violência, demonstrando o que pode ser feito para a prevenção das condutas disruptivas – exercendo, nesse particular, pressão social benigna sobre a agenda política do país. Em relação a isso, a orientação da Federação Internacional de Jornalistas, constante da declaração aprovada em 2 de maio de 1998 na Conferência Mundial de Recife ("Os direitos da criança e a mídia: diretrizes para os jornalistas"), é bastante clara ao assinalar: "A mídia não deve considerar nem fazer reportagens sobre as condições das crianças como eventos; deve discutir constantemente o processo que, provavelmente, leva ou levou à ocorrência desses eventos."[27] Uma orientação correta e oportuna que deveria ser estendida a toda e qualquer abordagem referente ao crime e à violência.

Uma mídia comprometida com a luta contra a violência exerceria papel fiscalizador sobre as políticas públicas de segurança, contribuindo para que níveis de profissionalização maiores fossem alcançados na área. Seria crítica diante da demagogia, do desperdício de recursos públicos e da corrupção e violência policiais. Uma orientação que, como se pode perceber, inverte o programa que produziu a "realidade invertida".

Seria, de toda maneira, injusto não assinalar que a mídia tem, em várias oportunidades, assumido partes dessa agenda antiviolência. A luta pelos direitos humanos no Brasil e em tantos outros países não teria alcançado muitas de suas conquistas sem a presença corajosa de jornalistas que realizaram denúncias e revelaram problemas graves antes desconhecidos da maioria da população. O balanço crítico a ser feito sobre as relações da mídia com a violência e o crime, então, não poderá ignorar contribuições tão valiosas que continuam sendo oferecidas. Esse papel contraditório com o contexto das críticas que faço deve mesmo servir para que, ao utilizarmos a expressão "mídia", tenhamos presente que o conceito não pressupõe uma realidade homogênea e indiferenciada. É bem verdade que boa parte das abordagens equivocadas sobre o tema nos meios de comunicação diz respeito a um padrão jornalístico que costuma ser reproduzido naturalmente sem que isso corresponda, necessariamente, à existência de pressupostos teóricos ou ideológicos mais definidos.

Para Reiner (2002: p.403), o conteúdo das notícias é primariamente selecionado pelo senso que os jornalistas têm a respeito do que seja "uma boa história", o que é considerado a partir do interesse que ela pode despertar, mais do que por adesão ideológica. Uma visão genericamente mais conservadora tenderá a tratar do crime e da violência com mais destaque porque, entre os seus pressupostos, tais fenômenos aparecem como desequilíbrio em um quadro mitificado de relações sociais harmônicas. Nessa perspectiva, crime e violência serão eventos desconectados da realidade social. As posições mais progressistas tendem a diminuir a importância dos mesmos fenômenos e, não raras vezes, imaginam que eles não possuem uma realidade específica, sendo apenas epifenômenos que orbitam a desigualdade social ou a miséria. Nenhum desses extremos pode oferecer uma base sólida para o tratamento correto e não preconceituoso desses temas complexos.

Um dos problemas localizados diz respeito ao papel dos "setoristas" que "fazem polícia". Todos os jornais destacam um ou mais profissionais para "cobrir" o setor, o que significa contato com as delegacias de polícia. Ora, jornalistas tendem a construir relações de confiança com suas fontes – no caso, os policiais que lhes passam informações. Inadvertidamente, muitos desses jornalistas terminam compartilhando os pressupostos de suas fontes e passam a habitar o mundo definido pelo olhar policial. Esse processo simbiótico acarreta não apenas uma maneira tradicional de perceber o crime e a violência mas oferece, também, como matéria bruta para o profissional de comunicação, uma parte das ocorrências criminosas que já dizem respeito à impressionante seleção operada pela polícia. Essa parte será aceita, desde o início, como o todo. A cobertura jornalística, por decorrência, quando dependente da informação policial – por melhor e mais honesta que essa informação seja – já nasce distorcida.

A decisão de onde alocar um repórter, então, faz muita diferença. Caso os jornais não tivessem setoristas de polícia e destacassem profissionais para cobrir o crime a partir dos tribunais, por exemplo, teríamos um quadro bastante diverso e, seguramente, distorções de outro tipo. O que deveríamos lembrar é que todo olhar sobre qualquer fenômeno é um olhar situado. Vários olhares, a partir de diferentes lugares e pressupostos, oferecerão sempre, por isso, melhores condições para uma cobertura adequada. "Cobertura criminal", então, não pode ser o mesmo que jornalismo feito com a informação oferecida pela polícia ou por qualquer uma das agências envolvidas de maneira isolada.

A mídia deve assumir princípios que regulem a prática jornalística e que construam limites. A ausência deles pode causar, inclusive, dificuldades para o êxito da investigação policial. Innes (1999b) relata que a primeira preocupação da polícia inglesa na relação com a mídia é evitar que matérias possam atrapalhar uma investigação. Por isso, levam familiares das vítimas para coletivas de imprensa, de tal forma que os jornalistas possam colher alguma declaração e, depois disso, deixá-las em paz. Na verdade, as atividades da imprensa podem contaminar testemunhos e agregar confusão.

No caso de Fred e Rosemary West, por exemplo, um casal que ao longo de 25 anos matou 12 jovens e abusou sexualmente de vários outros, várias vítimas, testemunhas e membros da família West contaram suas histórias à imprensa. No julgamento, soube-se que uma das testemunhas havia concordado em receber 100 mil libras do *Mirror Group Newspaper* como pagamento pela exclusividade de sua história. No mesmo processo, um policial estava em negociações com a imprensa para vender um depoimento sobre "o caso visto de dentro da investigação".

Mas as polícias em várias partes do mundo têm também se valido da mídia como recurso em suas investigações. Em um mundo em constante modificação e com uma realidade em que é cada vez mais simples e rápido deslocar-se por grandes distâncias, as próprias "atividades de rotina" se alteram. Isso vale também para os infratores, que podem cometer o crime em um lugar e se deslocar rapidamente para outro. O mesmo ocorre com vítimas e testemunhas. Assim, a divulgação de informações sobre um crime através da imprensa pode, em alguns casos, ser a única maneira de identificar seu autor. Por exemplo, quando o FBI procurava localizar Andrew Cunanan, responsável pela morte de Gianni Versace, sua foto foi divulgada em todo o mundo.

Algumas informações também têm sido utilizadas pelas polícias para causar pressão psicológica sobre os infratores a ponto de forçá-los a agir de modo suspeito. Quando se divulga um crime e se permite que determinados detalhes sejam conhecidos, procura-se também estimular eventuais testemunhas ou pessoas que disponham de informações relevantes a procurarem a polícia. No caso da morte do menino Daniel Handley, detalhes divulgados a respeito das circunstâncias em que o corpo da vítima foi encontrado e do método utilizado para o assassinato chamaram a atenção de um psiquiatra e de um ex-diretor de prisão que vincularam o *modus operandi* a dois ex-presos que haviam conhecido. Isso levou ao esclarecimento do caso.

Em outro caso de assassinato, a vítima tinha o hábito de gravar suas ligações telefônicas e tudo o que a polícia tinha era uma dessas gravações, na qual aparecia a voz de um homem, identificado apenas pelo seu primeiro nome, que marcava um encontro com a vítima para a manhã em que ela foi morta. Tudo levava a crer que aquela era a voz do autor do crime, mas a polícia não sabia como chegar até ele. Os policiais tomaram a decisão, então, de divulgar a fita para matérias de TV. Várias pessoas reconheceram a voz e forneceram a identidade do suspeito à polícia.

O que se pode acrescentar para uma conclusão "aberta" deste capítulo é que qualquer que seja o futuro reservado aos direitos humanos no Brasil, ele estará relacionado ao papel dos meios de comunicação e, entre eles, notadamente aquele cumprido pela televisão. Ao que tudo indica, as sociedades modernas desse início de século vincularam seu futuro à resolução dos impasses e à realização das possibilidades abertas pelas formas maciças de divulgação da informação e das opiniões – o que parece ainda mais verdadeiro diante das características culturais e políticas de países como o Brasil. De fato, em nossa situação os meios de comunicação social atuam – para usar uma expressão gramsciana – na condição do "príncipe moderno", substituindo em larga medida o papel pretendido historicamente pela idéia de "partido". São eles os principais organizadores do consenso disseminado e reproduzido socialmente e aqueles que incluem as prioridades compreendidas como públicas ou relevantes, pautando as ações dos governos e modulando as opiniões dos diversos atores políticos. Os meios de comunicação constroem, assim, o lugar por excelência da ideologia.

Esse resultado está associado à fragilidade da instituição democrática e será tanto maior quanto menores forem os espaços para a intervenção dos cidadãos no processo decisório. Não por outro motivo, a influência dos meios de comunicação parece ser tanto maior quanto mais presentes o desinteresse político e o fenômeno da apatia sobre os quais se estrutura um dos mais intrigantes paradoxos da modernidade: a tendência sempre crescente em direção a uma democracia sem política.

De outra parte, a comunicação eletrônica mediada possui caráter duplo. Pode-se percebê-lo facilmente quando nos damos conta de que o acesso à produção e à divulgação das formas simbólicas é conceitualmente restrito (e ainda mais restrito em função do fenômeno da monopolização), enquanto a recepção dessas formas é conceitualmente irrestrita. Vale dizer, apenas alguns podem produzir informação de massa, enquanto todos podem consumi-la. Por conta disso, Thompson (1995: p.343) destaca: "O desenvolvimento da comunicação de massa aumenta significativamente o raio de operação da ideologia nas sociedades modernas, pois possibilita que as formas simbólicas sejam transmitidas para audiências extensas e potencialmente amplas que estão dispersas no tempo e no espaço."

Ocorre que a realidade dos meios de comunicação modernos insinua também uma fragilidade benigna no processo político. Os agentes públicos não podem controlar a produção e a divulgação de informações e imagens. Ora, a obscuridade sempre foi muito funcional à dominação política. Em grande parte, o poder dos que dominam depende da não exposição à luz pública de fatos que traduzam seus verdadeiros compromissos. Pois bem, a nova esfera pública de "quase-interação" criada pelos meios de comunicação social tem permitido que aquela obscuridade seja freqüentemente visitada pelas multidões e que o compromisso dos poderosos seja exposto até por uma frase não editada. Essa característica introduz imponderabilidade nas disputas políticas e abre espaços para avanços democráticos inéditos. Não podemos desconsiderar, por exemplo, que a tortura tenha sido finalmente tipificada no Código Penal brasileiro graças à indignação pública diante do episódio de Diadema, quando policiais militares foram flagrados espancando cidadãos comuns e as cenas foram levadas ao ar pela Rede Globo.

O exemplo reforça o caráter contraditório já apontado em uma mídia que é, ao mesmo tempo, promotora e violadora dos direitos humanos. A ambigüidade está presente mesmo quando separamos para análise um único veículo. Dimenstein (1996: p.649) assinala que só descobriu que a palavra poderia salvar ou matar quando começou a investigar o extermínio de crianças no Brasil em 1989. Segundo ele, o silêncio da imprensa brasileira estava na base da extensão do problema. Para o autor de *Guerra dos meninos*, haveria condicionantes desse silêncio que alimenta a impunidade dos violadores dos direitos humanos no Brasil; entre eles, o próprio direcionamento da imprensa para uma elite econômica e cultural:

> Os jornais passam a ser orientados por algo tragicamente óbvio. A empresa só se mantém se tiver lucro. E só tem lucro se tiver leitor. Então você deve agradar seu leitor. O leitor tem geralmente posse, tem um carro, mora bem, ganha um salário razoável para os padrões brasileiros. Ou seja, não são miseráveis. O resultado é que as preocupações dos jornalistas acabam sendo canalizadas para essa elite – e, salvo uma ou outra exceção, tal elite não perde o sono porque meninos marginais apanham nas cadeias. No fundo, embora muitos não confessem por pruridos morais, até aceitam a idéia de que esse pessoal deve ser mesmo afastado do convívio civilizado. ... Quem ler os jornais com os olhos mais críticos verá como se acompanham detalhadamente as cotações do ouro, do dólar, das bolsas. As matérias de comportamento estão, em geral, ligadas ao consumo. Fala-se da última moda em Nova York. Notar-se-á, também, como é mal coberta a vida sindical, o ensino e os hospitais públicos – ou seja, o mundo dos mais carentes. Compreensível: o jornal é também um produto. Precisa vender. E, como se repete muito nas redações, pobre não lê jornal.

Dimenstein tem razão sobre um dos materiais condicionantes da produção jornalística brasileira, que só reserva espaço aos pobres na crônica policial. O argumento, de qualquer maneira, não parece se sustentar quando examinamos a programação radiofônica ou televisiva. Nesses casos, estamos diante de meios direcionados ao grande público, o que no Brasil equivale dizer: à maioria pobre. O que não se traduz em enfoque mais generoso com relação aos excluídos, nem em maior cuidado com os direitos humanos. Pelo contrário, são esses meios os que têm oferecido, no Brasil, os exemplos mais repugnantes de descompromisso com a idéia de estado democrático de direito ou mesmo de civilização.

Surge, nesse ponto, uma hipótese incômoda: o rádio e a televisão não estariam refletindo e ampliando noções e valores "populares" que legitimam a violência e o desrespeito aos direitos humanos? Até que ponto programas do tipo "mundo cão" ou a audiência de comunicadores reconhecidamente adversários da idéia dos direitos humanos não recolhem sua popularidade da própria violência legitimada culturalmente?

Independentemente das respostas, a violência proposta pelos meios de comunicação e a militância anti-humanista de alguns formadores de opinião passam a constituir um problema sério diante do qual urge uma tomada de posição. Recentemente, um levantamento realizado pelo jornal *Folha de S. Paulo* demonstrou que, em apenas 15 horas de 3 programas televisivos – *Márcia*, *Magdalena-Manchete Verdade* e *Ratinho Livre* – foi possível contabilizar 51 palavrões, 143 insultos trocados entre participantes e 67 entre eles e a platéia. Foram 90 atos violentos entre tapas, golpes de cassetetes e puxões de cabelo. Em 16 oportunidades, as agressões consumadas foram acompanhadas pela expressão "vagabundo"; em outras 15, o termo empregado foi "veado". Tudo isso em canais que são concessões públicas e sobre a vigilância de mandamento constitucional que assinala:

> Art. 221 – A produção e a programação das emissoras de rádio e televisão atenderão aos seguintes princípios:
> I – preferência a finalidades educativas, artísticas, culturais e informativas;
> II – promoção da cultura nacional e regional e estímulo à produção independente que objetive sua divulgação;
> III – regionalização da produção cultural, artística e jornalística, conforme percentuais estabelecidos em lei;
> IV – respeito aos valores éticos e sociais da pessoa e da família.

Estamos diante do fenômeno pelo qual a violência é banalizada através dos meios de comunicação de massa. Parte dos programas levados ao ar no Brasil estimula comportamentos agressivos, legitima atitudes de intolerância e exclusão e "naturaliza" condutas preconceituosas. Isso exerce efeito desagregador sobre os pressupostos éticos que devem sustentar a vida em sociedade. Portanto, é extremamente atual a discussão sobre a possibilidade de se admitir ou não limitações ao direito fundamental da liberdade de imprensa.

A tese que aceita a necessidade de limitações sustenta que nem toda realidade é universalmente possível de ser informada. Assim, por exemplo, há que se garantir por lei também a tutela dos direitos à intimidade, à honra, à presunção da inocência etc. Nessa perspectiva, a liberdade de imprensa seria um direito a ser exercido dentro de determinados parâmetros.

Por outro lado, temos os que se opõem a qualquer tipo de limitação à liberdade de imprensa. Para esses, a única forma de se garantir o direito à informação é assegurar que não exista qualquer tipo de restrição prévia. Nessa linha, sustenta-se que, mesmo quando as limitações sejam propostas em nome de interesses mais gerais ou de valores universais, os perigos de aceitá-las seriam seguramente maiores do que os de não aceitá-las.

Tal posição de princípio, que caracteriza a primeira emenda da Constituição dos EUA, é reforçada por dois argumentos importantes: a) não há árbitro social legitimado para decidir sobre o que poderia ser informado ou não; b) em geral, as limitações à informação favorecem a utilização e a restrição dos meios de comunicação por grupos de poder político ou econômico. Basicamente, a posição contrária à fixação de qualquer limite à liberdade de imprensa sustenta o correto pressuposto de que as pessoas possuem o direito de escolher o tipo de informação que desejam consumir. O critério de elegibilidade, não obstante, aplica-se com mais dificuldade à mídia eletrônica, senão por outra razão, pelo fato de que o contato com a informação não está na dependência de uma decisão de ter acesso a esse ou àquele produto, como acontece, por exemplo, quando compramos um jornal ou um livro. Essa característica é ainda mais relevante quando pensamos na formação das crianças e nas influências que podem receber pela carga diária de programas televisivos a que assistem.

De qualquer forma, há que se buscar um caminho democrático que assegure o cumprimento dos dispositivos constitucionais pelos meios de comunicação social e, ao mesmo tempo, mantenha a liberdade de imprensa. O exame prévio da informação haveria de pressupor um poder não apenas desmesurado, mas necessariamente casuísta. Por isso, em um regime democrático, deve-se insistir na efetividade dos mecanismos de responsabilização pelos abusos eventualmente cometidos.

Entre os direitos humanos que devem ser preservados pelos meios de comunicação encontra-se o direito à imagem. Assistimos, hoje, a um ataque contumaz a esse direito, que se verifica em pelo menos três frentes: a) pela violação da privacidade; b) pela divulgação não consentida da imagem; c) pelo dano à imagem pública. Pelo primeiro tipo de violação, a ilicitude pode ser identificada no momento mesmo da captação da imagem. Tal é a situação verificada quando alguém, valendo-se da entrada ilegal em domicílio alheio ou utilizando-se de instrumentos que permitam o registro de imagens à distância, supera as barreiras físicas que, em condições normais, assegurariam a privacidade.

Viola a privacidade, também, aquele que aborda o cidadão – ainda que em logradouro público – e o submete a perguntas ou a situações constrangedoras que são registradas por uma filmadora. Na segunda frente, se agride não o direito à privacidade, mas o direito inalienável de se dispor da própria imagem. Assim, por exemplo, um cidadão fotografado ou filmado em público pode, legitimamente, reagir se sua imagem – que constitui sua identificação física – for divulgada sem autorização.

Por fim, o terceiro tipo é aquele que prejudica sua projeção social. Nesse caso, o bem jurídico protegido não é a imagem física do indivíduo, mas sua própria identidade moral ou, se preferirem, sua honorabilidade. Como regra, a imprensa brasileira tem tomado as precauções necessárias à preservação desses direitos quando aborda a imagem de pessoas "bem situadas socialmente". Não se pode afirmar o mesmo diante da imagem dos excluídos e marginalizados. A crônica policial oferece, nesse particular, a face mais visível de um processo sistemático de violação do direito à imagem daqueles que, mesmo sem sentença judicial definitiva, são logo apresentados como "delinqüentes" ou reduzidos a termos como "assaltante", "ladrão", "assassino", "traficante" etc.

Por fim, seria necessário lembrar a necessidade de uma avaliação crítica do papel da publicidade nos meios de comunicação social, com destaque para a televisão. Um tema que, assinale-se, tem sido costumeiramente negligenciado. O volume de mensagens publicitárias na TV tem produzido um bombardeio de conteúdos, muitos deles subliminares, que podem também produzir efeitos indesejados, sobretudo em crianças e adolescentes, quando examinamos comportamentos violentos. Tais efeitos, possivelmente, podem ser mais sérios e preocupantes quando consideramos que os apelos ao consumo de uma infinidade de produtos – cuja posse é normalmente apresentada como o equivalente à felicidade – é negada à maioria das pessoas em sociedades profundamente desiguais como a nossa.

Seria preciso investigar as repercussões mensuráveis da exposição a essas mensagens publicitárias nas crianças pobres e examinar os efeitos da publicidade dirigida ao público infantil. Não me parece eticamente aceitável que apelos ao consumo sejam direcionados a um público que, por definição, não tem senso crítico com relação à qualidade dos produtos oferecidos, não está preparado para avaliar as repercussões de sua aquisição no orçamento doméstico e não tem a prerrogativa legal de tomar decisões no mercado. Se as crianças, então, não podem ser definidas como consumidores e se seu estágio especial de desenvolvimento demanda proteção contra solicitação ou estímulo que lhe negue a condição infantil, os comerciais direcionados a elas constituem abuso – conforme perceberam os suecos. A publicidade de produtos infantis na TV só poderia ser realizada em horário adulto, direcionada aos pais e responsáveis. Envolver as crianças nesse processo será sempre um ato de manipulação que espalha, no mais das vezes, frustrações e infelicidade, especialmente entre aqueles que já foram excluídos ou que se encontram em posição social de maior fragilidade.

CAPÍTULO 6

É POSSÍVEL REABILITAR PRESOS COM COMPORTAMENTO VIOLENTO?

Não há investimentos no Brasil para a reabilitação de prisioneiros. O prognóstico que se pode ter, no início das sentenças privativas de liberdade, é o do aprofundamento dos compromissos infracionais e o desenvolvimento de comportamentos anti-sociais. A idéia da ressocialização que inspirou a Lei de Execução Penal (LEP) nunca se transformou em política pública, de modo que boas práticas de trabalho prisional são, na experiência brasileira, exceções periféricas dependentes, na maioria das vezes, de esforços extraordinários e da determinação de algumas poucas pessoas.

Esse descaso está relacionado à pouca importância conferida tradicionalmente à crise do sistema penitenciário na agenda política nacional. Tal desconsideração tem sido funcional à maximização das potencialidades criminogênicas inerentes ao encarceramento e deveria oferecer motivo adicional para sérias preocupações com a segurança pública. Afinal, imaginar que dezenas de milhares de pessoas estão sendo enviadas aos presídios brasileiros a cada ano e que, por conta dessa decisão, a maior parte delas oferecerá riscos mais graves à sociedade quando terminarem suas penas deveria ser suficiente para que todo o sistema fosse repensado. Inacreditavelmente, não é isso que ocorre. A visão preponderante – incluindo-se as posições majoritárias no Parlamento – diz respeito às formas de incrementar essa perigosa "indústria" com a criação de novos tipos penais, o aumento das penas e a introdução de regras que tornem a execução ainda mais rigorosa.

Independentemente desse debate e da crítica que deve ser feita ao fenômeno do "populismo penal", é preciso saber como se poderia conduzir a reabilitação de condenados de modo a reduzir a reincidência criminal. Mais do que isso, é preciso saber se, de fato, condenados com histórico de violência podem ser reabilitados e se, entre estes, faz sentido se falar em recuperação dos que praticaram agressões sexuais etc.*

Muitas pessoas, e mesmo alguns técnicos que trabalham no sistema penitenciário, não acreditam em reabilitação. Para determinado perfil criminoso, afirmam, não haveria muito o que fazer além da "neutralização" oferecida por longas sentenças. Aqueles que "se recuperam", no final das contas, seriam apenas os que nunca formaram uma carreira criminosa e cujo histórico autorizaria desde sempre essa possibilidade. No caso dos agressores sexuais, então, tem-se praticamente como verdade evidente o fato de que, uma vez em liberdade, irão repetir os mesmos atos.

É preciso checar essas opiniões com as pesquisas mais recentes realizadas em vários países a respeito da eficácia dos programas de reabilitação. A idéia de que os esforços em favor da recuperação de presos são inúteis foi muito difundida pelo trabalho do sociólogo Robert Martinson. Em 1974, após ter checado 231 estudos sobre o tema nos EUA, seu extenso trabalho aparece como a "comprovação" de que, com algumas poucas exceções, os esforços realizados em programas de reabilitação não exercem qualquer impacto sobre as taxas de reincidência.

Embora tenha insistido na impossibilidade de se chegar a conclusões definitivas por conta de inúmeras lacunas encontradas na pesquisa, o estudo terminou exercendo má influência e, durante as décadas de 1970 e 1980, o ceticismo quanto à reabilitação de condenados foi o sentimento predominante. Sarre (1999), da University of South, na Austrália, assinalou que as conclusões de Martinson ajudaram a consolidar as idéias mais conservadoras dispostas a "vender" a necessidade de longos períodos de encarceramento e a expressão *nothing works* ("nada funciona"), usada em seu trabalho, virou um slogan para aqueles tempos.

Em 1979, um ano antes de seu suicídio, Martinson já expressava outra opinião e reconhecia que muitos programas funcionavam efetivamente. A imprensa norte-americana, que havia divulgado amplamente seu trabalho original, não demonstrou qualquer interesse por suas novas posições.

Em 1987, Gendreau e Ross publicaram uma pesquisa sobre mais de 200 estudos em reabilitação conduzidos no período 1981-1987, muitos deles utilizando recursos metodológicos não disponíveis para os pesquisadores até então. Eles concluíram que:

> Nossa revisão da literatura especializada demonstrou o sucesso de muitos programas de reabilitação de condenados. Reduções na reincidência, algumas vezes

---

* Para que se faça justiça, é preciso assinalar que o trabalho desenvolvido pela pastoral carcerária, por um lado, e por diferentes missões evangélicas, por outro, dentro dos presídios brasileiros tem demonstrado, há muitos anos, que é possível transformar decisivamente o comportamento dos condenados, inclusive entre aqueles com perfil mais violento.

de até 80%, têm sido conquistadas em um considerável número de experiências. Programas efetivos têm sido desenvolvidos em várias comunidades e, em menor escala, em várias instituições envolvendo adolescentes infratores e condenados adultos, incluindo dependentes de heroína.

Nesse mesmo ano, o Procurador Geral dos EUA, Edwin Meese, ainda se referia à "substancialmente desacreditada teoria da reabilitação". Sua visão era como um eco das palavras do diretor do escritório de Justiça Juvenil e Prevenção da Delinqüência, Alfred Regnery, que, dois anos antes, havia assinalado que o Sistema de Justiça Criminal dos EUA desistira da idéia de reabilitação porque ela era "tola" (Home Office, 1997). Cerca de 15 anos após a publicação do trabalho original de Martinson, em 18 de janeiro de 1989, o virtual abandono das estratégias de reabilitação nos EUA foi confirmado pela Suprema Corte. Em "Mistretta vs.United States", a Corte sustentou a diretiva de remover o objetivo da reabilitação de qualquer consideração das sentenças. O legado das políticas de *nothing works* não foi observado apenas nos EUA, mas influenciou as políticas criminais de muitos países. O que se pôde perceber, então, foi o ressurgimento da retribuição como a mais necessária resposta ao crime.

Mudando a atitude e o comportamento dos condenados

Novas pesquisas passaram, não obstante, a confirmar os resultados positivos de muitos programas (Andrews et al., 1990; Hollin, 1994; Lipsey, 1992; McGuire, 1995 e outros) permitindo que alguns princípios associados às boas práticas de reabilitação fossem identificados, tais como:

Classificação segundo o risco

Programas mais intensivos e mais longos devem ser desenhados para aqueles infratores que possuem alto risco de reincidência. Intervenções menores ou minimalistas devem acompanhar os casos de baixo risco.

Foco na criminogênese individual

Deve-se dar especial atenção aos fatores diretamente relacionados ao comportamento do infrator, tais como atitudes anti-sociais, drogadição, habilidades cognitivas limitadas etc. Se o objetivo central do programa de reabilitação é evitar a reincidência, esse deve ser o enfoque prioritário.

Receptividade

Capacidade de perceber o estilo de aprendizagem do infrator e adaptar o estilo de ensino de forma a maximizar os benefícios da intervenção.

Modalidade de tratamento

A abordagem deve estar orientada pela resolução de problemas de forma que o infrator possa desenvolver habilidades e capacidades cognitivas.

Base comunitária

Os programas de natureza comunitária têm mostrado, em regra, mais resultados. De qualquer maneira, os mesmos métodos podem ser aplicados positivamente no interior de instituições.

Integridade dos programas

Os programas devem ser executados por pessoal especializado e técnicos bem treinados de acordo com objetivos claros, de forma que cada passo seja compreendido dentro de uma racionalidade "terapêutica".

Um estudo sobre a viabilidade e a efetividade dos serviços de reabilitação no Reino Unido, publicado em 1997 pelo Ministério do Interior, incluiu uma pesquisa com todos os serviços de acompanhamento de execução de penas alternativas à prisão e de liberdade condicional na Inglaterra e no País de Gales. Ele é uma referência importante porque examinou a metodologia utilizada nos serviços, oferecendo dados sobre a eficácia destes.

Utiliza-se nesses dois países uma abordagem cuja base teórica é a chamada "psicologia cognitivo-comportamental". Através desse aporte, pretende-se ajudar os infratores a perceber as conseqüências de seus atos, estimulando maneiras pelas quais eles possam compreender suas próprias motivações e desenvolver formas de controlar seu comportamento.

Essa preferência pelo cognitivismo enseja, por certo, questionamentos. Na experiência brasileira, os programas empregados no tratamento do alcoolismo e da drogadição são, freqüentemente, inspirados por essa abordagem. Eu tive a chance de conhecer alguns desses programas no Brasil e, a par dos resultados que têm construído, é difícil evitar uma primeira sensação de "mal-estar" diante das regras de convívio ou dos exercícios de condicionamento. Os métodos empregados para a mobilização das vontades e para o fortalecimento das resistências pessoais entre os dependentes químicos – todos eles profundamente vinculados ao papel desempenhado pelo grupo – parecem, a princípio, desconsiderar a subjetividade ou aquilo que cada um dos indivíduos possui de irredutível. Tudo se passa como se fosse necessário recusar a condição de sujeito para que a compulsão pela droga seja contornada.*

---

* Para todos os que foram de alguma forma influenciados pela psicanálise – que pressupõe que algo do sujeito seja "localizável" –, as abordagens comportamentais ou cognitivistas parecem atualizar o que Lacan denominou "segregação do outro". Ou seja, um resultado em que a droga e a própria dependência são isoladas pela linguagem, o que não permitiria a irrupção do inconsciente enquanto tal (Elias, 2000).

Seja como for, tais programas parecem construir perspectivas reais para grande parte dos envolvidos – o que deveria, ainda, ser objeto de avaliação mais cuidadosa. Também não sei ao certo o quanto tais abordagens são semelhantes aos programas que vêm sendo desenvolvidos no Reino Unido. Assinalo isso apenas para que não se interprete este texto como uma adesão ao cognitivismo. Independentemente das minhas inclinações pessoais, dos meus conceitos ou preconceitos, não poderia deixar de registrar aquilo que as avaliações e pesquisas sobre o tema – recuperação de condenados por crimes violentos – têm revelado.

O que os estudos mais recentes demonstram é que a efetividade dos programas de reabilitação de condenados varia muito a depender da abordagem utilizada. No Reino Unido, os programas que procuram mudar os padrões de pensamento e de comportamento são muito mais efetivos do que as terapias consideradas "não-diretivas". O uso de métodos cognitivo-comportamentais – que também incluem treinamento em habilidades de convivência – colhem os melhores resultados tanto no tratamento de adultos quanto no de jovens em conflito com a lei.

Esses efeitos podem ser maximizados quando:

- Há uma efetiva focalização nos fatores que contribuem para o comportamento indesejado do infrator;
- São empregados métodos participativos orientados pela solução de problemas;
- A intensidade e a duração do tratamento são estabelecidas de acordo com os riscos de reincidência;
- Há persistência em uma direção, a partir de uma base teórica definida, evitando-se a mudança aleatória de objetivos e métodos de trabalho;
- Os infratores são alocados em programas de acordo com suas necessidades e estilos de aprendizagem.

O estudo do Ministério do Interior procurou respostas para as seguintes questões básicas:

- Que tipo de abordagens e técnicas estão cobertas pela expressão "método cognitivo-comportamental"?
- Como o impacto desse tipo de abordagem, ou de outras usadas em programas de reabilitação, pode ser medido?
- Quais as evidências existentes sobre os benefícios do método cognitivo-comportamental na redução da reincidência?
- Quais os dados disponíveis sobre os tipos de abordagens que são mais efetivas no tratamento dos diferentes grupos de infratores?

- Que ensinamentos são oferecidos pela literatura especializada considerando a necessidade de gerenciar com sucesso programas de reabilitação com o método cognitivo-comportamental?

Em resposta a essas questões, o estudo de Vennard, Sugg e Hedderman (1977) sublinha, inicialmente, que o cognitivismo-comportamental não é uma teoria psicológica distinta, mas uma expressão que designa uma série de intervenções derivadas de três teorias psicológicas básicas:

Comportamentalismo

Acentua um rol de fatores externos na formatação de padrões de conduta. Assim, por exemplo, tratando-se de infratores, o estímulo do grupo de amigos e a ausência de limites no processo educacional, entre outros, são considerados fatores importantes no incentivo a comportamentos delituosos.

Teoria cognitivista

Acentua a importância do pensamento individual, raciocínio, memória e capacidade de resolver problemas na definição do comportamento dos indivíduos. Presume-se, por exemplo, que determinados estilos de pensamento possam ser mais freqüentemente encontrados em infratores do que nos demais.

Teoria social do aprendizado

Derivada do comportamentalismo, mas chamando a atenção para o fato de que, sendo o ambiente uma chave para se compreender o comportamento dos indivíduos, a aprendizagem pode ocorrer de maneira indireta através da observação do comportamento dos outros. O impacto do meio, assim, seria mediado pela cognição.

McGuire (1996) descreveu o modo pelo qual essas abordagens na psicologia e na psicoterapia foram integradas na década de 1970 em uma nova compreensão sobre a complexa relação entre pensamentos, sentimentos e comportamento. Em relação aos agressores, o método sustenta que tiveram o comportamento modelado por fatores de seu meio e que seu processo de aquisição de determinadas capacidades cognitivas foi objetivamente falho. Formas indesejáveis de comportamento foram, então, apreendidas e/ou desenvolvidas. O pensamento dessas pessoas tende a ser mais impulsivo e egocêntrico, mais concreto do que abstrato e mais rígido do que flexível. McGuire sublinha, não obstante, que essas conclusões não pretendem atribuir as causas do crime apenas a fatores psicológicos e que esse aporte não contraria, mas sim complementa, muitas das conclusões já esboçadas pela criminologia e pela sociologia anteriormente.

O método cognitivo-comportamental pretende colocar os agressores em contato com as conseqüências de seus atos para que possam entender o que fizeram, as razões pelas quais o fizeram e o que devem fazer para evitar a repetição da conduta. Observa-se, neste ponto, um contato importante com o marco doutrinário oferecido pelas teses em favor de uma "justiça restaurativa" que possa superar o paradigma meramente punitivo do direito penal, objeto de atenção do próximo capítulo. Para se alcançar esses objetivos, muitas técnicas são utilizadas, entre elas as direcionadas a desenvolver no infrator as habilidades básicas necessárias ao convívio social. Particularmente nos casos de jovens em conflito com a lei e de agressores sexuais, essas técnicas têm produzido bons resultados e vão desde a mudança de posturas corporais (incluindo a maneira de olhar para os outros), até a capacidade de resistir à influência de amigos infratores ou de manter um diálogo com os pais, passando pela capacidade de controlar sua própria raiva (Marques et al., 1994).

Para se medir a eficácia de um programa de reabilitação é necessário lidar com um mesmo conceito de reincidência. Nos EUA ainda é comum se considerar como "reincidência" o descumprimento das condições impostas por liberdade condicional, ou a prisão provisória. A maneira mais objetiva de se considerar a reincidência, porém, é a ocorrência de nova condenação. Esse critério, contudo, terminará por subestimar a taxa de reincidência por conta da alta subnotificação de muitos crimes. Um problema adicional será oferecido quando nos perguntarmos pelo período de tempo a ser observado quanto à reincidência e quando devemos começar a "contar" esse tempo. Para os que estiveram presos, começa-se a contar o tempo desde o momento da soltura; para os que estão cumprindo pena alternativa, conta-se a partir da sentença.

Os estudos sobre reincidência terminam encontrando grandes dificuldades, também, quando se trata de medir a natureza distinta de novas ofensas. Beckett et al. (1994) sugerem que o tempo de dois anos após o término do tratamento é suficiente para medir os resultados, particularmente no caso de pessoas condenadas por crimes sexuais. Alguns programas de avaliação têm usado períodos mais longos e empregado procedimentos estatísticos complexos.

Um problema específico para se avaliar a eficácia do emprego do método cognitivo-comportamental é saber quais as técnicas e abordagens que estão abrigadas sob essa expressão. Muitos programas empregam técnicas de cognitivismo-comportamental combinadas com outras abordagens que estimulam a capacitação para a vida em sociedade, e alcançam os maiores êxitos, sendo normalmente classificados como "multimodais".

Palmer (1994) sustenta que os programas menos efetivos são aqueles baseados em confrontação, terapia de grupo ou aconselhamento individual. A ampla e rigorosa revisão feita por Lipsey incluiu agressores entre 12 e 21 anos e demonstrou que, em 285 dos programas estudados (64% do total), as taxas de reincidência eram mais baixas para os que se submeteram aos tratamentos do que para os demais condenados. Muito importante, também, foi a descoberta de que, em 131 dos chamados "programas de reabilitação" (30% da amostra), houve aumento da delinqüência. Esses programas foram aqueles baseados em "prisões de impacto" e "campos de internação" que promovem muito pouco a educação e o treinamento e que negligenciam qualquer visão terapêutica. Lipsey concluiu que os programas do tipo multimodal que usaram técnicas comportamentais colheram os melhores resultados dentro e fora das instituições de tratamento de adolescentes infratores.

Os dados da pesquisa de Lipsey seriam, certamente, ainda muito mais eloqüentes caso avaliássemos as experiências de encarceramento realizadas no Brasil em torno do "modelo Febem". Na verdade, em que pese os princípios preconizados pelo Estatuto da Criança e do Adolescente, continuamos a sustentar um modelo de tratamento para adolescentes infratores cujo caráter é inequivocamente criminogênico. Toda a máquina de encarcerar adolescentes a partir dos 12 anos, cuja experiência mais ampla e radical foi montada no estado de São Paulo, é, de fato, uma indústria de produção do crime sustentada pelo dinheiro público.

Andrews et al. (1990) sugeriram uma diferenciação entre serviços apropriados de reabilitação e serviços não apropriados. Os primeiros seriam aqueles capazes de oferecer tratamento intensivo a infratores de alto risco, sendo capazes de focalizar as características criminogênicas mais imediatas e de usar uma abordagem comportamentalista. Serviços inapropriados seriam aqueles que atendem infratores de baixo risco, que não conseguem adaptar o ensino de seus técnicos às necessidades de aprendizagem dos infratores e que usam abordagens de terapia grupal sem objetivos específicos. Usando esses critérios, os autores encontraram uma taxa de reincidência 53% menor para os "serviços apropriados". Da mesma forma que Lipsey, também relataram aumento de delinqüência para os programas baseados mais em mecanismos de punição ou contenção do que em esforços de tratamento.

Izzo e Ross (1990), após analisarem 46 estudos sobre programas de reabilitação entre os anos 1970 e 1985, também indicaram que aqueles que haviam incorporado componentes da abordagem cognitivo-comportamental tinham mais do que o dobro de eficiência em relação aos outros. Antonowicz e Ross (1994) chegaram à mesma conclusão sobre reabilitação de adultos e adolescentes condenados. Cerca de 75% dos melhores resultados foram alcançados pelos programas baseados nessa linha. Esse estudo sugeriu aos pesquisadores que o treinamento de habilidades cognitivas é a chave para o sucesso de qualquer programa.

Programas multimodais devem ser desenhados para alterar vários aspectos da cognição dos infratores, incluindo seus componentes egocêntricos e impulsivos e a relativa incapacidade de compreenderem as posições e os sentimentos dos demais. Em 1988, o programa Reasoning and Rehabilitation – R&R Programme (Raciocínio e reabilitação), desenvolvido por Ross, foi testado em Ontário, no Canadá. Foram formados três grupos para a pesquisa, todos com condenados em liberdade condicional: um grupo de controle, com 23 integrantes sem qualquer tipo de tratamento; um com 17 integrantes que participavam de um programa regular de reabilitação; e um terceiro com 22 membros submetidos ao R&R Programme. A idade média dos condenados era de 24 anos. Todos os membros da amostra foram selecionados entre os que possuíam o mesmo nível de risco, embora os integrantes do terceiro grupo tivessem mais condenações anteriores. Os resultados foram impressionantes: 9 meses após o tratamento, as taxas de reincidência foram de 18% para o grupo do R&R Programme, 47% para os que estavam submetidos a um programa regular e 69% para os que estavam fora de qualquer programa. Trata-se de uma amostra pequena e o período de acompanhamento foi bastante curto. De qualquer forma, o programa passou a ser bastante empregado em alguns países como EUA, Espanha e, de maneira mais ampla, Canadá.

Muitos estudos vinculam os comportamentos violentos às experiências dos agressores junto às suas famílias; especialmente aos históricos de punições físicas, agressividade e submissão às formas de disciplina autoritárias. Farrington (1996) sustenta que as raízes da agressão e da violência estão vinculadas a um aprendizado muito particular, e que as famílias cumprem papel decisivo na determinação de quando os primeiros padrões de violência se estabilizam.

De qualquer maneira, o uso de técnicas de autocontrole cognitivo combinadas com outras de relaxamento pode auxiliar os infratores a compreender seu próprio comportamento. Os trabalhos de Novaco (1975, 1978) confirmaram que tais abordagens podem causar forte impacto na conduta dos infratores, permitindo, por exemplo, que eles aprendam a dominar seus sentimentos de raiva.

Um estudo de Schlicter (1978) sustentou que essa combinação de abordagens – envolvendo técnicas de relaxamento e métodos de controle da raiva e de desenvolvimento de habilidades necessárias ao convívio social – exerce grande impacto em adolescentes com histórico de condutas violentas e produz resultados muito superiores às terapias de grupo. O mesmo tem sido confirmado por muitas outras pesquisas, como as de Feindler e Ecton (1986) e Glick e Goldstein (1987).

A influência da família sobre o adolescente com comportamento agressivo tem levado alguns psicólogos a envolver os pais nos programas terapêuticos. O estudo de Borduin et al. (1995) sobre a efetividade de abordagens multissistêmicas – que procuram focar problemas comportamentais no contexto das famílias, dos grupos de amigos e da escola – com adolescentes infratores verificou taxas bem menores de reincidência para um período de 4 anos de acompanhamento. Os jovens que haviam participado dos grupos multissistêmicos reincidiram menos do que aqueles que haviam participado de programas individuais com outras terapias. Os pesquisadores concluíram que as intervenções em adolescentes violentos são mais promissoras quando seus problemas comportamentais são tratados no contexto de suas relações familiares e quando eles mantêm o vínculo com seus lares e com suas comunidades.

Novas evidências a respeito da efetividade das técnicas cognitivo-comportamentais na redução da reincidência de adultos emergiram de recente avaliação feita pelos Ministérios do Interior da Escócia e da Inglaterra (Scottish Office e Home Office) a respeito de dois programas de reeducação para homens responsáveis por atos de violência doméstica (Dobash et al., 1996). Os dois programas consistem em sessões semanais com grupos durante um período de 6 a 7 meses. O objetivo é desenvolver a capacidade dos infratores de compreenderem sua própria violência e modelar novas formas de pensamento e ação através da abordagem cognitivo-comportamental. Essa abordagem inclui o ensino de técnicas para o reconhecimento da seqüência de eventos e emoções associados à conduta violenta de cada um e o uso de métodos didáticos para que se percebam o significado e a natureza do comportamento violento contra a mulher.

Para medir os resultados dos programas, dois grupos foram acompanhados. O primeiro, com 41 integrantes, era composto por homens que participaram dos programas; o segundo, por 71 homens com históricos semelhantes que, entretanto, haviam recebido outras determinações judiciais e não estavam em qualquer programa. As companheiras de todos eles foram entrevistadas 12 meses após o final dos programas, o que permitiu saber que 33% dos que haviam participado deles cometeram, novamente, algum tipo de violência contra suas parceiras. Entre os homens que não haviam participado de qualquer grupo, entretanto, essa taxa alcançou 75%. As mulheres cujos parceiros participaram dos programas também relataram redução de atitudes hostis e coercitivas como ameaças, gritos e tentativas de restringir suas atividades sociais.

Medindo os riscos de reincidência

Hare (1980) desenvolveu um instrumental para que fosse possível prever, com alguma base dinâmica e não apenas estatística, os riscos de reincidência para casos de psicopatia. Conhecido como Psychopathy Checklist (PCL-R), o instrumental tem se revelado um recurso importante para avaliações de risco de reincidência. O PCL-R combina informações demográficas, criminogênicas e psicológicas (incluindo fraco controle de comportamento, impulsividade, fracassos nas relações amorosas, histórico de atos infracionais etc.). A lista envolve, entre outras coisas, a identificação das seguintes características: baixo poder de atração, auto-avaliação superestimada, necessidade constante de estímulos, facilidade de aborrecer-se, mentira patológica, capacidade de manipulação, ausência de remorso ou sensação de culpa, ausência de emoções intensas, frieza, estilo de vida parasitário, dificuldade de controle, comportamento sexual promíscuo, ausência de planejamento a longo prazo e incapacidade de assumir responsabilidade pelas próprias ações.

A maior parte dos estudos com prisioneiros a partir desse instrumental tem sido realizada nos EUA. A ausência de uma tradição de pesquisas desse tipo em outras realidades impede, portanto, comparações. Com o mesmo instrumental, estudos recentes levados a efeito em prisões escocesas, por exemplo, constataram um percentual muito menor de presos com o perfil de psicopatia do que a média dos estudos norte-americanos.

Outro recurso disponível para a predição de reincidência (recomendado por Hollin e Palmer) é o Psychological Inventory of Criminal Thinking Styles (PICTS), um questionário com 80 itens que procura avaliar deficiências cognitivas em 10 áreas básicas. Esse instrumental foi aplicado em 450 prisões federais norte-americanas, permitindo a identificação de três padrões de periculosidade – "máximo", "médio" e "baixo" – entre os presos (Walters, 1995).

Cohen (1997), da Divisão de Psiquiatria Forense do Centro de Saúde Mental de Be'er Ya'akov, em Israel, desenvolveu outra escala para facilitar o trabalho de prevenção de riscos de reincidência examinando padrões de comportamentos violentos e confrontando os fatores estimulantes e inibidores.

Programas de reabilitação devem ser implementados em sua integridade, contornando, assim, os riscos de "flutuação", "reversão", e "desvio". Há flutuação quando o programa não consegue manter sua sistematicidade e seus objetivos, quando os métodos são trocados ou quando não se persegue objetivo algum. A reversão ocorre quando os encarregados da aplicação do programa (técnicos, funcionários etc.) discordam de seus pressupostos e o boicotam. O desvio, por fim, é identificado quando o programa se perde por conta de lapsos ou de adições arbitrárias de procedimentos. Para minimizar esses riscos é necessário implementar processos de monitoramento. Hollin sugere três recursos possíveis: observação de pessoas de fora do programa, relatórios do pessoal envolvido na aplicação e relatórios dos próprios participantes. Fatores como o nível de motivação dos funcionários, treinamento, os ambientes internos da própria instituição e as relações com as agências parceiras podem afetar e/ou comprometer os resultados esperados (Losel, 1993; Mair, 1995; Hollin, 1993).

Hood et al. (2002) acompanharam 162 prisioneiros durante 4 anos e outros 94 durante 6 anos, todos condenados por crimes sexuais. Tal caracterização foi desagregada para "crimes sexuais contra adultos" e "crimes sexuais contra crianças" e para "crimes sexuais no interior da família" e "crimes sexuais fora da família" na tentativa de encontrar evidências de "especialização". Por conta do acesso a todos os dados criminais concernentes ao grupo pesquisado, foi possível efetuar essa discriminação da seguinte forma:

- Aqueles que vitimaram apenas um adulto (entendido como tal, para os critérios britânicos, qualquer pessoa com mais de 16 anos);
- Aqueles que vitimaram pessoa estranha e aqueles que vitimaram pessoa conhecida há, pelo menos, 24 horas antes da ocorrência;
- Aqueles que vitimaram uma só pessoa e aqueles que vitimaram várias;
- Aqueles que vitimaram uma criança ou várias crianças (entendido como tal qualquer pessoa com menos de 16 anos);
- Aqueles que praticaram o crime no interior de suas casas contra vítimas de alguma forma íntimas;
- Aqueles que vitimaram pelo menos uma criança do sexo masculino.

Como foi assinalado, há uma larga aceitação de que criminosos sexuais tendem a repetir seus delitos (Grubin, 1998). Pois bem, tanto quanto se pode falar em reincidência enquanto sinônimo de nova condenação, o trabalho de Hood et al. (2002) demonstrou que a possibilidade de um agressor sexual ser condenado uma segunda vez por crime dessa natureza, ou mesmo por qualquer outro crime violento, é relativamente baixa, inclusive para aqueles que vitimaram crianças. O tempo de 5 anos de acompanhamento permite a produção de dados estatísticos significativos, e alguns autores como Lloyd, Mair e Hough (1994) e Hanson (1998) o consideram desejável.

Cerca de 55% dos presos pesquisados possuíam a qualificação de "alto risco" para reincidência. Os 45% restantes eram considerados, por razões técnicas, de "baixo risco". A pesquisa permitiu, também, confrontar essas avaliações com a reincidência realmente experimentada, emergindo daí as seguintes situações:

"verdadeiros positivos"
Aqueles que foram identificados como de alto risco e que, de fato, reincidiram;

"falsos positivos"
Aqueles que, identificados como de alto risco, não reincidiram;

"verdadeiros negativos"
Aqueles classificados como de baixo risco e que, de fato, não reincidiram;

"falsos negativos"
Aqueles classificados como de baixo risco, mas que reincidiram.

Cerca de 60% dos pesquisados haviam vitimado crianças e 2/3 deles atuaram no âmbito de sua própria estrutura familiar. Entre aqueles que haviam cometido o crime contra uma criança de fora da sua família, em apenas 4 casos as vítimas eram desconhecidas do agressor. Cerca de 1/4 dos agressores contra crianças (27/116) havia vitimado pelo menos uma criança do sexo masculino. Desse mesmo total, 9 agressores haviam vitimado apenas meninos. Em comparação, a metade dos agressores contra adultos havia cometido seus delitos contra pessoas completamente estranhas, nenhum havia sido condenado por vitimar alguém do sexo masculino e 4 em 5 deles haviam vitimado apenas uma pessoa. Dos agressores contra adultos, 9 em cada 10 foram condenados por estupro ou tentativa de estupro. O número de condenações por estupro ou tentativa de estupro cai para 59% no caso dos agressores de crianças. Neste caso, 10% deles foram condenados por incesto, 25% por indecência e 4% por relações sexuais não legais.

Como se poderia esperar, os condenados por crimes sexuais contra crianças eram mais velhos no momento em que foram libertados do que os condenados por crimes contra adultos. Entre os primeiros, apenas 1 em cada 30 tinha menos de 30 anos, mas entre os do segundo grupo, cerca da metade possuía menos de 30 anos. Para o primeiro grupo (crimes contra crianças), 30% dos agressores tinham mais de 50 anos quando da soltura, enquanto, para o segundo, apenas 3% já tinham essa idade. Cerca de 42% dos integrantes dos dois grupos possuíam mais de uma condenação por crime sexual, embora se estime que a maioria delas fosse por delitos menos sérios. Os que integravam o grupo que havia vitimado crianças fora da família eram, em 1/3 dos casos, já conhecidos como agressores sexuais, enquanto apenas 14% dos que vitimaram crianças no interior de suas próprias famílias possuíam essa condição.

Para abordar a reincidência de forma mais concreta, a pesquisa desagregou os dados da seguinte forma:

- Os que reincidiram em crimes sexuais – incluindo os que tiveram também outras condenações por diferentes tipos penais – e que foram enviados à prisão (desde a pena perpétua, a maior da amostra, até a prisão por dois anos, a menor delas);
- Os que reincidiram por prática de crime violento (porém não sexual) e que foram enviados à prisão;
- Os que reincidiram pela prática de outros crimes e que foram enviados à prisão por isso;
- Os que reincidiram em delitos de menor gravidade e que, embora condenados, não foram enviados à prisão, e
- Os que não reincidiram.

Os dados finais da pesquisa estão sintetizados no seguinte quadro:

TIPOS DE CONDENAÇÃO	2 ANOS N - %	3 ANOS N - %	6 ANOS N - %
Qualquer crime sexual com sentença de prisão	2 - 1,2%	7 - 4,3%	8 - 8,5%
Crime violento com sentença de prisão	6 - 3,5%	8 - 4,9%	4 - 4,43%
Total de sentenças à prisão por crimes sexuais e violentos	8 - 4,6%	15 - 9,3%	12 - 12,8%
Outros crimes com prisão	4 - 2,3%	6 - 3,7%	5 - 5,3%
Total de sentenças à prisão	12 - 6,9%	21 - 13%	17 - 18%
Reincidentes sem condenação à prisão	10 - 5,8%	17 - 10,5%	12 - 12,8%
Total de reincidência	22 - 12,7%	38 - 23,5%	29 - 30,9%
Não reincidentes	151 - 87,3%	124 - 76,5%	65 - 69,1%
Total da amostra	173	162	94

Marshall (1994) havia verificado 7% de taxa de reincidência (novas condenações) por crime sexual entre 402 ex-prisioneiros ao final de 4 anos de livramento. Em estudo posterior, examinando pessoas condenadas por crime sexual, com ou sem sentença de prisão, constatou-se uma taxa de 10% de reincidência ao final de 5 anos e uma de 22% de reincidência somando crimes sexuais e crimes violentos para o mesmo período, embora sem indicar a gravidade dos delitos.

Friendship e Thornton (2001) puderam constatar, entre mais de 1.000 condenados por crimes sexuais, uma taxa de 5% de reincidência em crimes da mesma natureza após 4 anos de soltura – dados bem próximos do quadro acima para 4 anos, embora eles considerem que a taxa real de reincidência deva ser mais alta. Thornton e Travers (1992) verificaram uma taxa de reincidência de 12% para criminosos sexuais em uma amostra de 313 ex-presidiários acompanhados durante 4 anos.

É sabido que as taxas de reincidência para agressores sexuais varia conforme o perfil das vítimas. Assim, Hood et al. (2002) compararam os resultados da pesquisa para saber, nos períodos de 4 e 6 anos de acompanhamento, quais as taxas para os que vitimaram adultos (conhecidos e desconhecidos) e para os que vitimaram crianças (intra e extrafamiliar). Os principais dados que encontraram foram os seguintes:

- Nenhum dos que haviam sido condenados por crime sexual contra crianças no interior de suas próprias unidades familiares recebeu nova condenação por crime sexual ou por crime violento, mesmo quando o acompanhamento segue para além dos 6 anos.

- Assim, todos os que reincidiram em crimes sexuais contra crianças haviam sido condenados previamente por crimes praticados fora das suas unidades familiares. Em 6 anos, 32% dos agressores que compunham o grupo de crimes extrafamiliares tinham sido condenados novamente por crime sexual ou violento.
- A taxa de reincidência para crimes sexuais contra adultos havia alcançado, após 6 anos, 7,5% dos casos. Se somarmos a estes a reincidência por crime violento, alcançamos a marca de 15% para o mesmo período.

Com uma única exceção, todos os que reincidiram em crimes sexuais contra adultos praticaram o crime contra vítimas na mesma faixa etária de sua primeira condenação, e todos os reincidentes que haviam sido condenados por crimes sexuais contra crianças escolheram-nas novamente como vítimas. O que é uma evidência forte daquilo que se convencionou chamar de "especialização". O que a desagregação dos dados permitiu ver foi o mesmo que Soothill (2001) percebeu em um longo estudo acompanhando mais de 6 mil agressores sexuais: quando eles reincidem, tendem a agir como "especialistas" e raramente como "generalistas".

No grupo desse estudo, entre os que reincidiram em crimes sexuais durante um período de 4 anos, todos haviam sido considerados como de "alto risco" por pelo menos um técnico anteriormente, no interior dos comitês de avaliação. Tal classificação se revelou acertada, também, para 2/3 daqueles que reincidiram em crimes com violência. Esses foram os "positivos verdadeiros". Em contraste, uma alta proporção (92%) daqueles identificados como de "alto risco" por pelo menos um técnico não reincidiu ao final de 4 anos de soltura. Se incluirmos a reincidência por crimes violentos, a proporção continuará alta (87% não reincidiram), e se tomarmos o período de acompanhamento de 6 anos a taxa negativa para reincidência por crime sexual será de 78%, e para crime violento, de 72%. Esses foram os "falsos positivos". As avaliações foram corretas quando trataram de avaliar os prisioneiros de "baixo risco". Nesse caso, apenas um caso de reincidência foi encontrado. Todos os demais eram, de fato, "verdadeiros negativos".

As taxas de "falsos positivos" foram mais altas para os prisioneiros que haviam sido condenados por crime sexual contra criança no interior de suas unidades familiares. Isso ocorreu porque nenhum deles reincidiu – seja por crime sexual, seja por crime violento.

É interessante observar que muitos dos condenados por crimes sexuais não assumem sua condição de culpados. Nesse caso, normalmente não participam de qualquer programa de reabilitação para infratores. Também por conta dessa circunstância, são costumeiramente considerados de "alto risco"; mais, inclusive, do que aqueles condenados que assumem suas culpas por crimes sexuais. Nos EUA, pessoas condenadas por crimes sexuais que não assumem sua culpa têm a execução penal agravada e perdem benefícios como a liberdade condicional. Caso, eventualmente, assumam a culpa em um processo de tratamento após terem protestado sua inocência no julgamento, podem ser processados por perjúrio. Autores como Kaden (1999) já assinalaram que esses procedimentos contrariam frontalmente a quinta emenda da Constituição norte-americana, que assegura a todos o direito de não oferecer prova contra si mesmo.

Voltando aos resultados da pesquisa de Hood et al. (2002), o que foi constatado, entretanto, foi que apenas um entre os condenados por crimes sexuais do conjunto dos que sempre negaram suas culpas (*deniers*) reincidiu. Todos os que reincidiram por crimes sexuais, menos aquele mencionado, integravam o grupo dos que assumiam suas culpas. A mostra é pequena, mas a diferença é estatisticamente relevante. Pode-se interpretar esses dados de várias formas. Talvez, dentre os que nunca assumiram a culpa, existam verdadeiros inocentes; talvez os *deniers* não desejem facilitar o trabalho da rotulação e estejam mais dispostos do que os demais a se afastar de uma conduta que os envergonhe etc.

Devemos considerar, também, que as relações entre condenados e terapeutas não é a mesma estabelecida por clientes regulares. Por inúmeras condições objetivas, entre elas o fato de que, em muitos países, a maioria dos condenados se submete a tratamento por força de decisão judicial – sem decisão voluntária, portanto –, há um déficit de confiança entre eles. Para piorar o quadro, algumas terapias fazem opção pelo confronto com a atitude daquele que nega sua culpa. Independentemente dessa discussão, parece claro que se deve estimular o tratamento para todos os condenados por crimes sexuais, inclusive para os *deniers*, oferecendo-lhes imunidade contra qualquer novo processo por conta de confissões feitas durante o tratamento. O tema dos *deniers*, seja como for, requer novas pesquisas e reflexões.

Os critérios para julgamento de riscos de reincidência a partir de novos instrumentais teóricos podem ser aperfeiçoados. Os autores da pesquisa que estamos examinando defendem o emprego, para o caso de condenados por crimes sexuais, do método conhecido como Static-99. Com ele, os condenados são subdivididos em 4 categorias: "baixo risco", "baixo-médio risco", "alto-médio risco" e "alto risco". A aplicação desse padrão para a amostra pesquisada se revelou mais precisa do que as avaliações técnicas dos comitês. Para os primeiros 4 anos de acompanhamento, nenhum dos classificados como "baixo risco" pelo método Static-99 reincidiu, e apenas 2% daqueles classificados como "baixo-médio risco" o fizeram. Entre os classificados como de "alto risco", 14% reincidiram em crimes sexuais e 27% reincidiram em crimes sexuais ou com violência. O emprego do método não identificou nenhum dos condenados por crimes sexuais contra criança no interior da unidade familiar como de "alto risco"; enquanto os comitês classificaram dessa forma pelo menos metade deles. Dois terços dos condenados que negavam suas culpas foram avaliados como de "baixo risco" ou de "baixo-médio risco", o que contrasta muito fortemente com a inclinação dos comitês.

Pela pesquisa percebe-se, primeiro, que a taxa de reincidência para criminosos sexuais é bastante baixa – ao contrário do que se costuma imaginar. Segundo, que essa mesma taxa é, entretanto, alta para os condenados por crimes sexuais contra crianças fora do seu ambiente familiar (cerca de 25% em 6 anos). Ao mesmo tempo, percebe-se pelas sentenças dadas aos reincidentes que os crimes cometidos são bastante sérios. O que equivale a dizer que os riscos de reincidência para esse perfil infracional são, em geral, baixos, mas a aposta é alta. Percebe-se, também, que os Parole Boards (comissões de avaliação para liberdade condicional) superestimam os riscos de reincidência e o fazem especialmente com relação aos prisioneiros que vitimaram crianças dentro de suas unidades familiares e aos condenados que não assumem suas culpas. Na Inglaterra, a Corte de Apelações já decidiu (no caso Oyston) que o fato de um condenado negar sua responsabilidade por um crime não pode ser motivo para que lhe seja negado o benefício de liberdade condicional.

Um novo paradigma

Friendship e Thornton (2001) sustentam que houve uma mudança de paradigma desde a doutrina do "nada funciona" (*nothing works*), de Martinson, para a de "o que funciona?" (*what works?*), de McGuire. Isso permitiu que, no Reino Unido, pelo menos, houvesse maior ênfase na reabilitação do que na contenção. Desde 1991, o sistema prisional da Inglaterra e do País de Gales conta com um programa nacional de tratamento para condenados por crimes sexuais.

Seria preciso persistir no desvelamento da taxa de crimes realmente praticados (bastante diferente da taxa de novas condenações), o que, por certo, trará novos números para o estudo da eficácia dos programas de reabilitação. Lloyd et al. (1994) sintetizam o problema da subnotificação de crimes na Inglaterra afirmando que apenas 50% dos crimes são registrados na polícia; apenas 30% do que a polícia registra é crime; 7% dos crimes são esclarecidos; e 3% resultam em condenações. O surgimento da Pesquisa Britânica de Vitimização (British Crime Survey – BCS), em 1982, trouxe apoio a todas essas conclusões. A partir desse instrumento, Mayhew, Elliot e Dowds (1989) estimam que apenas 20% dos crimes sexuais são relatados à polícia. Por isso mesmo, sublinho, taxas de reincidência, especialmente nos casos de crimes sexuais, são sempre problemáticas.

O trabalho de Friendship e Thornton, de qualquer maneira, impressiona por sua extensão. A pesquisa que eles coordenaram acompanhou 555 presos libertados em 1992 e 535 presos libertados em 1993, todos condenados por crimes sexuais. Foram escolhidos presos que não participaram de qualquer programa de reabilitação para crimes sexuais. As taxas de reincidência (novas condenações) foram bastante baixas – em torno de 5% para 4 anos de acompanhamento – e demonstraram um decréscimo quando comparadas com pesquisa de 1980 que havia constatado 12% como número médio. O fenômeno de taxas pequenas de reincidência para infratores sexuais, aliás, já havia sido observado nos EUA, Canadá e Dinamarca.

Sabe-se que a reincidência está vinculada às possibilidades de inserção do ex-condenado no mercado de trabalho e, portanto, às possibilidades de formação asseguradas ao condenado. Isso foi demonstrado pelo trabalho de Gendreau et al. (1998), que, após examinar 67 estudos sobre reincidência envolvendo um total de 114 mil condenados, apontou que os déficits em profissionalização e educação no momento da soltura são as maiores certezas de retorno à prisão. Assim, programas que profissionalizem os presos, que permitam o aprendizado de habilidades úteis para o mercado de trabalho e para a vida em sociedade, e que possibilitem o reconhecimento e a recompensa pelo esforço contribuirão muito para a reabilitação.

Essas linhas gerais têm sido observadas por uma experiência interessante em curso no oeste da Austrália, os chamados "campos de trabalho", conforme exposição de Csaba (2000) – na época, ministra da Justiça. Ao contrário do que o nome parece sugerir, o programa estabelece uma forte relação com as comunidades para envolver os condenados em atividades produtivas. Procura-se assegurar a eles a confiança e a habilidade necessárias para o bem-estar, emprego e apoio para outros serviços, bem como a capacidade de obter e manter acomodações, viver independentemente e usar o tempo livre de forma apropriada, freqüentando as atividades comunitárias. Todos esses são fatores importantes para se prever a reincidência e, para os australianos, parece claro que é muito mais difícil, senão impossível, desenvolver essas habilidades fora de qualquer experiência de vida comunitária.

A idéia dos "campos de trabalho" não é apenas a da reabilitação, mas também a de permitir que os condenados possam recompensar suas vítimas e a sociedade com o seu trabalho. Os campos estão, assim, baseados em vários princípios da "justiça restaurativa" (tema do nosso próximo capítulo), incluindo compensações às vítimas e às comunidades por conta de suas perdas; estímulos aos condenados para que aceitem a responsabilidade por seu comportamento; envolvimento das vítimas e das comunidades no processo de justiça criminal; e redução dos custos da justiça criminal.

Objetivos desse tipo reforçam a importância da responsabilidade das comunidades na redução do crime, que passa a ser concebida como prioritária diante das atribuições da própria justiça criminal. Na experiência australiana, os "campos de trabalho" têm sido vistos pelas comunidades como um caminho para o seu próprio desenvolvimento. A aceitação do trabalho dos prisioneiros é, para todos eles, o fator mais recompensador dos programas. O que tem se recolhido em entrevistas com os presos é que, para muitos deles, o fato de serem reconhecidos como membros de uma comunidade e terem o seu trabalho valorizado é uma experiência inédita, razão para orgulho e estímulo a redirecionar suas vidas.

O interessante é que as experiências no oeste da Austrália têm sido realizadas em comunidades rurais pequenas e conservadoras, marcadas por fortes laços de coesão social. Seus sentimentos estabelecidos em torno de regras de comportamento e hábitos de trabalho auxiliam os condenados. A idéia geral é que "ninguém é de todo mau", e que todos merecem uma "segunda chance". O que as ciências sociais modernas estão dizendo, finalmente, é que a opinião dessas pessoas simples e pacatas está correta.

CAPÍTULO 7

JUSTIÇA RESTAURATIVA

Para além da punição

Qualquer que seja o olhar sobre o funcionamento do sistema de justiça criminal em todo o mundo, ele terá de conter, pelo menos, dúvidas muito consistentes a respeito de sua eficácia. Pode-se, com razão, argumentar que a experiência concreta realizada com a justiça criminal na modernidade está marcada por promessas não cumpridas que vão desde a alegada função dissuasória ou intimidadora das penas até a perspectiva da ressocialização. Uma abordagem mais crítica não vacilaria em apontar a falência estrutural de um modelo histórico. Estamos, desse modo, diante de um complexo e custoso aparato institucional que, em regra, não funciona para a responsabilização dos infratores, não produz justiça, nem se constitui em um verdadeiro sistema. Quando se depara com delitos de pequena gravidade, o direito penal é demasiado; quando se depara com crimes graves, parece inútil.

Em um texto clássico para o movimento conhecido como "justiça restaurativa", Zehr (2003: p.71) assinalou que:

> Quando um crime é cometido, assumimos que a coisa mais importante que pode acontecer é estabelecer a culpa. Este é o ponto focal de todo o processo criminal: estabelecer quem praticou o crime. A preocupação, então, é com o passado, não com o futuro. Outra afirmação que incorporamos é que as pessoas devem ter aquilo que merecem; todos devem receber as conseqüências de seus atos... e o que merecem é a dor. A lei penal poderia ser mais honestamente chamada de "Lei da Dor" porque, em essência, esse é um sistema que impõe medidas de dor.

O sistema de justiça criminal tenderia, no mais, a ser avaliado não pelos resultados que produz, mas pelo processo em si mesmo e pelas intenções que o precedem. Assim, teria a intenção de tratar a todos da mesma maneira e, através desse cuidado, produzir justiça. O que é alcançado pelo sistema – ou seja, aquilo que ele de fato cria – não importaria mais do que as intenções que seguem lhe oferecendo legitimidade.

Dados recentes demonstram que, na Inglaterra, de cada 100 crimes cometidos, apenas 3 se transformam em condenações judiciais. O nome para essa diferença é "taxa de atrito", como já vimos no Capítulo 2. É necessário ponderar que para determinados crimes, como homicídio, por exemplo, os resultados alcançados pelos ingleses são completamente distintos e os procedimentos investigatórios têm, normalmente, boa margem de êxito. Seja como for, tendo presente o fato de que há investimentos muito consideráveis no sistema de justiça criminal em todo o Reino Unido, que as polícias britânicas estão, seguramente, entre as melhores do mundo e que os infratores ingleses não são particularmente mais hábeis ou inteligentes do que os demais, deve-se admitir que esses dados são chocantes.

Poderemos encontrar uma realidade muito semelhante em vários outros países desenvolvidos, com a possível exceção do Japão. Nos EUA, por exemplo, apenas 3% dos crimes violentos se traduzem em sentenças de prisão, o que não deixa de ser surpreendente tendo em vista as altíssimas taxas de encarceramento lá praticadas. Em 1994, dados do Bureau of Justice Statistics, do Uniform Crime Reports e das pesquisas de vitimização permitiram a projeção de um total de 3,9 milhões de crimes violentos no país. Nesse mesmo ano, 117 mil penas de prisão para esse tipo de crime foram prolatadas pelos tribunais norte-americanos, o que perfaz 3% do total. Para o ano de 1992, Barkan calculou que nos EUA apenas 1% dos infratores em geral foi preso. Caso se trate de crimes com violência, o percentual de aprisionamento teria sido de apenas 4,2% dos casos.

Não sabemos, ao certo, qual é a taxa de atrito no Brasil, mas podemos imaginar que as circunstâncias sejam muito mais sérias. Uma pesquisa realizada por Luiz Eduardo Soares no estado do Rio de Janeiro demonstrou que apenas 8% dos homicídios praticados resultavam em processos encaminhados ao judiciário, o que assinala uma improdutividade intolerável.[1] Dados apresentados por Khan (2001: p.36) sobre o desempenho do sistema de justiça criminal de São Paulo no segundo trimestre de 1999 apontam para um total de crimes – estimados por pesquisa de vitimização – de 1.330.434. No mesmo período, o índice oficial de criminalidade foi de 33% desse total (443.478 crimes). Em resposta a eles, foram instalados 86.203 inquéritos policiais (6,4% do total) e foram efetuadas 29.807 prisões, o que perfaz 2,2% do total de crimes estimado para o período.

Na verdade, a taxa de atrito é um indicador importante sobre o funcionamento do sistema de justiça criminal. Ela torna evidente que a grande maioria dos crimes cometidos permanece impune. Não devemos imaginar, todavia, que o sistema seria melhor caso a grande maioria daqueles que praticam qualquer tipo de crime tivesse recebido sentenças de prisão. Tal resultado teria tornado inviável a própria idéia de justiça, uma vez que a grande maioria dos crimes cometidos – em qualquer lugar do mundo – é de baixo poder ofensivo que, presume-se, não deva demandar a exclusão pressuposta pelo cárcere.

A essa altura, vale assinalar que o direito penal constrói uma maneira definida e objetiva de definir condutas consideradas indesejáveis, pela qual pode-se comprovar sua autoria e reprimir a conduta tida como desviante. Como técnica punitiva, o direito penal estabelece, assim, proibições a serem observadas indistintamente, circunscrevendo a liberdade de todos na própria definição das ações tipificadas. Em segundo lugar, ele determina a submissão coativa a juízo penal de todo aquele considerado suspeito de violação e, finalmente, oferece a perspectiva de punição dos considerados culpados. Esse processo possui um custo que deve ser justificado. Ferrajoli (1977: p.210) sustenta que ao custo da justiça deve-se acrescentar um custo altíssimo de injustiça, que depende do funcionamento concreto do sistema de justiça criminal:

> Ao que os sociólogos denominam cifra obscura da criminalidade (*dark rate*, formada pelos crimes não reportados à polícia e, portanto, desconhecidos) é preciso acrescentar uma cifra não menos obscura, porém mais inquietante e intolerável: aquela formada pelo número de inocentes processados e, por vezes, condenados. Chamarei cifra de ineficiência a primeira dessas cifras e cifra de injustiça a segunda, na qual se incluem: a) os inocentes reconhecidos como tais em sentenças de absolvição após haverem sofrido processo penal e, em ocasiões, prisão preventiva; b) os inocentes condenados por sentença judicial e ulteriormente absolvidos por conta de um procedimento de revisão; c) as vítimas dos erros judiciais não reparados, cujo número jamais se poderá calcular – verdadeira cifra obscura da injustiça.

Se tivermos em conta o fato bastante perturbador de que as prisões conformam um dos fatores criminogênicos mais relevantes no mundo moderno – vale dizer, se observarmos que o fato de conduzirmos as pessoas à privação de liberdade é, sabidamente, elemento funcional à reprodução ampliada das opções pelo crime –, as prisões se definem, em muitas situações pelo menos, como engrenagens de uma indústria disruptiva que se retroalimenta. Isso pode ser intuído sempre que examinamos as taxas elevadas de reincidência colhidas pelo modelo em todo o mundo, e em razão disso teremos novas razões para salientar um impasse estrutural experimentado pelo sistema como um todo. No caso da prisão, a própria idéia da ressocialização, que acompanhou a perspectiva mais generosa do pensamento liberal, parece fundada em um paradoxo assinalado com propriedade por Bitencourt (1993) nos seguintes termos: "Não se pode ignorar a dificuldade de fazer sociais aos que, de forma simplista, chamamos de anti-sociais, se se os dissocia da comunidade livre e, ao mesmo tempo, os associa a outros anti-sociais."

E se, no final das contas, estivéssemos diante de um fenômeno mais amplo do que o simples mau funcionamento do sistema punitivo? Se, em vez de reformas pragmáticas ou de aperfeiçoamentos tópicos, estivéssemos diante do desafio de reordenar a própria idéia de justiça criminal? Seria possível imaginar uma justiça que estivesse apta a enfrentar o fenômeno moderno da criminalidade e que, ao mesmo tempo, produzisse a integração dos autores à sociedade? Seria possível imaginar uma justiça que, atuando além daquilo que se convencionou chamar de "prática retributiva", trouxesse mais satisfação às vítimas e às comunidades? Os defensores da justiça restaurativa acreditam que sim.

Minha humanidade está vinculada com a sua humanidade

O pesquisador Albert Eglash é apontado como o primeiro a ter empregado a expressão "justiça restaurativa", em um texto de 1977 intitulado "Beyond Restitution: Creative Restitution" (Além da reparação: reparação criativa). As práticas de justiça restaurativa, entretanto, são muito antigas e estão alicerçadas nas tradições de muitos povos no Oriente e no Ocidente. Princípios restaurativos teriam mesmo caracterizado os procedimentos de justiça comunitária durante séculos. Essas tradições foram sobrepujadas pelo modelo de justiça criminal tal como o conhecemos hoje em praticamente todas as nações modernas, o que torna especialmente difícil imaginar a transposição de seu paradigma. De fato, a idéia de justiça criminal como o equivalente de "punição" parece já assentada no senso comum, o que é o mesmo que reconhecer que ela se tornou cultura. Zehr (1990) descreve o problema afirmando que:

> É muito difícil compreender que o paradigma que consideramos tão natural, tão lógico, tem, de fato, governado nosso entendimento sobre crime e justiça por apenas alguns poucos séculos. Nós não fizemos sempre da mesma forma e, em vez desse modelo, as práticas de justiça comunitária acompanharam a maior parte de nossa história. Por todo esse tempo, técnicas não-judiciais e formas não-legais de resolução de conflitos foram amplamente empregadas. As pessoas, tradicionalmente, eram muito relutantes em apelar para o Estado, mesmo quando este pretendia intervir. De fato, quem apelasse ao Estado para a persecução penal poderia ser estigmatizado por isso. Por séculos, a intervenção do Estado na área de persecução criminal foi mínima. Assim, era considerado um dever das comunidades resolver suas próprias disputas internas.

Todo esse largo período da história da civilização aparece para a noção de direito como subsumido pela extensão das práticas de vingança pessoal e pela imposição de medidas violentas e arbitrárias. Por certo, poderemos selecionar práticas com essas características e concluir que as tradições que antecedem o direito penal moderno foram, tão-somente, sinônimo para a vontade do mais forte. O que autores como Zehr pretendem demonstrar é que conclusões desse tipo desconsideram a concomitância de outras práticas pelas quais valores importantes e não-violentos eram também afirmados.

Antes da "justiça pública", não teria existido tão-somente a "justiça privada", mas, mais amplamente, práticas de justiça estabelecidas consensualmente nas comunidades e que operavam através de processos de mediação e negociação, em vez da imposição pura e simples de regras abstratas. O movimento da justiça comunitária em direção a um sistema público de justiça retributiva pôde ser observado na Europa ocidental a partir dos séculos XI e XII com a revalorização da Lei Romana e com o estabelecimento, por parte da Igreja Católica, da Lei Canônica. As práticas antigas sobreviveram em muitos países, de uma forma ou de outra, até, pelo menos, o século XIX, quando o modelo contemporâneo se impôs como a única regra aceitável. Essa mudança operou uma revolução cujo centro foi a criação de um modelo de justiça criminal separado do modelo de justiça civil, o estabelecimento do monopólio estatal para lidar com os conflitos definidos como "criminais" e a idéia de que a punição deveria ser normativa. Tal revolução, segundo Zehr (2003: p.77), teria sido largamente negligenciada pelos historiadores.

Essa mudança que se constrói ao longo dos séculos é constitutiva da modernidade e implica a proeminência de vários princípios jurídicos. Primeiramente, as vítimas deixam de ter qualquer papel importante no processo penal, pois são substituídas pela autoridade do Estado. A própria idéia de "crime" é alterada pelo arcabouço do direito penal: o crime passa a ser entendido como a ruptura do texto legal. Não se trata mais, então – como para a justiça comunitária –, de reatar o equilíbrio após a ruptura das relações sociais produzida pela conduta indesejável. Por decorrência, é a figura do autor, do responsável pela conduta infracional, que monopoliza todas as atenções e é contra ele que o próprio aparato de justiça é erguido. Os efeitos de seus atos e os danos por eles causados já não importam para essa nova justiça. Na origem desse fenômeno é possível encontrar fatores os mais variados, mas parece claro que os próprios interesses políticos dos governantes em marcar seu poder através de práticas coercitivas, tanto quanto o interesse em aplicar multas aos infratores, cumpriram papel relevante. Van Ness e Strong fazem a distinção entre o modelo antigo e o novo em um quadro comparativo (ver a seguir).[2]

Os mesmos autores observaram que sociedades pré-coloniais africanas estiveram muito mais preocupadas em enfrentar as conseqüências experimentadas pelas vítimas do que voltadas aos objetivos de punição dos agressores. Nos modelos então vigentes, o decisivo era restaurar a posição anterior desfrutada pelas vítimas, e as sanções aplicadas aos responsáveis estavam diretamente conectadas a esse objetivo.

PADRÃO ANTIGO	PADRÃO ATUAL
Crime	
Ofensas às vítimas e às suas famílias no contexto da vida comunitária	Violação da lei
Partes	
Vítimas, agressores, comunidade e governo	Agressores e governo
Objetivos	
Reparar danos causados e restabelecer relacionamentos	Reduzir futuras violações da lei através da reabilitação/punição e/ou incapacitação

Mqeke (1995) descreve que as nações africanas construíram práticas de justiça pelas quais o mais importante era "restaurar o equilíbrio abalado na comunidade". Llewellyn e Howse (1998) observam que o conceito africano de *Ubuntu* sintetiza a concepção filosófica que embasou essas práticas. Segundo ele, a humanidade é compreendida como uma relação natural entre as pessoas. Os autores explicam a idéia com a seguinte passagem de Villa-Vicencio:[3]

> O entendimento africano tradicional de *Ubuntu* afirma o vínculo orgânico da humanidade, um vínculo realizado dentro e através das outras pessoas. A noção está presente no provérbio Xhosa: "*umuntu ngumuntu ngabantu*", que poderia ser traduzido como: "uma pessoa é uma pessoa através das outras pessoas". *Ubuntu* é comumente descrito através da seguinte fala: "eu sou porque você é" ou "minha humanidade está vinculada com a sua humanidade".

Se pudermos definir nossa humanidade dessa forma, tendo como pressuposto nossa relação com os demais, então o dano causado a quem quer que seja produzirá um dano em nós mesmos. Muito além da punição do agressor – pela qual se produz um novo dano –, o importante é reparar o mal causado e restabelecer o relacionamento entre as pessoas, compreendendo-se que todas foram, de alguma forma, feridas pelo ato indesejável.

Um exemplo contemporâneo forte de práticas restaurativas pode ser encontrado no Japão. À primeira vista isso parece estranho porque a sociedade japonesa possui, para todos os efeitos, um sistema de justiça criminal moderno que opera com base nos mesmos princípios vigentes no Ocidente. Fortemente influenciados pelo modelo germânico, os japoneses incorporaram ao seu ordenamento jurídico garantias bastante similares àquelas que podemos encontrar em qualquer país ocidental. Ocorre que, ao lado desse sistema formal e hierárquico, opera uma tradição sem qualquer equivalente no Ocidente – um determinado padrão de "confissão-arrependimento-perdão" que está distribuído em todas as fases da persecução criminal, desde o primeiro interrogatório policial até a última sessão do tribunal. A maioria dos acusados pela prática de algum delito confessa, mostra arrependimento, negocia o perdão com suas vítimas e se submete inteiramente ao poder das autoridades. Como retribuição, essas pessoas são tratadas com compreensão e ganham a expectativa de remições futuras.

Para autores como Halley (1989), essa tradição japonesa assinala algo de importante que já não é mais reconhecido como valor no Ocidente. Não apenas a disposição de confessar e de se arrepender, por parte dos infratores, mas, especialmente, a disposição de perdoar por parte das vítimas – que passam a ser elementos decisivos para a atividade jurisdicional. A depender das reações e atitudes tomadas pelas partes há outra situação, outro relato e, por decorrência, outra sentença. Para o mesmo autor, há motivos suficientes para justificar a hipótese de que o padrão japonês de reconhecimento de culpa e arrependimento tem contribuído para a redução do crime nos termos inéditos verificados naquele país. Esse padrão, portanto, consiste em negociações diretas com as vítimas para a reconstituição dos prejuízos e na obtenção do perdão como precondição para um tratamento judicial mais favorável, evitando longas sentenças de prisão.

Seria ainda possível identificar práticas de justiça restaurativa contemporâneas no contexto das populações aborígines do Canadá e na tradição Maori na Nova Zelândia, entre outras. A concepção teórica moderna de justiça restaurativa, todavia, oferece uma idéia sistematizada sobre objetivos e procedimentos de tal forma que, antes de tudo, se identifique quando estamos lidando com práticas restaurativas e, assim, seja possível avaliar concretamente os resultados alcançados com o paradigma proposto.

Os princípios teóricos da justiça restaurativa

O paradigma da justiça restaurativa é contrastante com o da justiça criminal. Isso não significa que seus procedimentos só sejam aplicáveis em casos criminais. Pelo contrário, pode-se argumentar que esses procedimentos são aplicáveis de forma mais ampla ainda quando se tratar de casos não criminais. Na verdade, como será visto, os pressupostos teóricos da justiça restaurativa tendem a apagar as diferenças entre o direito penal e o civil.

Johnstone (2003: p.9-11) oferece boa demonstração disso ao sistematizar o contraste entre os modelos de justiça penal e civil, para, depois, resumir algumas das características dos processos restaurativos:

No modelo de justiça criminal

- O foco da atenção oficial é direcionado para o ato infracional e para seu autor.

- Esse ato é construído como uma transgressão das leis fundamentais da sociedade; o infrator fez algo que a sociedade proíbe porque o ato é danoso ou imoral.
- O Estado inicia a ação legal contra o infrator em nome da sociedade.
- O Estado também detém o poder exclusivo de dar continuidade ou não à ação e pode, em princípio e em muitas situações, prosseguir com a ação mesmo quando a vítima não o deseje.
- Se a ação do Estado é vitoriosa – isto é, quando o acusado é considerado culpado –, o infrator é punido, ou seja, alguma perda ou sofrimento lhe são impostos. Caso o ato infracional seja considerado sério, o autor será encarcerado.
- Esse processo pressupõe um considerável estigma sobre todos aqueles considerados culpados – na verdade, há um estigma inclusive sobre a situação de ser suspeito. Mais especificamente, os condenados pela justiça criminal sofrem sempre considerável perda em sua reputação moral. Esse estigma permanecerá muito tempo depois de o condenado haver cumprido sua sentença, e é comum que o acompanhe por toda a vida. Ex-prisioneiros dificilmente conseguirão, em decorrência disso, reintegrar-se plenamente à vida social. Em alguns países, perderão para sempre alguns direitos básicos – como o direito ao voto, por exemplo.
- Em função dos danos causados por esse processo, se sustenta que é preciso oferecer aos acusados todo tipo de garantias processuais de tal forma que se reduzam os riscos de injustiças. O Estado terá de provar que o acusado é culpado, a corte deverá se pronunciar de maneira fundamentada e só poderá condená-lo diante da inexistência de dúvidas, as regras de todo o processo devem ser detalhadas e seguidas à risca, sob pena de nulidade etc.
- Os acusados possuem o direito de mentir em sua própria defesa. (Falar a verdade é algo que, em nosso sistema, só se exige das testemunhas compromissadas. Réus possuem o direito de mentir. O modelo anglo-saxão é diferente: nele, os acusados também devem falar a verdade, sob pena de perjúrio.)

No modelo de justiça civil

- O foco é direcionado para o ato danoso e para as perdas resultantes dele.
- O ato danoso é concebido como uma violação de direitos praticada por uma pessoa contra outra.
- A parte que se considera lesada inicia a ação legal contra a parte ofensora em seu próprio nome. A parte que dá início à ação pode decidir interrompê-la, o que é muito comum quando um acordo é alcançado por negociação direta entre as partes.

- Se a ação iniciada pela parte que se considera lesada for vitoriosa – isso é, se o acusado for considerado responsável pelo dano ou pela perda causada em função de suas atitudes – o responsável será obrigado a compensar a parte injuriada. Isso pode ser bastante oneroso, mas o responsável não será preso.
- Não há, a rigor, estigma social que se abata necessariamente sobre o condenado. Mesmo quando puder ser identificado, ele será muito menor do que aquele resultante de condenação criminal. As conseqüências sobre a reputação moral do condenado também serão pequenas ou nulas.
- Por conta do fato de que os prejuízos causados ao condenado não serão tão estigmatizadores, há menos preocupações quanto a oferecer ao acusado garantias processuais. Além disso, é possível que uma decisão judicial seja tomada em favor da parte lesada com base, apenas, em evidências, e não necessariamente em provas cabais. Acordos firmados entre as partes são não apenas comuns, mas encorajados pelos procedimentos processuais.

No modelo de justiça restaurativa

- A abordagem restaurativa foca sua atenção no ato danoso e nos prejuízos que resultaram dele. Ao contrário do modelo criminal, então, a orientação não é unidirecionada, mas envolve um olhar mais amplo que se preocupa também com a situação da vítima.
- Como no modelo de justiça civil, o ato danoso é construído, essencialmente, como algo de errado que uma pessoa fez para outra. A justiça restaurativa não nega aquilo que a justiça criminal enfatiza tanto: a repercussão social do ato infracional. O que ocorre é que ela se preocupa mais com o dano produzido à sociedade do que com o fato de ter havido uma violação da lei. Além disso, sustenta que, por mais importante que seja a repercussão social da infração, essa importância será sempre secundária quando comparada aos prejuízos e ao sofrimento que foram impostos diretamente à vítima.
- Como no modelo de justiça criminal, o Estado inicia a ação contra o acusado. Mas, como no modelo de justiça civil, a abordagem restaurativa parte do pressuposto de que a iniciativa deve ser feita em nome da vítima, e não em nome da sociedade. Não há uma definição consensual a respeito da possibilidade de as vítimas interromperem o curso de uma ação nesse modelo, mas toda a abordagem está direcionada para a conquista de um acordo entre as partes.
- Em algumas abordagens de justiça restaurativa presume-se que a vergonha experimentada pelo infrator diante de pessoas que lhe são

> importantes – não apenas familiares, mas amigos etc. – e que são chamadas a audiências ou encontros cumpre papel positivo em todo o processo. Essa é, particularmente, uma das características da reflexão de John Braithwaite, um dos mais influentes teóricos restaurativos. Nesses casos, estaríamos diante de um determinado estigma. A diferença, contudo, é que ele seria sempre limitado a um grupo de pessoas e se tornaria realidade em um contexto quase privado. O objetivo das audiências e encontros, de qualquer forma, é a superação da vergonha através da integração legitimada entre o infrator e a comunidade.

Braithwaite, todavia, chama a atenção para o fato de que, em que pese toda a semelhança com os pressupostos da justiça civil, a idéia de "restauração" dentro do modelo restaurativo é bastante diversa da idéia de "compensação" no modelo civil. Ele insiste que, nos procedimentos de justiça restaurativa, embora seja raro, pode-se até empregar o recurso de estabelecer um valor monetário para reparar danos, mas tudo aquilo que *puder* ser reparado monetariamente receberá menos atenção no processo, uma vez que seu foco deve ser o trauma psicológico ou o dano emocional sofrido pela vítima.

Zehr (2003: p.81-2) propõe um quadro demonstrativo do contraste entre os modelos contemporâneos de justiça retributiva e justiça restaurativa (ver a seguir). No modelo de justiça restaurativa, de fato, parte-se do princípio de que todo dano causado por alguém rompe o equilíbrio das relações sociais em determinada comunidade. Essa ruptura produz várias situações indesejáveis, parte delas diretamente perceptíveis, como sofrimento por parte da vítima. Pois bem, para a justiça restaurativa a principal preocupação após a notícia do fato é a de restabelecer as relações sociais; vale dizer, reconstruir o equilíbrio rompido. Para isso, entretanto, será necessário descobrir, tão exatamente quanto possível, qual a extensão do dano produzido. Nesse movimento, sabemos que a vítima foi diretamente afetada. Dar-lhe a palavra e permitir que ela ocupe o papel central no processo é a melhor maneira de saber o verdadeiro dano por ela experimentado.

Contudo, os danos produzidos pela ação indesejável não se limitam à vítima. A comunidade local é também atingida porque uma das suas promessas – seja a garantia de uma convivência pacífica, se estivermos tratando de violência, ou a garantia de respeito e consideração entre todos, se estivermos tratando de condutas danosas não violentas – foi atacada diretamente. É necessário, então, que a comunidade tenha um papel a desempenhar no processo. O que é menos óbvio é que o infrator também irá experimentar danos por conta de sua própria ação. Primeiramente, será estigmatizado pelos demais. A depender da gravidade do seu ato, poderá ser excluído do convívio social por uma sentença de prisão, seus familiares sofrerão por conta disso e assim sucessivamente.

PARADIGMA DA JUSTIÇA RETRIBUTIVA	PARADIGMA DA JUSTIÇA RESTAURATIVA
Crime definido como violação do Estado	Crime definido como violação de uma pessoa por outra
Foco no estabelecimento da culpa, voltado para o passado (ele/ela fez isso?)	Foco na solução do problema; atenção direcionada para o futuro (o que deve ser feito?)
Relações adversárias e processo normativo	Relações de diálogo e negociação normativa
Imposição de dor para punir e prevenir	Restituição como meio de tratar ambas as partes; reconciliação como objetivo
Justiça definida como intenção e como processo: regras de direito	Justiça definida como relacionamentos corretos: julgada pelos resultados
Natureza interpessoal do conflito obscurecida, reprimida: conflito visto como entre o indivíduo e o Estado	Crime reconhecido como conflito interpessoal: valor do conflito reconhecido
Um dano social substituído por outro	Foco na reparação do dano social
Alijamento da comunidade que é representada pelo Estado	Comunidade como facilitadora do processo
Encorajamento dos valores individualistas e competitivos	Encorajamento da colaboração
Ação direta do Estado em direção ao infrator: vítima ignorada e infrator passivo	O papel da vítima e dos infratores é reconhecido: as necessidades das vítimas são reconhecidas e os infratores são estimulados a assumir responsabilidades
Responsabilização do infrator definida com a punição	Responsabilização do infrator definida a partir do entendimento do mal causado e da decisão de reparar o dano
Infração definida puramente em termos legais, independentemente das condições sociais, econômicas, políticas, culturais etc.	Infração definida a partir de um amplo contexto
Débito do infrator ante o Estado e a sociedade abstratamente	Débito do infrator ante a vítima
Resposta focada no comportamento passado do infrator	Resposta centrada nas conseqüências danosas do comportamento do infrator
Estigma do crime é irremovível	Estigma removível através da ação restaurativa
Nenhum estímulo ao arrependimento e ao perdão	Possibilidade de arrependimento e perdão
Dependência de profissionais do direito	Envolvimento direto dos participantes

Para a justiça restaurativa, o procedimento-padrão das sentenças criminais contemporâneas impede que esse infrator seja colocado em face das circunstâncias de dor e prejuízo produzidas por seu ato. No processo criminal moderno, ele jamais será obrigado a conhecer essa realidade. Tampouco será confrontado pelo desafio de fazer algo que diminua a dor da vítima ou repare o prejuízo que ele próprio causou.

Em um sistema retributivo, o que se espera do infrator é que ele suporte sua punição; para a justiça restaurativa o que importa é que ele procure restaurar ativamente a relação social quebrada. Para isso, os procedimentos restaurativos deverão considerar a situação vivida pelo infrator e os problemas que antecederam e agenciaram sua atitude. Assim, paralelamente aos esforços que o infrator terá que fazer para reparar seu erro, caberá à sociedade oferecer-lhe as condições adequadas para que ele possa superar seus mais sérios limites – como, por exemplo, déficit educacional ou moral, condições de pobreza ou abandono.

A simples imposição da pena serve para que os infratores evitem a responsabilidade pelo que fizeram, porque lhes permite chamar a atenção para a injustiça que estão sofrendo na forma de punição. A justiça restaurativa exige que os infratores olhem para as vítimas e para eles próprios a partir do que fizeram, o que não permite a fuga de responsabilidades.

Aqui, a teoria da neutralização, proposta na década de 1960 por David Matza e Gresham Sykes, oferece um ponto de apoio importante à proposição que sustenta a necessidade de encontro entre infratores e vítimas. Segundo a teoria, os infratores compartilham com as demais pessoas uma perspectiva de justiça e de respeito à lei.[4] O que ocorre, então, é que atos ilegais eventualmente praticados aparecem "legitimados" em sua autoconsciência a partir de alguns mecanismos psicológicos que lhes permitem "suspender" a vigência dos valores de respeito à lei. Tais mecanismos operam como técnicas de neutralização e seriam de 5 tipos:

Negação de responsabilidade

O infrator entende que foi vítima de uma circunstância que o conduziu a uma situação muito além do seu controle. "Isso não foi minha culpa!"

Negação do dano

O infrator supõe que seu ato não causou, verdadeiramente, algum dano sério, e que a vítima pode suportar facilmente o prejuízo causado. "Por que toda essa confusão? Ora, eles têm muito dinheiro..."

Negação da vitimização

O infrator assume que seu ato não foi, afinal, tão errado, porque a vítima bem merecia o dano; na verdade, ela não seria exatamente uma "vítima". "Eles colheram as conseqüências do que fizeram."

Condenação dos condenadores

Os que condenam são vistos como hipócritas que culpam os outros por conta de seus próprios erros. "Eles provavelmente fazem coisas muito piores todos os dias."

Apelação a uma lealdade superior

O infrator entende que determinadas regras sociais devem ser quebradas para que eles mantenham sua lealdade a algum valor apresentado como superior. "Meus amigos dependiam de mim, o que você queria que eu fizesse?"

Essas técnicas possibilitariam aos infratores uma convivência mais harmônica com seus atos infracionais. O encontro com as vítimas, dentro de um modelo de justiça restaurativa, tornaria muito mais difícil manter construções ficcionais desse tipo, fazendo com que os infratores enfrentem a realidade dos danos causados.

Quando os defensores da justiça restaurativa falam em "restaurar as relações sociais", o que têm em mente é um objetivo mais complexo do que repor o *status quo ante*. A razão óbvia é que a situação anterior ao ato que produziu o dano pode ser, ela mesma, injusta. Pense-se, por exemplo, na situação vivida pela África do Sul durante o regime de *apartheid*. Um procedimento de justiça restaurativa que pretendesse restaurar as relações sociais naquela sociedade haveria de repor integralmente os parâmetros do racismo. Não estamos diante de um preciosismo acadêmico, mas de uma definição essencial para que se possa alcançar a justiça como o compreenderam os próprios sul-africanos. Durante o período de debates na Comissão de verdade e reconciliação daquele país, uma das posições sustentava que a construção de uma sociedade justa e multirracial, onde todas as pessoas fossem tratadas com o mesmo respeito e consideração, seria uma resposta suficiente às violências praticadas no passado. A posição vitoriosa no debate, entretanto, foi a de que os procedimentos necessários à própria construção dessa sociedade justa não poderiam desconsiderar a necessidade da reparação por uma série de atos praticados em nome do racismo.

Esse exemplo ilustra a idéia de que os procedimentos da justiça restaurativa começam com a quebra do relacionamento social, mas o que deverá ser restaurado não é a veracidade desse relacionamento, e sim um ideal de igualdade na sociedade. Para a definição de "relacionamento ideal", a maioria dos autores tem insistido em valores como dignidade e respeito. Um ideal que sobrevive, pelo menos enquanto tal, quando direitos básicos – como a segurança – são respeitados, ainda que o contexto mais amplo esteja marcado por desigualdades e injustiças sociais. Pode-se "fazer justiça", de qualquer modo, em sociedades fraturadas pela desigualdade. A importância dessa possibilidade para os mais humildes, especialmente, deveria ser suficiente para que determinadas visões aparentemente radicais que sustentam a falta de sentido de idéias como "direito" ou "processo legal" em sociedades desiguais fossem simplesmente esquecidas.

Para Tony Marshal (1985), justiça restaurativa é um processo em que as partes envolvidas em determinado erro ou delito encontram-se para resolver coletivamente como lidar com as conseqüências do fato e com suas implicações futuras. Os infratores poderão restaurar suas próprias reputações através da reparação e estarão mais habilitados a reintegrar-se plenamente à sociedade tendo resolvido sua culpa por meio desse caminho. Para Marshal, a reparação pode se dar através de pagamento em dinheiro à vítima, trabalho feito para ela, esforço dedicado a uma causa comunitária escolhida pela vítima, pela realização de determinadas obrigações ou tarefas por ele assumidas – como freqüentar um curso ou iniciar um tratamento – ou, ainda, por uma composição dessas possibilidades. Para os casos em que não se conhece o infrator ou em que as vítimas não desejem qualquer tipo de contato com ele, encontros "temáticos" podem ser realizados. Para isso podem ser selecionados, de um lado, um grupo de infratores que tenham cometido o mesmo tipo de infração e, de outro, pessoas que tenham sido vitimadas por ela. Assim, mesmo na ausência de uma relação direta e causal entre vítima e infrator, teríamos um encontro que simbolizaria legitimamente essa relação.

A moderna produção teórica sobre o tema tem destacado uma redefinição do crime como dano causado às vítimas e à paz comunitária, enfatizando a necessidade de recompor os prejuízos causados. Tais definições descritivas, entretanto, podem autorizar uma compreensão limitada a respeito da justiça restaurativa, permitindo que ela seja identificada com a idéia de restituição. Ocorre que a restituição pode ser o resultado de um processo de justiça criminal e, nesse caso, nada possui de "restaurativo". O trabalho duro em uma prisão ou o cumprimento de uma agenda de serviços comunitários podem ser formas de restituição dentro de um contexto punitivo. Em alguns casos, esse tipo de providência pode, inclusive, tornar impossível a restauração. Bastaria, para isso, imaginar um roubo praticado por alguém que passa fome ou por um dependente químico em busca de meios para adquirir drogas ilegais. Em casos desse tipo, a exigência pura e simples de restituição dos valores subtraídos só agravaria a situação do infrator, fazendo com que fosse impossível para ele alcançar uma situação de igualdade, dignidade e respeito. Em geral, o que temos aqui, como em todos os processos retributivos, é uma transferência do dano para o infrator – o que parece ser sustentado pelo senso comum com a idéia de que deixá-lo pior fará com que a vítima fique melhor.

Na verdade, a dor infligida ao infrator não fará bem à vítima, nem lhe trará garantias. Em alguns casos, especialmente em crimes graves praticados com violência, o sofrimento do infrator pode oferecer algum tipo de "conforto" à vítima. Nos EUA, por exemplo, familiares de pessoas assassinadas possuem o direito de assistir à execução dos condenados à morte. Nesse ponto, o que devemos nos perguntar é se esse sentimento de conforto moral não é exatamente o mesmo que vingança. E se, em decorrência disso, uma sociedade que permite que seus instrumentos de justiça sejam identificados com a vingança pode produzir, de alguma forma, a justiça.

Na verdade, o que as punições produzidas pela justiça criminal permitem é que ambos, infrator e vítima, fiquem piores. A retribuição tende a legitimar a paixão pela vingança e, por isso, seu olhar está voltado, conceitualmente, para o passado. O que importa é a culpa individual, não o que deve ser feito para enfrentar o que aconteceu e prevenir a repetição do fato.

Quando contornamos a necessidade de encarar a dor dos infratores terminamos por lhes assegurar o caminho mais simples para que continuem não reconhecendo a dor experimentada pelos demais. Na sua compreensão, se ninguém se importa com eles, não há razão para que se importem com alguém. A chance de fazer com que eles sintam o drama dos que os cercam pressupõe o reconhecimento de seus próprios sentimentos como algo que importa à justiça. Particularmente o isolamento social e a estigmatização lhes oferecem uma experiência de sofrimento que ainda não foi adequadamente estudada. Ora, se toda dimensão de seus atos aparece apenas como culpa, então o que há de indesejável e/ou perverso em sua conduta é uma construção social pela qual os vínculos dessa pessoa com sua comunidade e com as relações em sua própria história desaparecem.

O sujeito que surge desse "corte" é uma abstração tão grande quanto o tipo penal no qual será enquadrado. Ele já não existe como realidade complexa e multifacetada; não é mais propriamente sequer uma pessoa. O que ele é, ou o que restou dele, mal ultrapassa a realidade do medo ou da raiva que provoca. A possibilidade de reparar o mal praticado, nesse sentido, importa não apenas às vítimas, mas também – e em uma medida essencial – aos infratores.

As vítimas, por sua vez, possuem duas necessidades básicas: precisam recuperar o controle sobre suas vidas e garantir seus direitos. Quando o dano causado for reparado, as vítimas estarão em condições de reiniciar suas vidas em uma posição justa. A primeira providência necessária nesse marco conceitual é o reconhecimento de que uma violação foi praticada. Exige-se, nesse ponto, não apenas o reconhecimento do infrator, mas a solidariedade da comunidade. Isso não parece ser algo simples porque, muitas vezes, as próprias vítimas sofrem danos subseqüentes por conta do preconceito social. Isso fica evidente, por exemplo, quando se imagina que o dano produzido só ocorreu por conta do comportamento da própria vítima, por algo que ela teria feito ou por atitudes de precaução que teria negligenciado. Essa é uma resposta que deriva de nossos próprios temores, identificada na literatura com a expressão "culpem a vítima".

Temos, de qualquer maneira, dificuldades de lidar com as vítimas porque temos medo do crime. Elas nos lembrariam nossa própria vulnerabilidade, da mesma forma que um doente terminal nos lembra nossa finitude. A tendência, então, é a de negligenciar a vítima e, não raras vezes, culpá-la. Dessa estigmatização se produz, normalmente, o isolamento. O interessante nesse ponto é que as vítimas compartilham com os agressores a necessidade de reintegração social.

Pelo que já foi dito, fica evidente que a concepção teórica da justiça restaurativa é totalmente relacional. Através dela, procura-se atingir os objetivos a partir da compreensão de que os seres humanos existem por conta da consideração dos demais. Afinal, essa é a condição que nos afasta de uma natureza "fantasmagórica" pela qual poderíamos existir sem sermos notados ou sem qualquer relação com os outros. Não somos totalmente independentes, nem totalmente dependentes. Somos *interdependentes*. A justiça, então, enquanto estiver preocupada com as pessoas, deve voltar sua atenção para as relações entre elas. Esse ponto de partida permite desdobramentos inéditos e nos afastará da concepção individualista da agência humana e do próprio modelo de justiça evidenciado nas concepções punitivas.

A teoria na prática

Braithwaite (2003: p.83-4) inicia um de seus textos sobre justiça restaurativa relatando os destinos de dois adolescentes que praticaram o mesmo ato infracional – um roubo.

O primeiro, preso em Halifax, foi condenado a 6 meses de encarceramento. O rapaz havia sido vítima de abuso sexual quando criança e a experiência de privação da liberdade lhe sobreveio como uma maldição. Ele sofreu novas violências na prisão para jovens infratores e, como não bastasse, ainda se tornou dependente de heroína. Após o término da sentença, voltou às ruas e, então, passou a cometer uma série de novos delitos, dessa vez para sustentar a dependência química. Durante 20 anos, sobreviveu roubando carros, arrombando residências e vendendo drogas até morrer em uma sarjeta – morte pela qual ninguém ficou de luto.

O segundo adolescente, de nome Sam, também foi detido pela polícia após um roubo. Em vez de ser encaminhado ao sistema de justiça criminal, foi referenciado junto a um mediador para um processo restaurativo. Na tentativa de montar uma conferência com pessoas que realmente importavam a Sam, o mediador perguntou por seus pais. O garoto informou, então, que os detestava porque havia sido abusado por eles. Por conta disso, morava na rua. Sam disse que se seus pais fossem convidados para a conferência ele não colaboraria em nada. O mediador, então, começou a perguntar pelos demais parentes, até descobrir que o garoto tinha em boa conta sua irmã mais velha e um tio de nome George, pessoas com quem, entretanto, não mantinha contato há anos. Professores da escola? Não, ele odiava a todos também. Sam havia abandonado a escola porque, afirmava, os professores o tratavam "como se ele fosse lixo". A única exceção era um antigo técnico da equipe escolar de hóquei, que o havia valorizado e estimulado no esporte.

Assim, a irmã mais velha, o tio George e o treinador de hóquei foram localizados e convidados a participar da conferência com Sam, a vítima do roubo e sua filha. Esses 6 participantes sentaram-se na sala formando um círculo. O mediador iniciou a reunião lembrando a Sam que, mesmo tendo admitido a autoria do delito, ele teria o direito de alterar sua versão caso desejasse enfrentar um julgamento comum. Sam foi solicitado, então, a relatar com suas próprias palavras o que ocorreu. Ele murmurou que precisava de dinheiro para sobreviver, que avistou a senhora com a bolsa e, então, decidiu empurrá-la e sair correndo com o objeto.

Tio George foi questionado sobre o que pensava disso. Ele respondeu que Sam tinha sido um bom garoto, mas que a ocorrência, em si mesma, era inaceitável. "Eu nunca pensei que você pudesse chegar a ponto de cometer um ato violento; você já havia deixado seus pais muito tristes e, agora, veja só o que você fez a essa pobre senhora..."

O antigo treinador de hóquei afirmou que jamais poderia imaginar que Sam fosse capaz de fazer algo assim. Ele disse que o garoto era problemático na escola, mas que ele havia identificado um lado afetuoso e educado em Sam que parecia estar em contradição total com a ocorrência.

A irmã de Sam foi convidada a dar seu depoimento, mas estava muito emocionada para falar. O mediador, então, solicitou que a vítima contasse o que havia ocorrido e como ela se sentia. A senhora relatou que teve muitos problemas, primeiro para cancelar os cartões de crédito e, depois, porque não pôde comprar as coisas de que ela e a filha necessitavam aquele dia. Sua filha explicou que a pior conseqüência enfrentada por sua mãe foi a de que, desde o dia do assalto, ela não conseguia mais sair à rua sozinha porque imaginava que o infrator estaria à espreita para roubá-la novamente.

Nesse ponto, Sam parecia estar emocionado com o relato e sua irmã começou a soluçar. Por conta disso, o mediador estabeleceu um intervalo na conferência. Com a ajuda de tio George, ele procurou confortar a irmã de Sam. Foi quando ela falou que compreendia o que se passava com o irmão porque também havia sido abusada por seus pais. Tio George não tinha conhecimento dessa situação e ficou chocado. Quando a conferência foi retomada, a irmã de Sam começou a falar, de forma doce e amorosa, olhando diretamente nos olhos do rapaz. Pela primeira vez, ele não pôde evitar um olhar direto na conferência. Ela disse que sabia como ele se sentia com relação aos pais e que podia compreendê-lo. Não explicou nenhuma razão para isso e nem seria necessário fazê-lo. Sam pareceu compreender exatamente o que ela queria dizer.

Após essa fala, Sam disse que sentia muito pela perda que havia imposto à vítima e que gostaria de devolver o dinheiro caso tivesse um trabalho. Assegurou à vítima que jamais esteve à espreita dela e que ela poderia sair à rua sem qualquer receio. A senhora, então, disse que se sentia mais tranqüila. Disse também que gostaria de receber seu dinheiro de volta, mas que desejava ouvir os demais sobre o que poderia ser feito para que Sam pudesse encontrar um trabalho.

A irmã de Sam afirmou que o garoto poderia morar com ela por um tempo e que não precisaria mais ficar na rua. O treinador de hóquei disse, então, que tinha alguns "bicos" para oferecer a Sam, o que seria suficiente para que pudesse devolver o dinheiro roubado. Afirmou também que se Sam trabalhasse bem, ele se comprometeria a escrever uma carta de recomendações para ajudá-lo a conseguir um verdadeiro emprego. Tio George, por sua vez, disse que ajudaria a irmã de Sam com as despesas extras que teria e colocou-se à disposição dos dois para estar presente caso necessário.

A conferência foi, assim, encerrada, e os compromissos de restauração foram selados. Antes de sair, a vítima abraçou Sam e, sem conseguir conter as lágrimas, desejou-lhe "boa sorte" enquanto o rapaz se desculpava mais uma vez. Alguns meses depois, o dinheiro foi devolvido à vítima por conta do trabalho de Sam. Todos manifestaram satisfação com o encontro e seus resultados. A vítima e sua filha declararam que a conferência foi uma experiência enriquecedora em suas vidas. Sam enfrentaria, ainda, muitos problemas nos anos subseqüentes, mas terminou superando o risco de uma vida dedicada ao crime e viveu o suficiente para acompanhar o enterro de tio George e de sua irmã mais velha.

Com esse contraste, baseado em relatos reais, Braithwaite nos diz bastante a respeito das possibilidades abertas pela justiça restaurativa. Talvez mais do que qualquer explanação teórica a respeito. O exemplo da conferência com Sam serve também para que a idéia da "reintegração através da vergonha" seja mais bem compreendida. De fato, o teórico australiano sustenta que a experiência das conferências permite que as diferenças entre "vergonha" e "estigmatização" tornem-se evidentes. Através da estigmatização propiciada pela justiça criminal, os infratores são tratados como pessoas más que praticam atos maléficos. Através da "vergonha reintegrativa" é possível recriminar o mal causado por pessoas que, entretanto, seguem sendo tratadas como pessoas, simplesmente. O que significa o reconhecimento de que elas também são capazes de praticar o bem.

Os procedimentos de justiça restaurativa exigem que as partes exponham com toda a franqueza seus sentimentos, angústias e temores, e tornem claras suas expectativas. Cada uma delas deverá ser tão verdadeira quanto possível. A idéia de que devam "contar suas verdades" é fundamental para o sucesso de todo o empreendimento restaurativo. Esse compromisso pode ser conquistado porque todo o processo é voluntário. Ou seja, não funcionará, efetivamente, se as partes forem obrigadas a integrá-lo.

No sistema de justiça criminal, os acusados possuem todos os incentivos para esconder a verdade, para minimizar suas responsabilidades e para mentir em sua defesa. Essas características são um pressuposto lógico do sistema que se volta integralmente para a comprovação da culpa e para o estabelecimento da pena. Em um processo de justiça restaurativa, pelo contrário, o que se pretende é a produção de um encontro no qual as partes possam falar e ser ouvidas. Nessa experiência, vítimas, infratores e comunidades confrontam suas versões, reconhecem as perspectivas divergentes, superam mitos e preconceitos e produzem uma verdade consensual.

A história da filosofia é marcada por uma intensa discussão a respeito da verdade, e não é objetivo deste texto entrar em digressões a esse respeito. De maneira geral, penso que a idéia de "verdade intersubjetiva", muito cara para a justiça restaurativa, encontraria apoio nas concepções desenvolvidas por autores como Habermas.[5] Seja como for, o importante é assinalar que a justiça restaurativa persegue apenas uma verdade – aquela produzida pelas partes no que foi reconhecido como responsabilidade e no que foi acordado como reparação.

Os encontros são decisivos para a restauração e desafiam os estereótipos pelos quais a segregação costuma ser justificada. Os infratores ouvirão das próprias vítimas o mal que causaram, e saberão, por esse relato, as repercussões de seus atos. As vítimas, pela simples disposição de ouvir o que os infratores têm a dizer, reconhecerão neles a mesma humanidade pela qual se definem e saberão estar não diante de uma entidade maligna e abstrata, mas de uma pessoa que cometeu um gesto condenável. A comunidade, por sua vez, saberá reconhecer em ambos uma parte de si mesma.

Observa-se, aqui, um processo em que as pessoas convidadas para os encontros/conferências são aquelas que podem oferecer o maior apoio possível às partes envolvidas no conflito; pessoas especialmente importantes e significativas tanto para a vítima quanto para o infrator, e que estão lá para ajudá-los. Em um julgamento comum, exatamente ao contrário, as pessoas convidadas a testemunhar são tão mais "valiosas" quanto maiores forem os danos que possam oferecer à outra parte.

Para que tudo isso se torne possível, os encontros deverão ser presididos por um facilitador. Ele não deverá dirigir os encontros, mas sim adotar uma postura que permita que as próprias partes o façam. Isso não significa que seu papel seja menos importante. Em primeiro lugar, o facilitador/mediador oferece a garantia simbólica de que os procedimentos de justiça restaurativa serão garantidos. Cabe a ele assegurar que as regras do encontro sejam estritamente observadas, que nenhuma ameaça seja aceita, que ninguém interrompa a narrativa dos demais etc. Ele também prepara os encontros com audiências preliminares em separado com as partes, de forma que elas fiquem inteiramente informadas dos objetivos do processo e possam esclarecer suas dúvidas, entre outras coisas. Esse cuidado é essencial até para que as partes sejam convencidas das vantagens do processo. O facilitador deverá, também, assegurar que todos sejam tratados com o mesmo respeito e que um determinado equilíbrio de poder se estabeleça no encontro. Esse equilíbrio permitirá que o acordo sobre a reparação seja, de fato, uma afirmação da justiça.

Como centro de todos os procedimentos, o encontro é onde as coisas acontecem e isso se dá sob o imperativo da narrativa. O que significa dizer que tudo o que for incluído ou excluído do processo estará demarcado pelo que for dito no encontro. O desejo da vítima, por exemplo, deve oferecer uma referência fundamental para o infrator, que estará obrigado, por conta do acordo final, a uma série de objetivos reparadores. Isso não significa, entretanto, que qualquer desejo da vítima seja legítimo. Ainda que o infrator estivesse disposto a aceitar um acordo de natureza humilhante ou com disposições abusivas, isso não seria aceito pela intervenção do facilitador, porque acordos assim violam os objetivos da justiça restaurativa.

Essa é a razão pela qual, em muitas experiências com justiça restaurativa, procura-se manter as garantias e regras formais existentes em processos criminais. Assim, por exemplo, no sul da Austrália, as partes podem consultar seus advogados antes de firmarem qualquer compromisso; nos EUA, os advogados podem suspender o processo caso considerem que as garantias de seus clientes estão sendo desrespeitadas; e, na Nova Zelândia, o facilitador pode requisitar a presença de um advogado para amparar uma das partes, mantida a obrigação do Estado de garantir a assistência jurídica.

Seja como for, pode-se afirmar que reparar o dano imposto a outrem é, quase sempre, um processo dolorido. O que se rejeita, então, não é o sofrimento em si, mas o sofrimento imposto de forma gratuita, desconectado da própria natureza das medidas necessárias para a reparação.

Os procedimentos de justiça restaurativa podem oferecer um guia para a ação em contextos diversos, inclusive para a execução das penas de privação de liberdade. Isso exigirá que, desde a admissão do condenado em um presídio, sejam levantadas as informações necessárias, especialmente aquelas sobre suas origens e limitações, sobre as vítimas de seus atos e, sempre que possível, sobre a extensão dos danos por ele causados. Isso poderá permitir que se elabore um plano individualizado e restaurativo de execução da sentença e será particularmente útil para a definição do trabalho prisional.

O prisioneiro deverá aceitar a responsabilidade por seus atos e estar disposto a dar início a uma experiência de reparação para suas vítimas. O trabalho no qual deverá se engajar, por sua vez, estará, na medida do possível, conectado com as necessidades da comunidade. Por conta disso, esse trabalho será percebido como socialmente útil e, portanto, valoroso. Esse ponto é muito importante porque permite desmistificar o trabalho prisional mais amplamente encontrado em todo o mundo.

Na verdade, o trabalho realizado pelos prisioneiros é, quase sempre, aquele necessário à manutenção da prisão. Assim, boa parte dos presos que trabalham está envolvida em tarefas de limpeza, cozinha ou administração das casas prisionais. Trata-se de uma forma de ocupação que não profissionaliza os sentenciados – ou seja, um tipo de atividade que não lhes permite o desenvolvimento de qualquer habilidade ou conhecimento e que será inútil para a reintegração social.

Andrew Coyle (2001) sustenta que as evidências disponíveis confirmam o entusiasmo e a dedicação dos presos sempre que percebem que seu trabalho é importante para alguém – especialmente para aqueles considerados mais desafortunados que eles próprios.

Obviamente, a introdução de procedimentos restaurativos em uma prisão deve informar todas as práticas de gestão, com especial ênfase nas regras disciplinares. Em vez da aplicação pura e simples de punições administrativas, a restauração dos danos causados pela conduta dos presos devem permitir a remodelação de todo o ambiente interno – normalmente muito mais opressivo do que o necessário para a execução de uma sentença de privação de liberdade.*

Avaliando os resultados da justiça restaurativa

Os programas de justiça restaurativa são recentes e a experiência acumulada é ainda pequena para autorizar conclusões mais sólidas. A Nova Zelândia, entretanto, oferece uma boa chance de exame, porque já utiliza há mais tempo esse tipo de justiça. Nesse país, passou-se a empregar a nova abordagem prioritariamente no trato com adolescentes infratores em 1989. Atualmente, já há vários casos de procedimentos de justiça restaurativa para crimes praticados por adultos – incluindo crimes graves e violentos. Também tem sido usada uma espécie de "audiência familiar" como forma de encontro. A idéia, que parte de uma antiga tradição Maori, é a de permitir que pessoas realmente importantes para cada uma das partes estejam presentes nos encontros e testemunhem seus resultados.

* Apenas um país assumiu o desafio de estabelecer um sistema prisional orientado por procedimentos de justiça restaurativa, a Bélgica – cuja experiência, nesse ponto pelo menos, deve ser mais bem conhecida.

Não apenas membros da família, mas também amigos ou pessoas estimadas pela partes são solicitados a participar ativamente.

Morris (2002) sustenta que os indicadores disponíveis para reincidência são muito menores nos casos em que a nova abordagem é empregada. Pesquisas na Nova Zelândia têm demonstrado que as vítimas se satisfazem mais com os processos de justiça restaurativa e que os infratores consideram-nos, com freqüência, mais "justos".[6] Outros trabalhos que acompanharam os resultados obtidos na Austrália com esse tipo de proposta para adolescentes em conflito com a lei demonstraram os mesmos resultados (Strang et al., 1999).

Procedimentos de justiça restaurativa têm sido parte importante dos esforços por justiça realizados na África do Sul e têm funcionado, em muitos outros países, na forma de projetos-piloto ou atendendo a determinadas áreas ou tipos de crime. Na Inglaterra e no País de Gales há, atualmente, 11 projetos em funcionamento que trabalham com essa proposta.

Há, por certo, limitações para a proposta de justiça restaurativa. A primeira – e possivelmente a mais importante – é que esse é um sistema de participação voluntária. Isso coloca, de imediato, a questão do que se poderia fazer com aqueles acusados que não aceitem participar do processo. Essa é a razão pela qual as experiências com esse tipo de justiça devam, talvez, conviver por longo período com o sistema de justiça criminal. Esse deve ser também o motivo pelo qual alguns autores como Hudson et al. (2002: p.471), por exemplo, sustentam que devemos trabalhar no sentido de uma integração entre os dois sistemas, criminal e restaurativo, de tal forma que possamos manter, do primeiro, seus procedimentos, padrões e garantias e, do segundo, seus objetivos.

Seja como for, pelo menos um autor importante entre os defensores da justiça restaurativa – na verdade, um de seus precursores –, o norueguês Niels Christie, sustenta que os processos restaurativos não devem depender da participação voluntária. Para ele, os infratores deveriam ser obrigados a participar do processo. Outra diferença importante é que Christie não descarta, a princípio, a possibilidade de que o infrator receba uma punição. O que ele sustenta é que todo o processo deve estar direcionado para a restauração e que, nesse sentido, os interesses da vítima são prioritários. Uma vez que tenham sido equacionados, o processo de justiça restaurativa poderia se colocar a seguinte questão: "Ainda é necessário que o infrator sofra algum tipo de punição, desconectada dos objetivos da restauração, para aquele caso em particular?"

Pode-se afirmar, também, que os procedimentos de justiça restaurativa quanto a casos que envolvam crimes – especialmente crimes com violência – estarão sempre na dependência de programas de boa qualidade oferecidos pelo Estado para o apoio às vítimas e para o tratamento de agressores. Países como o Brasil, marcados pela desigualdade social e pela miséria, exigiriam, além disso, recursos de assistência social mais efetivos que pudessem ser, também, utilizados por essa proposta restaurativa de forma a assegurar relações de dignidade entre as partes – o que sabemos não ser tarefa simples.

As palavras de sir Charles Pollard – ex-chefe de polícia de Thames Valley que introduziu vários procedimentos de justiça restaurativa, inclusive para queixas contra a polícia – nos oferecem, de qualquer maneira, uma síntese apropriada para um desafio novo e fascinante:

> ... o que estamos abordando envolve uma redefinição a respeito da posição das vítimas no sentido de que elas devem ser o coração do processo judicial. O que estamos abordando envolve a necessidade de os agressores enfrentarem as conseqüências de suas ações, se responsabilizarem por elas, se desculparem por elas e se esforçarem no sentido de um encontro desafiador com suas vítimas para o estabelecimento de um programa de tarefas de reparação. O que estamos abordando é um processo que promova resultados positivos para todos. Para as vítimas, o sentimento de que a justiça foi feita em um caminho real e envolvente, e para os agressores, a chance de mudarem seu comportamento para melhor... Apenas a justiça restaurativa pode permitir o encontro de todas as expectativas das vítimas, dos agressores e da comunidade, sendo ao mesmo tempo dura e justa. Em resumo, esse é um cenário de "ganha-e-ganha" para se lidar com o crime. A razão disso é que a justiça restaurativa muda a maneira pela qual pensamos o crime. Em vez de apresentá-lo como violação impessoal da lei e como assunto do Estado, apresenta-o como na verdade é – uma quebra de civilização humana, pessoal e emotiva entre o agressor, a vítima e a comunidade.[7]

O que se procura superar com a nova abordagem é o jogo de "soma zero" que o sistema criminal vigente estabelece para as relações entre vítima e infrator. Na verdade, o atual sistema de justiça criminal é avaliado pelo montante de punições que produz. Ou, dito de outra forma, pelo montante de dor que produz. Para a justiça restaurativa, importa o montante de dor que é reparado. Nessa diferença, ao que tudo indica, podemos identificar uma esperança que, sem trocadilho, vale a pena.

CAPÍTULO 8

ESTATÍSTICAS CRIMINAIS

Ou a conta de Humpty-Dumpty

Quando Alice encontra Humpty-Dumpty,[1] o homem em forma de ovo, em *Através do espelho*, inicia com ele um diálogo memorável a respeito do significado das coisas e das palavras. Todo o capítulo permite, na verdade, uma séria discussão sobre semântica e lógica. Para Humpty-Dumpty, o significado das palavras deveria ser aquele que ele emprestasse a elas. Ele as fazia "trabalhar" e "lhes pagava um adicional" sempre que isso ocorria. Para Humpty-Dumpty, era possível fazer o que se desejasse com os adjetivos, mas algumas palavras eram "temperamentais". Os verbos, por exemplo, eram muito "orgulhosos" etc. Fundamentalmente, contudo, ele dizia que "sabia manobrar o bando todo".

O pressuposto dessa posição – que correspondia, tanto quanto se sabe, às posições de Lewis Carroll – é o nominalismo medieval que encantou Guilherme de Occam e que segue sendo defendido pelos empiristas lógicos modernos. Independentemente das implicações filosóficas, o texto todo é muito engraçado e expressa a genialidade de um escritor que foi, antes de tudo, um inventor. Em certo momento do texto, Alice pergunta se era mesmo possível fazer com que as palavras significassem tantas coisas diferentes. Então Humpty-Dumpty responde: "A questão é saber quem vai mandar – só isso." (Carroll, 2002)

Quando examinamos dados estatísticos devemos ser, sempre, muito cautelosos. Mas quando examinamos dados estatísticos sobre criminalidade, seria conveniente lembrarmos de Humpty-Dumpty, porque iremos nos deparar muito freqüentemente com somas que expressam apenas aquilo que alguém desejou expressar, e nada mais.

Já sublinhamos a necessidade de se contar com dados elementares a respeito da incidência e da natureza das ocorrências criminosas caso se deseje construir uma política de segurança pública. Prover os gestores na área da segurança com dados relevantes constitui, de fato, o pressuposto básico para uma ação profissional bem-sucedida. Tradicionalmente, os principais recursos de informação utilizados pelas polícias em todo o mundo foram os seus próprios registros de ocorrências – o que, percebe-se, corresponde ao modelo reativo de policiamento, já criticado.

O primeiro problema no uso desses dados é que eles nunca refletem o volume real ou aproximado dos crimes praticados, mas, na melhor das hipóteses, daqueles que foram reportados à polícia. Por isso, ainda que os registros de ocorrência possam oferecer um instrumento importante de avaliação ou mesmo dados úteis dentro de certos limites, uma política de segurança que se baseie neles será sempre limitada, porque estará estruturada em dados que expressam uma distorção evidente. Nesse sentido, não deixa de ser impressionante que ainda hoje, no Brasil, se procure estabelecer iniciativas na área de segurança a partir do exame desse tipo de material e que os órgãos de imprensa sigam realizando coberturas e reproduzindo "conclusões" a respeito do aumento ou da diminuição da criminalidade com base em boletins de ocorrência. O que se pode afirmar, quanto a essas expectativas, é que dizem respeito a uma "pré-história" da profissionalização policial – e, também, da crônica policial.

Dados criminais registrados pela polícia podem aumentar significativamente, por exemplo, caso o trabalho policial se faça mais presente junto às comunidades, ou caso a polícia inaugure novos serviços. Assim, uma estratégia de policiamento comunitário (PC) que reforce os vínculos de confiança entre os cidadãos e a polícia permitirá que uma parte importante das subnotificações criminais torne-se conhecida a partir de novos registros. O mesmo irá acontecer, por exemplo, quando uma região com histórico de violência doméstica passar a contar com uma competente Delegacia da Mulher. Nessas duas hipóteses, teríamos um aumento no número de fatos criminosos comunicados à polícia graças à melhora dos serviços policiais e não por conta de um aumento real no número de crimes praticados.

O inverso também pode ser verdadeiro. Uma diminuição do trabalho policial, uma maior desatenção daqueles encarregados dos registros, denúncias de corrupção, violência policial etc. implicarão uma queda no número de ocorrências. No entanto, essa queda não terá ocorrido na vida real.

Ainda que nada disso aconteça, que o trabalho policial permaneça constante e as relações e expectativas construídas entre a cidadania e as polícias continuem as mesmas, poderemos observar mudanças de comportamento entre as vítimas induzidas por outros fatores. Determinadas condutas antes toleradas ou sequer percebidas como criminosas passam a ser comunicadas à polícia. Ou, ao contrário, fatos anteriormente registrados deixam de sê-lo, dependendo da atenção e do destaque conferidos pela mídia a eles, por exemplo. Possibilidades variadas, como uma mudança nas providências exigidas pelas seguradoras que dispensasse a cópia do registro de ocorrência nos casos de furto de automóveis, fariam o registro desse tipo de crime – atualmente próximo a 100% dos casos – despencar, e assim sucessivamente. Van Dijk (1996), com base em um estudo comparado dos dados das pesquisas mundiais de vitimização realizadas pelo Unicri, observou que:

> No nível individual, aqueles que não dispõem de seguro possuem menores probabilidades de registrarem um arrombamento à polícia. Na maior parte dos países africanos e sul-americanos apenas cerca de 10 a 20% daqueles que responderam às pesquisas possuem seguro contra roubo em suas residências. Na maioria dos países industrializados, entretanto, as taxas de seguro contra arrombamentos são de, no mínimo, 70%. Entre esses países, aqueles que possuem as taxas mais baixas de seguro (Itália e Espanha) apresentam, também, as taxas mais baixas de registros de arrombamento à polícia. Em um nível agregado existe, obviamente, uma forte associação entre a cobertura de seguros contra arrombamentos e as taxas de registro policial. Considerações de ordem financeira parecem ter importante papel no processo de tomada de decisão das vítimas, nesse caso, para um contato direto com a polícia.[2]

Essa situação fez com que Monet (2001: p.164) concluísse que, se o nível estatístico da criminalidade depende das decisões tomadas pelas vítimas, e como nada permite, *a priori*, garantir que essas decisões sejam estáveis no tempo, deve-se admitir que o "crescimento" da criminalidade dos últimos 20 anos se explique, pelo menos em parte, por uma modificação na atitude das vítimas.

As pesquisas de vitimização

Muitas inovações têm sido introduzidas em todo o mundo no que diz respeito à coleta dos dados necessários ao trabalho das polícias. A principal delas, já referida no primeiro capítulo, é a realização das pesquisas de vitimização. O procedimento é relativamente simples e corresponde, em linhas gerais, à metodologia empregada pelos institutos de pesquisa quando da realização de sondagens da opinião. Uma amostra significativa e socialmente representativa de entrevistas colhidas em domicílios sorteados irá permitir a coleta de informações a respeito de pessoas vitimadas em um espaço definido de tempo. A tradição de pesquisas nacionais de vitimização mais consolidada, nos EUA e no Reino Unido, por exemplo, tem realizado pesquisas anuais.

Além dos dados sobre a incidência de fatos criminosos (dos quais, obviamente, estão excluídos os homicídios), as pesquisas de vitimização colhem dados sobre as circunstâncias do crime e sobre o perfil das vítimas, o que permite uma visão muito mais ampla do que aquela que se pode extrair dos boletins de ocorrência. Essas pesquisas têm sido utilizadas também para medir a chamada "sensação de insegurança" ou "medo do crime", e para medir o grau de confiança e de satisfação das pessoas em relação à polícia e a seu trabalho. O total de respostas positivas para a lista de crimes apresentados aos entrevistados é, então, projetado para o conjunto da população – o que oferece uma estimativa do número total de crimes praticados no período.

Naturalmente, as pesquisas de vitimização também possuem limites. Não medem, por exemplo, os crimes praticados contra pessoas jurídicas ou as agressões que costumam vitimar crianças. Como são realizadas nas residências, segmentos marginalizados como moradores de rua, acampados ou mesmo pessoas "institucionalizadas" em asilos, abrigos, hospitais psiquiátricos e prisões ficam fora do cômputo geral. Essa lacuna não deixa de ser importante, já que a vitimização desses grupos é muito maior do que aquela de qualquer segmento entre os socialmente "incluídos".

Há também, apesar do emprego de técnicas que propiciam respostas feitas diretamente na tela de um computador portátil sem que o entrevistador possa vê-las (*computer-aided self-interviewing* – Casi), problemas de subnotificação para os casos de violência doméstica contra mulheres e, certamente, omissões derivadas do esquecimento das vítimas. Maguire (2002: p.355-6) assinala que a primeira pesquisa de vitimização em Islington indicou que 1/3 das residências foram afetadas por roubos ou agressões sexuais em 12 meses – um dado muito maior do que o British Crime Survey averiguou para o país. Essa pesquisa também comprovou que as mulheres brancas jovens que viviam nessa área tinham 29 vezes mais chances de serem agredidas do que as mulheres da mesma região com mais de 45 anos. Além disso, alguns incidentes que não são considerados crime – como assédio sexual, por exemplo – também deveriam ser medidos pelas pesquisas. A pesquisa em Islington mostrou que 2/3 das mulheres com menos de 24 anos foram assediadas sexualmente nos 12 meses anteriores.

Outro trabalho[3] verificou um percentual de 59% de mulheres entrevistadas em Leeds que haviam sofrido algum tipo de ameaça, violência ou assédio sexual no ano anterior. Uma pesquisa de Painter baseada em uma amostra representativa de mais de 1.000 mulheres casadas constatou 14% de relatos sobre estupro praticados pelos maridos, e mais de 40% das mulheres interpretou a conduta como estupro na época em que ela ocorreu.[4]

Um estudo de 1997, em Edimburgo, averiguou que 28% das mulheres de 16 anos ou mais haviam tomado parte em atividades sexuais forçadas; cerca de 17% delas haviam sido forçadas a fazê-lo no último ano. Uma em cada 10 mulheres sustentaram terem tomado parte repetidas vezes em atividades sexuais forçadas.[5]

Já Painter e Farrington verificaram, em uma amostra de 1.000 mulheres, que 24% das casadas haviam sido agredidas pelos maridos e, entre as divorciadas e separadas, 59% relataram casos de violência física.[6] Violência contra a mulher é o motivo principal de, pelo menos, 1 em cada 3 processos de separação na Inglaterra e no País de Gales.[7] Em todo o Reino Unido, se contabilizou 1 chamada por socorro a cada 2,5 minutos durante o ano de 1996/1997. Foram ao todo 145.317 na Inglaterra, 14.948 na Irlanda do Norte, 49.717 na Escócia e 17.500 no País de Gales – dando um total de 227.482 chamadas.

De qualquer maneira, sabe-se que, na Inglaterra, apenas 8% das mulheres vítimas de estupro e 18% das que são agredidas fisicamente registram a ocorrência.[8] Seja como for, as pesquisas de vitimização constituem, atualmente, o recurso mais amplo e mais aproximado de que se pode lançar mão em qualquer tentativa de dimensionamento da criminalidade e da violência.

As novas técnicas para coleta e processamento de dados na área da segurança pública permitem que tenhamos, hoje, informações muito importantes sobre as circunstâncias do crime. O aspecto "espacial" dessas informações permitiu o desenvolvimento da "criminologia dos espaços urbanos". Através desse desenvolvimento, condições do meio ambiente (novos designs para residências e conjuntos habitacionais, iluminação das ruas, remoção de obstáculos que possam ser funcionais à prática do crime etc.) são alteradas de forma a prevenir determinadas ocorrências.

O detalhamento das informações, por sua vez, permite aos gestores "desagregarem" os dados, superando, dessa forma, a tendência de as ocorrências serem tratadas a partir da tipologia penal. Assim, por exemplo, não há mais sentido em se tratar estatisticamente fenômenos tão diversos quando um assalto a banco e um assalto a um jovem na saída de um bar sob a mesma denominação de "roubo". Pelas mesmas razões, um rótulo relativamente preciso, como "incêndio premeditado", pode se referir, indiscriminadamente, a problemas muito diferentes como vandalismo, psicopatia, destruição de evidência criminal, crime econômico e intimidação criminosa (Goldstein, 1990). Ao desagregar informações, criando-se classificações mais específicas, as tendências criminais são mais bem identificadas, o que fornece indicadores mais precisos sobre as medidas preventivas a serem tomadas.

Graças a esses e outros procedimentos técnicos, sabemos hoje que o fenômeno da transgressão legal é muito mais amplo e complexo do que já se imaginou no passado. A própria divisão do mundo entre "criminosos" e "não-criminosos" parece já não dar conta de determinadas situações reveladas por estudos que demonstram que muitas pessoas sem passagem pela polícia e sem "carreiras criminais" já praticaram algum tipo de crime, inclusive crimes graves. Uma análise dos registros criminais britânicos, por exemplo, mostra que 1/3 dos homens nascidos na Inglaterra no ano de 1953 recebeu pelo menos uma condenação criminal até a idade de 46 anos. Se tivermos em mente que esses registros estão longe de refletir o número total de crimes praticados, poderemos perceber a extensão do problema.

Dados estatísticos, de qualquer forma, só expressam qualidades determinadas quando desagregados e devidamente interpretados. Nesse ponto, vale a pena chamar a atenção para as possibilidades infinitas de se produzir significados a partir da maneira como as próprias informações são aglutinadas. Nas sociedades modernas, as maiores preocupações com relação à criminalidade dizem respeito à violência e aos riscos que ela pressupõe. Assim, a expressão "crimes violentos" sugere, inequivocamente, maior gravidade. Aparentemente, estaríamos diante de um conceito imediatamente compreensível. Na prática, não é assim tão simples isolar o que são "crimes violentos", expressão com a qual cobrimos diferentes práticas, situações e comportamentos.

Levi e Maguire (2002: p.796) demonstraram que atentados terroristas, gangues juvenis lutando ou se intimidando reciprocamente nas ruas, lutas corporais, homicídios, assaltos à mão armada, estupros e graves ameaças são todos "crimes violentos", embora digam respeito, quase sempre, a grupos de pessoas que nada possuem em comum e a situações completamente diferentes. Poderíamos, ainda, somar a isso as ocorrências de mortes e ferimentos por conta de acidentes de automóvel, acidentes de trabalho ou decorrentes da exposição freqüente de trabalhadores a ambientes insalubres e/ou perigosos à saúde – como minas, fábricas, indústrias químicas etc. –, além de muitos outros tipos de crimes. Para sabermos, então, se os "crimes violentos" estão aumentando ou diminuindo, será preciso prestar atenção aos critérios pelos quais se considera violenta uma ocorrência e como elas são reunidas ou separadas.

A história é ainda um pouco mais complicada porque não podemos admitir que, ao falarmos de violência, estejamos nos referindo a um fenômeno identificado e reconhecido por todos da mesma forma. Tal lembrança é, aliás, especialmente significativa para os que orientam suas ações por uma perspectiva humanista. Soares (1996: p.292) assinala, de maneira apropriada, que:

> O uso das mesmas palavras (crimes, delitos, violência urbana ou crimes violentos) por pesquisadores diferentes ou em contextos distintos não significa que todos sempre estejam falando do mesmo objeto. Assim como nós – participantes da cultura dos direitos humanos – quando nos preocupamos com a violência e nos referimos a ela em nossas conversas não estamos falando da mesma coisa de que falam tantos outros, que também se preocupam com a violência e também tratam dela em seus discursos ordinários, propondo linchamentos e execuções de criminosos. A violência de que falamos inclui as atitudes, os discursos e as posturas daqueles que defendem os linchamentos e as execuções punitivas. Eles são parte de nosso problema.

O que demonstram os "self-reported studies"

Os estudos de crimes auto-relatados (*self-reported studies*), em que se oferece ao entrevistado garantia absoluta de sigilo e/ou anonimato, passaram a ser realizados a partir da década de 1950. Em um trabalho pioneiro, Porterfield examinou os registros criminais de 2.049 jovens encaminhados à justiça em Fort Worth, Texas, e identificou 55 tipos diversos de crimes pelos quais estes foram acusados.[9] Depois disso, entrevistou 200 jovens do sexo masculino e 137 do feminino, de três faculdades do norte do Texas, para descobrir se e em que freqüência aqueles estudantes – que jamais haviam sido conduzidos à justiça – haviam praticado algum daqueles 55 delitos.

Para a surpresa geral, ele constatou que todos os entrevistados haviam cometido, pelo menos, um dos crimes listados. Os crimes cometidos pelo grupo de estudantes entrevistados eram tão sérios quanto os demais cometidos pelos chamados "delinqüentes" – ainda que praticados com menor freqüência.

Inspirados por esse trabalho, Wallersteins e Wylie desenvolveram pesquisa similar com 1.698 adultos – homens e mulheres – a respeito de crimes eventualmente praticados por eles até a idade de 16 anos. Usaram para isso uma listagem com 49 tipos penais. Quase todos os entrevistados relataram haver cometido pelo menos um dos crimes listados, sendo que 64% dos homens e 29% das mulheres confirmaram a prática de, pelo menos, um delito grave com uso de violência.[10]

Esses estudos foram os primeiros e, por conta disso, não contavam ainda com técnicas sofisticadas, nem foram construídos a partir de uma metodologia adequada. São estudos históricos, entretanto, que inauguraram novos caminhos para se conhecer as infrações invisíveis e que trouxeram oportunidades inéditas de pesquisa. Estudos posteriores permitiram revelações muito importantes. Assim, por exemplo, ficou demonstrado que, se considerarmos que a grande maioria dos jovens está comumente envolvida com algum tipo de atividade ilegal, apenas alguns poucos entre eles cometem crimes sérios repetidas vezes.

Gold, por exemplo, constatou um percentual de 88% de respostas afirmativas para um ou mais delitos, mas apenas 6% dos meninos e nenhuma das meninas no grupo que ele estudou haviam praticado assalto à mão armada.[11] Segundo a ampla revisão de Thornberry e Krohn (2000), esses estudos comprovaram que não havia correlação significativa do ponto de vista estatístico entre os relatos positivos para o crime feitos pelos jovens e sua origem social; a correlação era bastante fraca e não espelhava os registros oficiais. Muncie (2002: p.20) cita os trabalhos de Anderson et al.[12] e de Graham e Bowling[13] para confirmar essa mesma conclusão.

O que esses pesquisadores descobriram foi que adolescentes de classe média tinham tantas probabilidades de se envolver em crimes quanto os de famílias pobres. Essa conclusão contrasta radicalmente com os dados estatísticos produzidos pelos registros policiais. Neles a quantidade de jovens de classe média envolvidos na prática de atos infracionais é muitas vezes inferior ao seu peso social quando comparada ao número de registros envolvendo garotos pobres. Reforça-se, assim, a idéia de que as estatísticas policiais oferecem, menos do que um "retrato do crime", apenas um retrato da própria forma como a polícia trabalha.

A partir dos anos 60, os pesquisadores reconheceram o potencial desse tipo de pesquisa e passaram a incluir outros tipos de questões sobre a vida dos adolescentes, com uma escala de infrações nos mesmos questionários – para poderem explorar outras variáveis. Temas interessantes a respeito da família, dos grupos de amigos e da escola passaram a ser tratados com base na nova metodologia e despertaram cada vez mais atenção. Outro desenvolvimento importante foi a introdução de pesquisas nacionais a partir da década de 1970 com base na metodologia de crimes auto-relatados. Williams e Gold[14] realizaram a primeira pesquisa nacional a respeito do uso de drogas, com amostragem de 847 meninos e meninas entre 13 e 16 anos. Novamente, a correlação entre as características sociais e o comportamento ilegal apareceu de forma muito mitigada.

No desenvolvimento dessa metodologia de pesquisa, tornou-se evidente a necessidade de buscar respostas mais precisas que permitissem desagregar os dados. Nos primeiros estudos, era comum se oferecer aos entrevistados um pequeno grupo de alternativas de respostas para se medir a freqüência em que determinado crime havia sido cometido. Assim, por exemplo, a alternativa "freqüentemente" poderia incorporar o entrevistado que havia praticado 5 ou 50 furtos. Passou-se, então, a medir mais adequadamente a freqüência e a variedade de delitos cometidos. Para se evitar a interpretação errônea do próprio autor sobre a dimensão do ato ilegal praticado, os estudos de auto-relato modernos têm apresentado questões que se sucedem às respostas afirmativas para delitos. Eles envolvem, por exemplo, uma avaliação sobre os valores dos bens subtraídos para os casos de furto ou roubo, a extensão dos danos causados às vítimas para os casos de agressão e assim sucessivamente.

Pesquisas específicas que avaliaram a segurança desse tipo de abordagem terminaram por contestar todas as críticas existentes. A crítica mais comum quanto ao emprego da técnica dos *self-reported studies*, segundo a qual mesmo diante das garantias de sigilo as pessoas tenderiam a não relatar apropriadamente seus crimes, especialmente quando fossem graves, já foi amplamente refutada por inúmeros estudos (Huizinga, 1991; Elliott, 1994). Na verdade, o que se pode afirmar é que esse tipo de instrumento é bastante útil e, com as pesquisas de vitimização, pode descobrir tendências antes desconhecidas.

Sabe-se hoje, por exemplo, que a correlação entre crimes auto-relatados e indicadores oficiais de infração é bastante alta no caso de jovens, chegando a 0,83 segundo Hindelang et al.[15] Os jovens parecem ter o desejo de relatar seus encontros com a polícia e não vacilam em contar sua experiência com a justiça criminal. Quando compararam as informações prestadas pelos entrevistados sobre prisões sofridas com os dados oficiais a respeito, Hardt e Petersen-Hardt[16] já haviam encontrado 78% de coincidência. Resultados semelhantes foram relatados por vários outros estudos.

Outras formas têm sido utilizadas para medir a confiabilidade do método dos estudos auto-relatados. Assim, por exemplo, o Programa de Monitoramento sobre o Abuso de Drogas entre Pessoas Detidas (The Arrestee Drug Abuse Monitoring – Adam) nos EUA tem realizado entrevistas com pessoas detidas provisoriamente nas delegacias de polícia em várias cidades. Após a coleta das respostas, é solicitado aos entrevistados que, também voluntariamente, se disponham a coletar amostras de urina. Tanto as respostas quanto as amostras são coletadas de tal forma que se preserve o anonimato. Em regra, há 90% de colaboração para as entrevistas e 80% para o oferecimento de amostras de urina. Estas são testadas para 10 tipos diferentes de drogas.

O programa comparou 1.988 resultados dos exames de urina de homens detidos com as entrevistas concedidas por eles a respeito do uso de drogas (US Department of Justice, 1990) e obteve resultados variados dependendo do tipo de substância. Para o consumo de maconha em Nova York, por exemplo, 28% dos detidos haviam auto-relatado serem consumidores e 30% dos testes foram positivos. Resultados semelhantes foram verificados na Filadélfia com 28% de consumo auto-relatado para 32% de testes positivos.

Para drogas mais pesadas, entretanto, esse tipo de verificação constatou uma tendência constante para a subnotificação. Para o consumo de cocaína, por exemplo, 47% dos detidos em Nova York relataram o consumo, enquanto os testes de urina foram positivos em 74% das vezes. Ainda na Filadélfia, para citar as mesmas cidades, 41% dos detidos relataram o consumo, mas os testes foram positivos para 72% dos casos. Segundo Thornberry e Krohn (2000: p.58), níveis similares de subnotificação foram encontrados em outras cidades para outras drogas pesadas, como heroína, por exemplo. Ainda assim, a incidência de casos auto-relatados parece bastante significativa, especialmente se atentarmos para as circunstâncias específicas vividas por alguém que está provisoriamente detido e que teme que seu depoimento – ainda que diante das garantias de sigilo – possa, de alguma forma, ser usado contra ele próprio em um processo judicial.

Em um texto muito oportuno em que aponta a infração ou o desrespeito a determinadas normas legais como dizendo respeito à própria condição do "adolescer", Santos (2000: p.172) cita três trabalhos importantes sobre crimes auto-relatados entre a juventude. O primeiro é o de Kirchhoff,[17] realizado com 976 estudantes do ensino médio que colheu relatos de 9.677 infrações penais não-registradas, tais como lesão corporal, rixa, dano, furto e outras. O segundo estudo citado é o de Frehsee,[18] com 524 estudantes declarando ter cometido um ou mais delitos no período do ano anterior em uma amostra de 610 entrevistados (ou seja, apenas 86 declararam não ter cometido qualquer tipo de delito no mesmo período). Por fim, o autor cita o estudo de Shumann,[19] com 690 adolescentes, dos quais 89,45% teriam cometido um ou mais delitos no ano anterior.

Resultados muito semelhantes foram encontrados em muitas outras pesquisas. Em um dos estudos pioneiros, Elmhorn[20] obteve 92% de respostas afirmativas para "pelo menos um delito em minha vida" entre adolescentes em uma escola de Estocolmo. Cerca de 53% deles admitiram ter praticado um "crime sério" – particularmente, o furto. Farrington[21] relatou 96% de respostas afirmativas para a mesma questão entre uma amostra de pessoas de até 32 anos, e o Ministério do Interior britânico (Home Office) encontrou um percentual de 33,3% de respostas afirmativas para quando a questão se resumia a "pelo menos um crime no ano anterior" em um grupo de jovens do sexo masculino entre 22 e 25 anos (para as mulheres na mesma faixa o percentual foi de 4%).[22]

Assim, a idéia simplificadora segundo a qual a prática de delitos é, por si só, uma opção concentrada em determinados segmentos da população – notadamente entre os marginalizados socialmente – já não pode ser mais sustentada mesmo diante da concentração criminal para os casos de "infratores múltiplos". Graças às pesquisas e estudos realizados por acadêmicos, sabemos hoje que determinados crimes, como abuso sexual de crianças,[23] violência doméstica,[24] arruaças produzidas por torcedores de futebol,[25] furtos no local de trabalho[26] e uso ou tráfico de drogas[27] são cometidos por pessoas de todas as classes sociais.

Por fim, os estudos realizados a partir dos novos instrumentos de coletas de dados nos oferecem um panorama até então desconsiderado a respeito das vítimas. Hoje sabemos mais sobre seus sentimentos e expectativas e sobre o impacto moral e financeiro que sofreram, além de termos dados confiáveis sobre o medo que sentem e a imagem que fazem da polícia e do sistema de justiça criminal como um todo.

Os problemas no modo como se efetuam os registros policiais

Os dados registrados pelas polícias costumam ser marcados por outras limitações, além daquelas identificadas pela chamada cifra obscura (*dark rate*), a taxa de crimes não reportados. Maguire (2002: p.335-8), em seu estudo específico sobre as estatísticas criminais, chama a atenção para cinco delas:

Não inclusão de queixas

Cálculos do British Crime Survey (BCS) demonstram que pelo menos 40% das queixas encaminhadas pelos cidadãos à polícia terminam não sendo incluídas, por boas e más razões, nos dados estatísticos oficiais. Há uma larga discricionariedade da polícia para produzir o registro de determinada notícia-crime.

Muitas vezes, o registro não é feito porque a autoridade policial julga que a queixa não se refere a um crime; em outros momentos, o registro não é feito porque o policial julga se tratar de um crime sem importância ou porque deseja evitar mais trabalho para o departamento. Esse tipo de problema tende a ser mais significativo quando há forte pressão sobre a polícia em torno da redução das taxas de criminalidade.

Número de crimes descobertos pela polícia a partir de iniciativas específicas

Uma iniciativa simples da polícia em reprimir um tipo de crime a partir de esforços concentrados pode alterar significativamente seus números finais a respeito da criminalidade. Assim, por exemplo, se a polícia resolve, de uma hora para outra, prender todos os que operam o jogo do bicho ou que fumam maconha em shows e festivais de música, isso produziria grandes "novidades estatísticas". O argumento também é válido em sentido contrário. Assim, caso a polícia deixe de reprimir certas condutas antes tratadas como inaceitáveis, as taxas de criminalidade cairão. Sendo assim, mais uma vez, o resultado será artificial e não expressará mudanças verdadeiras, mas apenas uma mudança de atitude dos policiais. Ocorreu assim na Inglaterra, por exemplo, com o delito de "indecência entre homens", tipo penal pelo qual, historicamente, permitiu-se reprimir em locais públicos as manifestações de homossexualidade masculina. Desde a década de 1950 e começo da de 1960, a polícia britânica deixou de reprimir tais manifestações públicas. Isso produziu uma queda na "taxa de criminalidade".[28]

Critérios diversos sobre como registrar o crime

Deve-se lembrar que nem todos os delitos praticados são de responsabilidade das polícias regulares. Na Inglaterra e no País de Gales, há uma polícia que atua no setor de transportes, outra no setor de energia nuclear e uma polícia de defesa, por exemplo. Essas outras polícias – que nem sempre recebem esse nome – registram cerca de 80 mil crimes por ano. Crimes como fraudes contra o fisco não são contados nas estatísticas oficiais porque seu processo de apuração corre por vias administrativas e os casos são, normalmente, resolvidos nesse âmbito a partir de penalidades civis como multas, por exemplo. Contudo, esses delitos movimentam quantias muito superiores ao total de furtos e roubos. Antes de 1977, a regra para registros pelas polícias britânicas excluía toda queixa cujo valor fosse inferior a 20 libras; desde então, essas queixas passaram a ser incluídas nas estatísticas. Apenas essa mudança implicou um aumento de 7% na taxa anual de crimes. Além de questões dessa natureza, há ainda o problema de como os crimes são contados. Alguns tipos são repetidos em um pequeno espaço de tempo e podem ser contados separadamente ou como partes de uma mesma ação. Assim, por exemplo, um furto em um vestiário no qual o autor esvazie os bolsos de 20 pares de calças pode ser contado como um furto continuado ou como 20 furtos isolados – depende do critério empregado para o registro. A mesma ambigüidade poderá ocorrer em uma briga de rua envolvendo centenas de pessoas após uma partida de futebol; o furto de um talão de cheques seguido do uso de 20 folhas em compras fraudulentas; um caso de violência doméstica em que a mesma mulher foi espancada várias vezes, durante vários meses etc. Na Grã-Bretanha, estabeleceu-se que o critério para a contagem deve observar o número de vítimas, e não o número de ações criminosas. Quando uma pessoa relata ter sido vitimada por um mesmo agressor de maneiras diferentes – por exemplo, roubo, fraude e espancamento –, apenas o mais sério dos delitos é contado. A simples introdução desses critérios fez com que o número de crimes na Inglaterra e no País de Gales tenha subido 14% em um ano! Outro exemplo citado por Muncie (2002: p.17) relata o ocorrido em 1932, na Inglaterra, quando as autoridades governamentais decidiram que todos os casos antes registrados pela polícia como "suspeição de que algo tenha sido furtado" deveriam passar a ser registrados como "perdidos ou furtados". Essa mudança na forma de registro fez com que a taxa de furtos aumentasse 300% em um só ano! Atualmente, a polícia é instruída a registrar todas as ocorrências que lhe são apresentadas formalmente seguindo as afirmações das vítimas. Assim, se a vítima relata um roubo, isso será registrado como roubo, ainda que as investigações posteriores possam chegar a outra conclusão. Isso pôde ser visto, por exemplo, nas instruções dadas à polícia após o caso Stephen Lawrence.[29] Ela deve registrar como "motivado racialmente" qualquer caso que a vítima repute como tal, ainda que não existam evidências a respeito.

Ausência de informações sobre circunstâncias do crime, perfil das vítimas e necessidade de dados desagregados

O autor lembra que, a depender de como os números são mostrados, eles podem não permitir que se entenda o que, de fato, está acontecendo. A preocupação central aqui é com a necessidade de desagregar os dados disponíveis de tal forma que se evite tratar de condutas muito distintas sob uma mesma categoria. Isso pode ser útil, também, quando for preciso examinar e avaliar os procedimentos policiais, outro tema do qual podem decorrer repercussões importantes na forma de registro dos crimes.

Manipulação de dados

A polícia pode, por conta de razões particulares, alterar deliberadamente seus números. Isso pode ser feito para obtenção de mais verbas para a segurança, para que se mude o chefe de polícia, o secretário de segurança etc. Um trabalho de Sherman (1984) para a Police Foundation nos EUA demonstrou que as estatísticas policiais não eram confiáveis sequer para o número de prisões efetuadas. Em alguns momentos, os registros eram inflados com "prisões" que envolviam apenas a permanência de suspeitos por algumas horas nas delegacias para coleta de depoimentos. Em outros casos, e na maior parte das vezes, os registros eram subdimensionados por conta da aplicação equivocada das regras oficiais de contagem.

Situações bastante graves de deliberada "maquiagem" de dados ou criação de cifras falsas são conhecidas na Europa. Em 1986, um oficial de polícia de nome Ron Walker dirigiu-se à Scotland Yard com um relato de como 60 de seus colegas haviam "fabricado" esclarecimentos de crimes pelo telefone. Eles ofereciam favores a presos – inclusive autorização para que cometessem crimes – em troca de assumirem a responsabilidade por casos não solucionados pela polícia. A garantia é que isso seria "levado em consideração" pela Corte e que nenhum deles receberia punições extras por conta dessas confissões falsas.

Dez anos depois desse escândalo, outro policial, o detetive Peter Coles, acusou seu chefe de "organizar a desonestidade". Foi descoberto que no ano anterior, quando as autoridades alardeavam que o número de crimes teria se reduzido em 7.788, os policiais haviam feito "desaparecer" 9.175 ocorrências. Em julho de 2000, a inspeção oficial (HM Inspector of Constabulary) relatou que, em 11 forças policiais britânicas nas quais os registros foram checados, cerca de 24% deles estavam errados, seja por imperícia ou má-fé. Ao final desse mesmo ano, os políticos ingleses comemoravam uma queda nos índices de criminalidade porque as polícias haviam registrado 122.344 delitos a menos, em comparação com o ano anterior. Mas, se os dados encontrados pela inspeção oficial fossem os mesmos para as 43 forças policiais na Inglaterra e no País de Gales, então os registros inúteis ou falsos corresponderiam a 1.635.424 crimes – ou seja, mais de 13 vezes a queda anunciada!

Há alguns anos, em Kent, ficou provado que um grupo de policiais anotava placas de veículos que circulavam pelas ruas, relatavam o roubo desses carros e, depois, proclamavam que os tinham recuperado. Tudo isso para melhorar os indicadores a respeito de seu próprio trabalho. Pesquisas têm demonstrado que tais táticas são apenas a ponta do iceberg de uma tradição de se jogar com os números.[30]

Normalmente, para se medir a violência em um determinado país ou região, os pesquisadores levam em consideração a taxa de homicídios (número total de homicídios para cada grupo de 100 mil habitantes). Trata-se de um critério plenamente justificável, seja pela gravidade do crime, seja pelo fato de que os indicadores oficiais de homicídio são, em geral, muito próximos do real. Todavia, poderíamos tentar medir a violência utilizando outros critérios. Assim, no Brasil, se considerarmos a taxa de homicídios, São Paulo, Rio de Janeiro, Espírito Santo e Pernambuco são, de longe, os estados mais violentos. Mas se considerássemos outra lista de crimes, como estupro, atentado violento ao pudor, roubo e furto de veículos, homicídios dolosos, lesões corporais, extorsão mediante seqüestro, roubos, furtos e latrocínios, São Paulo continuaria na lista dos mais violentos, mas teria ao seu lado, surpreendentemente, Rondônia, Rio Grande do Sul, Amapá e Distrito Federal. Da mesma forma, se agregarmos os dados sobre crimes contra o patrimônio, serão exatamente os municípios com maior qualidade de vida (IDH) que exibirão as maiores taxas de criminalidade (Kahn, 2002: p.56-60).

A utilização da taxa de homicídios, porém, também pode encobrir características importantes sobre naturezas diferenciadas de problemas. Assim, por exemplo, se tomarmos as regiões metropolitanas do Rio de Janeiro e de São Paulo no ano de 1996, teremos taxas bastante similares: a primeira com 59,35 homicídios para cada grupo de 100 mil habitantes e a segunda com 55,58. No Rio, entretanto, se considerarmos as vítimas entre 15 e 29 anos, teremos uma taxa de homicídio 34% maior do que aquela verificada, para o mesmo grupo, em São Paulo. Além disso, as mortes por armas de fogo representam 87% dos homicídios no Rio e apenas 47% em São Paulo. Diferenças como essas importam (e muito) quando se deseja construir uma política de segurança.

Medo do crime e expectativa das vítimas

Além dessas observações, deveríamos estar atentos para o fato de que a crescente tendência de politização do tema segurança pública tem permitido a emergência de outras situações que podem falsear ainda mais os dados disponíveis. Maguire sustenta que esse fenômeno, comum a grande parte das democracias ocidentais, tem trazido como conseqüência o aumento do medo do crime e mais intolerância entre a população. Sem entrar no exame da questão, o autor assinala que "reportagens sensacionalistas da mídia e a exploração do tema pelos políticos têm se combinado produzindo a percepção geral de que o crime está 'fora de controle'" (Maguire, 2002: p.329).

Esse efeito termina se transformando em uma profecia que se autocumpre. Em muitos casos, a retórica sobre o crime produz leis criando novos tipos criminais (e, portanto, novos criminosos) em áreas de comportamento que eram previamente regradas pela lei civil.

A sensação de insegurança tem sido tratada como um fenômeno relativamente independente da própria evolução da criminalidade. Há, por certo, relação entre os dois processos, mas quase nunca uma correspondência lógica. Assim, por exemplo, o medo do crime é normalmente muito pequeno entre os adolescentes que costumam sair freqüentemente à noite. Mas eles formam um dos grupos sob maior risco nas áreas urbanas em diferentes países. Ao mesmo tempo, esse medo costuma ser bastante alto entre as mulheres idosas, mesmo que seus riscos sejam sabidamente pequenos (Hough e Mayhew, 1983).

Em relação a esse tipo de problema, entretanto, deve-se considerar também a percepção real experimentada pelas pessoas quanto a sua maior fragilidade. Assim, ainda que os riscos objetivos a que estejam expostas sejam muito menores do que os existentes para outros grupos sociais, o temor poderia ser mais bem compreendido como a sensação de que, no seu caso, os danos tendem a ser maiores. Além disso, deve-se considerar, caso se trate de mulheres, a experiência de violência doméstica que as vitima tão freqüentemente e que, por certo, agrega compreensíveis temores. O fenômeno, conhecido pelos pesquisadores como "*risk-fear paradox*" (paradoxo do medo do risco), deixa de ser tão paradoxal e parece adquirir, pelo menos nesse exemplo, um sentido óbvio.

O medo do crime tem sido construído socialmente por muitos fatores. A cobertura exagerada de crimes violentos, por exemplo, acompanhada quase sempre de apelos em favor de respostas "duras" e "urgentes", os interesses das empresas de segurança na ampliação de seus mercados e a exploração demagógica da criminalidade e da violência pelo discurso político têm desempenhado papel importante nesse processo.

Alguns trabalhos sustentam que o medo do crime não representa um problema novo que estimule a prática do crime. Não há, por outro lado, evidências empíricas para a tese segundo a qual a demanda punitiva seja causada pelo medo. Mesmo a vitimização pessoal parece não manter relações com a preferência por sentenças mais duras. O crescimento das taxas de criminalidade na Holanda, segundo observado pelo trabalho de Van Dijk (1996), não se faz acompanhar por qualquer demanda punitiva adicional. Dados de outras pesquisas e estudos comparativos chegaram às mesmas conclusões. As opiniões mais comuns sobre a necessidade de resposta "implacável" ao crime dizem respeito muito mais ao nível educacional, à idade dos entrevistados, ao papel desempenhado pela mídia na indução do medo e às posições político-ideológicas das pessoas.

Segundo o que foi revelado pelo International Crime Victim Survey (ICVS), ou pesquisa internacional de vitimização, de 1989 a 1997, as taxas médias de vitimização são atualmente muito altas em grande parte dos países africanos, onde 3 em cada 4 cidadãos já foram vítimas de algum crime. Em Uganda, por exemplo, 96% dos cidadãos já foram vitimizados pelo menos uma vez. Na Ásia, quase a metade da população já foi alvo de algum delito. Taxas para crimes violentos são mais altas na África e na América do Sul. No Rio de Janeiro, Buenos Aires, Kampala, Túnis, Dar es Salaam e Cairo, por exemplo, um em cada três cidadãos já foi vitimado.

Já os indicadores para furto de veículo são bastante diferentes, sendo bem mais altos nos países mais ricos, por motivos óbvios. Os mesmos levantamentos formularam a seguinte questão aos entrevistados: qual sentença você acharia mais adequada para um homem de 21 anos que já foi condenado uma vez e que foi capturado após ter furtado uma TV colorida? As pessoas tinham à sua disposição uma lista de alternativas. No total, 43% dos entrevistados se manifestaram a favor do encarceramento. Mais da metade das pessoas entrevistadas na África, Ásia, Europa oriental e América do Sul apoiaram a idéia de que a melhor resposta no caso seria a prisão do culpado. (Na Ásia, o Japão é uma exceção, pois apenas 23% apoiariam uma sentença de prisão nesse caso.) Mas na Europa ocidental menos de 1/4 dos entrevistados se manifestaram em favor da alternativa de prisão, e em países como EUA, Canadá e Austrália o apoio ao encarceramento alcançou algo em torno de 1/3 das respostas.

Em contraste com a imagem estereotipada de que as pessoas estariam dispostas a exigir o aprisionamento de infratores reincidentes, a pena alternativa de prestação de serviços à comunidade foi, de longe, a alternativa mais escolhida nos países da Europa ocidental. O mais interessante é que uma análise prévia sobre os dados coletados em nível individual mostrou que aquelas pessoas que manifestavam maior medo do crime e as vítimas em geral não manifestavam posições mais favoráveis à prisão do que a média dos entrevistados (Rich e Sampson, 1990; Kuhn, 1993). Segundo a pesquisa de vitimização (BCS) de 1998, 41% das vítimas na Inglaterra e no País de Gales estariam dispostas a se encontrar com os perpetradores para discutir formas de compensação.

Ao examinar tendências criminais e evolução das taxas de criminalidade é preciso, também, observar os dados em suas séries históricas, e não entre intervalos curtos de tempo. Determinadas oscilações nas taxas podem contrastar uma tendência mais representativa em termos de evolução. Quando comparamos os dados tomando como referência um período curto de tempo, terminamos considerando taxas que podem ser atípicas e chegando a conclusões distorcidas.

A polêmica sobre como interpretar a redução dos homicídios nos EUA

O problema com a distorção das conclusões é percebido quando se debate um tema complexo como, por exemplo, a redução das taxas de homicídio nos EUA. Em 1980 ela era de 10,2 para cada 100 mil habitantes. Em 1985, foi de 7,9. Depois disso, voltou a crescer, atingindo um pico de 9,8 em 1991. De lá para cá, vem caindo persistentemente, atingindo 7,4 em 1996 e 6,8 em 1997 – a mais baixa desde 1966.[31]

Segundo o estudo de Blumstein e Rosenfeld (1988), não se pode tratar a taxa de homicídios como um problema genérico, mas sim a partir de dados desagregados que permitam identificar tendências não visíveis como, por exemplo, os vários comportamentos dos diferentes grupos etários, etnias etc. Os autores chamam a atenção para o fato de que, quando a violência e o crime crescem em uma sociedade, costuma-se atribuir o fenômeno às causas supervenientes e amplas o suficiente para que se evite qualquer responsabilização (crise econômica, migrações, explosão demográfica, crise da família, ausência de valores na sociedade etc.). Já quando o crime declina, a tendência é atribuir esse resultado às iniciativas locais, de forma a capitalizar prestígio político.

O exemplo mais evidente desse "truque" foi o discurso de Rudolf Giuliani, ex-prefeito de Nova York, que vendeu ao mundo sua política de "tolerância zero" quando as taxas de homicídio caíam não apenas em Nova York, mas em todas as grandes cidades norte-americanas (onde se aplicavam outras políticas). Políticas específicas podem surtir efeitos positivos, é claro, mas esses efeitos só podem ser medidos a partir do nível em que se encontravam as taxas de crime anteriormente.

O crescimento da taxa de homicídios nos EUA até 1991 deveu-se ao aumento de crimes praticados por jovens, tendência bem mais significativa do que o declínio de crimes já observado entre as populações de mais idade. Essa tendência só se altera a partir de 1993, quando as duas populações (jovens e adultos) passam a cometer menos crimes. Blumstein e Rosenfeld, assim, sublinham que todo o aumento da criminalidade, desde o fim da década de 1980 ao início da de 1990, deveu-se à incidência de crimes praticados por jovens, uma vez que não havia um aumento de criminalidade entre as demais faixas etárias.

A letalidade dos crimes praticados por jovens nos EUA nesse período está intimamente ligada ao uso de armas de fogo. Entre 1977 e 1995, praticamente não houve mudanças nos dados para homicídios praticados com armas por adultos. Já para os jovens-adultos e adolescentes, há uma grande modificação: de 1985 a 1994, os homicídios praticados com armas portáteis cresceram 100% entre os primeiros e 300% entre os segundos.

O exame das circunstâncias desses homicídios permitirá a conclusão de que boa parte do aumento no número de mortes entre jovens-adultos e adolescentes nos EUA durante o período examinado deveu-se a uma mudança de comportamento. As rixas e disputas que antes envolviam punhos ou mesmo facas passaram a ser resolvidas com tiros. Os dados identificam, também, um problema mais grave entre os jovens e adolescentes negros, entre os quais há o maior crescimento no número de vítimas e infratores. O declínio no porte de armas entre a juventude – após a atenção dispensada pela polícia em reprimir essa conduta fortemente – é responsável pelo declínio no número de mortes entre os jovens após 1993.

O tipo de atenção oferecida pela polícia de Nova York ao problema do tráfico de armas, por exemplo, pode ser observada na seguinte declaração:

> Colocamos detetives em uma ofensiva contra as armas, com instruções para interrogarem qualquer pessoa que fosse presa durante um tiroteio ou sob acusação de porte ilegal de armas sobre onde e como adquiriu a arma. O assassino que disparou sobre estudantes judeus em um carrinho perto da rampa de acesso à ponte do Brooklyn, matando um rapaz, estava sob custódia apenas alguns dias depois. Em uma semana, o mesmo aconteceu ao traficante de armas que lhe tinha vendido a arma. No final de 1994, a polícia de Nova York tinha prendido mais de 200 traficantes de armas e confiscado suas provisões. Entre 1993 e o final de 1995, os homicídios com arma ligeira baixaram em 40% e os tiroteios baixaram em mais de 2.000 casos.[32]

Sherman et al. (1997) reproduzem essa conclusão afirmando que a hipótese do maior controle de armas talvez tenha sido um dos elementos mais importantes para se explicar a queda nos homicídios nos EUA.[33] Em 1996, 10 cidades norte-americanas – Nova York, Chicago, Dallas, Los Angeles, Detroit, Filadélfia, Washington, Nova Orleans, Baltimore e Houston –, todas com suas taxas de homicídio em queda, eram responsáveis por 25% do total de homicídios praticados nos EUA. Uma das hipóteses fortes a respeito do declínio dos homicídios nas grandes cidades está relacionada com o mercado do *crack*.

A introdução dessa droga nos EUA em meados dos anos 80 e sua disseminação nas grandes cidades até o início dos 90 poderia ser a melhor explicação para o crescimento das taxas de homicídio naquele período – o que seria consistente com os dados sobre homicídios praticados por jovens armados. A partir daí, o consumo do *crack* começou a cair, e isso talvez tenha sido uma causa importante para o declínio da taxa de homicídios. Essa hipótese ajudaria a explicar, também, as diferenças de tempo experimentadas pelas cidades norte-americanas quando as separamos entre "grandes", "médias" e "pequenas".

Há 20 anos, as taxas de homicídio também têm caído nos EUA nos casos que envolvem conflitos domésticos. É possível que isso esteja vinculado ao fato de existir cada vez menos "vida doméstica". No entanto, os serviços de assistência jurídica para prevenir e combater a violência contra a mulher e determinadas mudanças de ordem cultural que fortaleceram a idéia dos direitos da mulher têm, por certo, algo a ver com isso.

Programas de policiamento para desarmar adolescentes nos EUA tiveram muita importância. Em muitos lugares, a polícia ofereceu recompensas por informações sobre existência de armas ilegais (Charleston e Carolina do Sul, por exemplo). Em St. Louis, a polícia revistava casas suspeitas e apreendia armas ilegais sem conduzir as pessoas responsáveis a processo.

Outro trabalho importante que procurou examinar especificamente a experiência de redução do crime em Nova York é o de Fagan, Zimring e Kim

(1988). Nova York, como se sabe, constituiu uma referência para todo debate sobre o que pode ou não funcionar no combate à criminalidade. Infelizmente, em vez de os resultados positivos que têm sido obtidos estimularem um debate mais aprofundado a respeito de suas causas, o que se observa é uma recusa ao debate acompanhada pela crescente ideologização do tema a partir de sua associação com a já mencionada idéia de "tolerância zero".

O impressionante é que a taxa de homicídios em Nova York caiu 52% em 5 anos. Em 1964, a taxa de homicídios nos EUA era inferior a 5 para cada 100 mil. Em 10 anos, essa taxa dobrou, chegando a quase 10 para cada 100 mil habitantes em 1974. Depois há uma queda em meados da década de 1970 e nova subida em 1980 para os mesmos indicadores de 10 para cada 100 mil. Novamente uma queda no início da década de 1980 e outra subida para os mesmos indicadores em 1990. A taxa de homicídios volta a cair após 1991. Em 1996, Nova York teve cerca de 1.100 homicídios a menos do que em 1992.

Se separarmos as 15 maiores cidades dos EUA e examinarmos suas taxas de homicídio desde 1945, veremos que os casos de queda, para um período de 5 anos, variam desde 65%, em Pitsburg; até 15%, em Chicago – e a média de queda foi de 40%. A queda experimentada por Nova York foi a terceira na história norte-americana, atrás de Pitsburg e Houston e 25% à frente da queda média das grandes cidades. Quando se compara essa queda com a média de homicídios de 15 anos antes, pode-se, também, concluir que o tamanho dela não pode ser explicado por uma subida anormal da taxa em um período imediatamente anterior. Tal é o caso de Nova York, que, de fato, caiu bem abaixo de sua média histórica. Entre 1985 e 1991, a taxa de homicídios na cidade cresceu 56%, passando de 17,5 para 27,3 para cada 100 mil habitantes. Em 1996 essa mesma taxa era 23% menor do que a de 1985. Quando o período de observação se estende entre 6 a 10 anos, 6 outras cidades norte-americanas rivalizam com Nova York nas primeiras posições.

Tendo em vista que, em 1985, a taxa de homicídios com uso de arma de fogo foi de 88 para cada 1.000 casos, enquanto a de homicídios com uso de outras armas ou com o emprego da força física foi de 16 para cada 1.000 casos, a pesquisa revela duas tendências distintas. Homicídios sem armas de fogo declinam, consistentemente, desde 1985 até 1996. Homicídios com armas de fogo sobem até o início da década de 1990 e depois caem. As estatísticas para assaltos à mão armada seguem o mesmo padrão dos homicídios com armas de fogo.

As explicações para a queda da criminalidade em Nova York que procuram associar esse resultado às mudanças no mercado de drogas e ao encarceramento maciço daqueles propensos a praticar crimes violentos exercem grande atração sobre o público. Isso porque o tráfico de drogas e os homicídios estiveram, durante pelo menos 30 anos, muito próximos nos EUA. Os anos de maior número de homicídios na história norte-americana – 1972, 1979 e 1991 – coincidiram com a disseminação da heroína, cocaína e *crack*, respectivamente. Por essa visão, as epidemias de tráfico produzem elevação na taxa de homicídios e, em conseqüência, diminuição no consumo, a partir da retração dos mercados – o que, posteriormente, leva a uma queda na mesma taxa. Em 1995, havia 130 mil jovens brancos do sexo masculino entre 15 e 29 anos a menos em Nova York do que na década anterior, e menos 41 mil jovens negros na mesma faixa etária.

Para Fagan, Zimring e Kim, o declínio dos homicídios praticados sem armas de fogo não está relacionado a qualquer alteração nas estratégias de policiamento. Ele começa 3 anos antes das mudanças na polícia e se mantém no mesmo ritmo depois delas. Quanto aos homicídios praticados com armas de fogo, sua redução pode estar vinculada à maior presença da polícia nas ruas, mas não se pode afirmar isso com certeza. Uma das razões é que, quando se desagregam os dados de homicídios em Nova York a partir desses dois padrões – com e sem armas de fogo –, descobre-se que a queda dos homicídios praticados com armas de fogo poderia ser, apenas, um movimento cíclico após um período de alta considerável. Para os demais homicídios, não há essa relação porque eles caíram abaixo da média de 15 anos; mas para os homicídios com armas de fogo não ocorreu a mesma coisa. Para os autores, a queda sistemática dos homicídios sem armas de fogo é um mistério que deixa todas as estatísticas sobre o assunto em Nova York em um nevoeiro.

Sem desejar discorrer mais sobre esse debate, em torno do qual há outras hipóteses, penso que valeria a pena recuperar o que afirmaram Kelling e Bratton (1998). O pressuposto deles foi o de que a repressão policial aos comportamentos anti-sociais poderia prevenir o desenvolvimento dessas ações na direção de posturas criminosas mais sérias. Os autores nunca sustentaram que essa medida seria a única necessária, nem que ela deveria autorizar uma postura violenta por parte da polícia. Enfatizaram, tão-somente, que em Nova York ela teria um importante papel.

Em abril de 1989, Robert Killey, diretor dos Transportes Metropolitanos, procurou Killing para que este o ajudasse a resolver um sério problema com o metrô de Nova York. O número de passageiros estava diminuindo. As principais razões estavam vinculadas à presença de alguns moradores de rua que assustavam os usuários, às altas taxas de roubos, ao fato de as estações serem freqüentadas por viciados, à circunstância de alguns espaços públicos serem usados como banheiros, à presença de gangues que disparavam alarmes, trancavam portas e faziam arruaças etc. A empresa já havia investido muito para melhorar os equipamentos e as pichações já haviam sido eliminadas, mas, por conta daqueles comportamentos, o medo persistia e afastava os passageiros.

Nessa época, fim dos anos 80, a atitude preponderante da polícia era a de que esses problemas estavam vinculados aos "sem teto" o que, na prática, equivalia a dizer que não era um problema da alçada da polícia. Quando o enfoque foi alterado e passou-se a entender que aqueles comportamentos desordeiros deveriam ser reprimidos, foi possível conquistar uma rápida mudança e, desde então, os metrôs em Nova York estão entre os lugares mais limpos e seguros do mundo.

Aquela que ficou conhecida como a "experiência do metrô" demonstrou que a ação da polícia pode dar resultados quanto à prevenção. Para os autores, a mesma teoria foi empregada em Nova York após a vitória de Giuliani, em 1993. A polícia tinha, até então, lidado com uma história de corrupção e todos estavam suficientemente a par desse problema. O que as pessoas não sabiam é que a reação dos policiais diante das denúncias e dos processos por corrupção era de "*stay out of trouble*" – o que, na prática, significava "não fazer nada".

Um relato de duas pessoas diretamente envolvidas na administração dessa experiência parece confirmar a situação de desleixo vivida pela polícia:

> Um caso que um vice-chefe gosta de contar retrata fielmente a que ponto a estrutura policial se tornou adversa ao risco. Em um fim de semana nos finais dos anos 80, quando servia como capitão em Upper Manhattan, ele chegou ao local do delito onde dois agentes tinham detido dois traficantes de droga, um dos quais tinha tentado fugir para dentro de um apartamento. O subchefe ajudou os agentes a obterem mandados de busca para o apartamento e para um cofre que ali encontraram – o qual continha droga, dinheiro e armas. No dia seguinte, o comandante distrital, "à beira de um ataque de raiva", chamou-o para o repreender aos gritos por ter emitido um mandado. "É gente como você que causa problemas na polícia. Se uma coisa dessas acontecer de novo, você será afastado." O subchefe resume: "Eu, como capitão, não deveria encorajar esses oficiais a fazerem o seu trabalho. A minha tarefa era a de evitar que eles fizessem o trabalho da polícia."[34]

Havia, então, uma carência enorme de iniciativa e até de presença da polícia. A rigor, quase todos os policiais estavam de folga nos fins de semana, por exemplo. Internamente, as diferentes seções da polícia não se comunicavam, não trocavam informações e se organizavam de forma burocrática e ineficiente. Essas deficiências foram atacadas a partir de novas formas de gestão.

Ao mesmo tempo, a idéia amplamente difundida de que o crime era produzido pela miséria, pelo racismo e pelas injustiças sociais trazia como conseqüência quase automática a aceitação de que a polícia nada podia fazer para evitá-lo, que seu papel se resumiria a prender os criminosos que haviam praticado delitos mais sérios. Essa concepção tornou o PC impossível e a presença de policiais apenas dentro dos seus carros fez com que as cidades ficassem rigorosamente sem policiamento. As propostas mais conservadoras da direita norte-americana passavam a enfatizar a idéia de que o crime havia crescido por conta da "quebra dos valores da família" induzida pelos mecanismos de bem-estar social. Assim, o conceito de prevenção do crime estava refém das duas ideologias: a da esquerda, com a redistribuição de renda; e a da direita, com o corte nos programas de bem-estar social.

O que essas circunstâncias evidenciam é que o melhoramento das formas de organização da polícia e a estruturação de formas proativas de intervenção deveriam também ser examinadas quando se tem em conta a avaliação das causas que levaram aos resultados obtidos desde então.

Sobre o papel decisivo das pesquisas

O conhecimento sobre os principais temas relativos a segurança pública e policiamento seria inconcebível sem o desenvolvimento impressionante das pesquisas na área, especialmente nos últimos 30 anos. Considerando a tradição de pesquisas em língua inglesa, notadamente aquela construída nos EUA e na Inglaterra, teremos muitas lições importantes a aprender.

Reiner (2003: p.466), em seu trabalho sobre a pesquisa policial, oferece dados que ajudam a compreender a extensão do fenômeno. Ele lembra que, em 1989, a organização independente Police Foundation, da Inglaterra[35] – criada à imagem e semelhança de sua homônima nos EUA, presidida pelo príncipe Charles e financiada com recursos de doações privadas –, publicou seu segundo "Novo registro de pesquisas em policiamento" com os trabalhos científicos então em andamento no Reino Unido apenas sobre esse tema. Em 207 páginas, o documento listava 184 projetos distintos executados por 69 instituições – e aquela não era, ainda, uma lista exaustiva porque estava baseada, exclusivamente, em informações voluntárias dos próprios pesquisadores. A maior parte das pesquisas na época vinha de instituições não ligadas às universidades, e várias delas contavam com policiais como pesquisadores.

Os grupos e instituições dedicados a pesquisas sobre policiamento no Reino Unido atualmente envolvem, em primeiro lugar, as universidades, através de seus diversos centros de estudos sobre segurança pública e/ou criminologia. Além desses recursos, muitas pesquisas têm sido financiadas por conselhos de pesquisa e fundações. Isso sem falar no apoio de órgãos governamentais, como o próprio Ministério do Interior (Home Office), com sua reconhecida unidade de pesquisa e planejamento (Home Office's Research and Planning Unit)[36] – que agrega hoje o maior número de pesquisadores em criminologia no Reino Unido.

Somam-se a esses esforços uma quantidade enorme de ONGs e instituições independentes da sociedade civil que desenvolvem extensos programas de pesquisa na área. Como não bastasse, muitas empresas britânicas desenvolveram o saudável hábito de patrocinar pesquisas, e as próprias instituições policiais no Reino Unido passaram a montar seus departamentos de pesquisa e investir recursos neles.

Outra característica importante observável no Reino Unido é a maneira pela qual o saber científico na área influencia as políticas públicas. Nessa experiência, em particular, as decisões políticas sobre segurança pública que não estejam fundamentadas em evidências não se legitimam e costumam ser evitadas pelos gestores. O que não significa que não exista também entre os ingleses um vasto campo para a demagogia política na área.

Além da investigação propriamente científica que desbrava novos campos de conhecimento e produz um saber universalizável, há um esforço rigoroso e institucional de selecionar as alternativas disponíveis entre as várias abordagens e programas com base no paradigma do "*what works?*" (o que funciona?). Assim, desde os programas sociais de prevenção até as novas abordagens da polícia, tudo costuma ser submetido à avaliação de resultados.

Para um sistema de dados sobre a violência e a criminalidade no Brasil

A situação enfrentada pelo Brasil em relação aos dados para o estudo do crime e da violência é rigorosamente caótica. Não temos informações elementares que permitam um diagnóstico seguro sobre as tendências criminais em curso e, muito menos, dados que nos permitam aferir a eficácia de iniciativas assumidas pela polícia. Assim, não sabemos as reais dimensões do problema com que lidamos e não temos como avaliar resultados. É precisamente a falta de uma base de dados sofisticada e confiável e o ambiente de incertezas que ela cria que facilita o predomínio da improvisação, por um lado, e o fortalecimento, entre governantes e políticos, da tendência de "jogar para a torcida", por outro. Ou seja, uma elaboração errática de iniciativas visando a demonstrar ao público que "algo está sendo feito".

A carência de dados, então, é central. Mas é preciso estar atento a outras carências. Em primeiro lugar, todas as agências que lidam com o crime e a violência deveriam dispor de bancos de dados informatizados. Ainda hoje, estamos longe de alcançar esse resultado. Boa parte das delegacias de polícia no Brasil não conta com os recursos da informática e, em parte considerável daquelas nas quais esses recursos estão disponíveis, eles são subutilizados. O mesmo vale para todas as demais agências, inclusive para os órgãos judiciais que avançaram bastante na informatização.

Em seguida, é preciso sublinhar a necessidade de que os procedimentos e a natureza das informações coletadas sejam padronizados. Tome-se, por exemplo, o caso dos Boletins de Ocorrência – em cada estado há um tipo de formulário e um procedimento diferente para a coleta das informações. O resultado é uma torre de Babel. Criar um Boletim de Ocorrência padrão é, portanto, tarefa preliminar. O mesmo pode ser dito para as demais agências em contato com o crime e a violência que enfrentam problemas semelhantes.

Outro cuidado importante é o de fazer com que os dados computadorizados sejam organizados em programas compatíveis e que se permita o cruzamento dessas informações entre as várias agências. Sobre esse tema, o professor Glauco Soares (2000) sustenta, com toda a razão, a necessidade de integração entre os sistemas informatizados das polícias, da rede de saúde, dos institutos médicos-legais, do ministério público, do poder judiciário e do sistema prisional:

> Se quisermos estudar o crime, em geral, e o homicídio, em particular, a tarefa mais imediata é a construção de um *data-base integrado*, que deve incluir dados sobre, pelo menos: laudo cadavérico e atestado de óbito do IML; informações sobre a assistência e o atendimento hospitalar; registro da ocorrência; inquérito policial; informações sobre o delegado; informações sobre os policiais; informações sobre os detetives-investigadores; processo judicial; informações sobre o juiz; informações sobre o júri; informações sobre o(s) promotor(es); informações sobre o(s) advogado(s) de defesa ou defensores públicos; informações sobre a vítima; inclusive sua comunidade de origem e de residência; informações sobre a vida pregressa de todos os circunstantes; informações sobre a base populacional para computar taxas específicas por idade, gênero, estado civil etc.[37]

O autor também chama a atenção para a necessidade de se incorporar informações externas ao *data-base*, procedimento imprescindível para facilitar as pesquisas na área e que tem aberto campos de investigação na criminologia moderna. Apenas dessa forma será possível, por exemplo, comparar as características das vítimas, dos indiciados e dos condenados com aquelas do conjunto da população, na extensão desejada e de forma a cruzar os dados sobre sexo, estrutura familiar, educação, saúde, condição social, desemprego, etnia etc. Com esse procedimento, pode-se encontrar com mais amplitude e detalhamento quais as características ou circunstâncias que aumentam a probabilidade do crime ou que são, elas próprias, fatores importantes na predição da infração. Uma base de dados assim e seu cruzamento com os dados do censo possibilitaria a comparação entre diferentes regiões e entre o Brasil e outros países.

O objetivo dessa reestruturação seria o de acompanhar cada passo desde a ocorrência criminosa até a responsabilização judicial e, idealmente, para além dela no acompanhamento do que ocorre com as pessoas após a sentença. Essa integração dos sistemas informatizados permitiria, também, que se tivesse uma idéia precisa sobre qual é a "taxa de atrito" no Brasil. Ou seja, a diferença entre os crimes registrados e o número de pessoas que foram responsabilizadas por eles.

Além de levantar muitas outras hipóteses em um quadro no qual as possibilidades analíticas, hoje rigorosamente inexistentes, passariam a ser infinitas.

O que se propõe é, apenas, uma reforma incontornável que já foi realizada em todas as nações democráticas do chamado primeiro mundo. Entre as possibilidades virtuosas dessa reforma devemos destacar, naturalmente, as chances de que se permita uma explosão de pesquisas inovadoras na área de segurança pública em nosso país – o que, por sua vez, permitiria que se alcançasse a fusão do saber científico com o saber que emerge da prática policial. Essa reforma expressaria, na verdade, um momento de "virada" em uma história na qual a improvisação, a incompetência e o desperdício dos recursos públicos têm sido conseqüência do "paradigma da cegueira" com o qual as forças de segurança pública e a opinião pública no Brasil são obrigadas a lidar.

NOTAS

Capítulo 1: A síndrome da Rainha Vermelha (da p.21 à p.66)

1 Bittner, E. (1974), "Florence Nightingale in Pursuit of Willie Sutton". In: Jacob, H. (org.), *The Potential for Reform of Criminal Justice*. Beverly Hills, Sage, p.30. Citado por Goldstein, H. (2003), p.60.
2 Schwartz, R., e J.C. Miller (1964), "Legal Evolution and Societal Complexity". In: *American Journal of Sociology*. Setembro, p.159-69. Citado por Bayley, D. (2001), p.40.
3 Ver, por exemplo, Bittner (2003: p.109), Monet (2001: p.70), Lane (2003: p.17) e Steinberg (1989).
4 Citado por Monet (2001: p.48).
5 Citado por Bayley (2001: p.222).
6 Citado por Monet (2001: p.52).
7 Citado por Reiss (2003: p.97).
8 Abordagens interessantes e informações úteis sobre o tema da corrupção e da subcultura policial podem ser encontradas em Mingardi, G. (1992), *Tiras, gansos e trutas: cotidiano e reforma na Polícia Civil*. São Paulo, Scritta Editorial; e em Kant de Lima, R. (1995), *A polícia da cidade do Rio de Janeiro: seus dilemas e paradoxos*. Rio de Janeiro, Forense.
9 Citados por Lane (2003).
10 Ver, por exemplo, Manning, P.K. (1977), *Police Work: The Social Organization of Policing*. Cambridge, MIT Press; e Kelling, G.L., e M.A. Wycoff (1978), *The Dallas Experience: Volume 1. Organizational Reform*. Washington, DC, Police Foundation.
11 Greene (2002: p.180).
12 Monet (2001: p.155).
13 Philadelphia Police Study Task Force, citada por Moore (2003: p.126).
14 Barker, T., R. Friery, e D. Carter (1994), "*After LA. Would Your Local Police Lie?*". In: Barker, T, e D. Carter (orgs.), *Police Deviance*. Cincinnati, Anderson Publishing. Citado por Bowling e Foster (2002: p.1022).
15 Easton, D., e J. Dennis (1969), *Children in the Political System*. Nova York, McGraw-Hill. Citado por Bayley (2001: p.212).
16 Reith, C. (1948), *A Short Story of the British Police*. Londres, Oxford University Press.
Gorer, G. (1995), "Modification of National Character: The Role of the Police in England". In: *Journal of Social Issues*. n.11, p.25-32. Citado por Bayley (2001: p.212).

17 Morrison, W.R. (1974), "The North-West Mounted Police and the Klondike Gold Rush". In: *Journal of Contemporary History*. n.9. p.93-106. Citado por Bayley (2001: p.212).

18 Monet (2001: p.170); ver também Graham (1990: p.131).

19 Brodeur, J.P. (1984) "La Police, Mythe et Realités". In: *La Police aprés 1984*. Revue de Criminologie. Montreal, Presses Universitaires, p.21. Citado por Monet (2001: p.171).

20 Greenwood, W., J.M. Chaiken, e J. Petersilia (1977), *The Criminal Investigation Process*. Citado por Moore (2003).

21 Goldstein (2003: p.82).

22 Disponíveis em http://www.archive.official-documents.co.uk

23 Home Office Criminal Statistics, Inglaterra e País de Gales, 1996, Cm 3764 (tabelas 1A e 1B).

24 Moore (2003) cita, como exemplo, Blumenstein, A., J. Cohen, e D. Nagin (orgs.) (1978), *Deterrence and Incapacitation: Estimating the effects of Criminal Sanctions on Crime Rates*. Washington, D.C., National Academy of Sciences.

25 Moore (2003) cita em apoio à tese os seguintes trabalhos: Cohen, J. (1978), "The Incapacitative Effect of Imprisonment: A Critical Review of the Literature"; e Greenwood, P. e A. Abrahamse (1982), "Selective Incapacitation".

26 Marx, G. (1995), "The Engineering of Social Control: The Search for the Silver Bullet". In: Hagan, J., e R. Peterson (orgs.) (1995), *Crime and Inequality*, Stanford, Stanford University Press.

27 Silva Filho, J.V., "Estratégias policiais para redução da violência". Instituto Fernand Braudel de Economia Mundial. http://www.braudel.org.br/pesquisas/quinto.htm

28 Alpert e Smith (1994: p.482).

29 Citado por Coimbra, C. (2000), "Discursos sobre segurança pública e produção de subjetividades". In: *Discursos sediciosos*. Ano 5, n.9 e 10, Rio de Janeiro, Freitas Bastos Editora.

30 As duas declarações foram publicadas no *Jornal do Brasil*, em 28 de agosto de 1999, p.6.

31 *Jornal do Brasil*, 25 de outubro de 1999, p.2.

32 Citado por Kahn (2002).

33 As pesquisas citadas por Sherman (2003) sobre as greves dos policiais e seus efeitos foram: Adenaes (1974), *Punishment and Deterrence*; Clark (1969), "What Happens When the Police Strike"; Makinen e Takala (1980), "The 1976 Police Strike in Finland"; Russel (1975), *A City in Terror: 1919 – the Boston Police Strike*; e Sellwood (1978), *Police Strike*.

34 Os autores citam em apoio a essa opinião dois estudos importantes: Morris e Heal (1981), *Crime Control and the Police: A Review of Research*; e Clark e Neal (1979), "Police Effectiveness in Dealing With Crime: Some Current British Research".

35 Segundo estimativas do governo feitas para o ano de 1987, os EUA teriam 15.118 forças policiais autônomas: 11.989 forças locais, 3.080 departamentos de xerife dos condados e 49 forças estaduais. Citado por Bayley (2003: p.542). Mawby (2003: p.31) apresenta os seguintes dados sobre as forças policiais nos EUA: 50 agências federais, 49 polícias estaduais, 3.088 departamentos policiais de condados, 3.220 polícias municipais e 13 mil polícias rurais, num levantamento que não conta as forças policiais especializadas.

36 Sherman e Weisburd (1990), "The General Deterrent Effects of Increased Police Patrol in Hot Spots of Crime". Citado por Sherman (2003: p.214).
37 Dados oferecidos por Lemgruber (2001).
38 Citado por Maguire (2002: p.362).
39 Citado por Kahn (2001: p.36).
40 Yolanda Catão, em "Fórum de debates – Criminalidade, violência e segurança pública no Brasil: uma discussão sobre as bases de dados e questões metodológicas" (Cesec e Ipea, agosto de 2000), oferece o seguinte demonstrativo das pesquisas de vitimização realizadas no Brasil até aquela data:

PESQUISAS	ANO	REGIÃO	PERÍODO referência	POPULAÇÃO-ALVO
PNAD (domic.)	1988	Brasil	1 ano	81.628
Ilanud (entrev)	1992	RJ - munic.	5 anos	1.000
(Entrev.)	1996	RJ - munic.	5 anos	1.000
(Entrev.)	1997	SP - munic.	5 anos	2.469
Iser/Paho (entrev.)	1996	RJ - munic.	1 ano	1.126
Iser/FGV (entrev.)	1996	RJ - RM	1 ano	1.578
Seade (domic.)	1999	SP - RM e munic.	1 ano	14.000
USP (entrev.)	1999	SP- RM	6 meses	1.000

41 Para mais informações ver: http://www.centrex.police.uk/where/bramshill.html
42 O mesmo autor, a propósito, apresentou a interessante sugestão de que os serviços policiais fossem uma opção alternativa ao serviço militar obrigatório, o que permitiria agregar à polícia a colaboração de jovens em funções administrativas (Goldstein, 2003: p.332).
43 FBI (1994), "Crime in the United States, 1993". Washington, D.C.
44 Mistério da Justiça, Senasp, "Os municípios e a segurança pública, uma perspectiva democrática e contemporânea da gestão da segurança pública".
45 Os trabalhos citados por Sherman (2003) foram: Sherman, Rogan e Velke (1991), "The Menagerie of Crime: Targets for Police Crime Control Strategies"; e Pierce, Spaar e Briggs IV (1988), "The Character of Police Work: Strategic and Tactical Implications".
46 Nottingham University, "Working in Public Houses: A Study of the Licensees Job"; e relatório da MCM Researchs (1990), "Conflict and Violence in Pubs", citados em St. John-Brooks, K. (1998), *Keeping the Peace: a guide to the prevention of alcohol-related disorder.* Londres, The Portman Group.
47 Durkheim, E. (1938), *The Rules of Sociological Method.* Chicago, University of Chicago Press, cap.3.

Capítulo 2: Procurando antes da correnteza (da p.67 à p.103)

1 A imagem das crianças que se afogam em um rio foi usada por Rosenbaum (2202: p.55), modificando uma antiga parábola.

2 Dias Neto, T. (2000), *Policiamento comunitário e controle sobre a polícia: a experiência norte-americana*. São Paulo, IBCCrim.
3 Disponível em: www.belfast.org.uk/report.htm.
4 Norwegian Official Reports (1981), *The Role of the Police in the Society, Oslo*, Universitetforlaget.
5 A dissertação apresentada por Leite (2002) indica dois outros trabalhos de avaliação sobre experiências de policiamento comunitário no Brasil: Lara, M.H. (2001), *Policia comunitaria y el cambio de imagen institucional. La experiencia de Sao Paulo*; e Beato, C.C. (2001), *Reinventando a polícia: a implementação de um programa de policiamento comunitário*. Uma publicação de 2002 organizada por Nilson Vieira Oliveira descreve experiências desse tipo no morro do Quadro, em Vitória (ES), em Macapá (AP) e no Jardim Ângela, em São Paulo (*Policiamento comunitário: experiências no Brasil 2000-2002*, editora Página Viva).
6 Cerqueira, C.M.N. (1999), *Do patrulhamento ao policiamento comunitário*. São Paulo, Freitas Bastos.
7 Williams, R. (1976), *Keywords: A Vocabulary of Culture and Society*. Nova York, Oxford University Press. Citado por Skolnick e Bayley (2002: p.90).
8 Citado por Kelling (1982).
9 Wilt, Bannon, Breedlove, Kennish, Sandker e Sawtell (1977), *Domestic Violence and the Police: Studies in Detroit and Kansas City*. Citado por Moore (2003: p.132).
10 Rosenbaum (2002) cita os seguintes trabalhos: Hope e Hough (1988), *Area, Crime and Incivility: A Profile from the British Crime Survey*; Hope e Shaw (orgs.), *Communities and Crime Reduction*; Skogan (1990), *Disorder and Decline: Crime and the Spiral of Decay in American Cities*; Lewis e Salem (1986), *Fear of Crime: Incivility and the Production of a Social Problem*.
11 Para uma abordagem crítica dos programas de tolerância zero, ver, por exemplo, Bowling, B. (1999), "The Rise and Fall of New York Murder", *British Journal of Criminology*, 39/4, p.531-54; e Karmen, A. (2000), *New York Murder Mystery: The True Story Behind the Crime Crash of the 1990s*. Nova York, New York University Press.
12 Depoimento de Bratton e Andrews (1999).
13 Dados citados por Bruce Shapiro no artigo "When Justice Kills", de 1997, em *The Nation*.
14 Ver Lawrence Whitehead (2003), *Democratization: Theory and Experience*. Oxford, Oxford University Press.
15 Rosenbaum (2002: p.36) ilustra o problema citando uma pesquisa de 1994 da revista *Money* sobre os melhores lugares para se viver nos Estados Unidos. Segundo o levantamento feito entre os leitores, o baixo índice de criminalidade aparece em primeiro lugar entre 43 fatores que as pessoas consideram quando escolhem um lugar para viver.
16 Jacobs, J. (1961), *The Death and Life of Great American Cities*. Citado por Rosenbaum (2002: p.40).
17 Bureau of Justice Assistance, "Understanding Community Policing: A Framework for Action". Monografia, Community Policing Consortium, EUA, agosto de 1994.
18 Hornick, Burrows, Phillips e Leighton (1993).

19 Klein, Webb e Di Santo (1978), "Experience with the Police and Attitude toward the Police". Citado por Sacco (2002: p.168).
20 Rosenthal, A.M. (1966), *Thirty-Eight Witnesses*. Citado por Goldstein (2003: p.83).
21 As referências mais importantes na obra de Goldstein são: "Improving Policing: A Problem-Oriented Approach", de 1979, e *Problem-Oriented Policing*, de 1990.
22 É possível acessar a íntegra dos projetos vitoriosos de 1999 em http://www.ojp.usdoj.gov/nij/pubs-sum/182731.htm, e os do ano seguinte em http://www.ojp.usdoj.gov/nij/pubs-sum/185279.htm.
23 Moore e Trojanowicz (1988), "Corporate Strategies for Policing". Citado por Moore (2003: p.142).
24 Eck e Spelman (1987), *Problem-solving: Problem-oriented Policing in Newport News*. Citado por Rosenbaum (2002: p.38).
25 Ambos os casos citados por Skolnick e Bayley (2002: p.37-8).
26 Depoimento de Bratton e Andrews (1999).
27 Lindsay e McGillis (1986), "Citywide Community Crime Prevention: An Assessment of the Seattle Program". Citado por Sherman (2003: p.238).
28 Schneider (1986), "Neighborhood-based Anti-burglary Strategies: An Analysis of Public and Private Benefits from the Portland Program". Idem.
29 Mayhew, Clarke, Sturman e Hough (1976), "Crime as Opportunity". Citado por Sherman (2003: p.240).
30 Leite (2002: p.42).
31 Beato (2002: p.160).
32 Skolnick e Bayley (2001: p.155).
33 Rosenbaum (1986), *Community Crime Privation: Does it Work?* Citado por Moore (2003: p.154).
34 Skogan (1994), "The Impact of Community Policing on Neighborhood Residences: A Cross-Site Analysis". Citado por Rosenbaum (2002: p.48-9).
35 Paternoster, R., B. Brame, R. Bachman, e L.W. Sherman (1996), "Do Fair Procedures Matter? The Effect of Procedural Justice on Spouse Assault". Trabalho aceito para publicação em *Law and Society Review.*

Capítulo 3: Prevenção e fatores de risco (da p.104 à p.148)

1 Martchenko, A. (1970), *Mon Témoignage*. Paris, Seuil. Citado por Todorov (1995).
2 Borowski, T. (1964), *Le Monde de Pierre*. Paris, Calmann-Lévy. Idem.
3 Wiesel, E. (1973), *Nuit*. Paris, Minuit. Ibidem.
4 Antelme, R. (1957), *L'Espèce Humaine*. Paris, Gallimard. Ibidem.
5 Informações úteis sobre esse projeto podem ser encontradas em http://www.ncjrs.org/pdffiles1/ojjdp/181725.pdf
6 Brand, S., e Price, R. (2000), "The Economic and Social Costs of Crime". In: *Home Office Research Study*, n.217. Londres, Home Office.

7 Citado por Cláudio Beato em "Políticas públicas de segurança: eqüidade, eficiência e accountability", Departamento de Sociologia e Antropologia da UFMG, mimeografia.

8 Os interessados no tema da relação custo/benefício dos programas de prevenção poderão encontrar informações úteis em http://www.wsipp.wa.gov/crime/costben.html

9 Maguire, K., e Pastore, A.L. (orgs.) (1994), "Sourcebook of Criminal Justice Statistics". Citado por Rosenbaum (2002).

10 Miller, T.R., M.A. Cohen, e B. Wiersema (1996), "Victims Cost and Consequences: A New Look". Idem.

11 Esse trabalho está disponível em: www.nber.org/papers/w8004

12 Uma visão mais complexa e desenvolvida desta tipologia foi elaborada por Ekblom (2000), e pode ser encontrada em http://www.crimereduction.gov.uk/learningzone/rad00E56.tmp

13 Proposta originalmente por Tonry, M., e D.P. Farrington (1995), "Strategic Approaches to Crime Prevention". In: Tonry e Farrington (orgs.), *Building a Safer Society: Strategic Approaches to Crime Prevention*. Citado por Farrington (2002: p.657).

14 Hawkins, J.D., e R.F. Catalano (1992), *Communities That Care*. Citado por Farrington (2002: p.660).

15 Acessível em www.preventingcrime.org.

16 Caspi, A. (2000), "The Child is Father of the Man: Personality, Continuities from Childhood to Adulthood". In: *Journal of Personality and Social Psychology*, 78, p.158-72. Citado por Farrington (2002: p.666).

17 Para um estudo sobre as implicações da impulsividade, Farrington (2002) recomenda os seguintes trabalhos: Mischel, W. (1983), "Delay of Gratification as Process and as Person Variable in Development". In: Magnusson, D., e V.L. Allen (orgs.), *Human Development: An Interactional Perspective*. p.149-65; Pulkkinen, L. (1986), "The Role of Impulse Control in the Development of Antisocial and Prosocial Behaviour". In: Olweus, D., J. Block, e M. Radle-Yarrow (orgs.), *Development of Antisocial and Prosocial Behaviour*. Orlando, Academic Press, p.149-63; Krueger, R.F., P.S. Schmutte, A. Caspi, T. Moffitt, K. Campbell, e P.A. Silva (1994), "Personality Traits Are Linked to Crime Among Men and Women: Evidence from a Birth Cohort". In: *Journal of Abnormal Psychology*, 103, 2, p.328-38.

18 Brennan, P.A., B.R. Mednick, e S.A. Mednick (1993), "Parental Psychopathology, Congenital Factors and Violence". In: Hodgins, S. (org.), *Mental Disorder and Crime*. Newbury Park, Sage, p.244-61. Citado por Farrington (2002: p.666).

19 Klinteberg, Anderson, Magnusson e Stattin (1993), "Hyperactive Behaviour in Childhood as related to Subsequent Alcohol Problems and Violent Offending: A Longitudinal Study of Male Subjects". In: *Personality and Individual Differences*, 15, p.381-8. Citado por Farrington (2002: p.667).

20 Lynam, D. (1996), "Early Identification of Chronic Offenders: Who is the Fledgling Psychopath?" In: *Psychological Bulletin*, 120, p.209-34. Citado por Farrington (2002: p.667).

21 Farrington (2002: p.668) indica dois textos sobre esse tema: Wadsworth (1976), "Delinquency, Pulse Rates and Early Emotional Deprivation". In: *British Journal*

of Criminology, 16, p.245-56; e Raine, Venables e Williams (1990), "Relationships Between Central and Autonomic Measures of Arousal at Age 15 Years and Criminality at Age 24 Years". In: *Archives of General Psychiatry*, 47, p.1003-7.

22 Wilson e Herrnstein (1985), *Crime and Human Nature*. Nova York, Simon and Schuster. Citado por Farrington (2002: p.668).

23 Gottfredson e Hirshi (1990), *A General Theory of Crime*. Stanford, Stanford University Press. Citado por Farrington (2002: p.668).

24 Huesmann e Eron (1984), "Individual Differences and the Trait of Aggression". In: *European Journal of Personality*, 3, p.95-106. Citado por Farrington (2002: p.669).

25 Levy, Hay, McStephen, Wood e Waldman (1997), "Attention-Deficit Hyperactivity Disorder; A Category or a Continuum? Genetic Analysis of a Large-Scale Twin Study". In: *Journal of the American Academy of Child and Adolescent Psychiatry*, 36, 6, p.737-44. Citado por Smith (2002).

26 A revisão de Smith (2002) indica os seguintes textos a respeito do tema: Carey e Goldman (1977), "The Genetics of Antisocial Behaviour". In: Stoff (org.), *Handbook of Antisocial Behaviour*. Nova York, Wiley, p.243-54; Eaves, Silberg, Meyer, Maes, Simonoff, Pickles, Rutter, Truett e Hewitt (1997), "Genetics and Developmental Psychopathology: 2. The Main Effects of Gene and Environment on Behavioural Problems in the Virginia Twin Study of Adolescent Development". In: *Journal of Child Psychology and Psychiatry*, 38, p.965-80. Silberg, Rutter, Meyer, Maes, Hewitt, Simonoff, Pickles, Loeber e Eaves (1996), "Genetic and Environmental Influences on the Covariation Between Hyperactivity and Conduct Disturbance in Juvenile Twins". In: *Journal of Child Psychology and Psychiatry*, 37, p.803-16.

27 Hutchings e Mednick (1977), "Criminality in adoptees and their adoptive and biological parents: a pilot study". In: Mednick e Christensen (orgs.), *Biosocial Bases of Criminal Behaviour*. Nova York, Gardner Press.

28 Dorfman, A. (1984), "The Criminal Mind, Body Chemistry and Nutrition May Lie at the Roots of Crime". In: *Science Digest*, 92, p.44-9.

29 Olds, Henderson, Chamberlin e Tatelbaum (1986), "Preventing Child Abuse and Neglect: A Randomized Trial of Nurse Home Visitation". In: *Pediatrics*, 78, p.65-78. Citado por Farrington (2002: p.683).

30 Olds, Eckenrode, Henderson, Kitzman, Powers, Cole, Sidora, Morris, Pettitt e Luckey (1997), "Long-Term Effects of Home Visitation on Maternal Life Course and Child Abuse and Neglect: 15-Year Follow-up of Randomized Trial". In: *Journal of the American Medical Association*, 278, p.637-43. Citado por Farrington (2002: p.684).

31 Dos mesmos autores, o artigo de 1998, "Long-Term Effects of Nurse Hume Visitation on Children's Criminal and Antisocial Behaviour: 15-Year Follow-up of Randomized Controlled Trial". In: *Journal of the American Medical Association*, 280, p.1238-44. Também citado por Farrington (2002: p.684).

32 Ver, por exemplo, http://www.colorado.edu/cspv/publications/factsheets/blueprints/FS-BPM07.html. Informações úteis podem ser encontradas também em http://www.strengtheningfamilies.org/html/programs_1999/programs_list_1999.html;

e em "Youth Violence: A Report of the Surgeon General", disponível em http://www.surgeongeneral.gov/library/youthviolence/default.htm

33 Tremblay, Pagani-Kurtz, Masse, Vitaro e Pihl (1995), "A Bimodal Preventive Intervention for Disruptive Kindergarten Boys: Its Impact Trough Mid-Adolescence". In: *Journal of Consulting and Clinical Psychology*, 63, p.560-8. Citado por Farrington (2002: p.685).

34 Scott, Spender, Doolan, Jacobs e Aspland (2001), "Multicentre Controlled Trial of Parenting Groups for Child Antisocial Behaviour in Clinical Practice". In: *British Medical Journal*, 323, p.194-6. Citado por Farrington (2002: p.684).

35 Loeber e Dishion (1983), "Early Predictors of Male Delinquency: A Review". In: *Psychological Bulletin*, 94, p.68-99. Idem.

36 Loeber e Stouthamer-Loeber (1986), "Family Factors as Correlates and Predictors of Juvenile Conduct Problems and Delinquency". In: Tonry, M., e N. Norris (orgs.), *Crime and Justice*. Ibidem.

37 Community Services Commission (1996), "The Drift of Children in Care into the Juvenile Justice System: Turning Victims into Criminals". Citado em *National Crime Prevention* (1999).

38 McCord, J. (1997), "On Discipline". In: *Psychological Inquiry*, 8, p.215-7. Citado por Farrington (2002: p.670).

39 Robins, L.N. (1979), "Sturdy Childhood Predictors of Adult Outcomes: Replications from Longitudinal Studies". In: Barret, Rose e Klerman (orgs.), *Stress and Mental Disorder*. Nova York, Raven Press, p.219-235. Idem.

40 Farrington, Barnes e Lambert (1996), "The Concentration of Offending in Families". In: *Legal and Criminological Psychology*, 1, p.47-63. Ibidem.

41 Ferguson, T. (1952), *The Young Delinquent in His Social Setting*. Londres, Oxford University Press.

42 Wadsworth, M.E.J. (1979), *Roots of Delinquency: Infancy, Adolescence and Crime*. Londres, Martin Robertson. Citado por Farrington (2002: p.672).

43 Mais informações sobre esse projeto estão disponíveis em http://141.161.16.100/clinics/dcstreet/famãliteracy.html

44 Newson, J., e E. Newson (1989), *The Extent of Parental Physical Punishment in the U.K.*. Londres, Approach. Citado por Farrington (2002: p.673).

45 West, D.J., e D.P. Farrington (1973), *Who Becomes Delinquent?* Londres, Heinemann. Idem.

46 Farrington, D.P., e R. Loeber (1999), "Transatlantic Replicability of Risk Factors in the Development of Delinquency". In: Cohen, Slomkowski e Robins (orgs.), *Historical and Geographical Influences on Psychopathology*. Mahwah, Lawrence Erlbaum, p.299-329. Ibidem.

47 McCord, J. (1997), "On Discipline". In: *Psychological Inquiry*, 8, p.215-7. Ibidem.

48 Mais informações em http://www.wpic.pitt.edu/research/famhist/PYS.htm

49 Gorman-Smith, Tolan, Zelli e Huesmann (1996), "The Relation of Family Functioning to Violence Among Inner-City Minority Youths". In: *Journal of Family Psychology*, 10, p.115-29. Citado por Farrington (2002: p.673).

50 Bowlby, J. (1951), *Maternal Care and Mental Health*. Genebra, World Health Organization. Citado por Farrington (2002: p.675).

51 Malinovsky-Rummell e Hansen (1993), "Long-Term Consequences of Childhood Physical Abuse". In: *Psychological Bulletin*, 114, p.68-79. Citado por Farrington (2002: p.674).
52 Widom, C.S. (1989), "The Cycle of Violence". In: *Science*, 244, p.160-6. Ibidem.
53 Widom, C.S., e M.A. Ames (1994), "Criminal Consequences of Childhood Sexual Victimization". In: *Child Abuse and Neglect*, 18, p.303-318. Ibidem.
54 McCord, J. (1983), "A Forty Year Perspective on Effects of Child Abuse and Neglect". In: *Child Abuse and Neglect*, 7, p.265-70.
55 Kolvin, Miller, Fleeting e P.A. Kolvin (1988), "Social and Parenting Factors Affecting Criminal-Offence Rate: Findings from the Newcastle Thousand Family Study (1947-1980)". In: *British Journal of Psychiatry*, 152, p.80-90. Citado por Farrington (2002: p.675).
56 McCord, J. (1982), "A Longitudinal View of the Relationship Between Paternal Absence and Crime". In: Gunn, J., e D.P. Farrington (orgs.), *Abnormal Offenders, Delinquency and the Criminal Justice System*. Chichester, Wiley, p.113-28.
57 West, D.J., e D.P. Farrington (1973), *Who Becomes Delinquent?* Londres, Heinemann. Citado por Farrington (2002: p.676).
58 As obras indicadas por Farrington são: Buehler, Anthony, Krishnakumar, Stone, Gerard e Pemberton (1997), "Interparental Conflict and Youth Problem Behaviours: A Meta- Analysis". In: *Journal of Child and Family Studies*, 6, p.233-47. Kolbo, Blakely e Engleman (1996), "Children Who Witness Domestic Violence: A Review of Empirical Literature". In: *Journal of Interpersonal Violence*, 11, p.281-93.
59 Fergusson e Horwood (1998), "Exposure to Interparental Violence in Childhood and Psychosocial Adjustment in Young Adulthood". In: *Child Abuse and Neglect*, 22, p.339-57. Citado por Farrington (2002: p.676).
60 Abrahams, C. (1994), *The Hidden Victims – Children and Domestic Violence*. Londres, NCH Action for Children.
61 Loeber, R., e M. Stouthamer-Loeber (1986), "Family Factors as Correlates and Predictors of Juvenile Conduct Problems and Delinquency". In: Tonry, M., e N. Morris (orgs.), *Crime and Justice*. Citado por Farrington (2002: p.669).
62 Para uma visão mais ampla sobre o tema, ver Pinker (2004).
63 Rutter, Maughan, Mortimore e Ouston (1979), *Fifteen Thousand Hours: Secondary School and their Effects on Children*. Londres, Open Books. Citado por Farrington (2002: p.678).
64 Heal, K. (1978), "Misbehaviour Among School Children: The Role of the School in Strategies for Prevention". In: *Policy and Politics*, 6, p.321-32. Idem.
65 As obras indicadas por Farrington sobre o tema são: Gottfredson, D.C. (2001), *Schools and Delinquency*. Cambridge, Cambridge University Press. Herrenkohl, Hawkins, Chung, Hill e Battin-Pearsons (2001), "School and Community Risk Factors and Interventions". In: Loeber e Farrington (orgs.), *Child Delinquents: Development, Intervention and Service Needs*. Thousand Oaks, Sage, p.211-46.
66 Berrueta-Clement, Schweinhart, Barnett, Epsteins e Weikart (1984), *Changed Lives: The Effects of the Perry Preschool Program on Youths Through Age 19*. Ypsilanti, High/Scope Press. Citado por Farrington (2002: p.685).

67 O'Donnel, Hawkins, Catalano, Abbott e Day (1995), "Preventing School Failure, Drug Use and Delinquency Among Low-Income Children: Long-Term Intervention in Elementary Schools". In: *American Journal of Orthopsychiatry*, 65, p.87-100. Citado por Farrington (2002: p.686).
68 Hawkins, Catalano, Kosterman, Abbott e Hill (1999), "Preventing Adolescent Health Risk Behaviours by Strengthening Protection During Childhood". In: *Archives of Pediatrics and Adolescent Medicine*, 153, p.226-34. Citado por Farrington (2002: p.686).
69 Outras informações disponíveis em www.surestart.gov.uk/home.cfm.
70 Os trabalhos citados pela extensa revisão do US Department of Justice (1995) foram: Shure e Spivack. (1980), "Interpersonal Problem Solving as a Mediator of Behavioral Adjustment in Preschool and Kindergarten Children". In: *Journal of Applied Developmental Psychology*, 1, 29–44, p.59-60; dos mesmos autores (1989), "Interpersonal Cognitive Problem Solving (ICPS): A Competence-Building Primary Prevention Program". In: *Prevention in the Human Services*, 6, 151-178, p.59. Greenberg e Kusche (1993), *Promoting Social and Emotional Development in Deaf Children: The Path Project*. Seattle, University of Washington Press, p.60 e 205.
71 Whitney e Smith (1993), "A Survey of the Nature and Extent of Bullying in Junior/ Middle and Secondary Schools". In: *Educational Research*, 35, 1, p.3-25.
72 Wolke, Woods, Stanford e Schulz (2001), "Bullying and Victimization of Primary School Children in England and Germany. Prevalence and School Factors". In: *British Journal of Psychology*, 92/4, p.673-96.
73 Citada por Bottoms e Wiles (2002).
74 Jacobs, J. (1965), *The Death and Life of Great American Cities*. Harmondsworth, Penguin. Citado por Rock (2002: p.63).
75 Newman, O. (1972), *Defensible Space: Crime Prevention Through Urban Design*. Nova York, Macmillan; Jeffrery, C.R. (1971), *Crime Prevention Through Environmental Design*. Califórnia, Sage.
76 Mais informações em http://www.rsa.org.uk/.
77 Mais informações em http://www.humanbeans.net/sm/sm/research/whydesign.html
78 Para mais detalhes sobre essa abordagem preventiva, ver www.securedbydesign.com/.
79 Brantingham, P.J., e P.L. Brantingham (1981), *Environmental Criminology*. Beverly Hills, Sage. Citado por Bottoms e Wiles (2002).
80 Rengert, G., e J. Wasilchick (2000), *Suburban Burglary: A Tale of Two Suburbs*. Springfield, Charles C. Thomas.
81 Wiles, P., e A. Costello (2000), "The Road to Nowhere: the Evidence for Travelling Criminals". In: *Home Office Research Study*, 207, Londres, Home Office.
82 Spelman, W., e J.E. Eck (1989), "Sitting Ducks, Ravenous Wolves, and Helping Hands: New Approaches to Urban Policing". In: *Public Affairs Comment*, 35(2), p.1-9. Citado por Sherman et al. (1998).
83 Citado por Pease (2002: p.956).
84 Cornish, D.B., e R.V. Clarke (1987), "Understanding Crime Displacement: An Application of Rational Choice Theory". In: *Criminology*, 25, p.933-47. Boulou-

kos, A.C., e G. Farrel (1997), "On the Displacement of Repeat Victimization". In: Newman, G., R.V. Clarke, e S.G. Shoham (orgs.), *Rational Choice and Situational Crime Prevention*. Aldershot, Dartmouth. Idem.

85 Shapland, J., J. Willmore, e P. Duff (1985), *Victims and Criminal Justice System*. Aldershot, Gower. Citado por Zedner (2002: p.429).

86 Morris, A. (1987), *Women, Crime and Criminal Justice*. Oxford, Blackwell. Idem.

87 Finkelhor, D. (1986), *A Sourcebook on Child Sexual Abuse*. Nova York, Sage. Ibidem.

88 Os trabalhos citados pelo US Department of Justice (1995) foram: Alexander, Massey, Gibbs e Altekruse (1985), "Firearm-Related Fatalities: An Epidemiologic Assessment of Violent Death". In: *American Journal of Public Health*, 75, p.165-8; Kellerman, Rivara, Rushforth, Banton, Reay, Francisco, Locci, Prodzinski, Hackman e Somes, "Drugs, First, and Firearms: Risk Factors for Homicide in the Home", não publicado; Wintenute (1987), "Firearms as a Cause of Death in the United States, 1920-1982". In: *The Journal of Trauma*, 27(5), 532-6.

89 Os trabalhos citados pelo US Department of Justice (1995) foram: Barnes e Welte (1986), "Patterns and Predictors of Alcohol Use Among 7–12th Grade Students in New York State". In: *Journal of Studies on Alcohol*, 47, p.53-62; Cairns, Cairns, Neckerman, Gest e Gairepy (1988), "Social Networks and Aggressive Behavior: Peer Support or Peer Rejection?" In: *Developmental Psychology*, 24, p.815-23; Elliott, Huizinga e Menard (1989), *MultipleProblem Youth: Delinquency, Substance Use and Mental Health Problems*. Nova York, Springer-Verlag; Farrington (1991), "Childhood Aggression and Adult Violence". In: Pepler e Rubin (orgs.), *The Development and Treatment of Childhood Aggression*. Hillsdale, Erlbaum, p.20-1.

90 Citado pelo US Department of Justice (1995).

91 Estudo disponível em http://www.hrdc-drhc.gc.ca/sp-ps/arb-gra/publications/research/2000docs/W-01-1-9/W-01-1-9ãEãabs.shtml

92 Os autores citam os seguintes trabalhos precursores: Moynahan (1976), *Zinc deficiency and disturbances of mood and visual behaviour*. Lancet, Lancet, 1, p.91; Virkkunen e Huttunen (1982), "Evidence for Abnormal Glucose-Tolerance Test among Violent Offenders". In: *Neuropsychobiology europsychobiology*, 8, p.30-4; Benton e Cook (1991), "The Impact of Selenium Supplementation on Mood". In: *Biological Psychiatry Psychiatry*, 29, p.1092-8; Stevens, Zentall, Deck et al. (1995), "Essential Fatty-Acid Metabolism in Boys with Attention-Deficit Hyperactivity Disorder". In: *American Journal of Clinical Nutrition*, 62, p.761-8; Hamazaki, Sawazaki, Itomura et al. (1996), "The Effects of Docosahexaenoic Acid on Aggression in Young Adults". In: *Journal of Clinical Investigation*, 97, p.1129-33; Schoenthaler, Amos, Doraz et al. (1997), "The Effect of Randomized Vitamin-Mineral Supplementation on Violent and Non-Violent Antisocial Behavior among Incarcerated Juveniles". In: *Journal of Nutritional and Environmental Medicine*, 7, p.343-52; Walsh, Isaacson, Rehman et al. (1997), "Elevated Blood Copper/Zinc Ratios in Assaultive Young Males". In: *Physiology and Behavior*, 62, p.327-9; Hibbeln, Umhau, Linnoila et al. (1998), "A Replication Study of Violent and Non-Violent Subjects: Cerebrospinal Fluid Metabolites of Serotonin and Dopamine are Predicted by Plasma Essential Fatty Acids". In: *Biological Psychiatry*, 44, p.243-9; Bjork, Dougherty, Moeller et al. (1999), "The Effects of Trypto-

phan Depletion and Loading on Laboratory Aggression in Men: Time Course and a Food-Restricted Control". In: *Psychopharmacology* (Berl), 142, p.24-30; Golomb, Stattin e Mednick (2000), "Low Cholesterol and Violent Crime". In: *Journal of Psychiatric Research*, 34, p.301-9.

Capítulo 4: Os jovens e o crime (da p.149 à p.185)

1 James, A., e C. Jenks (1996), "Public Perceptions of Childhood Criminality". In: *British Journal of Sociology*, vol.47, 2, p.315-31. Citado por Muncie (2002: p.5).

2 Soares et al. (1996: p.169).

3 McAra e Smith (a ser publicado), *How Different Are Girls? Testing the Need for a Gendered Theory of Criminal Offending*. Citado por Smith (2002: p.731).

4 Anderson, Kinsey, Loader, Smith, Smith e Wood (1994), *Cautinary Tales: A Study of Young People and Crime in Edinburgh*. Aldershot, Avebury.

5 Sutherland e Shepherd (2002), "A Personality-Based Model of Adolescent Violence". In: *British Journal of Criminology*, 42, p.433-41. Citado por Phillips (2003: p.712).

6 Batchelor, Burman e Brown (2001), "Discussing Violence: Let's Hear It from the Girls". In: *Probation Journal*, 48/1, p.125-34. Idem.

7 Eisner, M. (1988), "Die Zunahme von Jugendgewalt: Fakt oder Artefak". In: Eisner e Mazoni (orgs.), *Gewalt in der Scweiz: Studien zu Entwicklung, Wahrnehmung und Staatlicher Reaktion*. Zurique, Rüegger, p.13-40. Citado por Estrada (2001).

8 Pfeiffer, C. (1998), "Juvenile Crime and Violence in Europe". In: *Crime and Justice, A Review of Research*, 23, p.255-328. Idem.

9 Federal Bureau of Investigation (1994), "Uniform Crime Reports 1993". Citado por US Department of Justice (1995).

10 Krisberg, Hawkins e Catalano (1995), "Guide for Implementing the Comprehensive Strategy for Serious, Violent, and Chronic Juvenile Offenders". National Council on Crime and Delinquency, Office of Juvenile Justice and Delinquency Prevention. US Department of Justice.

11 Ver, por exemplo, Ariés, P. (1981), *História social da criança e da família*. Rio de Janeiro, LTC, 2ª ed.

12 A revisão de Smith (2002) cita duas referências básicas de Moffit:
Moffit, T.E. (1993), "Life-course Persistent and Adolescence-limited Antisocial Behaviour: A Developmental Taxonomy". In: *Psychological Review*, 100, p.674-701.
——— (1997), "Adolescence-limited and Life-course Persistent Offending: A Complementary Pair of Developmental Theories". In: Thornberry, T.P. (org.), *Advances in Criminological Theory*, vol.7. New Brunswick e Londres, Transaction, p.11-154.

13 Quinton, Pickles, Maughan e Rutter (1993), "Partners, Peers and Pathways: Assortive Pairing and Continuities in Conduct Disorder". In: *Development and Psychopathology*, 5, p.763-83. Citado por Smith (2002: p.737).

14 Gottfredson e Hirschi (1986), "The True Value of Lambda Would Appear to be Zero: An Essay on Career Criminals, Criminal Careers, Selective Incapacitation,

Cohort Studies and Related Topics". In: *Criminology*, 24/2, p.213-34. Citados por Farrall e Bowling (1999: p.253).

15 Giddens, A. (1984), *The Constitution of Society*. Cambridge, Polity Press. Idem, p.255.

16 Extraído do artigo de Abramovay em Unesco (2003: p.123-4).

17 Sobre a relação entre o consumo de álcool e a violência, os autores citam Athanasiadis, L. (1999), "Drugs, Alcohol and Violence". In: *Current Opinion in Psychiatry*, 12/3, p.281-6.

18 Ver, por exemplo: Hoaken e Stewart (2003), "Drugs of Abuse and the Elicitation of Human Aggressive Behavior". In: *Addictive Behaviors*, 28, p.1533-54.

19 Citado por Rock (2002: p.71).

20 National Crime Prevention (1999: p. 23).

21 Klein, M.W. (1986), "Labelling Theory and Delinquency Policy: An Experimental Test". In: *Criminal Justice and Behaviour*, 13, p.47-79. Citado por Sherman (2003: p.185).

22 Forrester (1997).

Capítulo 5: A mídia e o crime (da p.186 à p.213)

1 Durante os anos 30, os romances policiais chegaram a representar 25% de todos os títulos de ficção disponíveis. Estima-se que, desde 1945, pelo menos 10 milhões de cópias de romances policiais tenham sido vendidas em todo o mundo (Mandel, 1984: p.66).

2 Os exemplos usados na primeira parte deste capítulo relativos a textos, manchetes e matérias publicados nos jornais do Rio de Janeiro e de São Paulo, devo-os, todos, às notas da coluna "Florilégio" que acompanham as edições da revista de criminologia carioca *Discursos sediciosos*. Essa coluna, por sinal, apenas com recortes da imprensa, desnuda a insensibilidade social e até mesmo uma determinada compulsão pela barbárie que atravessa a cultura nacional. Deveria ser lida por todos – especialmente por jornalistas.

3 Ver, por exemplo: Johnstone, J., D. Hawkins, e A. Michener (1994), "Homicide Reporting in Chicago Dailies". In: *Journalism Quartertly*, 71(4), 860-72. Wilbanks, W. (1984), *Murder in Miami: An Analysis of Homicide Patterns and Trends in Dade County, Florida, 1917-1983*. Nova York, University Press of America. Citados por Soothill, Peelo, Francis, Pearson e Ackerley (2002).

4 Mais informações em http://www.archive.official-documents.co.uk/document/scottish/dunblane/duncntnt.htm.

5 Williams, P., e J. Dickinson (1993), "Fear of Crime: Read All About It? The Relationship Between Newspaper Crime Reporting and Fear of Crime". In: *British Journal of Criminology*, 33, 1, p.33-56. Citado por Reiner, R. (2002: p.384).

6 Marsh, P. (1991), "A Comparative Analysis of Crime Coverage in Newspaper in the United States and Other Countries from 1960-1989: a Review of the Literature", In: *Journal of Criminal Justice*, 19, 1, p.67-80. Idem, p.383.

7 Kunkel, D. (1994), "How the News Media 'See' Kids". In: *Media Studies Journal*, 8, p.74-84.

8 Dados levantados para os EUA demonstram que os negros possuem 18 vezes mais chances de serem vítimas de um homicídio do que brancos da mesma idade. Ver *Bureau of Justice Statistics* (1993), "Highlights from 20 Years of Surveying Crime Victims", NCJ – 144525, Washington, DC.

9 Ver, por exemplo: Fishman, M. (1981), "Police News: Constructing an Image of Crime". In: *Urban Life*, 9, 4, p.371-94; Best, J., e G.T. Horiuchi (1985), "The Razor Blade in the Apple: The Social Construction of Urban Legends". In: *Social Problems*, 32, 5, p.488-99; Nava, M. (1988), "Cleveland and the Press: Outrage and Anxiety in the Reporting of Child Sexual Abuse". In: *Feminist Review*, 28, p.103-21; Altheide, D. (1993), "Eletronic Media and State Control: The Case of Azscam". In: *The Sociological Quarterly*, 34, 1, p.53-69; Orcutt, J.D., e J.B. Turner (1993), "Shocking Numbers and Graphic Accounts: Quantified Images of Drug Problems in the Print Media". In: *Social Problems*, 40, 2, p.190-206; Skidmore, P. (1995), "Telling Tales; Media Power, Ideology and the Reporting of Child Sexual Abuse in Britain". In: Kidd-Hewitt, D., e R. Osborne (orgs.), *Crime and the Media*. Londres, Pluto, p.78-106; Lees, S. (1995), "Media Reporting of Rape: The 1993 British 'Data Rape' Controversy". In: Kidd-Hewitt, D., e R. Osborne (orgs.), *Crime and the Media*. Londres, Pluto, p.107-130; Brownstein, H. (1995), "The Media and the Construction of Random Drug Violence". In: Ferrel, J., e C.R. Sanders (orgs.), *Cultural Criminology*. Boston, Northeastern University Press, p.45-65; Beckett, K. (1997), *Making Crime Pay*. Nova York, Oxford University Press; Beckett, K., e T. Sasson (2000), *The Politics of Injustice*. Thousand Oaks, Pine Forge Press. Recomendados por Reiner (2002: p.394).

10 Glassner (2003: p.31).

11 Idem.

12 Idem, p.101.

13 Gregory, J., e S. Lees (1999), *Policing Sexual Assault*, Londres, Routledge. Citado por Reiner (2002: p.394).

14 O Ilanud gravou durante uma semana (2 a 8 de agosto de 1998) a programação de 27 telejornais exibidos por 7 emissoras de canal aberto. No total, foram 1.211 cenas de crimes, reproduzindo, mais ou menos, a mesma distorção encontrada nos jornais impressos. Citado por Kahn (2001: p.8).

15 Os dados constantes nesse parágrafo foram todos extraídos de "Children and Television Violence", disponível em http://www.allsands.com/Kids/childtelevision_twd_gn.htm.

16 Murray, J.P. (1993), "Children and Television Violence". In: *Kansas Journal of Law & Public Policy*, vol.4, n.3, p.7-14. Citado pelo documento referido na nota anterior.

17 Tannenbaum, P.H. (1980), "Entertainment as Vicarious Emotional Experience". In: *The Entertainment Functions of Television*. Hillsdale, Erlbaum, p.107-31. Citado por Feilitzen e Bucht (2002: p.222).

18 Bandura, A. (1994), "Social cognitive theory of mass communication". In: Bryant, J., D. Zillmann (orgs.), *Media Effects: Advances in Theory and Research*. Hillsdale, Lawrence Erlbaum Associates Inc., p.61-90. Citado por Murray (2001).

19 Berkowitz, L. (1984), "Some Effects of Thoughts on Anti- and Prosocial Influences of Media Events: a Cognitive-neoassociation Analysis". In: *Psychol Bull*, 95 (3), p.410-27. Citado por Murray (2001).

20 Feshbach, S. (1969), "The Catharsis Effect: Research and Another View". In: Baker, R.K., e S.J. Ball (orgs.), *Mass Media and Violence*. Washington, DC, US Government Printing Office, p.461-73.
21 Citado por Post (1995).
22 Mais informações em http://www.killology.com/stanfordstudy.htm.
23 Williams, T.M. (org.) (1986), *The Impact of Television: A Natural Experiment in Three Communities*. Nova York, Academic Press. Citado por Reiner (2002: p.398).
24 Henningan, K.M., M.L. Delrosario, L. Heath, J.D. Cook, e B.J. Calder (1982), "Impact of the Introduction of Television Crime in the United States: Empirical Findings and Theoretical Implications". In: *Journal of Personality and Social Psychology*, 42, 3, p.461-77. Idem.
25 Finkelhor, D., K.J. Mitchell, e J. Wolak (2000) "Online Victimization: A Report on the Nation's Youth by the Crimes Against Children Research Center". US Department of Justice. Disponível em http://www.unh.edu/ccrc. Citado por Feilitzen e Bucht (2002: p.198).
26 Alguns desses estudos são citados em "The Role of Pornography in Predisposing Some Males to Want to Rape". Disponível em http://cyber.law.harvard.edu/vaw02/mod2-6a.htm.
27 Extraído de Carlsson e Feilitzen (2002: p.474).

Capítulo 7: Justiça restaurativa (da p.233 à p.255)

1 Ver Soares et al. (1996: p.259).
2 Citado por Llewellyn e Howse (1998).
3 Villa-Vicencio, C. (1966), "Identity, Culture and Belonging: Religious and Cultural Rights". In: Witte e Vyvers (orgs.), *Religious Human Rights in Global Perspective*. Grand Rapids, Martinus Nijhoff Publishers, p.527.
4 Sykes e Matza (1957), "Techniques of Neutralization: A Theory of Delinquency". In: *American Sociological Review*, 22 (1), p.664-70.
5 Ver, por exemplo, "Teorías de la Verdad". In: Habermas, J. (1989), *Teoría de la Acción Comunicativa: Complementos y Estudios Previos*. Madri, Ediciones Catedra.
6 Os resultados dessas pesquisas estão em Daly, K. (2001), "Conferences in Australia and New Zealand: Variations, Research Findings and Prospects"; Strang, H. (2001), "Justice for Victims of Young Offenders: The Centrality of Emotional Harm and Restoration"; Umbreit, M., R. Coates, e B. Vos (2001), "Victim Impact of Meeting with Young Offenders: Two Decades of Victim Offender Mediation Practice and Research", todos publicados em Morris, A., e G. Maxwells (orgs.), *Restoring Justice for Juveniles: Conferences, Mediation and Circles*. Oxford, Hart Publishing. Citado por Morris (2002: p.607). Ver também Latimer, J., C. Dowden, e D. Muise (2001), *The Effectiveness of Restorative Justice Practices: a Meta-Analysis*. Ottawa, Department of Justice Canada.
7 Citado por McLaughlin e Johansen (2002: p.646).

Capítulo 8: Estatísticas criminais (da p.256 à p.280)

1 A expressão "Humpty-Dumpty", em inglês, é utilizada para designar de maneira pejorativa pessoas baixas e gordas. Segundo as anotações de Martin Gardner à mar-

gem do texto de Lewis Carroll, há várias versões sobre a origem da expressão, desde uma cantiga infantil até o nome de um canhão utilizado na guerra civil inglesa, ou mesmo uma alusão a Ricardo III, que era corcunda e manco. Ver Carroll (2002).

2 Disponível em http://www.aic.gov.au/publications/proceedings/27/vandijk.pdf

3 Hanmer, J., e S. Sauders (1984), *Well Founded Fear*. Londres, Hutchison. Citado por Zedner (2002: p.424).

4 Painter, K. (1991), "Wife Rape, Marriage and the Law: Survey Report". Manchester, Universidade de Manchester, Departamento de Economia e Ciência Social. Idem.

5 Henderson, S. (1997), *Hidden Figures: The Edinburgh Women Safety Survey*. Edimburgo, The City of Edinburgh Council.

6 Painter, K., e D. Farrington (1998), "Marital Violence in Great Britain and its Relationship to Marital and Non-marital Rape". In: *International Review of Criminology*, 5, p.257-76. Citado por Zedner (2002: p.424).

7 Hester, M., C. Pearson, e L. Radford (1996), *Domestic Violence: A National Survey of Court Welfare and Voluntary Sector Mediation Practice*. Bristol, The Policy Press.

8 Hall, R. (1985), *Ask Any Woman*. Bristol, Falling Wall Press. Citado por Zedner (2002: p.424).

9 Porterfield, A. (1943), "Delinquency and Outcome in Court and College". In: *American Journal of Sociology*, 49 (novembro), p.199-208.
——— (1946), *Youth in Trouble*. Fort Worth, Leo Potishman Foundation. Citado por Thornberry e Krohn (2000: p.36).

10 Wallerstein, J.S., e C.J. Wylie (1947), "Our Law-abiding Law-breakers". In: *Probation*, 25, p.107-12. Idem.

11 Gold, M. (1966), "Undetected Delinquent Behavior". In: *Journal of Research in Crime and Delinquency*, 3, p.27-46. Idem, p.38.

12 Anderson, S., R. Kinsey, I. Loader, e C. Smith (1994), *Cautionary Tales: Young People, Crime and Policing in Edinburgh*. Aldershot, Averbury. Citado por Muncie (2002: p.20).

13 Graham, J., e B. Bowling (1995), "Young People and Crime". In: *Home Office Research Study*, n.145, Londres, HMSO. Idem.

14 Williams, J.R., e M. Gold (1972), "From Delinquent Behavior to Official Delinquency". In: *Social Problems*, 20 (2), p.209-29.

15 Hindelang, M.J., T. Hirschi, e J.G. Weis (1981), *Measuring Delinquency*. Beverly Hills, Sage. Citados por Thornberry e Krohn (2000: p.48).

16 Hardt, R.H., e S. Petersen-Hardt (1977), "On Determining the Quality of the Delinquency Self-report Method". In: *Journal of Research in Crime and Delinquency*, 14, p.247-61. Idem, p.53.

17 Kirchhoff, G.F. (1975), *Selbstberichtete Delinquenzeine Empirische Untersuchung*, p.74.

18 Frehsee, D. (1978), *Strukturbedingungen Urbaner Kriminalität*, p.325.

19 Shumann, K.F. (1985), *Jugendkriminalität und Die Grenzen der Generalprävention*. p.120.

20 Elmhorn, K. (1965), "Study in Self-reported Delinquency Among School Children in Stockolm". In: Christiansen, K.O. (org.) *Scandinavian Studies in Criminology*. Londres, Tavistock. Citado por Maguire (2002: p.364).

21 Farrington, D.P. (1989), "Self-reported and Official Offending from Adolescence to Adulthood". In: Klein, M.W. (org.), *Cross-national Research in Self-reported Crime and Delinquency*. Dordrecht, Kluwer. Idem.
22 Graham, J.C., e B. Bowling (1995), "Young People and Crime". In: *Home Office Research Study*. Londres, HMSO, n.145. Ibidem.
23 Baker, A., e S. Duncan (1985), "Child Sexual Abuse: A Study of Prevalence in Great Britain". In: *Child Abuse and Neglect*, 9, p.457-67. Idem, p.326.
24 Dobash, R.E., e R.P. Dobash (1992), *Women, Violence and Social Change*. Londres, Routledge. Idem.
25 Murphy, P., J. Williams, e E. Dunning (1990), *Football on Trial: Spectator Violence and Developments in the Football World*. Londres, Routledge. Ibidem.
26 Ditton, J. (1977), *Part-time Crime*. Londres, Macmillan. Idem, p.327.
27 Pearson, G. (1987), *The New Heroin Users*. Oxford, Blackwell. Ibidem.
28 Walker, N.D. (1971), *Crimes, Courts and Figures: An Introduction to Criminal Statistics*. Harmondsworth, Penguin. Idem, p.335.
29 Caso mencionado no Capítulo 1 deste livro.
30 Young, J. (1994), "Recent Paradigms in Criminology". In: *The Oxford Handbook of Criminology*. Oxford, Oxford University Press. Citado por Reiner (2002: p.93).
31 Federal Bureau of Investigations (1997), *Uniform Crime Report*.
32 Bratton e Andrews (1999).
33 O Relatório Sherman, que revisou avaliações de mais de 500 programas de segurança pública nos EUA, está disponível em www.preventingcrime.org.
34 Citado por Bratton e Andrews (1999).
35 Mais informações em http://www.police-foundation.org.uk/site/PoliceãFrameset.asp.
36 Disponível em http://www.homeoffice.gov.uk/rds/index.htm.
37 Disponível em http://www.cesec.ucam.edu.br/publicacoes/textos.asp.

REFERÊNCIAS BIBLIOGRÁFICAS

Abramovay, M. (org.) (1999), *Gangues, galeras, chegados e rappers: juventude, violência e cidadania da periferia de Brasília*. Brasília, Unesco.

Alpert, G.P., e W.C. Smith (1994), "How Reasonable is the Reasonable Man? Police and Excessive Force". In: *The Journal of Criminal Law & Criminology*. Northwestern University School of Law, EUA, vol.85, 2, p.481-501.

American Psychological Society (Human Capital Initiative) (1997), "Reducing Violence: A Research Agenda". In: *APS Observer*, outubro, edição especial (relatório 5). Disponível em http://www.psychologicalscience.org/pdf/hci/reducingvi.pdf

Andrews, D.A., I. Zinger, R.D. Hoge, J. Bonta, P. Gendreau, e F.T. Cullen (1990), "Does Correctional Treatment Work? A Clinically Relevant and Psychologically Informed Meta-analysis". In: *Criminology*, 28, p.369-404.

Antonowicz, D., e R.R. Ross (1994) "Essential Components of Successful Rehabilitation Programs for Offenders". In: *International Journal of Offender Therapy and Comparative Criminology*, 38, p.97-104.

Aos, S., P. Phipps, R. Barnoski, e R. Lieb (2001), "The Comparative Costs and Benefits of Programs to Reduce Crime". Washington State Institute for Public Policy.

Arendt, H. (1994), *Sobre a violência*. Rio de Janeiro, Relume-Dumará.

Audit Commission (1996), *Misspent Youth: Young People and Crime*. Londres, Audit Commission, Bureau of Justice Statistics.

Australian Institute of Criminology (2002), "What Works in Reducing Young People's Involvement in Crime? Review of Current Literature on Youth Crime Prevention". Disponível em http://www.cmd.act.gov.au/Documents/ACT_juv_justice_web.pdf

Azevedo, M.A. (2001), *Mania de bater*. São Paulo, Iglu.

Barcellos, C. (1992), *Rota 66: a história da polícia que mata*. São Paulo, Globo.

——— (2003), *Abusado*. Rio de Janeiro, Record.

Baudrillard, J. (1990), *A transparência do mal, ensaios sobre fenômenos extremos*. Campinas, Papirus.

Bayley, D. (2001), *Padrões de policiamento: uma análise internacional comparativa*. São Paulo, Edusp.

——— (2003), "Comparando a organização policial em países de língua inglesa". In: Tonry, M., e N. Morris (org.), *Policiamento moderno*. São Paulo, Edusp.

———, e J.H. Skolnick (2001), *Nova polícia: inovações nas polícias de seis cidades norte-americanas*. São Paulo, Edusp.

Beato, C.C. (2002), "Reinventando a polícia: a implementação de um programa de policiamento comunitário". In: Oliveira, N.V. (org.), *Policiamento comunitário: experiências no Brasil 2000-2002*. São Paulo, Página Viva.

Beckett, K., e B. Western (2001), "Governing Social Marginality: Welfare, Incarceration and the Transformation of State Policy". In: Garland, D. (org.), *Mass Imprisonment: Social Causes and Consequences*. Londres, Sage.

Beckett, R., A. Beech, D. Fisher, e A.S. Forgham (1994), *Community-based Treatment for Sex Offenders: an Evaluation of Seven Treatment Programmes*. Londres, Home Office.

Bieck, W., e D.A. Kessler (1977), *Response Time Analysis*. Kansas City, Board of Police Commissioners.

Bitencourt, C.R. (1993), "Falência da pena de prisão – causas e alternativas". In: *Revista dos Tribunais*. São Paulo.

Bittner, E. (1980), *The Functions of the Police in Modern Society*. Cambridge, Oelgeschlager, Gunn and Hain.

——— (2003), *Aspectos do trabalho policial*. São Paulo, Edusp.

Blake, L., e R.T. Coupe (2001), "The Impact of Single and Two-officers Patrols on Catching Burglars in the Act". In: *British Journal of Criminology*. Londres, n.41, p.381-96.

Bloch, P., e D. Specht (1973), "Neighborhood Team Policing". Washington, Government Printing Office.

Blumstein, A., e R. Rosenfeld (1988), "Explaining Recent Trends in US Homicide Rates". In: *The Journal of Criminal Law & Criminology*, vol.88, 4, p.1233-76.

Bordoin, C.M., B.J. Mann, L.T. Cone, S.W. Henggler, B.R. Fucci, D.M. Blaske, e R.A. Williams (1995), "Multisystemic Treatment of Serious Juvenile Offenders: Long-Term Prevention of Criminality and Violence". In: *Journal of Consulting and Clinical Psychology*, vol.63, n.4, p.569-78.

Bottoms, A., e P. Wiles (2002), "Environmental Criminology". In: *The Oxford Handbook of Criminology*. Oxford, Oxford University Press.

Boydstun, J.E., M.E. Sherry, e N.P. Moelter (1977), *Patrol Saffing in San Diego: One-or-Two-officer Units*. Washington, Police Foundation.

Bowling, B., e J. Foster (2002), "Policing and the Police". In: *The Oxford Handbook of Criminology*. Oxford, Oxford University Press.

Braiden, C.R. (1992), "Enriching Traditional Roles". In: Hoover, L.T. (org.), *Police Management: Issues and Perspectives*. Washington, DC, Police Executive Research Forum, p.101.

Braithwaite, J. (2003), "Restorative Justice and Better Future". In: Johnstone, G. (org.), *A Restorative Justice Reader*. Cullompton, Willan Publishing.

Brann, J.E., e S. Whalley (1992), "COPPS: The Transformation of Police Organizations". In: *Community-Oriented Policing and Problem Solving*. Sacramento, Attorney General's Crime Prevention Center.

Brantingham, P.J., e F.L. Faust (1976), "A Conceptual Model of Crime Prevention". In: *Crime and Delinquency*, 22, p.130-46.

——— (2002), "Avaliação do desempenho policial: conclusões". In: Brodeur, J.-P. (org.), *Como reconhecer um bom policiamento*. São Paulo, Edusp.

Bratton, W.J., e W. Andrews (1999), "Delito e castigo: o que aprendemos sobre policiamento". Manhattan Institute for Policy Research. Disponível em http://www.manhattan-institute.org/html/_cj_delito_e_castigo.htm

Brown, L., e A. Willis (1985), "Authoritarianism in British Police Recruits: Importation, Socialization or Myth?". In: *Journal of Occupational Psychology*, 58, p.97-108.

Cano, I. (1997), *Letalidade da ação policial no Rio de Janeiro*. Rio de Janeiro, ISER.

Carlsson, U., e C.V. Feilitzen (2002), *A criança e a mídia: imagem, educação e participação*. São Paulo, Cortez; Brasília, Unesco.

Carroll, L. (2002), *Alice: edição comentada*. Rio de Janeiro, Jorge Zahar.

Cashmore, J., e M. Paxman (1996), "Wards Leaving Care: A Longitudinal Study". Sydney, NSW Department of Community Services.

Cerqueira, N.C.M. (1997), "O futuro de uma ilusão: o sonho de uma nova polícia". In: *Discursos sediciosos*. Rio de Janeiro, Instituto Carioca de Criminologia, n.3.

Chelst, K.R. (1981), "Deployment of One- vs. Two-officer Patrol Units: a Comparison of Travel Times". In: *Management Science*, 27, p.213-30.

Clarke, R.V. (1992), *Situational Crime Prevention*. Nova York, Harrow and Heston.

Cohen, A.K. (1955), *Delinquent Boys: The Culture of the Gangs*. Glencoe, Free Press.

Cohen, D.A. (1997), "Notes on the Clinical Assessment of Dangerousness in Offender Populations". In: *Psychiatry on-line*. Disponível em http://www.priory.com/psych/assessin.htm

Cohen, L.E., e M. Felson (1979), "Social Change and Crime Rate Trends: a Routine Activities Approach". In: *American Sociological Review*, 44, p.588-608.

Comissão de Direitos Humanos da Câmara dos Deputados (2001), "Relatório da IV Caravana Nacional de Direitos Humanos: uma amostra da situação dos adolescentes privados de liberdade nas Febems e congêneres". Brasília. Disponível em www.rolim.com.br

Cordner, G.W., C.B. Fraser, e C. Wexler (1991), "Research, Planning and Implementation". In: Geller, W.A. (org.), *Local Government Police Management*. Washington, DC, International City Management Association.

Coyle, A. (2001), "The Myth of Prison Work". Londres, Centre for Prison Studies, Universidade de Londres. Disponível em http://www.kcl.ac.uk/depsta/rel/icps/restorative_prison_paper3.doc

Csaba, K. (2000), "Adult Prison Work Camps – Achieving Rehabilitation Outcomes Partnership with the Community". Disponível em http://www.aic.gov.au/conferences/criminality/csaba.html

Dennis, N., e R. Mallon (1977), "Confident Policing in Hartlepool". In: Dennis, N. (org.), *Zero Tolerance: Policing a Free Society*. Londres, Institute of Economic Affairs.

Department of Health (1995), "Child Protection: Messages from Research". Londres, HMSO.

Dias Neto, T. (2000), *Policiamento comunitário e controle sobre a polícia: a experiência norte-americana*. São Paulo, IBCCrim.

Dimenstein, G. (1996), "A imprensa e os Direitos Humanos: o perigo do silêncio". In: Cançado Trindade, A.A. (org.), *Incorporação das Normas Internacionais de Proteção dos Direitos Humanos no Direito Brasileiro*. Instituto Interamericano de Direitos Humanos e outros.

Diógenes, G. (1998a), *Cartografias da cultura e da violência: gangues, galeras e movimento hip hop*. São Paulo, Annablume.

——— (1998b), "Juventude, cultura e violência", exposição realizada em seminário da Secretaria de Educação do estado de Pernambuco, agosto, original mimeografado.

Dobash, R., H. Cavanagh, e J. Lewis, (1996), *Research Evaluation of Programmes for Violent Men*. Edimburgo, Scottish Office.

Donohue, J.J., e S.D. Levitt (2000), "The Impact of Legalized Abortion on Crime". Working Paper 8004, Cambridge, National Bureau of Economic Research. Disponível em http://papers.nber.org/papers/W8004

Eck, J. (1997), "Preventing Crime at Places". In: *Preventing Crime: What Works, What Doesn't, What's Promising*. Washington, DC, US Department of Justice, NCJ 165366. Relatório ao Congresso dos Estados Unidos, preparado pelo National Institute of Justice. Disponível em http://www.ncjrs.org/works/wholedoc.htm

Eck. J., e D. Weisburd (1995), "Crime Places in Crime Theory". In: Eck, J, e D. Weisburd (orgs.), *Crime and Place*. Monsey, Criminal Justice Press.

Elias, L.A. (2000), "Psicanálise e toxicomania". In: *Discursos sediciosos*. Rio de Janeiro, Freitas Bastos, ano 5, n.9 e 10.

Elliott, D.S. (1994), "Serious Violent Offenders: Onset, Developmental Course, and Termination". The American Society of Criminology, 1993 Presidential Address. *Criminology*, 32, 1, p.1-21.

Estrada, F. (2001), "Juvenile Violence as a Social Problem: Trends, Media Attention and Societal Reponse". In: *British Journal of Criminology*, 41, p.639-55.

Fagan, J., F.E. Zimring, e J. Kim (1998), "Declining Homicide in New York City: a Tale of Two Trends". *The Journal of Criminal Law & Criminology*, vol.88, n.4.

Fajardo, S. (2004), "Retórica e realidade dos direitos da criança e do adolescente no Brasil: uma análise sociojurídica da Lei Federal 8.069 de 13 de julho de 1990". Tese de doutoramento. Universidade de Zaragoza, Espanha.

Farrall, S., e B. Bowling (1999), "Structuration, Human Development and Desistance from Crime". In: *British Journal of Criminology*, vol.39-2.

Farrington, D.P. (1992), "Juvenile Delinquency". In: Coleman, J.C. (org.), *The School Years*. Londres, Routledge, p.123-63.

——— (1996), "Criminological Psychology: Individual and Family Factors in the Explanation and Prevention of Offending". In: Hollin, C. (org.), *Working with Offenders: Psychological Practice in Offender Rehabilitation*. Chichester, Wiley.

——— (2002), "Developmental Criminology and Risk-Focused Prevention". In: *The Oxford Handbook of Criminology*. Oxford, Oxford University Press.

———, R. Loeber, e W.B.V. Kammen (1990), "Long-term Criminal Outcomes of Hyperactivity-impulsivity-attention Deficit and Conduct Problems in Childhood". In: Robins, L.N., e M. Rutter (orgs.), *Straight and Devious Pathways from Childhood to Adulthood.* Cambridge, Cambridge University Press, p. 62-81.

———, D. Jolliffe, e R. Loeber (2001), "The Concentration of Offenders in Families, and Family Criminality in the Prediction of Boys' Delinquency". *Journal of Adolescence*, 24, p.579-96.

Feeney, F., e A. Weir (orgs.) (1974), *The Prevention and Control of Robbery*. Davis, Universidade da Califórnia, Center on Administration of Criminal Justice.

Feilitzen, C.V., e C. Bucht (2002), *Perspectivas sobre a criança e a mídia*. Brasília, Unesco.

Feindler, E.L., e R.B. Ecton (1986), *Adolescent Anger Control: Cognitive-behavioral techniques*. Nova York, Pergamon.

Fielding, N.G. (2002), "Theorizing Community Policing". *British Journal of Criminology*, 42, p.147-63.

Ferrajoli, L. (1977), *Derecho y Razón, Teoria del Garantismo Penal*. Madri, Editorial Trotta.

Fonagy, P. (2003), "Towards a Developmental Understanding of Violence", *British Journal of Psychiatry*, 183, p.190-2.

Forrester, V. (1997), *O horror econômico*. São Paulo, Unesp.

Friendship, C., e D. Thornton (2001), "Sexual Reconviction for Sexual Offenders Discharged from Prison in England and Wales". *British Journal of Criminology*, 41/2, p.285-92.

Garland, D. (2002), "Of Crime and Criminals – The Development of Criminology in Britain". In: *The Oxford Handbook of Criminology*. Oxford, Oxford University Press.

Gendreau, P., C. Goggin, e C. Gray (1998), "Case Need Domain: Employment". In: *Forum on Corrections Research*, vol.10, n.3. Disponível em http://www.csc-scc.gc.ca/text/pblct/forum/e103/e103d_e.shtml

———, e R.R. Ross (1987), "Revivification of Rehabilitation: Evidence from the 1980s". *Justice Quarterly*, 4(3), p.349-407.

Genro Filho, A. (1987), *O segredo da pirâmide – para uma teoria marxista do jornalismo*. Porto Alegre, Tchê.

Gesch, C.B., S.M. Hammond, S.E. Hampson, A. Eves, e M.J. Crowder (2002), "Influence of Supplementary Vitamins, Minerals and Essential Fatty Acids on the Antisocial Behaviour of Young Adult Prisoners – Randomised, Placebo-controlled Trial". *British Journal of Psychiatry*, 181, p.22-8.

Ghate, D., e L. Spencer (1995), *The Prevalence of Sex Abuse in Britain: A Feasibility Study for a Large Scale National Survey of the General Population*. Londres, HMSO.

Glassner, B. (2003), *Cultura do medo*. São Paulo, Francis.

Glick, B., e A.P. Goldstein (1987), *Agression Replacement Training Champaign*. IL Research Press.

Goldblatt, P., e C. Lewis (orgs.) (1998), "Reducing Offending: An Assessment of Research Evidence on Ways of Dealing with Offending Behaviour". In: *Research and Statistics Directorate*. Londres, Home Office.

Goldstein, H. (1979), "Improving Policing: A Problem-Oriented Approach". In: *Crime and Delinquency*, 25, p.236-58.

——— (1990), *Problem-oriented Policing*. Nova York, McGraw-Hill.

——— (2003), *Policiando uma sociedade livre*. São Paulo, Edusp.

Gottfredson, D.C. (1997), "School-Based Crime Prevention". In: US Department of Justice, NCJ 165366, *Preventing Crime: What Works, What Doesn't, What's Promising*. Washington, DC, Relatório ao Congresso dos Estados Unidos, preparado pelo National Institute of Justice. Disponível em http://www.ncjrs.org/works/wholedoc.htm

Graham, J. (1990), "Crime Prevention Strategies in Europe and North America". Helsinque, Helsinki Institute for Crime Prevention and Control.

Green, L., e P. Kolesar (1984), "The Feasibility of One-officer Patrol in New York City". In: *Management Science*, 30, p.964-80.

Greenberg, D.F., R.C. Kessler, e C. Loftin (1983), "The Effect of Police Employment on Crime". In: *Criminology*, agosto, p.375-94.

Greene, J.R. (2002), "Avaliando as estratégias planejadas de mudança no policiamento moderno: implementando o policiamento comunitário". In: Brodeur, J.-P. (org.), *Como reconhecer um bom policiamento*. São Paulo, Edusp.

Greenwood, P.W., K.E. Model, C.P. Rydell, e J. Chiesa (1996), *Diverting Children from a Life of Crime: Measuring Costs and Benefits*. Santa Monica, RAND Corporation.

Grubin, D. (1998), "Sex Offending Against Children: Understanding the Risk". In: *Police Research Series Paper*, 99. Londres, Policing and Reducing Crime.

Haapasalo, J., e E. Pokela (1999), "Childrearing and Child Abuse Antecedents of Criminality". In: *Aggression and Violent Behaviour*, 1, p.107-27.

Haines, K. (1990) "After Care Services for Released Prisoners: a Review of the Literature". In: *Home Office Research and Planning Unit*. Londres, HMSO.

Hanson, R.K. (1992), "Predicting Relapse: a Meta-analysis of Sexual Offenders Recidivism Studies". In: *Journal of Consulting and Clinical Psychology*, 66, p.348-62.

Hare, R.D. (1980) "A Research Scale for the Assessment of Psychopathy in Criminal Populations". In: *Personality and Individual Difference*, 1, p.111-19.

Heidensohn, F. (2002), "Gender and Crime". In: *The Oxford Handbook of Criminology*, Oxford, Oxford University Press.

Hollin, C.R. (1993), "Advances in the Psychological Treatment of Delinquent Behaviour". In: *Criminal Behaviour and Menthal Health*, 3, p.142-57.

———— (1994), "Designing Effective Rehabilitation Programmes for Young Offenders". In: *Psychology, Crime and Law*, 1, p.193-9.

Home Office (1988), "Punishment, Custody and the Community". Cm 424, Londres, HMSO.

———— (1991), *Safer Communities: The Local Delivery of Crime Prevention Through the Partnership Approach*. Londres.

———— (1997), *Changing Offenders' Attitudes and Behaviour: What Works?* Londres.

———— (1997b), "Criminal Statistics for England and Wales 1996". Cm 3764, Londres, HMSO.

———— (2001), "Criminal Statistics 2000". Londres, Stationery Office.

Hood, R., S. Shute, M. Feilzer, e A. Wilcox (2002), "Sex-Offenders Emerging from Long-Term Imprisonment". In: *British Journal of Criminology*, 42, p.371-94.

Hornick, J.P., B.A. Burrows, D.M. Phipllips, e B. Leighton (1993), "An Impact Evaluation of the Edmonton Neighborhood Foot Patrol Program". In: Chacko, J. e S.E. Nancoo (orgs.), *Community Policing in Canada*. Toronto, Canadian Scholars' Press.

Hough, M., e P. Mayhew (1983) "The British Crime Survey". Londres, HSMO.

Hudson, B., K. McEvoy, e H. Mika (2002), "Introduction: Practice, Performance and Prospects for Restorative Justice". In: *British Journal of Criminology*, 42, p.469-75.

Huesmann, L.R., L.D. Eron, M.M. Lefkowitz, e L.O. Walder (1984), "Stability of Aggression over Time and Generations". In: *Developmental Psychology*, 20, p.1129-34.

Huizinga, D. (1991), "Assessing Violent Behavior with Self-Reports". In: Milner, J.S. (org.), *Neuropychology of Agression*. Boston, Kluwer, p.47-66.

Human Rights Watch (1998), "Behind Bars in Brazil". Nova York.

Innes, M. (1999a), "An Iron Fist in a Iron Glove? The Zero Tolerance Policing Debate". In: *The Howard Journal*, vol.38, n.4, p.397-410.

———— (1999b), "The Media as an Investigative Resource in Murder Enquiries". In: *British Journal of Criminology*, vol.39, n.2, p.269-86.

Izzo, R.J., e R.R. Ross (1990), "Meta-analysis of Rehabilitation Programmes for Juveniles Delinquents". In: *Criminal Justice and Behaviour*, 17, p.144-67.

Johnstone, G. (org.) (2003), *A Restorative Justice Reader*. Cullompton, Willan Publishing.

Johnstone, J., D. Hawkins, e A. Michener (1994), "Homicide Reporting in Chicago Dailies". In: *Journalism Quarterly*, 71/4, p.860-72.

Kaden, J. (1999), "Therapy for Convicted Sex Offenders: Pursuing Rehabilitation without Incrimination". In: *The Journal of Criminal Law & Criminology*, vol.89.

Kahn, T. (2000), "Os custos da violência: quanto se gasta ou deixa de ganhar por causa do crime no estado de São Paulo". In: *Fórum de debates – Criminalidade, violência e segurança pública no Brasil: uma discussão sobre as bases de dados e questões metodológicas*. Rio de Janeiro, Ipea e Cesec.

———— (2001), *Cidades blindadas: ensaios de criminologia*. São Paulo, Conjuntura.

———— (2002), *Velha e nova polícia*. São Paulo, Sicurezza.

Kelling, G., T. Pate, D. Dieckman, e C. Brown (1974), *The Kansas City Preventive Patrol Experiment*. Washington, DC, Police Foundation.

Kelling, G. (1981), *The Newark Foot Patrol Experiment*. Washington, DC, Police Foundation, p.94-6.

———— (1982), "Police and Communities: The Quiet Revolution". In: *Perspectives on Policing*. Washington, DC, National Institute of Justice e John F. Kennedy School of Government, Harvard University.

————, e W.J. Bratton (1998), "Declining Crime Rates: Insider's View of the New York City Story". In: *The Journal of Criminal Law & Criminology*, vol.88, n.4.

Kessler, D.A. (1985), "One- or Two-officer Cars? A Perspective from Kansas City". In: *Journal of Criminal Justice*, 13, p.49-64.

Killias, M., e J. Rabasa (1997), "Less Crime in the Cities Through Heroin Prescription? Preliminary Results from the Evaluation of the Swiss Heroin Prescription Projects". In: *The Howard Journal*, vol.36, 4, p.424-9.

Kivivuori, J. (1998), "Delinquent Phases". In: *British Journal of Criminology*, vol.38, p.4.

Krisberg, B., D. Hawkins, e R. Catalano (1995), "Guide for Implementing the Comprehensive Strategy for Serious, Violent, and Chronic Juvenile Offenders". In: *National Council on Crime and Delinquency*. Office of Juvenile Justice and Delinquency Prevention, US Department of Justice. Disponível em http://www.ncjrs.org/pdffiles/guide.pdf

Kuhn, A. (1993), "Attitudes Towards Punishment". In: Frate, A.D. et al. (orgs.), *Understanding Crime. Experiences of Crime and Crime Control*. Roma, Unicri.

Lane, R. (2003), "Polícia urbana e crime na América do século XIX". In: Tonry, M., e N. Moris (orgs.), *Policiamento moderno*. São Paulo, Edusp.

Lavrakas, P.J., J. Normoyle, W.G. Skogan, E.J. Hertz, G. Salem, e D.A. Lewis (1980), "Factors Related to Citizen Involvement in Personal, Household, and Neighborhood Anti-Crime Measures". In: Relatório final para o National Institute of Justice. Evanston, Northwestern University/ Center for Urban Affairs and Police Research.

Leite, K.R. (2002), "Mudanças organizacionais na implementação do policiamento comunitário". In: Dissertação apresentada ao curso de mestrado em sociologia da Faculdade de Filosofia e Ciências Humanas da Universidade Federal de Minas Gerais. Disponível em http://www.crisp.ufmg.br/dissertacao_karina.pdf

Lemgruber, J. (2001), "Controle da criminalidade: mitos e fatos". In: *Revista Think Thank*. São Paulo, Instituto Liberal do Rio de Janeiro. Disponível em http://www.cesec.ucam.edu.br/publicacoes/textos.asp

Levi, M., e M. Maguire (2002), "Violent Crime". In: *The Oxford Handbook of Criminology*. Oxford, Oxford University Press.

Lipsey, M.W. (1992), "The Effect of Treatment on Juveniles Delinquents: Results from Meta-analysis". In: Losel, F., T. Bliesener, e D. Bender (orgs.), *Psychology and Law: International Perspectives*. Berlim, Gruyter.

Lloyd, C., G. Mair, e M. Hough (1994), "Explaining Reconviction Rates: a Critical Analysis". In: *Home Office Research Study*, n.136. Londres, HMSO.

Llewellyn, J.J., e R. Howse (1998), "Restorative Justice: a Conceptual Framework". Law Commission of Canada. Canadá. Disponível em http://www.lcc.gc.ca/en/themes/sr/rj/2000/rj2000_main.asp

Londoño, J.L., e R. Guerrero (1999), "Violencia en América Latina: Epidemiologia y Costos". The Inter American Development Bank. Washington, DC, mimeografia.

Losel, F. (1993), "The Effectiveness of Treatment in Institutional and Community Settings". In: *Criminal Behaviour and Mental Health*, 3, p.416-37.

Madu, S.N., e M.P. Matla (2003), "Illicit Drug Use, Cigarette Smoking and Alcohol Drinking Behaviour Among a Sample of High School Adolescents in the Pietersburg Area of the Northern Province, South Africa". In: *Journal of Adolescence*, 26, p.121-36.

MacEwen, J.T., E.F. Connors, e M.I. Cohen (1984), *Evaluation of the Differential Police Response Field Test*. Alexandria, Research Management Associates.

Maguire, M. (2002), "Crime Statistics: the Data Explosion and its Implications". In: *The Oxford Handbook of Criminology*. Oxford, Oxford University Press.

Mair, G. (1995), "Evaluating Impact of Community Penalties". In: *University of Chicago Law Scholl Roundtable*, vol.2, n.2, p.455-74.

Mandel, E. (1984), *Delightful Murder: A Social History of the Crime Story*. Londres, Pluto.

Mandel, M.J., P. Magnusson, J.E. Ellis, G. DeGeorge, e K.L. Alexander (1993), "The Economics of Crime". *Business Week*, 13 de dezembro.

Marciniak, E. (1994), "Community Policing of Domestic Violence: Neighborhood Differences in the Effects of Arrest". Dissertação de PhD, Universidade de Maryland, College Park.

Marques, J.K., D.M. Day, C. Nelson, e M.A. West (1994), "Effects of Cognitive-Behavioural Treatments on Sex Offender Recidivism: Preliminary Results of a Longitudinal Study". In: *Criminal Justice and Behaviour*, 21, p.10-27.

Marshall, P. (1994), "Reconviction of Imprisoned Sexual Offenders". In: *Home Office Research Bulletin*, 36, p.23-9.

Marshall, F. (1985), *Alternatives to Criminal Courts: The Potential for Non-Judicial Dispute Settlemen*. Brookfield, Gower Publishing Co.

Martison, R. (1974), "What Works? Questions and Answers about Prison Reform". In: *The Public Interest*, 10, p.22-54.

Mauer, M., e J. Gainsborough (2000), *Diminishing Returns: Crime and Incarceration in the 1990's*. Washington, DC, Sentencing Project.

Mawby, R.I. (2003), "Models of Policing". In: Newburn, T. (org.), *Handbook of Policing*. Devon, William Publishing.

Maxwell, P., e D. Mallon (1997), "Discrimination Against ex-Offenders". In: *The Howard Journal*, vol.36, n.4.

McElroy, J.E. (2002), "Avaliando a prestação de serviço das agências policiais: sugestões de abordagens e estratégias". In: Brodeur, J.-P. (org.), *Como reconhecer um bom policiamento*. São Paulo, Edusp.

McGuire, J. (org.) (1995), *What Works: Reducing Reoffending – Guidelines from Research and Practice*. Chichester, Wiley.

——— (1996), "Cognitive-behavioural Approaches: an Introductory Course on Theory and Research". Manual de curso, Universidade de Liverpool.

McLaughlin, E., e A. Johansen (2002), "A Force for Change? The Prospects for Applying Restorative Justice to Citizen Complaints Against the Police in England and Wales". In: *British Journal of Criminology*, 42, p.635-53.

Melossi, D. (2000), "Changing Representations of the Criminal". In: *British Journal of Criminology*, 40, p.296-320.

Mitchell, E.W. (1997), "The Aetiology of Serial Murder: Towards an Integrated Model". Tese não publicada, Universidade de Cambridge. Disponível em http://forensic.to/webhome/venoutsos/Serial_Killer_Thesis.htm

Miller, J. (1996), "Search and Destroy". In: *The New Internationalist*, n.282.

Moffitt, T.E. (1990), "The Neuropsychology of Juvenile Delinquency: a Critical Review". In: Tonry, M., e N. Morris (orgs.), *Crime and Justice*. Chicago, University of Chicago Press, vol.12, p.99-169.

Monet, J.-C. (2001), *Polícias e sociedades na Europa*. São Paulo, Edusp.

Monjardet, D. (2003), *O que faz a polícia*. São Paulo, Edusp.

Monkkonen, E.H. (2003), "História da polícia urbana". In: Tonry, M., e N. Morris (org.), *Policiamento moderno*. São Paulo, Edusp.

Moore, M.H. (2003), "Policiamento comunitário e policiamento para a solução de problemas". In: Tonry, M., e N. Morris (orgs.), *Policiamento moderno*, São Paulo, Edusp.

Morin. E. (1990), *Cultura de massas no século XX: o espírito do tempo*. Rio de Janeiro, Forense.

Morris, A. (2002), "Critiquing the critics: a brief response to critics of Restorative Justice". In: *British Journal of Criminology*, n.42, p.596-615.

Muncie, J. (2002), *Youth and Crime*. Londres, Sage.

Murray, J.P. (2001), "TV Violence and Brainmapping in Children". In: *Psychiatric Times*, vol.XVIII, 10ª ed. Disponível em http://www.psychiatrictimes.com/p011070.html

Mqeke, R.B. (1995), "Customary Law and Human Rights". In: *The South African Law Journal*, p.364-5.

Muniz, J. (1999), "Ser policial é, sobretudo, uma razão de ser: cultura e cotidiano da Polícia Militar do Estado do Rio de Janeiro". Tese de doutoramento, Rio de Janeiro, Iuperj. Disponível em http://www.cesec.ucam.edu.br/publicacoes/textos.asp

National Crime Prevention (1999), "Pathways to Prevention: Developmental and Early Intervention Approaches to Crime in Australia". In: *National Crime Prevention*,

Attorney-General Department, Canberra. Disponível em http://www.ag.gov.au/www/ncpHome.nsf/0/B78FEDFB9A1D980ACA256B14001A096E?OpenDocument

Newburn, T. (2002), "Young People, Crime and Youth Justice". In: *The Oxford Handbook of Criminology*. Oxford, Oxford University Press.

Novaco, R.W. (1975), *Anger Control: the Development and Evaluation of an Experimental Treatment*. Lexington.

———— (1978), "Anger and Coping with Stress". In: Foreyt, J.P., e D.P. Rathjen, *Cognitive Behavior Therapy*. Nova York, Plenum.

O'Donnell, I., e K. Edgar (1998), "Routine Victimization in Prisons". In: *The Howard Journal*, vol.37, p.266-79.

———— (2003), "A New Paradigm for Understanding Violence? Testing the Limits of Athen's Theory". In: *British Journal of Criminology*, 43, p.750-71.

Oettmeier, T.N., e W.H. Bieck (1988), "Integrating Investigative Operations Through Neighborhood-Oriented Policing". In: Houston Police Department. Houston, Executive Session n.2.

Oliveira, C.S. (2000), *A adolescência em conflito com a lei: cartografias da juventude brasileira*. Porto Alegre, Sulina.

Oliveira, N.V. (2002), *Policiamento comunitário: experiências no Brasil 2000-2002*. São Paulo, Página Viva.

Organização das Nações Unidas (2001), "Report of the Special Rapporteur (on Torture) Sir Nigel Rodley Submitted Pursuant to Comission on Human Rights Resolution 2000/3 Addendum". Genebra, United Nations Human Rights Comission, Visita ao Brasil, 30 de março de 2001.

Painter, K., e D. Farrington (1998), "Marital Violence in Great Britain and its Relationship to Marital and Non-marital Rape". In: *International Review of Victimology*, vol.5, 3/4, p.257-76.

Palmer, T. (1994), *A Profile of Correctional Effectiveness and New Directions for Research*. Albany, State University of New York.

Pantazis, C. (2000), "Fear of Crime: Vulnerability and Poverty: Evidence from the British Crime Survey". In: *British Journal of Criminology*, 40, 3, p.414-36.

Parent, D.G. (2003), "Correctional Boot Camps: Lessons from a Decade of Research". US Department of Justice, Office of Justice Programs. Disponível em http://www.ncjrs.org/pdffiles1/nij/197018.pdf

Parker, R.N., e R.S. Carmill (1998), "Alcohol and Homicide in the US 1934-1995: Or One Reason Why US Rates of Violence May Be Going Down". In: *Journal of Criminal Law & Criminology*, vol.88, p.4.

Patten, C. (1999), *A New Beginning: Policing in Northern Ireland: the Report of the Independent Commission on Policing for Northern Ireland*. Londres, Stationery Office. Disponível em http://www.belfast.org.uk/report.htm

Patterson, G.R. (1996), "Some Alternatives to Seven Myths about Treating Families of Antisocial Children". In: Henricson, C. (org.), *Crime and the Family*. Londres, Family Policy Studies Centre.

Pease, K. (2002), "Crime Reduction". In: *The Oxford Handbook of Criminology*. Oxford, Oxford University Press.

Peelo, M., B. Francis, K. Soothill, J. Pearson, e E. Ackerley (2004), "Newspaper Reporting and the Public Construction of Homicide". In: *British Journal of Criminology*, 44, p.256-75.

Pereira, E.G. (2004), "Gestão e uso da inteligência na polícia". Secretaria de Segurança Pública e Justiça do Estado de Goiás. Disponível em http://www.sspj.go.gov.br/artigo.php?artigo=15

Phillips, C. (2003), "Who's Who in the Pecking Order? Aggression and Normal Violence in the Lives of Girls and Boys". In: *British Journal of Criminology*, 43, p.710-28.

Post, J.V. (1995), "Open Questions on the Correlation Between Television and Violence". Disponível em http://www.magicdragon.com/EmeraldCity/Nonfiction/socphil.html

Pinker, S. (2004), *Tábula rasa: a negação contemporânea da natureza humana*. São Paulo, Companhia das Letras.

Press, S.J. (1971), *Some Effects of an Increase in Police Manpower in the 20th Precinct of New York City*. Nova York, New York City Rand Institute.

Reiner, R. (2002), "Processo ou produto? Problemas de avaliação do desempenho policial individual". In: Brodeur, J.-P. (org.), *Como reconhecer um bom policiamento*, São Paulo, Edusp.

——— (2002b), "Media Made Criminality: The Representation of Crime in the Mass Media". In: *The Oxford Handbook of Criminology*. Oxford, Oxford University Press.

——— (2003), "A pesquisa policial no Reino Unido: uma análise crítica". In: Tonry, M. e N. Morris (orgs.), *Policiamento moderno*. São Paulo, Edusp.

Reiss, A.J.Jr (1971), *The Police and the Public*. New Haven, Yale University Press.

——— (2003), "Organização da polícia no século XX". In: Tonry, M., e N. Morris (orgs.), *Policiamento moderno*. São Paulo, Edusp.

———, e J. A. Roth (orgs.) (1993), *Understanding and Preventing Violence*. Washington, DC, National Academy of Sciences.

Rhodes, R. (1999), *Why They Kill*. Nova York, Alfred A. Knopf.

Rich, R.F., e R.J. Sampson (1990), "Public Perceptions of Criminal Justice Policy: Does Victimization Make a Difference?". In: *Violence and Victims*, vol.5, n.2, p.109-19.

Rock, P. (2002), "Sociological Theories of Crime". In: *The Oxford Handbook of Criminology*, Oxford, Oxford University Press.

Rosenbaum, D.P. (2002), "A mudança no papel da polícia: avaliando a transição para o policiamento comunitário". In: Brodeur, J.-P. (org.), *Como reconhecer um bom policiamento*. São Paulo, Edusp.

Ross, R.R., e R.D. Ross (orgs.) (1995), *Thinking Straight: The Reasoning and Rehabilitation Programme for Delinquency Prevention and Offender Rehabilitation*. Otawa, Air Training and Publications.

Sacco, V.F. (2002), "Avaliando satisfação". In: Brodeur, J.-P. (org.), *Como reconhecer um bom policiamento*. São Paulo, Edusp.

Sadek, M.T. (org.) (2003), *Quem são e o que pensam os delegados de polícia*. São Paulo, Fundação Ford, Idesp, Editora Sumaré.

Sampson, R., e J. Laub (1997). "A Life-course Theory of Cumulative Disadvantage and the Stability of Delinquency". In: *Advances in Criminological Theory*, 7, p.133-61.

Sansfaçon, D., e B. Welsh (1999), *Crime Prevention Digest II: Comparative Analysis of Successful Community Safety*. Montreal, International Centre for the Prevention of Crime.

Santos, J.C. (2000), "O adolescente infrator e os direitos humanos". In: *Discursos sediciosos*. Rio de Janeiro, Freitas Bastos, ano 5, n.9 e 10.

Sarre, R. (1999), "Beyond What Works? A 25-Year Jubilee Retrospective of Robert Martinson". Disponível em http://www.aic.gov.au/conferences/hcpp/sarre.pdf

Scarman, L.J. (1982), *Report of an Inquiry into Brixton Disorder*. Londres, Her Majesty's Stationery Office.

Scarr, S. (1992), "Developmental Theories for the 1990s: Development and Individual Differences". In: *Child Development*, 63, p.1-19.

Schlicter, K.J. (1978), "An Application of Stress Inoculation in the Development of Anger Management Skills in Institutional Juvenile Delinquents". Dissertação, Abstracts International.

Schwartz, R., e J.C. Miller (1964), "Legal Evolution and Societal Complexity". In: *American Journal of Sociology*, setembro, p.159-69.

Scott, S., Q. Spender, M. Doolan, B. Jacobs, e H. Aspland (2001), "Multicentre Controlled Trial of Parenting Groups for Child Antisocial Behaviour in Clinical Practice". In: *British Medical Journal*, 323, p.194-6.

Sereny, G. (2002), *Gritos no vazio: a história de Mary Bell*. Belo Horizonte, Gutenberg.

Sherman, L.W. (1986), "Policing Communities: What Works?". In: Reiss Jr., A.J., e M. Tonry (orgs.), *Communities and Crime*. Chicago, University of Chicago Press.

——— (1997), "Preventing Crime: What Works, What Doesn't, What's Promising". Relatório para o Congresso norte-americano., preparado por The National Institute of Justice. Disponível em http://www.ncjrs.org/works/wholedoc.htm

——— (2003), "Combatendo o crime: a polícia e o controle do crime". In: Tonry, M. e N. Morris (orgs.), *Policiamento moderno*. São Paulo, Edusp.

———, e B.D. Glick (1984), "The Quality of Police Arrest Statistics". In: *Police Foundation Reports*. Disponível em http://www.policefoundation.org/pdf/arreststatistics.pdf

Silva, R.B. (2003), "Juventude urbana: fragmentos do não-lugar". Dissertação. Porto Alegre, Faculdade de Direito, PUC-RS.

Silva, R. (1997), *Os filhos do governo*. São Paulo, Ática.

Singer, P. (2004), *A libertação animal*. São Paulo, Lugano.

Skogan, W.G., S.M. Hartnett, J. DuBois, J.T. Comey, M. Kaiser, e J.H.Lovig (2000), "Problem Solving in Practice: Implementing Community Policing in Chicago". Institute for Policy Research, Northwestern University.

Skolnick, J.H., e D. Bayley (2001), *Nova polícia: inovações na polícia de seis cidades norte-americanas*. São Paulo, Edusp.

——— (2002), *Policiamento comunitário*. São Paulo, Edusp.

Smith, C.A., e T.P. Thornberry (1995), "The Relationship Between Childhood Maltreatment and Adolescent Involvement in Delinquency". In: *Criminology*, 33, p.451-81.

Smith, C.A., e S.B. Stern (1997), "Delinquency and Antisocial Behavioural: A Review of Family Process and Intervention Research". In: *Social Service Review*, 71, p.384-420.

Smith, D.J. (2002), "Crime and the Life Course". In: *The Oxford Handbook of Criminology*. Oxford, Oxford University Press.

Soares, L.E. (2000), *Meu casaco de general: 500 dias no front da segurança pública do Rio de Janeiro*. São Paulo, Companhia das Letras.

——— et al. (1996), *Violência e política no Rio de Janeiro*. Rio de Janeiro, Relume-Dumará/ Iser.

Soares, G.A.D. (2000), "Um database integrado sobre a violência no Brasil: idéias para um pré-projeto interinstitucional de pesquisa". In: *Fórum de Debates – Criminalidade, violência e segurança pública no Brasil: uma discussão sobre as bases de dados e questões metodológicas*. Rio de Janeiro, Cesec/ Universidade Cândido Mendes. Disponível em http://www.cesec.ucam.edu.br/publicacoes/textos.asp

Soothill, K. M. Peelo, B. Francis, J. Pearson, e E. Ackerley (2002), "Homicide and the Media: Identifying the Top Cases in *The Times*". In: *The Howard Journal*, 41, n.5, p.401-21.

Sparrow, M.K., M.H. Moore, e D.M. Kennedy (1990), *Beyond 911: A New Era for Policing*. Nova York, Basic Books.

Spelman, W., e D. Brown (1984), *Calling the Police: Citizen Reporting of Serious Crime*. Washington, DC, US Government Printing Office.

Sprott, J.B., J.M. Jenkins, e A.N. Doob (2000), *Early Offending: Understanding the Risk and Protective Factors of Delinquency*. Quebec, HRDC Publications Centre Human Resources Development.

Steinberg, A. (1989), *The Transformation of Criminal Justice: Philadelphia, 1800-1880*. Chapel Hill, University of North Carolina Press.

Strang, H., G. Barnes, J. Braithwaite, e L. Sherman (1999), *Experiments in Restorative Policing: a Progress Report on the Canberra Reintegrative Shaming Experiments (RISE)*. Canberra, Australian Federal Police e Australian National University. Disponível em www.aic.gov.au/rjustice/rise/progress/1999.html

Sutherland, I., e J.P. Sheperd (2002), "A Personality-Based Model of Adolescent Violent". *British Journal of Criminology*, 42, p.433-41.

Tarling, R. (1993), *Analysing Offending Data, Models and Interpretations*. Londres, HMSO, p.154.

Thompson, J.B. (1995), *Ideologia e cultura moderna*. Petrópolis, Vozes.

Thornberry, T.P., e M.D. Krohn (2000), "The Self-Report Method for Measuring Delinquency and Crime". In: *Measurement and Analysis of Crime and Justice*, Washington, DC, Criminal Justice, US Department of Justice, Office of Justice Programs. vol.4.

Thornton, D., e R. Travers (1992), "A Longitudinal Study of the Criminal Behaviour of Convicted Sex Offenders". In: *Proceedings of the Prison Service Psychology Conference*. Londres, HM Prison Service, 16-18 de outubro de 1991.

Tittle, C., e C.H. Logan (1973), "Sanctions and Deviance: Evidence and Remaining Questions". In: *Law and Society Review*, 7, p.371-9.

Todorov, T. (1995), *Em face do extremo*. Campinas, Papirus.

Tyler, T. (1990), Why People Obey the Law. New Haven, Yale University Press.

Unesco (2003), *Violência na escola: América Latina e Caribe*. Brasília.

US Department of Justice, National Institute of Justice (1990), "1988 Drug Use Forecasting Annual Report: Drugs and Crime in America". Pesquisa de campo. Washington, DC, NCJ 122225.

Van Dijk, J.M. (1996), "Crime and Victim Survey". In: Sumner, C., M. Israel, M. O'Connell, e R. Sarres (orgs.), *International Victimology*. Camberra, Australian Institute of Criminology, agosto de 1994. Disponível em http://www.aic.gov.au/publications/proceedings/27/vandijk.pdf

——— (1997), "Towards a Research-Based Crime Reduction Policy: Crime Prevention as a Cost-Effective Policy Option". In: *European Journal on Criminal Policy and Research*, 5(3), p.13-27.6

Vennard, J., D. Suggs, e C. Hedderman (1997), "The Use of Cognitive-behavioural Approaches with Offenders: Messages from the Research". Home Office.

Vitaro, F., R.E. Tremblay, M. Kerr, L. Pagani, e W.M. Bukowski (1997), "Disruptiveness Friends: Characteristics and Delinquency in Early Adolescence: A Test of Two Competing Models of Development". In: *Child Development*, 68, p.676-89.

Walters, G.D. (1995), "The Psychological Inventory of Criminal Thinking Styles Part 1: Rehability and Preliminary Data". In: *Criminal Justice and Behaviour*, 22, p.307-25.

Weatherburn, D., e B. Lind (1997), "Social and Economic Stress, Child Neglect and Juvenile Delinquency". Sydney, NSW Bureau of Crime Statistics and Research.

Williams, K.R., e R. Hawkins (1986), "Perceptual Research on General Deterrence: A Critical Review". In: *Law and Society Review*, 20, p.545-72.

Wilson, C., e N.Brewer (1992), "One-and Two-person Patrols: a Review". In: *Journal of Criminal Justice*, 20, p.443-54.

Wilson, J.Q., e J.L.Kelling (1982), "Broken Windows: The Police and Neighborhood Safety". In: *The Atlantic Monthly*.

Weisburd, D., S. Mastrofski, e R. Greenspan (2001), *Compstat and Organization Change*. Washington, DC, Police Foundation.

Western, B., J.R. Kling, e D. Weiman (2001), "The Labor Market Consequences of Incarceration". In: *Crime and Delinquency*, 47(3), p.410-27.

Zaffaroni, E.R. (1996), "Crime organizado: uma categoria frustrada". In: *Discursos sediciosos*. Rio de Janeiro, Relume-Dumará, ano 1, n.1.

Zedner, L. (2002), "Victims". In: *The Oxford Handbook of Criminology*. Oxford, Oxford University Press.

Zehr, H. (1990), *Changing Lenses: A New Focus for Crime and Justice*. Scottsdale, Herald Press.

——— (2003), "Retributive Justice, Restorative Justice". In: Johstone, G. (org.), *A Restorative Justice Reader*. Cullompton, Willan Publishing.

Este livro foi composto por Textos & Formas,
em Acaslon e Dinneuzeitgrotesk, e impresso
por Geográfica em junho de 2006.